El LIBRO DE LAS

RELA CIO NES

~~~~~~~~~~~~~

MIA ASTRAL

El LIBRO DE LAS

RELA CIO NES

UNA GUÍA PARA AMAR
SIN ENLOQUECER EN EL INTENTO

Obra editada en colaboración con Editorial Planeta - Colombia

©2017, Mia Astral

© 2017, Editorial Planeta Colombiana S.A – Bogotá, Colombia.

Derechos reservados

© 2018, Editorial Planeta Mexicana, S.A. de C.V.
Bajo el sello editorial PLANETA M.R.
Avenida Presidente Masarik núm. 111, Piso 2
Colonia Polanco V Sección
Delegación Miguel Hidalgo
C.P. 11560, Ciudad de México
www.planetadelibros.com.mx

Fotografía de cubierta: @ShutterStock
Diseño y diagramación: Departamento de diseño Grupo Planeta

Primera edición impresa en Colombia: agosto de 2017
ISBN: 978-958-42-6154-0

Primera edición impresa en México: enero de 2018
ISBN: 978-607-07-4600-0

Impreso en los talleres de Litográfica Ingramex, S.A. de C.V.
Centeno núm. 162, colonia Granjas Esmeralda, Ciudad de México
Impreso en México -*Printed in Mexico*

AGRADECIMIENTOS

Mis historias y las de mis mejores amigas están en este libro. Unos cuantos novios también. Agradezco infinitamente los espejos que sin saber escogí, espejos que ahora son conscientes y con los que evolucioné y sigo buscando crecer. El apoyo que he recibido, el amor que el Universo da de vuelta, la oportunidad de empezar a creer en el amor, de suavizarme y pensar que puedo hacerles sentir lo mismo, no sólo no tiene precio, sino que en realidad vale la pena y la gloria.

Amigas: ustedes saben quiénes son. La vida no sería la misma sin ustedes. A Isabel porque me enseñó a luchar. A Francesca por el apoyo incondicional. A María Claudia porque es ejemplo de que uno siempre puede reinventar su vida. A Alexandra por recordarme que la inocencia es parte importante para trabajar la valentía.

Gracias.

ESPEJITO, ESPEJITO
≥ A modo de bienvenida ≤

La creación de este libro ha sido un proceso largo, y no por el tiempo que me tomó escribirlo, sino porque cuando empecé a trabajarlo lo visualicé como un taller que mezclaba un poco de *Sex and the City* y espiritualidad, pues, como ya sabemos, trabajar en nosotros o en nuestro cuerpo espiritual no resta la importancia que le damos a las relaciones. Es más, las experiencias más importantes que nos acercarán a nuestra espiritualidad se dan (aunque a veces no lo agradezcamos en un primer momento) a través de relaciones. Pero después, cuando vi todo lo que había escrito y estaba tratando de meterlo en formato de libro, me di cuenta de que no sólo estaba pasando por la ruptura más fuerte que he tenido en mi vida, sino que ya había muchas cosas que no veía de la misma manera.

Mi vida, al momento de reformar el libro, estaba como para leer un libro así, y quise ponerle mucho amor, que me planteaba desde el dolor, para darle otra dimensión.

Las relaciones con otros son espejos de la que llevamos adentro, con nosotros mismos, muchas veces en piloto automático. No importa cuánto hayamos trabajado individualmente, será en las relaciones cercanas en las que tengamos que ponernos en práctica y ver qué tanto nos entendemos a nosotros mismos. Y, aun así, siempre hay lecciones nuevas, porque estamos hechos de capas. Las capas que mueve una persona en nosotros serán trabajadas para que después afloren otras que estaban más profundas, que con buena suerte serán movidas por la misma persona y si no, pues por otras. No podemos dejar de relacionarnos, y no lo digo como mandato, sino porque así estamos cableados internamente. Date cuenta de cómo desde que naciste lo hiciste en relación, y cómo todo lo lindo y no tan bueno que ha pasado en tu vida envuelve a otro(s) personaje(s). Nos necesitamos para conocernos internamente y crecer de maneras que a veces subestimamos, y desconocer ese crecimiento atrasa nuestra evolución como individuos y como colectivo. Entiende que al conectar y al hacerlo desde un lugar de honestidad y vulnerabilidad, sacamos la belleza que todos tenemos y luchamos por compartir.

También es importante que sepas que entre más podamos aprender de una relación, más toca los botones de "lo insostenible", las inseguridades más profundas, y que eso nos destruye… el ego, para poder amarnos con honestidad, a nosotros y después al otro que ha servido como catalizador. No siempre queremos seguir en una relación con quien ha despertado el cambio, la muerte de la vieja identidad o del anterior deseo, pero aunque esa persona con la que nos encontrábamos en relación ya no está, ahora tendremos una relación con la situación que inequívocamente nos llevará a nosotros mismos.

Sabotear nuestras relaciones siempre es una vía de salida, pero una vez que cerramos esa puerta, estaremos ansiosos por volver a abrirla, así que está bueno reconocer los patrones de saboteo, la ruptura de las expectativas, de "lo que había esperado para mí" y distinguir entre el trabajo que vale la pena y la lección que ya se dio.

Aparte de todo esto, es importante asumir una posición frente a los otros. Cuando hablamos de relaciones y queremos mejorarlas, pensamos mucho en lo que necesitamos, y eso está bien, pero no podemos olvidar que somos parte de las alegrías y tristezas de otros, que nosotros también les sucedemos a ellos, y que debemos cuidar ese lugar especial aun cuando no entendamos a la perfección cuál es el patrón que están trabajando en nuestro interior. Con saber que sí han enganchado, porque son espejo, y que podemos ayudarnos a sanar mutuamente, es suficiente, pues eso cambiará por completo el marco mental con el que vemos la relación e incluso una situación específica.

Es por todo esto, y por las ganas de compartir como no lo había hecho antes, que te dejo un libro de amor, rupturas, cachar patrones, reenamorarte de ti mismo, con los cuentos de unas amigas, lo que nos pasa a todos, cómo nos superamos, cómo nos reímos, cómo sanamos desde un lugar común. Todos hemos y seguiremos pasando por esto, pero al trabajar consciencia, podremos disfrutar el proceso, crear y mantener mejores relaciones y enseñar a través del ejemplo a los demás, para que se convierta en un gran despertar colectivo a la energía más fuerte del Universo, que siempre está disponible para nosotros: el amor.

LO QUE ENCONTRARÁS EN ESTE LIBRO

La mayoría de ustedes ya me conoce y sabe que soy astróloga y *coach*. Pero por si acaso eres nuev@… ¡Hola! Soy una abogada que amaba la astrología, estudió el tema y finalmente, después de varias pruebas al ego, la practica. Al darme cuenta de que hacía falta más que una lectura de carta astral para aplicar la energía disponible de las estrellas, me certifiqué en *coaching* para cambio de conductas y luego en nutrición. No hay mejor curso para ser la máster en relaciones que la vida y bueno…, relacionarse. Muchos de mis horóscopos y tránsitos los explico a través de experiencias reales que hacen más fácil el entendimiento de patrones energéticos complejos, en los que tienes que recordar fechas pasadas y otros detalles.

De igual forma encontrarás que este libro es muy didáctico. Tiene lecciones de astrología, ejercicios de *coaching*, música e historias de la vida real con las que seguramente te identificarás. Si ya me has leído sabes que uso las experiencias de personajes reales y sus emplazamientos astrológicos para hablar sobre temas comunes y tomarlos como un espejo que nos permita conocernos mejor a nosotros mismos, entender cómo funcionamos y por qué repetimos los mismos patrones en las relaciones.

En aras de hacer mejor el trabajo uso muchos recursos: la música es fundamental. Siempre que hay alineaciones importantes hago listas de canciones, porque lo que cuesta entender con orbes y grados, se comprende muy bien si se siente el ritmo de una canción. Es muy fácil acordarnos de la canción que estaba de moda cuando terminamos con Juan o la frase *punch* que usábamos como mantra para superar la discusión con el jefe… ¿cierto? Uso canciones porque la música nos inspira, y las buenas letras funcionan como mantras y meditaciones activas. También hay referencias a artistas importantes para mí así como a sus cartas astrales, porque así es como uno aprende astrología. Además, esto da sazón a la historia detrás de la historia, le da *feeling*.

Este libro será sumamente valioso para las personas que están iniciando una relación o que quieren reiniciar una relación. Más allá de las tendencias astrológicas de un momento determinado, lo que encuentro es que tenemos la mejor energía disponible de las estrellas para iniciar este proceso de reconocimiento, de entender quiénes somos, qué deseamos, y así poder compartirlo con otro.

Cuando no hemos aprendido a darnos nosotros mismos lo que necesitamos, se lo reclamamos a los demás. Y mientras no entendamos quiénes somos, no haremos otra cosa que proyectar nuestros miedos en los demás y entablar relaciones que creemos que son con un otro, pero en verdad son con las expectativas que tenemos de él o de ella.

Este libro te ayudará a replantearte cómo te has relacionado contigo mismo y con otros en tu vida. Entenderás que hay un crecimiento que podemos lograr por nuestra cuenta, pero que las lecciones más grandes y valiosas las aprendemos cuando nos relacionamos con otros y explotamos un potencial interno que desconocemos y que está esperando ser compartido con el mundo.

Antes de iniciar, quiero aclarar que esta obra aún no está terminada. Sólo lo estará cuando tú la leas y completes los ejercicios que te propongo y que podrás descargar gratuitamente en mi página siguiendo estas breves instrucciones:

1. Visita www.miastral.com.

2. Haz clic en "Store".

3. Ve a la categoría "Libros".

4. Selecciona *El libro de las relaciones*.

5. Ingresa el código **#R3LACIONES**.

6. Descarga el PDF con los ejercicios para cada capítulo ¡y listo!

Verás, así como tú eres coautor o coautora de tu vida y tu destino, eres también coautor o coautora de este libro. Espero que disfrutes el recorrido y que sientas que leer estas páginas es como conversar con esa mejor amiga que siempre tiene una palabra de aliento y una risa pícara de entendimiento.

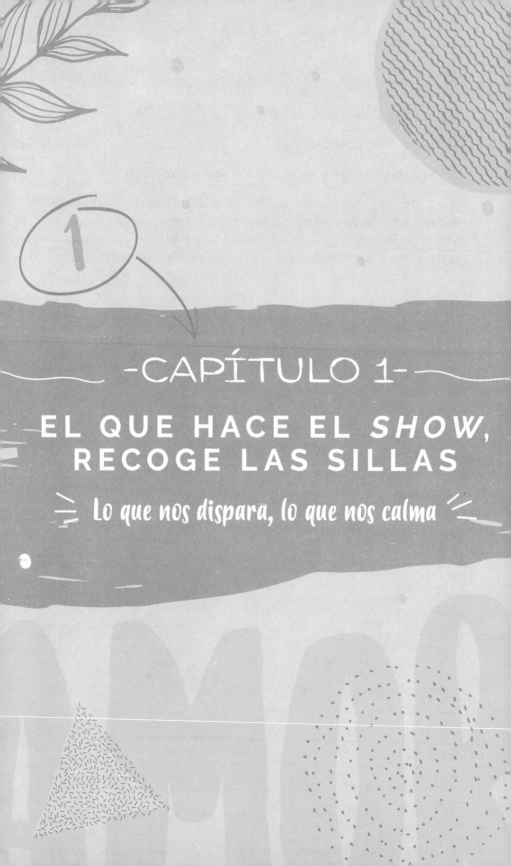

1

-CAPÍTULO 1-

EL QUE HACE EL *SHOW*, RECOGE LAS SILLAS

Lo que nos dispara, lo que nos calma

Playlist sugerido: ....
Let It Happen (Deja que suceda),
página: 234

En estos días estaba hablando con mi chico y me dijo: "mira, sería más fácil si me das un manual de lo que te molesta y lo que no te molesta".

Vamos a contextualizar: a él le gusta darle muchas vueltas a las cosas –su Mercurio en Acuario (simplificar información para buscar soluciones) es un problema, en serio, lo digo en buena onda–. Entonces continúa: "a mí me molesta cuando pasan este tipo de cosas", haciendo referencia a algo que tenía que ver conmigo o con su rutina diaria, a lo que yo le respondo: "te lo pongo de esta forma: si yo estoy bien, todo está bien". Cuando yo estoy de buen humor y hay situaciones de reto que pasan en el trabajo, alguien no hizo su parte, se inundó el baño o pasó algo, lo manejo bien; cuando yo estoy internamente mal, hasta un saludo me molesta. Entonces me digo: "mi trabajo es mantenerme bien, encontrar un balance porque todo no puede ser tan blanco o negro". Él me empieza a hablar de eso mismo –porque es un tema que le encanta–: "todo lo tuyo es blanco o negro, no hay grises de intermedio, vamos a tomarlo con calma".

IDENTIFICA TU PATRÓN DE PELEA Y QUÉ LO DISPARA

Después de un tiempo fuimos juntos a un evento de Anthony Robbins[*], y uno de los ejercicios se enfocaba en este tema: "lo que te dispara o no te

---

[*] Anthony Robbins es un *coach* y escritor norteamericano dedicado a la autoayuda y a la programación neurolingüística.

dispara los patrones de conducta que ya están creando una realidad que no te gusta". La experiencia fue bastante interesante, porque me di cuenta de que en lo que conversaba antes con mi chico había un patrón de lo que me dispara y lo que no me dispara; que el patrón está dentro de mí: pienso que todo es blanco o negro y sigo guardando muchas expectativas en lugar de tener agradecimiento, enfocarme en el presente, cacharme cuando ya estoy de mal humor y darme tiempo para respirar, transformar la molestia en despertar y así sacar luz de la oscuridad (sé que tengo el poder de estimular un mejor estado en mí).

Desde la *coach* que soy y que trabaja el tema de patrones y desde mi experiencia como ser humano que ha estudiado lo que necesitaba para sanar, te puedo explicar que todos tenemos un patrón en piloto automático que nos dispara una tendencia reactiva, y que lo mejor que podemos hacer para cambiarlo es, inicialmente, seguirle la pista.

¿Cómo así? Como el gato al ratón, al patrón hay que seguirlo: en el instante en que tú te veas ya molesto, reactivo, ansioso o fuera de ti y del momento presente, te vas a decir: "ok, vamos a hacer una seguidilla… ¿qué me trajo a este punto?".

Puedes incluso ir paso a paso en retroceso hasta que des con el momento en el que te "perdiste" y te fuiste de vuelta a quien eras antes de tanto estudio, trabajo interno y esfuerzo hecho en aras de tu crecimiento personal.

Y de una vez te digo… perdónate, eso pasa. Tenemos la tendencia a usar lo que hemos aprendido cuando estamos en "control" porque continuamos a nivel mental, pero lo que aprendemos debe elevarse a nivel de consciencia y esto sólo sucede cuando nos vemos cayendo de nuevo, es ahí cuando lo entendemos, nos entendemos, nos perdonamos y, con ojos (del corazón) más abiertos, asumimos responsabilidad y avanzamos.

Cuando estaba trabajando con las niñas con desórdenes alimenticios que llegaban al punto de comer y querer vomitar, les preguntaba: "¿qué te llevó al pastel de manzana y qué pasó antes de verlo en la nevera?, ¿y qué pasó ese día, y qué pasó el día anterior?".

Por ejemplo, el día de Acción de Gracias es un día de estudio de patrones increíble. Hay comida involucrada y está presente el tema de las relaciones con la familia, entonces empiezan a aflorar los patrones que sientes que no puedes parar. Ahí es que dices: "ya va, échame el cuento de cómo pasó todo. ¡Ajá! Viste la tarta de manzana y ¿qué pasó antes y mientras te la comiste?, ¿y por qué no paraste?, ¿qué pasó por tu cabeza?".

Además, el ejemplo de una festividad como Acción de Gracias es genial, porque, como indica el fenómeno de la "regresión", por mucho que hayamos avanzado en el terreno del trabajo interno, cuando volvemos a lugares o personas de nuestro pasado se abren puertas que creíamos cerradas y descubrimos que aún hay muchas emociones que debemos hacer conscientes y ver con nuevos ojos para trabajarlas a otro nivel.

Entonces, así como le hacemos seguidilla al pastel de manzana (que nunca se trata de lo que tú crees que se trata), así mismo seguimos otras historias de reactividad para encontrar que tenemos un patrón para todo. Puede que sientas que este trabajo es demasiado meticuloso y que toma mucho tiempo y energía, pero te ayudará increíblemente a saber qué te dispara cuando estás ansioso por llamar a Juan o Elena y cantarle todas las verdades. Además tú mereces el esfuerzo y notarás que este trabajo se irá volviendo más fácil poco a poco.

Puede que al principio sólo llegues a hacer la seguidilla hasta un paso atrás del momento que te disparó, pero con paciencia y perseverancia vas a llegar más atrás y te vas a conocer mucho mejor. Entonces, cuando estés dos pasos más atrás y te encuentres a punto de reaccionar como normalmente lo harías, dirás: "ya va, voy a cambiar mi estado emocional, voy a traerme al presente con este ejercicio y ya regreso", o harás lo que sea necesario para detener el patrón y así empezar a crear uno nuevo.

IDENTIFICA LO QUE PUEDES HACER PARA CALMARTE

Así como tenemos un patrón para ponernos reactivos, tenemos un patrón para calmarnos. A mí me calma mucho hacer ejercicio. Lógicamente, si estoy en una reunión con la abogada y me dicen algo que me da la sensación de que se me está cayendo el piso, no puedo decirle: "mira, ya vengo, me voy al gimnasio que queda a 45 minutos y vuelvo", ¡no puedo! Pero si estoy al tanto de que puedo hacerlo, voy, camino, corro y vuelvo, después empiezo a pensar completamente diferente.

En situaciones en las que no puedo irme, pido un momento, respiro, me centro. Pido cinco minutos, voy al baño, si hay uno disponible, y me traigo al presente con el ejercicio "observa, describe y participa", que siempre funciona: describo el lugar donde estoy, qué tengo puesto, el color del piso, cómo se siente la tela de mi falda y así. Este ejercicio es muy conocido para calmar ansiedades, y, combinado con respiración profunda, nos recuerda que lo único que existe es el momento presente.

El poder que tienes sólo puede ser usado en el ahora, y aunque estés en un momento en el que debas de alguna manera "pagar" por una mala situación o decisión tomada en el pasado, mientras más calmada y centrada en el presente estés, mejor será tu capacidad de respuesta y de asumir responsabilidad ("habilidad para responder"). Y aunque suene loco –porque yo lo he hecho y sé que nadie te dirá que no– sé honesta y pide un segundo para ir al baño o para procesar. Siempre lo digo: "la pausa entre el estímulo (disparador) y la reacción puede salvar una relación".

Las personas que me conocen y que trabajan conmigo lo saben: a veces digo: "ya va, dame un minuto, déjame respirar porque no lo estoy procesando bien", o si estoy en WhatsApp hablando con el equipo les digo: "ya va, denme un segundo para responder cuando esté más calmada, porque en este momento no lo voy a hacer de la mejor manera".

Cada quien encuentra su estilo dependiendo del patrón que quiere cambiar. Es algo que vas a identificar rápidamente cuando te des el tiempo y la atención de hacer este ejercicio o cualquier otro que te traiga al presente. Poco a poco desarrollarás la capacidad de observar tu mente e irla entrenando para que sea un instrumento que uses a tu favor y no sea ella quien te use a ti; porque si nos ponemos a ver, tú no eres sólo lo que piensas, eres mucho más. Tampoco eres sólo lo que sientes, de hecho, lo que sientes es como una ola en un inmenso mar. Entonces entiendes que así como haces una lista detallada de tu patrón de reactividad, puedes hacer otra para empezar a reconocer qué cosas te calman.

Algunos ejercicios
para calmarte y revitalizarte

Ejercicios de respiración hay miles. Sólo con buscarlos en internet tendrás para escoger. Pero la idea también es no abrumarte con más información, porque tener demasiada te desvía del verdadero trabajo que estás haciendo internamente.

Para mí, uno que en efecto funciona es hacer ocho respiraciones profundas cerrando una fosa nasal, luego hacer lo mismo del otro lado, y terminar con ocho respiraciones profundas simples, con los ojos cerrados.

Aparte de la respiración, te cuento también de un ejercicio que compartí en mi libro *Rompiendo patrones* (www.miastral.com), que como tal es bastante "uraniano", un ejercicio raro, diferente pero liberador, y lo mejor es que funciona. Se trata de meter la cara en un balde de agua con hielo. Entiendo que tampoco puedes parar una negociación de contrato y buscar un balde y hielo en medio de una torre de oficinas, pero el cambio de temperatura es posible si nos excusamos para ir al baño y nos echamos agua fría en la cara o dejamos las manos unos segundos entre agua con una temperatura baja.

RECONOCE QUÉ QUIERES EN UNA RELACIÓN

Ahora, es importante reconocer qué quieres de una relación. Muchas veces empezamos a crear vínculos sin habernos hecho la pregunta: "¿qué quiero yo de esta relación?". No se trata de tener agenda y ver qué provecho sacamos del otro o de la relación, sino de reconocer el estado en el que estamos, entender que uno atrae lo que es, no lo que será, y que si alguien nos llama la atención, seguramente es porque tenemos patrones similares para trabajar, que es nuestro espejo y, por eso, está bueno hacernos un "chequeo" de manera consciente antes de iniciar la relación.

Quien reacciona pierde el derecho a exponer su punto de una manera respetable, que lleve a una posible negociación y entendimiento, y tendrá que asumir las consecuencias de ello.

La otra cosa es entender la diferencia entre querer una pareja y querer una relación. Muchas personas quieren una pareja porque sienten que les hace falta alguien para ciertas cosas o porque no quieren estar solos. Querer iniciar y trabajar de manera proactiva por una relación, implica respetar la individualidad del otro y tener claro que ambos queremos crear algo juntos. Para poder hacerlo hay que estar conscientes de que no se trata de necesitar a alguien, sino del deseo de compartir con alguien y, para que eso sea posible, yo como individuo debo saber satisfacer mis necesidades básicas, para no poner en el otro la responsabilidad de "llenarme".

Al atender mis necesidades, puedo elegir estar con el otro y crear a su lado, en vez de tener una relación con mis expectativas, donde el otro y sus necesidades muchas veces no tienen cabida (esto, además, es una forma de egoísmo).

ANTE TODO, DIGNIDAD

Esto te va a parecer cómico, pero reírte también es parte del aprendizaje. Como persona rehabilitada de patrones de reactividad, como mujer, humana, amiga (quizá virtual), déjame decirte algo: el que arma el *show*, recoge las sillas. Dicho de otra manera, quien reacciona pierde el derecho a exponer su punto de una manera respetable, que lleve a una posible negociación y entendimiento, y tendrá que asumir las consecuencias de ello.

Y no, tampoco se trata de que no hagas nada y te quedes callad@ después de enterarte de que tu pareja ha hecho algo que te parece irrespetuoso, por ejemplo. Se trata, más bien, de que entiendas que cuando algo así sucede, hay dos cosas importantísimas para tener en cuenta:

1. Tus ganas de dejarle saber al otro que tú sabes lo que pasó, y de reaccionar porque no quieres que te vean la cara de "tont@", es ego. Si en efecto tu pareja ha hecho algo irrespetuoso, está perdiendo la oportunidad de crear algo lindo contigo, y como tú sabes quién eres y cuánto vales, pues el tema más bien será observar qué debes aprender tú de la situación, de tu valoración personal y del porqué iniciaste una relación con alguien que tiene un nivel de consciencia que acepta ese tipo de comportamientos.

2. Cuando estás en circunstancias difíciles hay disparadores de situaciones antiguas que quizá vienen contigo desde la niñez. Pero recuerda: estás aquí y ahora, estás a salvo, has hecho mucho trabajo interno. Lo que sientes está llamando tu atención sobre inseguridades que debes trabajar dentro de ti. Lastimosamente, tu pareja y su comportamiento son disparadores, pero no responsables de cómo manejas tus estados internos.

Además, debes saber que una situación que nos dispara tiene el potencial de despertarnos y llevarnos aún más profundo en el proceso interior o de arrastrarnos aún más a la inconsciencia si dejamos que se active el piloto automático, es decir, el patrón. Ya en este punto sabes bien que es más adulto, responsable y mejor para ti y tu bienestar parar y respirar: hacerle la seguidilla al patrón. Con las emociones a millón no estás viendo bien, ni a ti mismo, ni tu valor y mucho menos a la situación. Entiende que si hablas en ese estado vas a crear separación, y yo te aseguro que lo que más quieres en ese tipo de situaciones es entendimiento y cercanía. Para eso tienes que hablar con propiedad, algo que sólo sucede cuando te has aclarado adentro para poder medir tus palabras, para elegir el lenguaje que funcione a la hora de conversar con el otro.

Esto de centrarnos no se trata de algo que viene con la edad, se trata de madurez emocional. Cada vez que reaccionas creas separación, y no sólo con la persona con quien tienes una relación que te interesa… aún peor, te distancias de ti, del trabajo que has hecho, de tu potencial, de ver tu valor, de entender que tienes tu lugar, cosas que no implican la mirada o el comportamiento de alguien más, sino la manera en la que tú te manejas en tu mundo (emocional).

Para reconocer qué origina tus patrones de reactividad, seguirles la pista y calmarte cuando aparecen, visita **www.miastral.com** y descarga gratuitamente los ejercicios correspondientes a este capítulo (ver instrucciones en la página 16).

Bendice la MOLESTIA que te lleva A TU certeza.

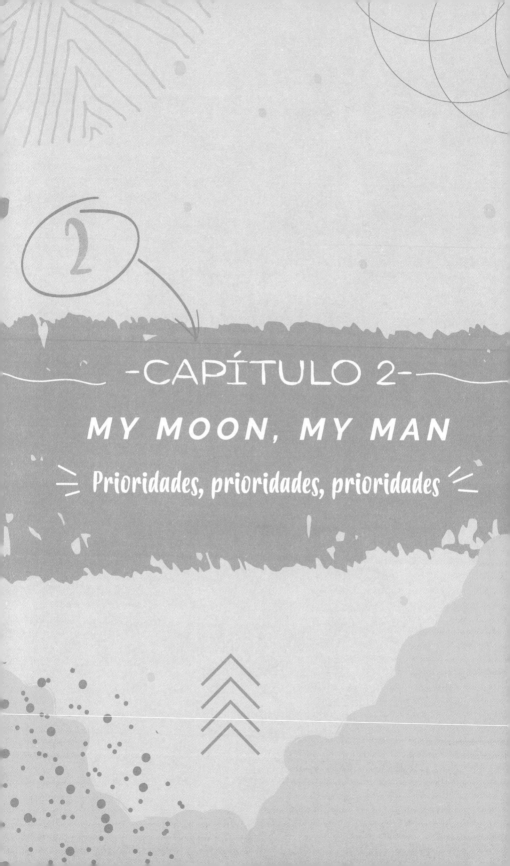

2

-CAPÍTULO 2-

MY MOON, MY MAN

> Prioridades, prioridades, prioridades

Playlist sugerido:
Full Moon Madness (Locura de luna llena),
página: 235

Feist escribió la canción **My Moon, My Man**
(**Mi Luna, mi hombre**) en 2007. Al ser acuariana con
Venus en Capricornio, ella siempre nos da canciones
bastante sobrias y llenas de dignidad,
incluso para el amor.

Las acuarianas no son de echarse a morir por amor (aunque Shakira mostró lo contrario, pero es su ascendente en Escorpio), y menos si tienen a Venus en Capricornio. Feist sería una amiga que nos diría "¡dignidad!" ante cualquier signo de caída en una relación. Pero… también es mujer y, como nos ha pasado a todas, tarde o temprano cayó perdidamente enamorada, y presiento que recurrió a la astrología para entender qué pasaba (su Mercurio, también en Capricornio, puede ser muy incrédulo).

Explico: en la astrología de venta –es decir, la que usan para dar miedo y vender– el amor está regido por Venus. Este planeta en verdad rige el deseo, y puede que lleguemos a desarrollar emociones por lo que deseamos, por conseguirlo y disfrutarlo, porque sin duda la satisfacción es un tema muy venusino. Pero en realidad, en la astrología aplicada (y si de verdad quieres usarla para mejorar tu vida) es la Luna la que nos explica el amor, nuestros patrones amorosos y por qué repetimos una y otra vez la interacción de mamá y papá.

La Luna representa a la madre. La primera relación que tuviste en tu vida fue con tu mamá (o con la figura materna), y estuvo enfocada en cubrir tus necesidades. Si no fue una buena relación, si hubo separación, o si la relación fue buena pero nunca te enseñó a identificar tus necesidades y a satisfacerlas, buscarás a mamá en todos los lugares incorrectos siendo ya una persona hecha y derecha.

Al estudiar tu emplazamiento lunar por signo, fase, casa astral y alineaciones, verás bastante bien cómo cubres tus necesidades (o no), qué cubres tú pero disfrutas en conjunto, si te gusta cubrir las necesidades de otro y, lo más importante, el gran dilema: si aún confundes necesidad con deseo, es decir, la Luna con Venus. Hay muchas personas que al no tener claro esto, piensan que necesitan a alguien, cuando realmente necesitan descansar, comer bien y cambiar de perspectiva.

No *necesitamos* a otro si ya estamos grandes, más bien *deseamos* estar y compartir con otro. No saberlo ha creado canciones maravillosas, pero saberlo nos coloca como a Feist en un estado de observación que sí depende de nuestra Luna; escogemos a esa persona para luego despertar, establecer sanos límites personales y, finalmente, poder disfrutar.

Lección rápida de astrología
La Luna

En *coaching* la Luna implica el estudio de las necesidades básicas del ser humano, y antes de empezar a trabajar con Venus (lo que deseamos, lo que nos hace deseables, el nivel de atracción) tenemos que estudiar nuestra Luna natal.

Si la Luna representa la relación con la madre, estudiarla nos enseña de qué manera podemos nosotros mismos ser nuestra propia madre, satisfacer nuestras necesidades y empezar a relacionarnos como seres "completos".

Así podremos saltar a la energía de Venus y disfrutar al otro en vez de pedirle, exigirle o sentir que sin él o ella no podemos vivir. *La Luna representa entonces la base del amor propio*, sobre la cual Venus va a sembrar flores para crear un jardín donde tú vas a querer venir a jugar.

LAS SEIS NECESIDADES BÁSICAS

Cuando entendí que la Luna es primordial, hice un curso con Anthony Robbins. En aquel momento estaba abriéndome a la posibilidad de tener una relación, así que iba al curso con la pregunta: "¿qué quiero de una relación?". Llevaba mucho tiempo trabajando mi Luna en Piscis y su tensión a mi Sol en Sagitario en la zona profesional. Ya tenía bastante identificado que por poner mi trabajo (Sol en el medio cielo) por delante tantos años, no había tenido una relación que me hiciera sentir lo suficientemente cómoda como para mostrar mi lado más dulce. A ver... ni yo me lo permitía. Fue allí, en el curso, donde entendí que por más que ya supiera (ay, Mercurio) lo que estaba pasando, también debía vivir un cambio de orden en mis necesidades para que se manifestara la respuesta a mi pregunta. Esto se pone interesante, así que voy a ir por partes.

Según Anthony Robbins, cada ser humano tiene seis necesidades básicas que ordena de la más a la menos importante, dependiendo de lo que quiera lograr.

Estas son:

1. Certeza y seguridad
2. Variedad
3. Amor y conexión
4. Sentirse importante
5. Crecimiento personal
6. Aportar al colectivo

Te explico un poco sobre cada una…

1. Certeza y seguridad

Esta necesidad se apoya en el instinto de supervivencia, busca la seguridad física y mental evitando el dolor, buscando el placer, creando una zona de confort donde seamos felices y prácticamente no exista el estrés. La rutina, comida, costumbres, control, coherencia son los medios que se reafirman en esta necesidad.

2. Variedad

Haciendo honor a su nombre, la variedad es la necesidad que le da sabor a nuestra vida. Se apoya en lo inesperado, la excitación de un reto, la novedad y lo poco planeado, en algunas ocasiones. Para satisfacer la necesidad de variedad buscamos nuevas relaciones, experiencias con amigos, momentos de esparcimiento, nuevos retos y aprender algo nuevo.

3. Amor y conexión

Esta necesidad, tarde o temprano, la queremos satisfacer todas las personas, pues la necesidad de amor es natural y además fisiológica. Para colmarla buscamos relacionarnos, nos volvemos más espirituales, trabajamos nuestras emociones y abrimos nuestro ser a dar y recibir.

4. Sentirse importante

Todos le buscamos un sentido a nuestra existencia, y en ese viaje esperamos sentirnos importantes, necesitad@s, únic@s y especiales. Además queremos marcar la diferencia explotando nuestros dones. Para satisfacer esta necesidad solemos estudiar y especializarnos, siempre estar actualizad@s, buscamos innovar (marcar la pauta), ser voluntari@s, desarrollar nuevas capacidades y enseñar.

5. Crecimiento personal

En estos tiempos lo que no crece no existe. Desarrollarnos es la manera de sentirnos vivos, y a eso hace referencia esta necesidad: a la constante búsqueda de superación/maestría del ser, sin buscar algún tipo de reconocimiento.

6. **Aporte al colectivo**

Esta es la necesidad más elevada, pues permite satisfacerlas todas. Cuando aportamos al colectivo, obtenemos seguridad, nos sentimos importantes y al mismo tiempo crecemos. Además damos desde un lugar de integridad que sin duda inyecta variedad a nuestras vidas.

El orden de estas seis necesidades puede ser muy diferente de una persona a otra. La manera en que tú las organizas no siempre es consciente, pero esta jerarquía cumple un fin. Tal como lo conté antes, esto lo aprendí en una etapa de mi vida en la que ya quería más amor, pero lo que más tenía y seguía creciendo eran oportunidades de trabajo. Por más que sabía que quería una relación, yo no había cambiado el orden de mis necesidades.

Lo sepas o no, todos los días haces cosas para defender tu necesidad principal como si fueras una madre (*hello*, Lunita). Aunque hasta el momento en el que tomé el curso yo no sabía que mi necesidad principal era sentirme importante (mi Sol dándole muy duro a mi Luna), igual eso era lo que yo alimentaba todos los días (ajá, la Luna también rige la alimentación a todo nivel). Entonces, al darme cuenta de que mi necesidad principal era esa, entendí que aquello chocaba un poco con la conexión que pedía, pues seguía bloqueando o dejando para después cubrir mi necesidad de amor.

Resulta que justamente la necesidad de sentirse importante anula la de amor y conexión. Si quiero ser la mejor, la que hace más, la más destacada, ¿cuándo tomo en realidad en cuenta a los otros?, ¿cuándo los dejo brillar? Y esto no quiere decir que no me haya servido o que no tuvo utilidad tener esa prioridad, la tuvo, pero cuando se quiere otra cosa la programación interna debe cambiar y debemos reordenar las necesidades para cumplirnos todos los días como una madre lo haría para cubrir lo que el alma nos pide ahora.

Otras necesidades que se anulan la una a la otra son la de variedad y certeza. Explico: si mi prioridad es tener certeza, en mi relación va a faltar un poco de variedad. Al priorizar la certeza voy a meterme en una rutina, y mi pareja podría decirme: "pero ajá, estamos haciendo siempre lo mismo, estoy aburrid@". Por el contrario, el crecimiento personal ayuda al colectivo y viceversa. La mayoría de los seres trabaja casi siempre con las cuatro primeras necesidades, pues las dos últimas (crecimiento personal y aportar al colectivo) pertenecen al alma y hay que estar un poquito más preparad@ a nivel de consciencia para trabajar con ellas.

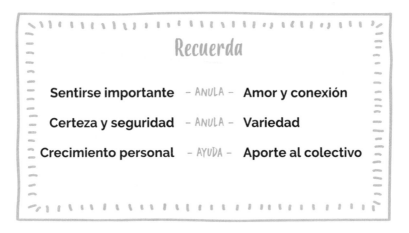

Recuerda

Sentirse importante   – ANULA –   **Amor y conexión**

Certeza y seguridad   – ANULA –   **Variedad**

Crecimiento personal   – AYUDA –   **Aporte al colectivo**

IDENTIFICA TU PIRÁMIDE

Es muy importante que sepas cuál es la necesidad a la que estás dando prioridad y que identifiques cómo puedes satisfacerla tú mism@ para no exigirle a otros que lo hagan por ti. También observa si la realidad que quieres manifestar va acorde con tu pirámide de necesidades básicas. Recuerda que a donde va nuestra atención hay manifestación, y a donde va nuestra atención es donde más cosas están pasando en nuestra vida. Para bien o para mal, eso depende de la estructura o de la visión que tengamos, por eso es fundamental que te des cuenta de que si la necesidad básica a la que le estás dando prioridad es sentirte importante, quizá te estás metiendo en una relación para que él o ella te haga sentir importante, y yo creo que al trabajar por o en una relación tienes que empezar a darle prioridad a la necesidad de amor y conexión que ¿empieza con quién?: con uno mismo.

Cuando yo asistí al curso de Anthony Robbins, me di cuenta de que, durante los últimos cuatro años, para mí lo fundamental había sido sentirme importante y tener certeza, y eso me había costado una relación. (Ver el siguiente recuadro). Aunque no estoy arrepentida de haberla terminado, en ese momento entendí cómo me había afectado el orden de mis necesidades y me hizo preguntarme cuáles eran las necesidades que debía llenar desde ahora. Entonces me dije: "bueno, amor y variedad: quiero viajar, pasar más tiempo con mi pareja… o sea, lo más importante para mí ahora es mi vida personal".

La relación que terminó fue con alguien que tiene la Luna en Tauro. No sólo su Luna en Tauro daba estabilidad a mi Luna en Piscis, sino que la manera de amar de él –llamémoslo El Extranjero– era justo lo que yo necesitaba. Las personas con Luna en Tauro demuestran amor dándole placer a tus cinco sentidos. Y no, no me voy a poner *HOT* acá, pero lo comparto para decir que a pesar de que la relación estaba destinada al fracaso, porque jamás me abrí de verdad, fue gracias a su manera de amar y a su Luna natal que pude superar la anorexia nerviosa con mucha paciencia y ganando un acercamiento diferente a la comida.

Cuento esto para que entiendas que de manera intuitiva nos relacionamos con personas que nos ayudan a sanar temas lunares si estamos estancados en ellos. Personas cuya interacción nos hará ver (si queremos) cómo y cuánto estamos fallando en cuidar nuestras necesidades. Y esto pasa hasta con amigos, así que ten la voluntad de ver lo que tus relaciones cercanas te quieren enseñar. El mundo es un salón de clases y las relaciones que eliges siempre te ayudan a sanar internamente. Por eso, aunque al final no resulten como esperabas, hay una lección de luz en la relación con cada persona, porque sus emplazamientos astrales son tal y como tú los necesitabas en determinado momento.

Practiquemos...

1. Observa las siguientes pirámides de necesidades básicas e identifica cuál es la tuya. Hay miles de variantes. Si la tuya no está (porque sólo tengo acá las más comunes), créala. Ya tienes la información que necesitas.

» Reconoce cuál es tu orden y si te funciona

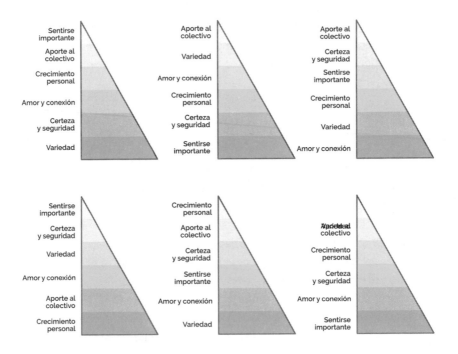

2. Ensaya observando las necesidades de la gente que quieres. Yo lo hice e inmediatamente caché cuál era la necesidad principal de cada una de mis amigas. Era fácil hacerlo teniendo esta información, escuchándolas, viendo cómo manejan las situaciones de su vida y, sobre todo, observando las cosas que manifiestan en su realidad.

3. Si estás solter@, arma la pirámide de la persona con la que te gustaría compartir. Hacerlo te ayudará cuando conozcas a alguien y te des cuenta de que, por muy bell@ que sea, si su necesidad principal es va-

riedad y se queda dos días por ciudad, y tú quieres seguridad, pues no te conviene. Por ejemplo, si mi necesidad principal es certeza, voy a ir bien con alguien que tenga como prioridad amor y conexión, y lógicamente voy a chocar con alguien que tenga como prioridad la variedad. Pero si la persona tiene la necesidad de variedad de número tres, hasta de pronto me ayuda a sazonar un poco mi vida y a ser más flexible en mis estructuras. Arma la pirámide de tu compañer@ ideal pensando en este tipo de cosas.

Lección rápida de astrología
Dime dónde está tu Luna y te diré qué necesitas

ARIES	La necesidad de sentirse importante a través de la acción.
TAURO	La necesidad de certeza a través de la seguridad personal.
GÉMINIS	La necesidad de variedad a través de la estimulación mental.
CÁNCER	La necesidad de amor y conexión a través de lo familiar.
LEO	La necesidad de sentirse importante a través de la admiración.
VIRGO	La necesidad de certeza a través de la organización.
LIBRA	La necesidad de amor y conexión a través de sus relaciones.
ESCORPIO	La necesidad de crecimiento a través de la transformación.
SAGITARIO	La necesidad de aportar al colectivo a través del crecimiento personal.
CAPRICORNIO	La necesidad de crecimiento personal.
ACUARIO	La necesidad de aportar al colectivo.
PISCIS	Las necesidades de certeza y amor y conexión a través de aportar al colectivo.

Ten en cuenta que la tabla anterior es sólo una guía. Es importante entender las conexiones lunares, pues algunas cuadraturas a tu Luna pueden presionarla, pero tampoco podemos ir por la vida investigando cuál es la

Luna natal de alguien para juzgarl@ con base en eso. Estamos guiados por lo divino para conectar con personas que nos van a enseñar por afinidad o contraste cómo alimentarnos pero para reconocer la lección puede serte útil este conocimiento.

Te cuento el caso de una de mis mejores amigas, quien, al mudarse de su país natal, conectó con un chico Capricornio con Luna en Cáncer. La Luna del chico –que, como sabemos, representa lo que entiende por amor lo que nutre, que recibe y da– fue ideal para el periodo de transición por el que ella estaba pasando mientras buscaba hogar lejos del hogar. A través de él y su *network* ella encontró trabajo, y duraron casi el mismo tiempo que a ella le tomó asentarse y superar la melancolía de dejar a su familia.

Un caso más es el de otra de mis mejores amigas, llamémosla Chloe, quien tuvo la relación más larga del inicio de su vida adulta, y que marcó sus años de crecimiento, con un chico Géminis cuyo Sol caía justo encima de la Luna natal de ella, también en Géminis. Chloe aprendió a nutrirse a sí misma por el contraste de esa relación. El ego del chico la llevó a situaciones en las que tuvo que aprender a poner sus propias necesidades primero. Una vez entendida la lección, habiendo integrado su Luna, ella soltó la relación que ya no funcionaba.

¿Por qué te cuento estas cosas? Para que no fuerces las relaciones. No se trata de aprender cuál es nuestra necesidad principal y descartar a quien no tiene la misma como número uno. Las necesidades pueden complementarse. Esto aplica no sólo para los vínculos amorosos, sino también para todas las relaciones que tienes en tu vida. Si miras con detenimiento, verás que estás rodead@ de personas que te dan las lecciones que necesitas aprender. Cuando lo entiendes y ves tus relaciones desde arriba, comprendes también cuál es la lección que tú puedes ofrecer a cada persona, siempre con amor y la mejor intención.

Atiende tus necesidades básicas y establece prioridades para empezar a manifestar la vida que deseas.
Comienza visitando **www.miastral.com** y descargando gratuitamente los ejercicios correspondientes a este capítulo (ver instrucciones en la página 16).

A DONDE VA nuestra ATENCIÓN, hay manifestación.

-CAPÍTULO 3-

MI LOCURA
AMA TU LOCURA

Atraemos lo que somos

Siempre digo que uno atrae lo que es, no lo que será. Muchos no entienden este principio porque sólo ven un lado de la moneda. "¿Cómo es que yo atraje una persona celosa si yo no lo soy?". "¿Cómo es que me enganché con un abusador si yo no lo soy?".

Así como el adicto a la droga y el que la vende tienen la misma vibración, el celoso o la celosa escoge personas que le dan cancha para sus berrinches, y el abusador o abusadora detecta quién tiene una personalidad débil.

En análisis esto se explica con la expresión "los inconscientes se leen". Según mi Quirón (mi terapeuta) esto es difícil de entender para aquellas personas que no han trabajado en sí mismas. Imagino que debe ser como el concepto digital de "la nube": ¿cómo es eso de que en una nube se guarda toda la información y baja de vez en cuando? Podemos filosofar por horas y hasta buscar un especialista que nos lo explique, pero la conclusión es que es algo que funciona y es efectivo, así que le tenemos fe. Así mismo, ten fe en lo que te voy a explicar.

Es cierto, los inconscientes se leen…

Mi Quirón, vamos a llamarla Estrellita, es una terapeuta especializada en análisis. La técnica es que yo hablo y ella escucha, luego, como un espejo, me devuelve mis propias palabras, demostrándome que las respuestas a mis preguntas las tengo yo misma adentro.

Después de dos meses indagando en mis patrones y en por qué una relación con el que yo creía que iba a ser *The One* no funcionó, después de darme golpes de pecho y culparme porque fui yo misma quien la saboteó a más no poder, empecé a entender que todo lo hice porque me estaba protegiendo de algo que intuitivamente sabía que no era para mí. Mi cuerpo y mi razón me decían que sí, pero algo no fluía, el saboteo estaba indicando que algo muy muy adentro no estaba listo y que ese no era el chico para mí.

Entre todo lo que yo misma le contaba a Estrellita logré entender que mis patrones encajaban perfectamente con los de él: yo nunca he buscado el compromiso. Soy una persona 100% comprometida con mi trabajo, me gustan las relaciones serias, pero de compromiso no se habla. Él, Escorpio, al mes de estar saliendo ya me estaba hablando de matrimonio, y sí, nos conocíamos de toda una vida, pero, aparentemente, estábamos en contradicción –o eso creía yo–. Y mira que no… los dos tenemos (o *teníamos*, depende de lo que esté haciendo él con su vida) un asuntito con el compromiso. Yo porque le tengo miedo (por otros asuntos más profundos), y él porque lo usa como una manera de tener la relación que quiere. Son dos caras de la misma moneda, y parece que nos hubiéramos escogido perfectamente para aprender una lección que ambos teníamos que aprender: yo, que sí se puede llegar al compromiso y que eso no representa el final de la vida y la libertad, y él, que no tiene que comprometer a la otra persona y su libertad para estar seguro de la relación.

Cuando no estamos conscientes de que siempre atraemos lo que somos, podemos quedarnos pegados muchos años no sólo a la pregunta de por qué no funcionó una relación, sino también repitiendo el mismo patrón con otras personas, lo que puede llegar a generar muchas situaciones que nos causan dolor. Como decía Freud, hay un gran engaño en el retorno, y cada vez que llegamos a lo mismo pensamos que no es igual porque ya no tenemos la misma edad o porque estamos con otra persona, pero el patrón que se ha desatado es el mismo y está intacto, no lo hemos tocado. Tocamos y nos proponemos cambiar el peinado, la figura, el estilo, la música y hasta la ciudad y el trabajo, pero el patrón sigue allí, tomando fuerza como todo lo que está en la oscuridad. Al patrón hay que sacarlo a la luz para empezar a trabajarlo, y entre más pronto mejor.

Así que observa tus relaciones. Por mucho que creas que no son iguales, hay un punto en común.

Aquí te pongo dos ejemplos:

1. Una de mis mejores amigas, Aniella, se encuentra en una relación de siete años, pero desde hace unos seis meses flota en un limbo: están pero no están. Se ven esporádicamente y no son novios. Gran parte de los problemas empezaron cuando cada uno, entrando en su adultez y sin saberlo de forma consciente, estaba definiendo quién quería ser en el mundo. Ella es una chica muy creativa que rompe con lo tradicional, es emprendedora e independiente en lo profesional. Piensa "fuera de la caja" y es siempre genial, como buena acuariana. Él, por el contrario, está metido en una caja. Quiere el título, trabaja en un cubículo, vive entre cuatro paredes y su seguridad es su prioridad.

    Ella no puede ser auténtica cuando está con él. Él, en cambio, es exactamente quien es con o sin ella. Ella dice querer estabilidad y él le dice muy claro que no se la puede dar, pero tampoco la puede dejar. ¿Qué tenemos aquí? A una chica que por un lado dice querer estabilidad, aunque este no sea el motor de su vida, y que por el otro tiene un trabajo (su pasión) que se mueve a un ritmo diferente, desordenado, creativo y a veces caótico que la enciende. Esta tendencia le hace tener éxito en el trabajo, pero emocionalmente no. Así mismo podríamos definir su relación. Él vive en un cuadro mental donde no le permite a ella entrar. Él le está dando justo lo que ella de manera inconsciente necesita: libertad para crear. Por eso ella se engancha en esa dinámica tan difícil y cede hasta meterse de vez en cuando en su "cubículo" buscando un momento de paz. Él quizá no lo sabe conscientemente, pero si le diera toda la estabilidad que ella dice querer, seguro al rato ella se querría

zafar. Basta con que Aniella se haga consciente de sus patrones, diná-
micas y ritmos de vida para que se dé cuenta de que este chico tan fijo
no es para ella.

2. También tengo un amigo, llamémoslo Javier, al que las cosas le han
costado mucho a lo largo de su vida. La creencia interior que carga es
que "si cuesta, vale la pena", y en esas se la pasa detrás de chicos que
son "difíciles de atrapar" y, entre más cuesta arriba, más piensa que son
The One. En verdad pueden serlo o no. Pero Javier está más en una relación con sus patrones no iluminados que viendo realmente lo que el
otro tiene para ofrecer, y si no hace algo al respecto, así puede pasar
muchos años de su vida persiguiendo un imposible, o posibles difíciles
que le hacen perder mucha energía.

HEY! KEEP AN EYE ON IT

En un rato vas a tener la opción de realizar unos ejercicios que he diseñado
para ayudarte a cachar tu patrón. Pero antes de pasar a eso, quiero dejarte
tres *tips* para tener en cuenta a lo largo del camino.

1. **Sé tu amigo en el proceso**

Para poder iluminar patrones debemos invertir tiempo, energía y
paciencia. Desde ya declara que serás tu amigo en el proceso… Tu
amigo, no tu alcahueta. Ser tu amigo es decir: "cónchale, he tenido
mucho tiempo para quejarme, voy a ser mi mejor amigo o voy a ser
una persona que se quiere mucho y voy a tomarme dos horas del día
para hacer estos ejercicios". Para algunos esto será mucho tiempo,
pero si no te das tiempo tú mismo, ¿cómo esperas que alguien más
te dé todo el tiempo del mundo? Si tú no te haces consciente de tus
patrones, ¿cómo esperas llegar a tener una relación consciente? Porque es muy difícil pedirle peras al olmo, así como lo es pedirle a alguien lo que tú no sabes darte. Entonces, que te tomes al menos una
o dos horas para en verdad sincerarte contigo es vital, y sí, yo sé…
tú vas a decir: "sí, Mia, yo me sinceré ayer cuando estaba viendo las
noticias de las celebridades, tomé un tiempo en la publicidad para
pensar en mí". ¡NO! Vamos a hacerlo bien.

2. Encuentra alguien en quien puedas confiar para que esté pendiente de tu proceso

Lo comenté en la charla del *Women's Weekend* en México, y les decía: "vamos a suponer que yo quiero dejar de contestarle el teléfono al mal Juan, y le voy a contar a mi amiga más habladora, esa que cuenta todo, para que cuando me vea de nuevo cayendo en el patrón me diga '¡ajá!', y le cuente a todo el mundo. ¿Por qué? Mira, en Kabbalah tenemos esta idea de que lo que queremos que se disperse, lo que queremos que pierda poder, se conversa, y lo que queremos que conserve su poder, no se dice. Y yo sé que a muchas aquí sus abuelas, sus mamás les han dicho "¡niña, no cuente sus planes!", exactamente por esta razón, y ahora lo saben #MamáSiempreSabe.

Entonces qué pasa si yo llamo a mi mejor amiga, la más habladora, y le digo "voy a dejar de fumar, y si me ves fumando, ármame el *show*". Créeme que me estoy dando una motivación más para cumplirme, porque de esta manera pensaría en la vergüenza, y sí, aunque es un ejemplo burdo y absurdo, sé que entiendes el punto. El hecho es que cuando hacemos un *statement* público y decimos "yo voy a hacer tal cosa", empieza una presión por cumplir lo que nos prometemos. Primero es una presión social, muy ligada a lo superficial, pero con las herramientas que ya tienes sé que lo vas a llevar a un compromiso contigo mismo.

Lo que también puedes hacer es decirles a tus amigas que sean parte. Así como todas empiezan juntas a ir al gimnasio y se motivan en el grupo de WhatsApp, así mismo pueden darse apoyo para asuntos más complicados. Recuerdo cuando decidí dejar a El Extranjero. Reuní a mis mejores amigas y les dije: "esto va a estar difícil y planeo hacerlo para X fecha. Voy a necesitar su ayuda". No tuve que añadir más nada, y fueron luces en un camino oscuro que no sabía cómo iba a recorrer, pero mi voluntad, la ayuda de ellas y mi receptividad (entender que no podía hacerlo sola) fueron la manera. Juntas iluminamos muchos patrones, porque en el proceso de ayuda, en esos meses de tanto cambio, varias de ellas se atrevieron a dar un paso en su oscuridad personal también.

3. Lleva un récord de tu proceso

Keep yourself accountable. Repito, estar atento y consciente del proceso es lo que más ayuda. Lleva un diario donde hagas seguimiento sobre lo que estás entendiendo y reconociendo con estos ejercicios e información, simplemente escribe al respecto.

Te preguntarás cómo esto te puede ayudar, ¿correcto? Si has hecho las actividades de los capítulos anteriores, debiste haber sentido el trabajo emocional. Te explico: cuando escribimos algo se activa otra parte de nuestro cerebro, y el proceso es distinto a cuando sólo lo pensamos y lo dejamos ahí. Escribirlo además le da forma y saca información de ti que necesitas.

Una vez en el papel, empieza el proceso de cambio y por ende el proceso de manifestación. Si lo escribimos y lo conversamos, lo estamos llevando a un nivel más allá, y si lo escribimos, lo conversamos y nos grabamos... tú no tienes idea, es increíble, pero yo sé que a muchos les cuesta. Yo recuerdo que cuando empecé a grabarme, mi voz me parecía terrible, pero, como todo, eso se nos pasa y nos centramos en lo que es en realidad importante: sanar.

Entonces, tómate un tiempo para descubrirte en lo que escribes, y aunque no sepas por dónde empezar, sencillamente agarra lápiz y papel y empieza a escribir. Desde cosas como: "estoy trancada, Juan no me contesta el teléfono, está pasando esto y me siento así, así y así", hasta: "empiezo a intuir que él tiene inseguridades que reflejan también mi falta de amor propio y reconocimiento", todo es válido. Con esto te volverás más reflexivo en tus intercambios con otros, entenderás por qué se atraen, por qué se llaman la atención, por qué te choca algo de él o ella o, más bien, por qué te gusta si no puedes explicarte la razón. Escribir te hará llegar a tener tu *a-ha! moment*, la realización de algo que quieres y requieres solucionar, pero no sabías que estaba allí.

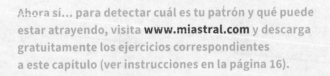Ahora sí... para detectar cuál es tu patrón y qué puede estar atrayendo, visita **www.miastral.com** y descarga gratuitamente los ejercicios correspondientes a este capítulo (ver instrucciones en la página 16).

Uno atrae
LO QUE ES,
NO lo que
será.

-CAPÍTULO 4-

LAS REGLAS
DE LA ATRACCIÓN

Lo que aprendimos de papá y mamá

Playlist sugerido:
Absolute Certainty (Certeza absoluta),
página: 236

Está comprobado que cuando somos niños observamos qué hace mamá que le gusta a papá, y qué hace papá que le gusta a mamá. Como mujer, por ejemplo, lo más típico es que nos digamos: "si mi querido y adorado padre se fijó en mamá, ¿qué hace ella que le llama la atención?". Esto no es un proceso consciente, pero se da. De allí empezamos a tomar las primeras reglas de atracción que usaremos más adelante.

¿Recuerdan a mi amiga Chloe, la de la Luna en Géminis? (ver capítulo 2). Al terminar la relación tóxica que tuvo cuando era joven, se dio cuenta de que algo que no soportaba eran las nebulosidades; situaciones "inciertas" de parte de sus potenciales parejas, las mismas que no soportó del otro. Al trabajar en sí misma, se dio cuenta no sólo de que su mamá amaba esto de su padre en la fase del encanto, porque él era soñador y a ella le fascinaba el misterio, sino que como ella (mi amiga) estaba grande cuando eso mismo que la mamá amó empezó a causar problemas, tomó de lleno la manera en que su mamá empezó a llamar la atención de su papá cuando sus nebulosidades se convirtieron en escapadas. Su mamá se alteraba, y así mismo Chloe caía en esas tendencias para llamar la atención de los potenciales novios que, mira tú, tenían las mismas tendencias, digamos… artísticas. Estas tendencias, mal ubicadas en nuestra mente, las vemos como el juego de atracción.

Ya cuando se hizo consciente, y gracias a mucho trabajo interno, Chloe empezó a fijarse en otras cualidades que percibía interesantes. Ahora se cachaba cuando una persona o situación nebulosa se presentaba en el amor, o en otra área, y ponía sanos límites. Por ahí apareció el que hoy es su esposo y se dio cuenta de que, contrario a sus otras parejas, con él gritar o alterarse no funcionaban, así que esa no podía ser la técnica que ella podía usar si quería llegar a un acuerdo con él.

OH, WOW. Iluminación.

Cuando yo entendí esto, lo primero que hice fue ver mis patrones, antes de irme hacia atrás con mamá y papá. A diferencia de Chloe, yo no tenía esta información de "mamá y papá" porque mi mamá me tuvo a los catorce años y, por muchas razones, se rehúsa a hablar de lo que pasó cuando pasó. Así que me pregunté qué es lo que llama mi atención. La indiferencia. Difícilmente es un punto de atracción, pero sin duda tomaba toda mi atención cuando sucedía. En cuestiones profesionales (tocar una puerta y que no me consideraran) o amorosas (el silencio después de una pelea), la indiferencia me hacía sentir que yo rayaba en lo obsesivo. Me preguntaba mil veces "¿por qué, por qué, por qué?", e inventaba miles de escenarios posibles en mi cabeza.

Gracias a mi necesidad prioritaria de sentirme importante como estudiante, como profesional y más (ver capítulo 2), me empujé a solucionar el "por qué, por qué, por qué no soy suficiente para _____" profesionalmente, pero en cuestiones del amor, de cuando en cuando seguía sintiéndome atraída por la indiferencia. No fue sino hasta que se acabó una relación que me dejó devastada que empecé a hacerme las preguntas correctas y a preguntarle a mamá qué fue lo que pasó.

En esa relación que terminó, cada vez que él, Escorpio, sacaba el tema del compromiso, yo discutía al rato, a las horas o al día siguiente, para evitar hablar de ese asunto que me hacía sentir tan vulnerable. Mientras más discutía yo, más se alejaba él y se ponía indiferente, y entre eso más pasaba, más peleaba yo.

El análisis de mi pareja y la observación que tenía de sus patrones, de su familia, me hicieron entender que, para llamar la atención, él tomaba distancia para que una chica más amorosa volviera a buscarlo, porque así funcionaron sus padres por mucho tiempo.

Yo seguía sin una pieza del rompecabezas, así que cité a mi mamá. Tenía que saber, necesitaba saber. El dolor que estaba sintiendo después de la ruptura era algo que no quería sentir nunca más. Sabía lo que venía. Le hice preguntas a mi mamá y ella rompió en llanto. Era tan sólo una niña, y sé muy bien que lo que ella cuenta es su perspectiva, de ninguna manera es la verdad absoluta, pero obtuve información muy valiosa: mis padres se conocieron estando ambos en bachillerato. En los ochenta y en mi país natal, no eran muchos los hombres que hacían ejercicio al estilo *fitness*, y menos que usaran esteroides. Mi papá, joven y todo, estaba por completo en la onda, y los esteroides lo llevaban a tener ciertos estallidos de furia. Sin embargo, era conocido entre sus amigos como "El Motivador".

Le pregunté a mi mamá (porque conocí muy poco a mi papá) si él le peleaba por gusto, por inseguro, o cuál era la razón, y ella me dijo que no sabía exactamente por qué, pero que era muy celoso. Una vez –me contó–, ella se fue de vacaciones con la familia, y él le dijo que no podía salir a la playa ni hablar con otros chicos. Él le peleaba y ella se aislaba, pero lo quería mucho. Mi papá era el que peleaba, mi mamá era la indiferente.

Cuando mi mamá quedó embarazada y se casaron, empezaron a tener serios problemas, pero decidieron quedarse juntos hasta que yo tuviera al menos dos años. Mi mamá no aguantó y se separó antes, que es también una manera de irse, de dejar, de hacer que quizá el otro sienta que no le importa… la indiferencia.

Algo capté yo en ese corto tiempo, y seguro un poco más grande escuché algo más de miembros de mi familia, lo que me permitió convertirme en mi papá y pelearle a mi mamá cuando ella no podía asistir a todos los eventos en los que yo quería su presencia, por lo que vivíamos en países diferentes (mi mamá se fue a estudiar fuera para terminar secundaria).

Allí estaba el patrón: si no haces lo que yo quiero, me siento profundamente vulnerable y me defiendo diciendo que eres indiferente conmigo. Yo peleo y creo más separación. Me di cuenta de que extrañé mucho a mi mamá una vez nos separaron cuando yo tenía tres años. Que percibía su lejanía como un abandono porque no entendía la situación, y creía que si le peleaba como lo hacía mi papá, quizá podría tenerla, así fuera por un momento. Y lo repetí varias veces. Hay un gozo morboso en el "retorno de la situación", aunque estemos refinados y los protagonistas sean otros.

Con eso entendí muy bien la dinámica entre Escorpio y yo. Supe que él no había terminado la relación, sino que yo la acabé desde el inicio y me basé más en ese patrón que en trabajar mi miedo a la vulnerabilidad, que después me llevaría al miedo al compromiso. Yo, que tengo más conocimiento de todo esto que él, podría haberlo visto, pero no lo hice... y está bien. Esa relación me hizo darme cuenta de esto, de lo importante que era cambiar por completo la relación con mi mamá, dejar de crear separación con otros o de interpretar como indiferencia el espacio sano o la distancia necesaria cuando las cosas están difíciles.

Aunque en este punto sé que lo vi como un abandono que más bien era creado en mi mente, en ese momento lo sentí tan real que me marcó y después lo siguió haciendo. No sólo iluminar patrones personales (capítulo 3) nos sana, sino que conocer nuestra historia y puntos de referencia que pueden estar muy guardados, nos libera.

LA IMPORTANCIA DE LA NEUROASOCIACIÓN

Lógicamente, cuando empezamos este trabajo de conocernos mucho más, de tratarnos mejor, es fácil abrumarnos cuando nos damos cuenta de que la tarea es interminable: además de saber que tu Luna natal está en Cáncer, que tienes a Venus en tal lugar, que hay que dormir lo suficiente y tomar tus suplementos, resulta que además descubres que te caería bien hacer ejercicio cinco veces a la semana y que sería como de lujo empezar ese curso que te va a certificar en algo que has estado soñando desde hace años. Entonces te preguntas: "¡¿en qué momento?!". Mira, podemos tenerlo todo, pero no al mismo tiempo.

¿Cuál es tu prioridad en este momento? Si estás devorándote este libro, imagino que tu prioridad es mejorar una relación existente o manifestar una nueva en tu vida, ¿cierto? Pero esos cambios en las relaciones parten de la relación que tienes contigo. Es normal y muy natural que te sientas abrumad@, son demasiadas cosas por hacer, pero quiero que entiendas que es un paso a la vez y que tu principal trabajo es mantenerte motivad@ todos los días sin contar con estímulos externos, es decir, aprender a motivarte de adentro hacia afuera. Para mantenerte bien debes comer y descansar de manera adecuada, porque hay gente que se quiere comer el mundo durmiendo dos horas al día, y eso no funciona. Entonces bueno, a empezar por lo básico que es cuidar de ti como si fueras una buena mamá, luego hacer una lista de las cosas que elevan tu vibración y te ponen de buen humor: descansar, tenerte bien y escuchar música llena de energía que te encienda.

Quiero que todas las mañanas te recuerdes que está bien tomar aunque sea una sola acción que te acerque a algo que quieres manifestar. Los grandes cambios no son un acto desmedido que sucede una vez a la cuaresma, son una acumulación de pequeños ajustes con los que somos consistentes y que cada día nos llevan un poquito más allá. Es como alcohólicos anónimos, y no me estoy metiendo aquí con nadie que haya hecho los 12 pasos porque conozco muy bien el proceso, pero es como decimos en cualquier equipo de rehabilitación: tenemos que ir un día a la vez, un paso a la vez, porque de esa manera vamos quitándonos peso de encima.

A las Virgo por acá que les gusta hacer listas, me parece que es muy buen ejercicio, pero anoten en ella salir de lo conocido y no sentirse culpables si un día no logran todos los ítems de la misma, ya que la culpa es un mecanismo egoísta que nos mantiene regresando al inicio, te cuento por qué: si no cumples un paso el día que te lo prometiste vas a dejar que la culpa tenga cabida, y no te darás cuenta de cómo te agarras de ella para decir: "bueno, ya me comí la torta hoy, y aunque tenía una semana haciendo sana restricción, ya lo perdí, así que ahora me voy con todo". Entonces por eso quiero que entiendas que es bueno tener pasos. Está increíble tener una visión a largo plazo, pero tenemos que aceptar que es normal sentirnos abrumados, preguntarnos una y otra vez por dónde empezar, aunque eso no lo debamos utilizar para no iniciar el proceso o no actuar.

Algo que yo sé, y de lo que quiero que seas consciente, es que si estás por aquí es porque hay una situación que deseas mejorar con relación a tu pareja, amigos, papá o con relación a ti mismo. Y una de las razones por las que quizá te encuentras acá, pero no ves transformaciones en tu vida, es porque no estás generando cambios poco a poco, día a día, ¿y por qué no pasa esto? Porque sientes que apenas estás descubriendo cosas que habrías querido saber hace tiempo y que te gustaría resolverlo todo ya.

Cuando estás empezando una relación y te encanta, te cargas de endorfinas y de muchísimas otras sustancias loquitas que corren por el cuerpo, y te abruma todo lo que te gusta del chico o la chica, quieres tenerl@ todo el tiempo. Eso también podría ser abrumador pero no lo sientes así porque lo disfrutas, ¿cierto? Tampoco te sientes abrumad@ cuando todo el mundo te está llamando para pagarte. ¿Por qué? Porque estar abrumad@ de amor o de dinero, ¿con qué lo asocias? ¡Con bienestar y abundancia! Mientras que cuando se trata de deudas o de una situación que no puedes controlar, o cuando sientes angustia con la idea de hacer un ajuste o un cambio (dejar de fumar o dejar las harinas, dejar el gluten, dejar al mal Juan…), ¿con qué lo asocias? Con dolor y sacrificio. Entonces sí te sientes abrumad@.

Lo que quiero que entiendas aquí es la importancia de la neuroasociación. Cuando estás abrumad@ de cosas buenas no lo llamas abrumador, lo consideras algo ¡muy feliz!, porque para ti tiene una asociación al placer. Por eso tienes que aprender a asociar ciertos procesos con placer… para que puedan funcionar. ¿Cómo así?

Es cierto que hay mucho trabajo que hacer antes de manifestar una relación que de verdad valga la pena, entonces decimos: "¡Dios mío, esto no va a estar fácil y lo veo largo!", pero resulta que mientras más tarde empieces, más largo será. Si yo sé que trabajar en mí me va a llevar a manifestar una relación muy linda y empiezo a asociar el trabajo con placer, con las buenas sensaciones que voy a sentir después, la cosa es diferente; pero si estoy asociando el cambio con dolor y sacrificio, no hay manera.

Así mismo, es más fácil comprometerte con tu dieta o con tu plan alimenticio cuando piensas lo rico que será ponerse otra vez ese *jean* o lo bien que te vas a sentir con tu cuerpo, en vez de estar pensando en las tortas que nunca más vas a tocar. Entonces, ¿sí entiendes que la neuroasociación es un proceso muy importante pero que requiere mucha disciplina mental?

Y otra cosa que te digo de una vez: desde el momento en que se reconoce un patrón, hasta liberarlo y crear uno nuevo, puede pasar mucho tiempo (somos criaturas de hábitos), pero si te mantienes motivad@ y despiert@ podrás lograrlo. Sé que en este momento, quizá muchos que no son psicólogos y que no han estado conmigo durante un rato dicen: "¡*wow*, tiene razón!, voy a empezar a asociar hacer la dieta o dejar a Juan o Elena con el placer que eso me va a generar después". Pero qué pasa, vas a empezar, y la semana que viene, como no ves resultados o aún no tienes lo que quieres, vas a mandar todo esto a la mismísima... Y lo menciono porque es la realidad del asunto. En teoría, todo esto que estamos haciendo suena muy lindo, pero en la práctica no está fácil.

Lo principal –y te repito: esto va a tomar tiempo– es que empieces a observar tu doble discurso y tu diálogo negativo. En estos días tuve consulta con una chica y le pregunté: "¿por qué solicitaste una cita astrológica?". Yo estoy reclara, tengo casi nueve años atendiendo y nunca he tenido una persona que diga: "estoy feliz, estoy 100% satisfecha con todas las áreas de mi vida, estoy aquí sólo para hablar contigo". Todo el mundo tiene algo que quiere mejorar, entonces ella me decía: "en verdad estoy muy feliz en mi vida, me gustaría hacer algo muy creativo", y yo le contestaba: "muy bien, ¿estás feliz en tu trabajo?", "no, estoy muy limitada, pero yo no quiero dejar mi trabajo, me encanta", y así jugamos..., me tiraba una perla y me la quitaba, estaba muy feliz con su vida pero estaba muy intranquila, estaba satisfecha en su trabajo pero no aguantaba ir todos los días; hasta que le dije: "mira, aquí hay un doble discurso, quisiera grabarte para que te escuches y te des cuenta cómo te contradices, porque no dejas ni siquiera que yo pueda entrar en ti para ayudarte a entender qué quieres o no quieres".

Después de media hora del toma y dame, le dije: "por favor, vamos a ser honestas. Me dices que no estás conforme en tu trabajo y que tampoco estás satisfecha en tus relaciones", porque yo también veo que si la mujer está feliz en su relación pero mal en el trabajo, bueno, es una situación de encontrar su propósito, su trabajo personal con su contribución al mundo; o si está feliz con su trabajo pero no tiene relaciones, le damos enfoque a ese tema. Pero en el caso y en las palabras de la chica de la consulta, ella se sentía muy inconforme con todo pero no quería soltar nada, y tampoco quería escuchar sugerencias.

Cuando haces consulta con alguien que en vez de preguntarte te escucha y te devuelve las mismas palabras y tono que tú estás usando, te será fácil decir: "ya va, algo está pasando". Si no tienes terapeuta o alguien que te choca y te checa y que es capaz de decirte sin pelos en la lengua cómo tú mismo te das la vuelta, tienes que buscar una manera de cacharte. Te puedes grabar y, si te da pena, habla con un amig@ que sea objetivo y sincero y que se haya ganado el derecho de escuchar tu historia; no puedes llegarle con esto a cualquiera. Si no quieres el recurso de "llame a un amigo", ten un diario donde vas a escribir todo lo que te pasa por la cabeza. Hazlo, y cuando leas lo que has escrito te vas a dar cuenta de cómo te contradices en muchas cosas, por ejemplo: "no, es que Juan es el hombre para mí" y después, "pero es que me dejó embarcada" y después, "pero es que yo lo veo como el hombre más maravilloso" y después, "pero es que también me enteré de que está hablando con Elena"; pero bueno, ¿qué onda? ¡es una cosa o es la otra!

Para que te rías, porque así es más fácil aprender, un día Chloe y yo le hicimos una pizarra a Aniella. Dibujamos un cuadro casi estadístico y cronológico en el que anotamos:

* 31 de diciembre. Año Nuevo. Scott te dejó embarcada afuera de la disco.

* 15 de enero. Aniella accidentada. Scott dijo que estaba muy ocupado en el trabajo como para ayudarte (¡historia verdadera!).

Aniella, como Dory en *Buscando a Nemo*, goza de memoria corta y conveniente. Parecía que se le olvidaba lo que había pasado ayer, como si al despertar se le reseteara todo, y no de la mejor manera. Nosotras, después de años de consejos, decidimos mostrarle la pizarra, y cuando lo vio todo junto quedó con la boca abierta.

Si empiezas a escribir a lo largo de tus días, te vas a empezar a cachar las mentiras, y no son mentiras de "soy mentiros@". Todos usamos este mecanismo de defensa para poder vivir nuestra realidad cuando no queremos ser conscientes.

Aparte del doble discurso, nota tu diálogo negativo. Por ejemplo, me dicen en consulta: "bueno, Mia, quiero una relación de pareja, pero ya estoy muy mayor, tengo 57". Ya va... Louis Hay tiene 81 e inició una relación hace poco. Hay muchas excusas que te dices para no empezar el trabajo, entonces, lógicamente, te sientes abrumad@ porque no comienzas, ¿por qué no lo empiezas? Porque lo asocias con dolor, pero tienes que arrancar a cacharte para poder decir: "¡ya va, un momento!, objetivamente tengo que aprender a ver esto desde arriba y decir: 'no más excusas, porque si no, ¿para cuándo lo voy a dejar'?".

Otra de las razones por las que no intentas los cambios, y por lo que te sientes abrumad@, es porque sientes que ya lo has intentado y no te ha salido bien. Me vas a decir: "es que yo he salido con chicos mil veces y mil veces me ha salido mal". Pero resulta que lo hiciste mil veces con un estado de consciencia que te aseguro no es el necesario. O, por ejemplo, puedes decirme: "mira, Mia, yo intenté emprender un negocio tres veces el año pasado y no se dio". Tú, en este momento, no eres la misma persona del año pasado, tú, en este momento, no tienes el mismo estado de consciencia de hace cinco meses cuando te sentías atraído por cierto tipo de personas; a lo mejor este tú de hoy no se siente identificad@ con esas personas porque has hecho trabajo de consciencia. Tenemos que actualizarnos todo el tiempo.

Hay mucha gente que no se vuelve a atrever porque le ha ido muy mal, pero tampoco se quiere celebrar y dar crédito de todo el trabajo de consciencia que ha hecho; yo te aseguro que si estás aquí algo has hecho bien. Algo de todo lo que has escuchado, leído, etcétera, ha calado. Hoy no eres el mismo o la misma de antes, incluso si ahora estás en una relación, el estado de consciencia que tienes en este momento no es el mismo que tenías hace seis meses cuando discutiste con tu pareja... ya eres otr@, y entonces ahora puedes decir: "quiero hacer cambios y voy a asociar estos cambios con placer". Por ejemplo: "me di cuenta de que en mi relación soy controladora, tengo un asunto de control que está asociado al miedo de sentirme vulnerable y no dejo que esta relación sea flexible, no me gusta cuando se me desestabiliza el plan y mi pareja me cambia la hora y le armo pleito. A partir de ahora voy a asociar este cambio con placer, porque esto no es solamente para estar bien con el buen Juan, es para estar bien con mis colegas, con mis socios, con otras cosas que me ayuden a fluir en otras áreas de mi vida". Entonces empiezas a crear una visión de lo lindo que va a ser cuando estés en ese estado. Sé que va a tomar tiempo, y da gracias por esto, porque significa que va a ser un proceso real, no una curita de mentira.

Entonces... ¿Te animas?

Resumiendo...

1. ¡No te abrumes! Visualiza lo que quieres lograr, ordena tus prioridades y ve un paso a la vez. Es mejor lento, pero seguro.

2. Asocia tu trabajo personal o lo que quieras lograr con bienestar y placer.

3. Regálate el chance de intentarlo otra vez. Intentar hoy lo mismo que intentaste ayer dará diferentes resultados porque ya no eres el o la mism@. Usa el pasado como un punto de partida y no como un punto de estadía.

4. Decide cómo quieres ver tu presente y aclara la visión que estás armando para tu futuro. Cree en el amor incondicional que sientes por ti y trabaja por mantenerlo. Ten compasión por tu proceso.

Y ya está. No te abrumo más...

¿Ya identificaste cuáles son los patrones limitantes que aprendiste de la relación de papá y mamá? Trabájalos y rómpelos. Visita **www.miastral.com** y descarga gratuitamente los ejercicios correspondientes a este capítulo (ver instrucciones en la página 16).

Podemos
TENERLO todo
PeRO NO TODO
al mismo TiEMPO.

-CAPÍTULO 5-

LA METÁFORA
DE LA PIZZA

¿No pain, no gain?

Playlist sugerido:
La douleur exquise (El dolor exquisito),
página: 237

Hay un dolor exquisito. Un placer morboso que se asocia con eso tan intenso que no llegamos a tener por completo. Y culturalmente estamos estimulados a relacionar amor con dolor.

Y sí, hay muchos procesos en la vida que nos llevan al inframundo, nos quitan una capa del ego y de los cuales resucitamos como aves fénix, pero no todo en la vida puede ser un proceso de transformación que nos obliga a empezar de cero. Hay otra manera de crecer y es por voluntad; no todos los aprendizajes tienen que venir por contraste. Para que entiendas, te cuento "la historia de la pizza".

El mundo se divide entre los que se comen los bordes de la pizza y los que no, al menos para mí. Yo pasaba por el triángulo para llegar al borde, como quien se come el helado pero en verdad ama la barquilla. Una vez, jugando a la libre asociación con mi terapeuta (Estrellita, mi analista), me escuché diciendo que yo hacía todo por ganarme el borde, así como algunos van con todo por la corona.

Decía que aunque no soy una fan de la pizza, cuando la como en verdad sólo quiero los bordes, los cuales "me gano" comiéndome el resto, no dejo el triángulo huérfano. Estrellita me dijo: "mira qué curioso y particular, y así mismo en la vida te llevas a situaciones que te hacen sentir que "te ganas" el borde, ¿no?, ¿no se trataba de eso tu contrato interno con la anorexia? Si hacías ejercicio te permitías comer". Y sí, al ver que hacer ejercicio tenía otros beneficios más allá de los que buscaba, se concretó una verdad para mí. El proceso de contraste estaba de alguna manera glorificado.

Entender eso fue vital en mi recuperación del desorden alimenticio, pero aun sanada de ello, se me escapó que podía tener ese patrón en relaciones. Los patrones son astutos, como verás, y parece que los guardamos en unos cuantos clósets en el inconsciente, desde donde operan. Entonces… evaluando la situación de la pizza en otras áreas de mi vida, me di cuenta de que seguía "comiéndome el triángulo" en temas donde ya podía llegar al borde sin problema, y entendí que también podemos aprender disfrutando el proceso una vez somos conscientes y, más aún, cuando sabemos que estamos haciendo esto por amor propio y con muchas ganas de dejar atrás la programación de que si duele es porque vale la pena (el nocivo *"no pain, no gain"*).

Sin la carita de circunstancia todo fluye mejor y mejores personas fluyen a ti. Cuando dejas de tratarte como esclava, al fin puedes sentirte como una reina (y los chicos igual).

El nuevo *setting* estaba haciendo efecto en mí y ahí fue cuando conocí a Mr. Charming. Capricornio, ascendente en Piscis, Luna en Leo, nació y fue educado para encantar a las personas, mejor dicho, a las mujeres. Yo siempre había sido la "caza bordes" y siempre siempre escogía quién iba a ser mi nuevo novio. Salvo el Leo que me rompió el corazón en 2009 y Mr. Charming, quienes fluyeron a mí sin mover un dedo.

Todo con Mr. Charming era perfecto, a excepción de su Marte en Géminis y el hecho de que él no tuviera plan. Como Joey en *Friends,* Mr. Charming no tenía ni rumbo ni apuro, porque no se veía en la necesidad de trabajar.

Una vez que pasada la etapa de conocimiento y excitación, la vibración que nos alineó empezaba a moverme un poco, porque igual, aunque no tenía la idea de estar con él al inicio o de crear esa relación, tenía que tener un plan.

Primero pensé que estaba necesitando el triángulo de la pizza, y que no por haberme ganado el borde, por haber llegado rápido a ella, estaba en una relación limbo. Con el tiempo entendí que no se trataba de eso, sino que tenía que darme el tiempo para aprender a fluir con las cosas que quiero manifestar, al mismo tiempo que debía despertar y observar mi ideal del amor.

A ver: yo ya para este punto podía tachar de mi lista de patrones y creencias eso de que para ser de verdad, la cosa tiene que tener obstáculos (todo es culpa de las novelas, querida abuela). Pero apenas estaba descubriendo que con todo y que ya estaba al final de mis veinte y pisando los treinta, aún tenía la idea de un amor romántico, de una relación que "se da", y todavía no contemplaba las relaciones conscientes que exigen de nosotros, en las que hay que trabajar y en las que uno no "se gana" el puesto, sino que está en ellas con el propósito de crecer al lado del otro. Ni Mr. Charming, que ya tenía sus buenosmozos 36, ni yo estábamos conscientes de eso.

Para profundizar, te cuento la historia de Carito. Ella es una chica que viene de una familia bien posicionada, pero hizo lo mismo que Rachel (sí… en *Friends*). Después de un mal compromiso que se rompió, decidió rehacer su vida *casi* sin los fondos de mamá y papá. Decidió que quería tener una vida *boho chic* (bohemia con un toque de lujo) y un chico buena onda, trabajador, que luchara por su puesto y sudara la camiseta 24/7 en esta economía difícil, que la hiciera feliz con detalles simples pero al corazón. Proyectaba que eso era lo que quería, y eso fue lo que suavemente fluyó hacia ella.

Cuando la relación empezó a tomar forma después de muchos meses de consideración –porque él quiso ir lento, pero seguro–, ella empezó a molestarse porque él no llenaba su visión de relación romántica. Es decir, una vez que al fin formalizaron como novios, ella pensó que él no era el hombre con el que imaginaba casarse cuando estaba pequeña. Lo cómico es que él era lo que ella, día y noche, decía que quería. Que en el ínterin de conocerlo salió con miles de triángulos de pizza y jamás llegó al borde. El borde llegó y le dio poco a poco el triángulo para que ella lo pudiera digerir, porque él, como buen psicólogo, sabía que había que tenerla encantada y además la adoraba. Pero aun así, cuando la lucha y el triángulo se acabaron y se le entregó el borde completo, ella se armó un triángulo imaginario para volver a empezar la lucha.

Él le explicó varias veces, incluso delante de nosotras, que no había necesidad de luchar más, que su ideal de amor romántico se había convertido en un mecanismo de defensa para no enfrentar el nivel de compromiso que ahora era posible y, muy enamorado e inteligente, creó un plan para enseñarle cómo se lleva una relación consciente, pero sin hacerlo en directa relación con ellos dos.

Lo primero fue hacerle entender que no podía seguir semindependiente, que tenía que independizarse por completo de sus padres, algo que a ella le costó mucho. Fue persuasivo y planteó metas en común para que juntos trabajaran y ahorraran. Ahora, las salidas, gastos, etcétera (asuntos de valor) tendrían que ser más pensados y conscientes que antes. Ella ya no podía valerse sólo de tarjetas de crédito, algo que, entre otras cosas, distorsiona completamente nuestra relación con la ganancia, el merecimiento, la culpa y la esclavitud.

De alguna manera, liberó a la mujer adulta que era, y poco a poco ella empezó, sin saberlo, a relacionar tener responsabilidad con libertad, hasta que llegó el momento en que se hizo responsable del sueño de tener una vida con él, y se dio cuenta de que le daría más dolor perderlo que perder la ilusión de amor romántico a causa de un amor real que estaba puesto sobre la mesa. (Un aplauso para ese chico Sagitario).

Pero no todos tenemos una pareja inteligente, consciente, con el tiempo y la paciencia para guiarnos en el proceso. A lo mejor quien está tratando de despertar al otro eres tú. Puede pasarte hasta con el socio de la compañía. El hecho es que todos hemos pasado por estos escenarios, y ya es hora de observar si asociamos amor con procesos difíciles o con ilusiones románticas sin base, y cómo eso afecta lo que está disponible ahora. Para no cometer mi mismo error de pasar de "el amor con dolor es el que dura" a "amor es flotar en el aire", yendo de una esquina a la otra sin buenos resultados, tienes que conocerte bien, tienes que actualizarte y, sobre todo, más que tener un plan estructurado, debes cargar tu tanque de gasolina de motivación para manifestar la relación que anhelas experimentar.

Meditar y sentirla te lleva a aclararte, al igual que notar en qué temas se deben hacer ajustes. También es importante buscar ayuda si es necesario para romper patrones limitantes que se te escapan de las manos o si tienes la cabeza llena de pensamientos y voces que no logras callar.

Los cambios se van a dar cuando empieces a asociarlos con un gusto, con un placer que reposa en la responsabilidad y la madurez, no en una salida fácil; cuando salgas de la posición del "ojalá", del "quisiera", y empieces a decir "es urgente y necesario". Para conseguirlo, lo que vas a hacer es visualizar cómo serás en un año si no cambias, si sigues con el mismo patrón (miedo a las relaciones, triángulos amorosos, líos de control, adicciones, desórdenes alimenticios, miedo a aprender...). Pregúntate: "¿cómo seré en un año si decido quedarme en este mismo lugar?". En esa visualización también puedes darte cuenta de que otras personas, en cambio, sí han avanzado: ¿cómo se siente eso? Cuando el dolor de permanecer igual es más grande que el dolor de cambiar, ahí nos ponemos las pilas.

Tengo una amiga Piscis ascendente Géminis que siempre pareció estar en la relación perfecta. Y aunque esta ya no lo era después de siete años, ella relacionaba la separación y el qué dirán con dolor, uno mucho más grande del que silenciosamente estaba sintiendo adentro. Con estas meditaciones ella se dio cuenta de que verse en un año en el mismo lugar real o emocional era insostenible. En menos de tres meses se sinceró e hizo el plan. Y no ha sido fácil, pues decidió irse y luego descubrió que él tenía tiempo con otra persona, tal como ella sospechaba.

Mi amiga, que tiene 32, se dio cuenta de que más vale un rato colorada (así sea por su vergüenza al qué dirán) que toda la vida descolorida, y se atrevió. A los seis meses de haberse separado, toda su vida había cambiado para bien. Su negocio floreció, cambió mucho su manera de ser. Se relajó en la búsqueda de perfección, manifestó la relación que quería. Ahora se siente amada, apasionada y recuerda cuando había hecho el trato con ella misma de quedarse donde ya estaba por falsa comodidad y por miedo a cambiar.

Y aquí es cuando te pones a pensar y caben varias preguntas: "¿qué tal si yo hubiera hecho ese cambio el año pasado cuando me lo propuse?, ¿dónde estaría ahora?". Y nos pasa en muchas áreas… "Ah, yo debí haber ido al dentista en ese momento y no llegar hasta este punto" o "¡ay!, yo debí haber organizado los papeles en ese momento y ahora tengo que hacerlo rapidísimo este fin de semana". ¡NO! Cuando tuviste el tiempo pensaste que aún podías esperar. El tiempo es una ilusión, pero el poder está en el ahora. Motívate a empezar de una vez para no hacerte todas estas preguntas o lamentarte el año que viene.

Liberarte de las creencias limitantes que te alejan de experimentar la relación que quieres sí es posible. Para hacerlo, visita **www.miastral.com** y descarga gratuitamente los ejercicios correspondientes a este capítulo (ver instrucciones en la página 16).

Cuando dejas DE TRATARTE COMO -una- esclava AL FIN Puedes sentirte COMO UNA reina.

–CAPÍTULO 6–
EL CUERPO DEL DESEO

Primero: limpiar la casa

Te quiero contar de Mat, y no, no fue un novio. Mat era el único chico en el grupo de 12 pasos de desórdenes alimenticios. Es entrenador de gimnasio, está increíblemente hermoso: es Brad Pitt pero con pelo castaño. Es Cáncer, es un amor.

La primera vez que lo vi (porque no asistía a todas las reuniones) juré que estaba allí para apoyar a alguien, pero fue el primero que habló esa noche. Mat estaba haciendo el ejercicio del *"backtracking"*, que consiste en volver a la situación que lo llevó a comer sin parar y después vomitar. Él era (y de verdad espero que ya no esté en ese lugar emocional) bulímico, con un desorden que lo llevaba a tener la imagen corporal a la que somete no sólo la bulimia, sino el ejercicio excesivo, tanto que era entrenador de personas reconocidas, un entrenador famoso, me enteré después.

Mat describió toda la situación, desde que se molestó consigo mismo, hasta que salió a comprar algo de comer, al mismo tiempo que pedía una pizza y calculaba el tiempo que le quedaría en su estómago a ver cómo iba la digestión. En este tema puedo quedarme un rato, pero el hecho es que mientras rompía a llorar, él decía que lo que más quería en el mundo era una relación. Yo pensé: "ay, qué persona afortunada la que se lleve a Mat. Ay, ay, ay, alguien que lo ayude, alguien que le haga ver lo hermoso que es por dentro y por fuera"… mientras Mat decía: "una mujer que me entienda, que entienda que los hombres también pasamos por esto", etcétera.

Mucho tiempo después, cuando trabajé en estos temas personalmente y para ayudar a otros, llegué a entender que tener una relación con alguien que sufre de una adicción o desorden puede ser muy difícil. La persona que está afectada tiene una relación con la adicción y no hay espacio para nadie más. Muchos son funcionales y hacen espacio y tiempo para el trabajo, porque de alguna manera así sustentan el hábito, y ya sabes que uno hace lo que sea por defender sus necesidades, aunque estas no sean las mejores. No, no iba a ser fácil amar a Mat cuando no tenía límites dando amor y después quitaba el cariño entregado sin ninguna razón, así como no era fácil estar en una relación conmigo cuando, como anoréxica, no abría mi corazón. Pasados dos años, volví a ver a Mat. Tenía una novia linda, genial, bastante elocuente. Él se veía un poco más rellenito pero feliz. Estaba asistiendo a una de las reuniones porque cuando de desórdenes alimenticios se trata, siempre hay que estar *on track*, pues uno no puede romper la relación con la comida.

Por mi parte, cuando empecé con El Extranjero, comencé con esta terapia de desórdenes alimenticios. Principalmente, porque –gracias a la necesidad de sentirme importante (capítulo 2)– me parecía imposible atender a personas estando bastante consciente de que sufría –y sí, SUFRÍA– de anorexia, lo que me tenía el corazón cerrado y me hacía muy difícil sentir empatía por mí o por otros. Y, por otro lado, porque para El Extranjero todo giraba en torno a la cocina y a la comida. Su Luna en Tauro decía: "Te quiero, así que come", y yo no abría ni la boca ni el corazón… nada.

Al empezar la terapia ya estaba haciendo cartas astrales por consulta, aunque no atendiendo como *coach*, porque no lo era, pero llegué a entender que siempre nos alineamos con personas que traen lecciones divinas para sanar lo que nos hace falta, y descubrí que lo más curioso es que cuando nos abrimos a encontrar el amor de verdad, una de las primeras tareas que nos llega es sanar el cuerpo físico o a reparar el daño que le hemos causado.

El cuerpo físico es manifestación de lo que está pasando adentro, y por eso esta persona (o esta "lección personificada") viene para que trabajemos algo que podemos ver en la vida real, como para que no nos queden dudas de que hay trabajo interno que hacer.

¿Cómo iniciamos el proceso de manifestar una relación saludable con él, con ella, con otros? Te vas a reír, pero lo primero que hay que trabajar es cualquier asunto que haya con el cuerpo físico. Y no, esto no se trata de estar en forma, sino de atender tus necesidades. Está claro que si no duermes bien, si no te alimentas de forma adecuada o no tomas suficiente agua, será difícil que des tu 100%. Si eres una persona que quiere comerse el mundo, seguramente ya habrás notado que hay ciertos hábitos que te frenan, mientras que cuando cuidas de ti todo sale mejor y tu disposición es receptiva, alegre y atractiva.

No puedes cambiar tu realidad sin energía, tampoco puedes estar totalmente presente en una situación, dando lo mejor de ti, si te sientes incómodo con tu cuerpo, o si sientes retorcijones porque comiste algo que no te cae bien. Imagínate haciendo una presentación en tu empresa y que no puedas ni caminar porque comiste algo que te revuelve por dentro, o que olvides lo más importante del *pitch* de la venta porque no dormiste nada viendo Instagram en tu celular.

Nuestro cuerpo físico es lo primero sobre lo cual tenemos control. Yo sé que much@s acá van a decir: "yo no tengo control sobre mi cuerpo físico", y sé también que hay muchas cosas sobre las cuales no vas tener control, por ejemplo, sobre una explosión de una tubería en tu casa. Pero bajo tu control sí está hacer chequeos, estar pendiente y otras cositas más, así que vamos a estar claros: ¿quién aquí está pendiente por lo menos una vez al mes de llamar al plomero para que revise todas las tuberías de la casa? Eso no pasa, y bueno, si hay algún iluminad@ aquí, envíenos esa buena vibra… pero con el cuerpo sí tenemos que atendernos nosotros y cuidarnos, ya que es el móvil para manifestar lo que deseamos.

Tú sabes que tienes la capacidad de decir: "no, no me voy a comer la séptima galleta", incluso si has estado haciendo ejercicio, porque ahora puedes relacionar ese exceso con dolor o estancamiento. También te puedes decir: "son las nueve de la noche, ya me voy a acostar a dormir para descansar bien" o "sí, voy a pararme temprano para empezar a correr un poquito", sé que lo puedes lograr, porque cuando hay motivación –una semana en Tulum o alguien que te gusta–, lo haces. La cosa es que quiero que aprendas a motivarte tú en vez de hacerlo con luz robada.

Está claro que si no duermes bien, si no te alimentas de forma adecuada o no tomas suficiente agua, será difícil que des tu 100%.

Y much@s van a decir: "¿qué tiene que ver esto con mis relaciones de pareja?", y alguien más va a decir: "porque si no te sientes cómodo, no vas a tener sexo de manera libre", y no, no me refiero a eso. Así como te da pereza ejercitarte o comerte el mundo cuando no has descansado, si estás agotad@ te da pereza ir la extra milla por hacer algo divertido hoy con tu pareja, incluso es difícil estar allí para él o ella, escucharl@ y compartir. Si te sientes mal con tu cuerpo, lógicamente el sexo no lo disfrutas igual, empiezas a proyectar inseguridades, a pensar que él o ella está mirando a otra persona y todo, en realidad, está en tu cabeza.

Es muy importante no sólo querer nuestro cuerpo, sino saber que todo el tiempo está dando todo lo que puede por nosotros. Así que esto va de "sí, Mia, sé que quiero cuidarme más" a "estoy haciendo todo lo que puedo en este momento para iniciar el cambio". Y verás, en el intento de arranque y el inicio, muchas cosas cambiarán en ti.

Si sabes que hay algo del cuerpo físico que quieres sanar o cambiar, no esperes más. Es una inversión importante. Te lo pongo de otra manera. Mi abuela decía: "si la casa está en orden, no te queda sino escucharte y trabajar tu interior". Exactamente, si el cuerpo está mejor, si te estás ordenando para estar bien, lo de adentro no tardará en abrirse e iluminarse para que lo limpies, y el trabajo se hará más fácil. Y aun así vienen lecciones divinas.

Te dejo el ejemplo de mi amiga Cata: ella tenía sobrepeso y decidió operarse el estómago, después de muchas consideraciones (ojo, que de ninguna manera promuevo estas operaciones, pero la historia de ella es linda, y ya vas a entender por qué). Luego de adelgazar bastante con dieta balanceada y de ir al psicólogo, finalmente le dieron permiso para operarse, y en cuestión de dos años consiguió estar en el peso que había deseado.

Cata se dispuso a salir de nuevo, no era cosa fácil, tenía más de nueve años sin salir con nadie, nueve años o más sin que un hombre la tocara de *esa* manera, que le dijera cosas bonitas al oído. Imagínate la situación. Con todas estas herramientas y más (porque con el *team* de mis amigas le teníamos hasta lo que se iba a poner en cada cita), Cata empezó a salir con un chico un poquito pasado de peso, pero encantador encantador. ¿Lo mejor? El chico la adoraba. Cata era una súper estrella para él. Todas dimos el sello de aprobación, pero a los meses, el chico empezó a sentir mucha inseguridad. Decía que Cata salía con puras amigas y gente hermosa, que ella estaba cada vez más linda y que él se sentía muy feo.

Cata empezó una relación con una parte de ella que todavía no había sanado, porque aunque el cuerpo físico había cambiado, parte de su transformación no fue orgánica, aún había que trabajar. Cata pasó por consulta psicológica antes de operarse porque era una condición de la operación, pero al cambio más grande que debía hacerse, el interior, no se le dio mucho cuidado y ahora volvía a la superficie. Verás, el asunto con trabajar el cuerpo físico de manera lenta, segura, balanceada y con consciencia es que te vas creyendo cada parte, cada pequeño cambio.

Si tú logras identificar qué quieres mejorar con relación a lo físico, pero entendiendo a consciencia que esto te va a ayudar a nivel de causa, y te prometes no distraerte con los avances sino tomarlos como una motivación para hacer el trabajo más fuerte y profundo, la transformación será total. No es un cambio de cuerpo, es un cambio de vida. Date cuenta de que tienes más control de lo que crees, y también tienes conocimiento para usar esa fuerza de voluntad sin que te lleve a otro extremo sino para usarlo en equilibrio, que sepas lo importante que es tener tu energía física y tu cuerpo saludable para cualquier cosa, incluso para manifestar una relación.

En cuanto a Cata… Ella entendió eso y retomó el trabajo interno que había dejado a un lado, pudiendo comprender las inseguridades de su novio y ayudándolo con amor. Ahora era parte de su conocimiento cómo amarse más allá de lo físico, porque lo había superado. Esa es la cosa, hay que superar el asunto en lo tangible para llegar a lo invisible y de verdad transformar tu vida. En el momento que escribo este libro, Cata y su gordito (que ya no lo es tanto) están muy felices. Ella está hermosa y no es por el peso, es porque el amor se le sale por los poros y nadie lo puede negar.

Descubre qué debes sanar con respecto a tu cuerpo y mejorar tu relación con él. Visita www.miastral.com y descarga gratuitamente los ejercicios correspondientes a este capítulo (ver instrucciones en la página 16).

Lo reconozcas o no, en cada elección demuestras tu VALOR.

-CAPÍTULO 7-

NUESTRAS CREACIONES

Las historias que nos contamos

Playlist sugerido:
Our Creations (Nuestras creaciones),
página: 238

Seguro me has escuchado decir que vemos la vida
y la interpretamos a través del lente de nuestra
perspectiva. Por eso trabajamos consciencia, porque
una vez que cambia esa perspectiva, cambian
nuestras interpretaciones y así cambia la vida.
Se lee simple pero no lo es, ya que much@s, en aras
de hacer trabajo de consciencia, se complican
y de hecho empañan su manera de ver la vida.

Debemos buscar guía en alguien que nos ayude y que entienda nuestros
patrones, de dónde venimos y qué queremos dejar atrás.

La primera vez que entendí esto fue analizando una relación que para ese
momento me era importante.

Te echo el cuento:

Si me sigues en mi página, sabes que Venus retro es algo importante. Se da
cada 18-19 meses, así que no es como Mercurio retrógrado, y dura 40-41

días. Cada ocho años Venus retrograda en Aries, y hasta el sol de hoy, he comprobado que es el tránsito que más me lleva a cambiar de todo. Hace dos Venus retros en Aries terminó mi relación con Leo. De él jamás había hablado, ni siquiera en mis artículos *"Stars and the city"* porque hasta la fecha le tengo respeto a la situación.

Como ya te dije, yo tenía la tendencia de "donde pongo el ojo, pongo la bala directa al corazón". Leo siempre estuvo por ahí dando vueltas en mi ciudad como el hombre más *HOT* y más misterioso del mundo. Para mí, él estaba como para poner un afiche suyo en la pared de mi cuarto, pero en verdad era imposible. Aún más, era abogado (carrera que yo estaba cursando) y "era grande", me llevaba algunos años.

Después de una relación terrible, me vi por primera vez en mucho tiempo soltera y haciendo nuevos amigos. Para mí, que soy bastante ermitaña y sólo salgo a situaciones puntuales, salir en lancha un sábado era muy anti-yo. Allí en la lancha estaba uno de los mejores amigos de Leo, pero él no, porque imagínate que si yo no salía... él tenía una baticueva. Pero al día siguiente, tenía una solicitud en mi teléfono para aceptar su PIN (lo sé, mil años luz atrás). Incrédula, y aún con las sábanas pegadas a mi cara, acepté y apareció su foto. Casi me caigo de la cama.

El amigo que estaba el día anterior en la lancha le dio mi PIN. Apenas lo agregué a las ocho y algo de la mañana, me escribió. Tan rápido que ni me dio tiempo de cambiar la foto de perfil a "mira que estoy en mi mejor momento" (los veinte son tan cuchis).

> **Leo:** HOLA (su "hola" era acentuado siempre, hasta en mensaje). ¿Cómo estás? Es Leo, el amigo de Pepe, el hermano de Luis.

> **Yo:** ¡Hola! ¿Qué más?, ¿cómo estás?

(En mi cabeza: OBVIO que sé quién eres, cuándo cumples, cómo hueles y la camisa que usas con más frecuencia en tribunales).

> **Leo (de una):** Muy bien. ¿Qué vas a hacer hoy?

(Jamás habíamos hablado en nuestras vidas, pero Júpiter estaba por entrar a mi ascendente y tocar mi Luna, cosa que normalmente indica que te vas a enamorar... duro... y yo dije "aquí fue").

Yo: Voy al cine con mi tía que está acá por el fin de semana.

(Y era cierto, y tenía que ir sí o sí. Mi tía estaba por decirle a su pareja que se encontraba embarazada y quería distraerse antes de hacerlo).

Leo: ¿Y después?

Yo: La verdad nada.

(Yo pienso: "salgo del cine a las ocho, mañana tengo clases pero a nadie le importa, ¡¡¡es Leo Pitt!!!").

Leo: ¿Te animas a hacer algo? Es la feria (noviembre en mi ciudad), hay varios lugares que se ponen buenos.

(Va, va, va, va, va, va. Me levanto, me alejo del celular, no sigo "en línea" y llamo a mi mejor amiga que obvio no me contesta porque ayer en la lancha ella la pasó muy bien. Pienso: "no, qué va. Es raro que me lleguen a mí. Dicen que intimido a los hombres. Leo debe estar bien seguro de sí mismo").

Yo (en línea): Sí, va. Te escribo cuando salga del cine. ¿Sabes dónde vivo?

Leo: Sí. En tal con tal.

(Ooooooookey. No siento las piernas).

Yo: Dale. Nos vemos en la noche.

Muchos muchos *outfits* debían estudiarse. Mi ciudad es un horno, pero no podía salir demasiado destapada. Este Leo me había gustado muchísimo toda la vida para ser tan *LOUD* como usualmente soy. Primer error, lo sé, pero bueno. Creo que ese domingo floté en una nube todo el día y me fui al cine vestida muy normal. Pensé que me iba a dar tiempo de llegar a mi casa y cambiarme para salir con él. Le escribí que ya había salido cuando ya estaba llegando a mi casa, para que de hecho tuviera tiempo de cambiarme y maquillarme.

> **Yo:** Hey (tono *Felicity*), voy saliendo del cine, te aviso cuando esté lista.

> **Leo:** Ya estoy abajo de tu casa. Noté que la película que viste terminó hace media hora.

(Ahhhhhhhh).

Si sabía dónde vivía, si sabía la hora de la película, obviamente conocía mi carro y no iba a devolverme. Estaba llegando a mi edificio y me vio. Tuve que irme así, vestida normalita y sin maquillaje.

Cuando abrí la puerta vi la sonrisa más hermosa del mundo, los ojos azules más azules y el olor que se salía por la puerta. Entendí: salir con una persona del signo Leo puede ser lo más intoxicante del mundo. Sólo existes tú, y lógicamente tú haces que sólo exista él o ella.

Ese fue el inicio de una relación en la que todos mis conocidos apostaban que él era *The One*. Yo estaba graduándome de abogada, y él tenía buena edad ya. Situaciones como que me cargara cual doncella para que no pisara la grama eran típicas de un romance donde el resto del mundo no existía. En una fiesta nos quedábamos aparte y siempre abrazados hablando hasta que se acabara.

Leo, ascendente Piscis (como yo), Luna en Sagitario encima de mi Sol. Su Urano encima de mi Venus en Escorpio. Oops, eso no lo vi (cuando Urano está cerca de su Luna o de Venus, o encima de tu Luna o Venus en sinastría, así como empieza termina).

Nuestra relación se adelantó los tiempos. Entre mi cumpleaños y las fiestas de Navidad estábamos viviendo juntos y haciendo miles de planes. Debido a mis patrones y a mis constantes peleas entre más enganchados estábamos, la relación terminó cuando empezaba a retrogradar Venus. Aparte un eclipse. Yo sabía que no había vuelta atrás. De repente, no había sol en mi vida. Eso es lo que pasa cuando sales con un Leo, se lleva la luz y después es muy difícil que alguien llegue a lo que Leo dio.

Por primera y única vez en mi vida, no podía pararme de la cama. No podía hacer absolutamente nada. No fui a mi acto de grado. No quería ir a tribunales y verlo, saber que compartíamos el mismo aire, el mismo cielo, la misma ciudad.

Cuando esto nos pasa, hacemos una interpretación de la situación. Es normal. Mi perspectiva fue: "él me abandonó". Claro, en ese momento no lo sabía, y tampoco lo formulé así conscientemente. Fueron más de seis meses tratando de entender, y allí fue cuando empecé a estudiar astrología en serio sobre la base que ya tenía. Necesitaba una respuesta.

A Leo se lo tragó la faz de la Tierra, y yo tuve toda la intención de no estar en la misma ciudad que él y no tenerlo cerca, me fui a vivir a otra ciudad. No fue por la situación del país, no fue por nada más, sino por darle un final a una situación que me seguía doliendo mucho y, en verdad, me dolía por la perspectiva que tenía del asunto.

Ya viviendo acá en Miami, me tocó ir a mi ciudad por trabajo. Subí una foto en Facebook y Leo se enteró de que estaba allí. Me escribió a mi correo y me dijo: "tenemos que vernos". Dios mío. La crisis de los 26. Yo ya tenía novio en Miami. Pero sí. Claro que sí.

La secuencia fue igual que la primera vez. Supo que me estaba quedando en casa de Chloe y me fue a buscar después de que yo terminara de trabajar. La conversación fue muy *light*. Era él, olía como él, se reía como él. Él, él, él, él. No podía estar más incómoda, pero igual mi cabeza decía que tenía que entender, mi corazón decía "¿por qué te haces esto?", y mi cuerpo… ni hablar de mi cuerpo.

Fuimos a cenar, luego a una fiesta y allí éramos nosotros, en el sentido de que podíamos cortar el año que había pasado y decir que jamás nos habíamos separado. Allí me dijo: "si estás, estamos".

Agarrados de la mano nos fuimos a una esquina de la fiesta a ser "nosotros", nadie más existía.

Igual, yo me iba al día siguiente. *Expidating*, expidolor y una conclusión.

A las cuatro de la mañana (yo tenía que estar a las siete en el aeropuerto) fuimos a la baticueva. Yo pensaba que todo lo bueno iba a pasar, pero me mostró miles de cartas que me había escrito pero no entregado, un *playlist* con nuestras canciones y otro con canciones que iba conociendo y que pensaba que podrían gustarme.

Leo: ¿Por qué no luchaste por nosotros?

(Dios mío. Óiganlo. ¿Será que puedo grabarlo?).

Yo: Pensé que ya no había más nada por qué luchar. ¿Por qué no luchaste tú?

Leo: Luché desde el primer día. Tú no eres una persona fácil, eres muy compleja y yo lo sabía. Luché con tus miedos, con tus peleas, pero ya no podía más. Tú podías luchar. La lucha no es sólo cuando hay problemas, es también cuando por amor las personas se ayudan a cambiar.

El resto es historia. Ya no tenía ganas de llorar, ya tampoco sentía amor. Sentía compasión por él, por mí, por mi visión, por entender que aún no había trabajado la situación "de abandono" con mi mamá, que después de diez años entendí que tampoco fue abandono.

Allí fue cuando mi perspectiva empezó a cambiar, me di cuenta de que yo había escogido la interpretación más fácil según mis patrones, pero más difícil para mí. No me estaba haciendo ningún bien al escoger la visión de abandono, cuando había mucho más. Si yo hubiera conversado de esto con alguien en ese momento, si lo hubiera escrito o hecho una lista de todas las situaciones en las que me sentía "abandonada", me habría dado cuenta de que era una creación, porque con la palabra "abandono" ya la mente se me va a la referencia de "la madre que no estuvo", e incluso era la palabra que usaba para otras situaciones más leves.

Cuando terminé con Leo también entendí que mantenerme triste y molesta era la única manera de seguir conectada a él, al estilo "ya verás el karma Leo, ya verás". Qué desgaste de energía. Qué desgaste de relación. Igual, si no hubiera terminado, no me habría ido, no estaría donde estoy, y la verdad no cambiaría nada de lo que pasó.

Ahora hablemos de ti.

Sé que si te das un momento y observas las interpretaciones que has dado a ciertas relaciones, sea en su final o en una situación específica, te darás cuenta de si estabas escogiendo la interpretación más pesimista o más idealista. Porque se trata de llegar a tener una perspectiva balanceada, y sé que con el trabajo de consciencia que has estado haciendo y con lo que has leído acá puedes ser un poco más objetiv@.

Si quieres, toma una situación en específico y escríbela. En serio, cuando escribimos algo, activamos una parte de nuestro cerebro que no se activa cuando sólo lo pensamos, y así podrás darle un poco más de estructura. Escribirás y saldrán de ti palabras claves y frases que, cuando te leas, te van a ayudar a entender si tenías una creación exagerada o si más bien estabas dando mucha cancha a una situación desbalanceada.

Te doy un ejemplo: cuando Aniella nos cuenta de su relación tormentosa con Scott, siempre la deja "plantada". De verdad, no puede ser posible que siempre siempre siempre la deje plantada, y nos dimos cuenta en una charla tomándonos un café.

Cata: Aniella, cuéntales lo que me contaste a mí.

(Aniella mira a Cata con ojos que penetran).

Aniella: Bueno, el viernes Scott me llamó (ya acá no son novios, sino que están en un limbo) para ir ayer sábado a cenar. Yo le dije que le avisaba. El sábado me fui a la peluquería, me maquillé, me vestí y le escribí a ver qué onda, y Scott me dijo que, como nunca le avisé, él pensó que le estaba sacando el cuerpo (cosa que Aniella tiende a hacer mucho con él desde que están en el limbo), pero que bueno, que ya salía a buscarme.

Chloe: A ver, ¿quedaron el viernes?

Aniella: Yo le dije que le avisaba.

Chloe: Le avisaste el sábado.

Aniella: No, pero él debería estar al pie del cañón si ya me invitó.

Yo: ¿Dónde está mi bolita mágica?

Chloe: Pero nunca le avisaste...

Aniella: No, pero una vez más me siento plantada.

Chloe: Momento en el tiempo. No se concretó el plan, así que él tampoco sabía.

(... y, créanme, Chloe detesta a Scott como los niños al brócoli).

(Aniella empieza a llorar).

Aniella: Sé que me creo unas expectativas y que espero lo que ni siquiera sé pedir.

(Etcétera, etcétera, etcétera).

Otro día, quedamos todas en dejar a los chicos, novios, esposos y limbos a un lado y salir el viernes por la noche. Al final de ese día, de verdad estábamos cansadas de la semana, de todo, y una a una empezamos a decir que como que mejor no. Aniella se molestó con todas y dijo en el grupo de WhatsApp: "me siento plantada".

Más adelante, Aniella conoció a Estrellita (la analista de todas) y le resaltó que siempre usaba esa frase y que sí, es real que Scott se ha ganado su fama, pero que es su perspectiva la que ve las cosas así. Podría decir "en espera", pero dice PLANTADA, una flor bella, plantada sin moverse.

Si vemos la relación entre Aniella y Scott años atrás, ella paró muchas cosas para ajustarse a él. Él siempre ha hecho sus planes, sus viajes, sus posgrados y más. Ella misma se plantó para ver si florecía junto a él. El resto es más terapia, análisis e historias, pero quiero que notes cómo prestar atención a la forma en que hablamos y construimos nuestros relatos paga en grande.

Aniella, aún en el limbo, ha empezado a hacer su vida. No se deja plantada. Muchas cosas en su vida han cambiado para bien. En cuanto a Scott, me quedan muchos capítulos y muchas historias, así que bueno.

Y en cuanto a mí, unos nueve años después de Leo inicié mi relación con Escorpio y pasó exactamente lo mismo. Él luchó desde el inicio, yo sin darme cuenta luché por mi libertad y él no pudo más. Esa vez no lo vi como un abandono, supe que yo lo había abandonado desde la primera vez que no luché, aunque bien claro me lo pidió. Pero tranquil@, que a todos nos llega un *breaking point* y a eso voy más adelante.

Por ahora, ¿vamos por más?

¿Recuerdas que lecciones atrás explicaba que intentamos llamar la atención de uno de nuestros padres y sin darnos cuenta tomamos *tips* del otro padre? Acá te tengo otra historia, para que entiendas que, aunque estemos grandes y nos contemos cuentos, estos tienen una base referencial en la niñez siempre.

Mira, uno se condiciona muchísimo en esto de los primeros amores, así que presta atención: ya sabes que mi mamá me tuvo muy joven y que se vino a Estados Unidos a terminar su bachillerato y universidad. Mis abuelos maternos decidieron llevarme de vuelta a Venezuela y criarme, porque mi mamá no podía sola. Algo que me decían mucho cuando preguntaba por ella era que mi mamá era una estudiante de puras "A", que era *summa cum laude*, que era increíble, etcétera. Yo logré lo mismo, inspirada en esas historias.

Ya más grande le pregunté a mi mamá sobre esa época, para enterarme de que era una estudiante regular y que, en verdad, nunca le gustó mucho estudiar. Pero lo importante acá no es eso, sino cómo nos hacemos creaciones que nos condicionan y nunca cuestionamos si nos hacen bien o no.

Quiero que entiendas que todos nos cableamos de cierta forma. Si desde joven te decían: "¡qué buen@ eres!", tú vas a trabajar eso; o si te decían: "¡ay, no!, ese estilo de pelo te queda horrible", nunca más lo vas a usar así. Entonces, así como nos programamos cuando estábamos inconscientes, en la infancia, podemos cablearnos ahora para ser de otra forma, pero ¿qué pasa? Cuesta un poco verse desde afuera, reconocerse atributos importantes y sanar los que supuestamente no son tan buenos.

Por ejemplo, algo que a mí siempre me decían era: "qué chiquita, qué bajita, qué pequeñita, pero es que nada te queda", y así. Entonces hay un momento en el que estás en el *dating scene* (ámbito de salidas) y dices, por ejemplo: "si yo fuera alta como una modelo de Victoria's Secret…"(yo aquí soñando), pero bueno, no es así, y ahora en vez de tomármelo como algo negativo, lo veo como algo súper lindo.

Y pasa también con ideas preconcebidas y hasta con la astrología: soy latina, así que soy de cierta manera; soy Sagitario, así que todo lo que como se me va a las caderas. ¿Ves? Así como hay creaciones difíciles de descifrar (como la de "estoy plantada"), también hay otras más simples pero que no nos cuestionamos, como estas que menciono acá. Nótalo.

Ahora te toca a ti: ¿te atreves a escribir, hablar, grabarte y entender que tú tienes las claves? Puede que tome tiempo, pero sé que te va a ayudar un montón. Pon en práctica esta técnica o herramienta para trabajar tus problemas o situaciones difíciles, escribe o grábate, y, lo más importante, luego léete o escúchate y podrás visualizar las cosas de una manera distinta. Después, si lo deseas, puedes llevar tus notas o descubrimientos con tu *coach* o psicólogo para profundizar aún más.

Toma también en cuenta que así como te creaste unas historias que te limitan, puedes crear historias o verdades basadas en una nueva perspectiva que te hacen bien. ¿Empezamos?

Go!

¿Cuáles son las historias que te has creado y que no pertenecen a quien eres hoy? Reconócelas y cámbialas. Visita www.miastral.com y descarga gratuitamente los ejercicios correspondientes a este capítulo (ver instrucciones en la página 16) .

CAMBIAR DE consciencia es CAMBIAR DE destino.

-CAPÍTULO 8-

LA VIDA TE DA SORPRESAS

El punto de quiebre

Cuando no trabajas tus patrones a un nivel profundo, sino que arreglas lo externo, creas una y otra vez las mismas situaciones, pero te dices que no porque hay otros personajes o estás más grande o en otra ciudad. Sin embargo, al caer en el mismo lugar tienes que preguntarte si por ahí hay un gozo no reconocido, pues todo lo que hacemos, lo hacemos por una razón, y el patrón que genera la situación sigue allí, no lo has tocado ni has dejado que lo toquen.

En el capítulo anterior conté cómo la historia de Leo y la de Escorpio son increíblemente similares. Había una repetición, y eso tenía que estudiarlo.

Pero antes de seguir hablando de mí, te quiero contar la historia de Joaquín. Él es Escorpio y existe, pero no es *mi* Escorpio. Creo que debes saber su signo para entender la situación. Joaquín es guapo, del 1 al 10, un 9; es inteligente, del 1 al 10, un 8, y es Escorpio, del 1 al 10, un 30. Dice las cosas como son, es muy transparente. Como la mayoría de los Escorpio, se enamoró una vez muy fuerte y quedó marcado. Después de eso ha tenido aventuras y otras historias, pero era claro que necesitaba sanar ese gran amor que había tenido antes de embarcarse en algo más.

El gran amor de Joaquín fue su mamá y la perdió bastante joven. Después de eso, buscaba la energía femenina en todas partes, teniendo muchas amigas (al punto de hacerse muy amigo de las amigas de su hermana mayor) y luego haciéndose un gran conquistador. A sus 25 se enamoró otra vez. Todos se imaginaban a Joaquín con una mujer despampanante, pero él se enamoró de una artista con un *edge* intenso. De físico no era la más bonita, pero sí era muy interesante y lo entendía muy bien. A los ojos de Joaquín, ella era la candidata para casarse, pero aunque se fue a estudiar a otro país, sus hábitos lo acompañaron. La sensación de que "la mujer no está" desató varias cosas (de vuelta a su mamá y a ser incapaz de sostener el vacío de no estar atendido). Joaquín le propuso matrimonio a la artista y ella dijo que no. Una vez más, su corazón estaba roto. No hay culpas. Él no había trabajado sus patrones, ella lo sabía muy bien y no podía obligarlo a hacerlo.

Joaquín siguió con su vida. No le era difícil conseguir compañía y no desperdiciaba oportunidades. A sus 29 empezó una relación a distancia. Para este punto no sólo era claro que la distancia le equivalía a falta de atención y todo lo que eso conllevaba. Además, él mismo decía que no era algo importante en realidad, porque él era muy mayor para ella.

Pero la vida te da sorpresas.

A los dos años de relación, la chica ya tenía una vida paralela.

La primera reacción de nosotras, las amigas, fue: bueno, él es mentiroso y se encontró con su espejo, una mentirosa. Pero esta es una perspectiva muy superficial. Joaquín se enteró de todo a través de sus amigos, y ya sabes que el ego del hombre es lo mismo que la autoestima para una mujer, así que ahí mismo lo rompió porque la cosa ya era muy pública.

Joaquín estaba muy afectado, pero no era una cuestión de amor, era una cuestión de "cómo no me di cuenta" (directo al ego)... porque lastimosamente mucha gente sabía. Ahora teníamos a Joaquín, empresario, inversionista, profesional, educado, guapo y codiciado, temblando por la persona que menos esperaba que lo iba a traicionar.

Esto lo llevó a su *breaking point* (punto de quiebre). Vale decir que en menos de dos meses le pasaron varias cosas juntas que sumaron un despertar de "la cosa tiene que cambiar". En verdad, y en palabras de Chloe, "él, que pensó que se las sabía todas, no había tomado la lección más importante: cambiar la idea de que la mujer nunca está". Joaquín empezó a trabajar en él, principalmente, para no volver a iniciar una aventura o una relación de inmediato, y se cuestionó mucho qué estaba haciendo o pasando para haber manifestado algo así. Esas fueron sus palabras cuando me lo contó. Historia real.

Yo también tuve un punto de quiebre. Después de separarme de El Extranjero, mi sueño más grande era poder recibir mi residencia y viajar a promover mi trabajo. Luego de un proceso legal estancado por dos años, finalmente el documento salió y, dos meses después de mudarme sola, mi mánager armó unos viajes y presentaciones *flash*. De septiembre a diciembre no paré de viajar, salió mi tercera agenda y mi primer libro. Estaba encantada, tenía todo lo que quería... o así lo creía yo.

El 4 de diciembre, al final de mi viaje por México, fui a la boda de una amiga. Una chica y yo éramos las únicas solteras de la fiesta. La ceremonia estuvo increíble, no podíamos parar de llorar de la emoción. Luego empezó la recepción, todo estaba muy lindo, sólo que la comida en esa parte de México es muy rara para mí (dile no a los chapulines). Tuve mucho cuidado con lo que comí, pero aun así empecé a sentirme mal, tuve que irme a urgencias en una ambulancia y quedé hospitalizada. Ni bailé en la boda.

Al día siguiente, con o sin suero, salía mi vuelo al DF y de allí la conexión a Miami. No sé cómo, pero volví a casa. Llegué un lunes y tenía muchos mensajes y correos de "¡Felicidades! Lo estás logrando, te vemos súper feliz en las fotos y presentaciones", etcétera. El martes en la mañana llamé a Chloe, quien ni me dijo "hola", sino "¿qué dice la casi cumpleañera exitosa?", y rompí a llorar. Pero tenía todo, ¿no?

Reconocer el punto de quiebre es importante, y hay cierto disfrute (son mis planetas en mi casa Escorpio hablando) en saber que se está rompiendo una cáscara y que no vas a ser el mismo o la misma de antes.

Había trabajado tanto por "todo", pero la verdad es que me sentía muy sola. Mis necesidades habían cambiado, quería enamorarme, quería estar en mi estado más creativo gracias a la vida, no a un reconocimiento. Trabajar tanto… ¿para qué? Había crecido hasta un punto en el que estaba realizada profesionalmente y mi alma me pedía conexión, entendía que era momento de compartir y crecer de a dos, no podía parar de llorar. No fueron los chapulines los que me mandaron a la clínica, fue el *shock* emocional de algo que no podía seguir negando.

Era tan feo el dolor que le dije a Chloe: "¿será que hice mal dejando a El Extranjero? Quizá sí…". "No, Mia", dijo Chloe. "Tú sabes que él no era para ti, tú sabes que eso había muerto antes de que te fueras. Saliste de ahí con convicción y la vida te va a recompensar".

Del 6 al 12 de diciembre, fecha de mi cumpleaños, seguía mala del estómago y muy triste. De hecho, creo que ha sido el único cumpleaños triste que he tenido. Algunos meses después, Chloe se comprometió para casarse. Yo no podía estar más feliz, pero la idea de ir a un matrimonio, y todo lo que implicaba, me revolvía por dentro. Las cosas tenían que cambiar.

Inicié los Climas Astrológicos. Cada día hacía algo nuevo para crear nuevos caminos neuronales, empecé a aceptar tener citas con chicos diferentes a los que pensaba que eran mi tipo, comencé a meditar todas las madrugadas, terminé de dejar la proteína animal y así, y así. Llegó la boda de Chloe. Fui sola y me encontré con mi mejor amigo de toda la vida, el famoso Escorpio. Él no me daba ni frío ni calor y no pasó nada raro, pero igual no nos soltamos en toda la noche. Fue una de las mejores fiestas a las que he ido en mi vida. La pasamos genial. Fue una semana inolvidable. No tuve retorcijones, no terminé en urgencias, nada. Muchas cosas habían cambiado y seguían haciéndolo, y yo no tenía idea de que Escorpio terminaría siendo mi novio. Y sí, mi punto de quiebre se dio por partes, pero se dio.

Cuando finalmente acepté estar con él y me habló de compromiso la primera vez, me pasó exactamente lo mismo que en el matrimonio en DF: estuve casi hospitalizada, tuve que tomar suero… no me podía parar. Algunas estructuras continuaban rompiéndose.

A todos nos llega el punto de quiebre. A algunos de golpe, a otros, que nos contenemos más, de a poquito. Y no hay un solo punto de quiebre en la vida, tenemos varios. Siempre habrá cambios y tenemos que estar dispuestos a fluir con ellos.

Reconocer el punto de quiebre es importante, y hay cierto disfrute (son mis planetas en mi casa Escorpio hablando) en saber que se está rompiendo una cáscara y que no vas a ser el mismo o la misma de antes. En saber que tu deseo está derrumbando viejas estructuras, viejas ficciones, en saber que TODO lo que de verdad deseas sentir está al otro lado de esta explosión, y que esta experiencia humana vale la pena.

Reconoce tu punto de quiebre y empieza a fluir con el cambio que ya pide tu vida. Visita www.miastral.com y descarga gratuitamente los ejercicios correspondientes a este capítulo (ver instrucciones en la página 16).

El DOLOR que sentimos que nos destruye DA·PASO A LO QUE NOS hace SENTIR VIVAS.

-CAPÍTULO 9-

¿SOMOS COUGARS?

≥ *Babe, oh, babe* ≤

Playlist sugerido:
I Adore You (Te adoro),
página: 240

Nota: Este capítulo está dedicado especialmente a las chicas…

Cougar /ˈkuːɡə(r)/ *sustantivo*

Entiéndase como la mujer mayor que sale con chicos menores y "chupa" su juventud.

¿Será que ya hemos llegado a esa edad en la que podemos ser consideradas *cougars*? Pareciera que siempre pudiéramos estar en esa "edad", pero nada como el momento en el que nos damos cuenta de que efectivamente estamos metidas en una situación *cougarística*. Y aunque podría parecer que somos nosotras quienes estamos absorbiendo la energía del otro, sin darnos cuenta podemos estarnos exponiendo a una nueva "raza", *ese* hombre menor que se las sabe todas y en cualquier momento puede darnos la vuelta.

Te cuento esta historia:

Tenía yo bastante tiempo trabajando en el final con Escorpio, muy consciente de mis patrones, y ya había salido en citas casuales con Tauro. Pero nos sucede a las personas que tenemos a Plutón fuerte en la carta, que con cada paso que damos adelante en medio de un proceso, ya no queremos mirar atrás. Y sin embargo Tauro representaba para mí un recuerdo del tiempo de ruptura.

Estaba yo muy inocente en una reunión y había varios amigos de amigos que yo no conocía. Mi casa 11 del ambiente social estaba estallando, pero yo no le estaba prestando atención porque lo único que veía era un montón de retrógrados venir y continuaba en mi resistencia a seguir dándole vueltas a lo que pasó.

Estaba además en un reto con mi mejor amiga de no tomar alcohol o consumir azúcar por mes y medio, así que me encontraba bastante consciente de mis movidas, nada adormecida, muy enfocada.

Josh (a quien llamaremos BabyB): Hola, mucho gusto. Soy Josh, amigo de X. Qué bueno conocerte.

(En mi cabeza: ¿de dónde salió este bebé?)

Yo: Mia, mucho gusto.

BabyB: Sí, lo sé. Me encanta lo que escribes.

(Dios mío, ¿qué he escrito últimamente?)

Yo: Ah, súper.

BabyB: Soy del 7 de noviembre.

(Sonido *scratch* de disco de vinilo, uñas en pizarrón y mi mirada buscando el vino más cercano).

… y nací a las 10:45 a.m.

(Noooooo. Ascendente *Caprihorny*. ¿Dónde, dónde está el vino?).

… soy abogado.

(*Kill me, kill me now*).

… me encanta cuando usas términos de abogada en tus audios.

(No, ya, basta. Me voy).

Juro que vi todos mis patrones en una persona, sólo que tenía tres años menos que yo y, bueno… antes de seguir tendré que retroceder y contarte mi primera experiencia de *cougar* para que entiendas por qué sentí que tenía un mono en la espalda riéndose de mí.

De adolescente tuve un novio con el que duré 11 años. Éramos mejores amigos, de esos que crecen juntos. He hablado de él en mi página como *The Hulk*, una mezcla Piscis-Aries que en un momento era súper dulce y al siguiente segundo podía ser un monstruo verde con problemas de ira. Tan lindo… bueno, eso es el pasado, pero el hecho es que cuando yo tenía 21, estaba recién graduada de la facultad y lo próximo era que diéramos el siguiente paso, pero él decidió volverse dj, y eso para mí fue como el *scratch* de disco de vinilo de mi alma. *Bye bye*!

Después de eso quedé muy joven y libre para conocer a más gente. Yo vivía en una pequeñísima ciudad donde si tienes años con alguien, prácticamente te ven como de su propiedad y ningún amigo te invita a salir (y en esa ciudad TODO el mundo se conoce). Pero rato después me encontré con mi primer Escorpio *ever*. Como no era de la edad de mi grupo o de mi ex, él no estaba enterado de la situación, de los 11 años de relación y bueno, de nada… era un bebé.

Yo tenía 21 y él 19, lo vi en un club y le dije a la que era mi mejor amiga en ese momento: "esa mirada es Escorpio, apostemos". Atravesé el salón y le dije: "apuesto que naciste en noviembre", él dijo: "¡sí!, soy del 15 de noviembre". Eso fue todo. Hablamos un rato y tenía tema de conversación, como todo Escorpio, con ellos puedes llegar a temas profundos incluso en un lugar donde el resto de la gente está bailando. El chico trabajaba con su familia, tenía los pies en la tierra, pero 19 son 19 y a mí siempre me han gustado mayores que yo y un poco más "artísticos" que trabajadores ejecutivos (sobre todo en ese momento del clímax de mi ascendente Piscis). Me invitó a salir y le dije que no mil veces. Pero un día estaba sin mucho que hacer, accedí y la pasé genial. Al llevarme a mi casa me dijo: "nadie te va a querer como yo te voy a querer", y me reí en su cara. ¿Qué se creía este cigoto?

Contar el resto de la historia es perder el tiempo, porque esa causa prescribió, pero aprendí muchísimo. Fue la primera vez que sentí la energía Escorpio, mi stellium en ese signo, y sí, jamás había visto una entrega similar, pero eso también vino con una fijación y una orden de restricción después.

De cualquier manera, volviendo a la reunión de amigos...

BabyB era una mezcla entre ese niño de mis 21 y el ex Escorpio que estaba recién dejando atrás, pero pensé que no nos haría mal hablar, y que este, aunque apenas tenía 30 años, estaba muy muy muy ubicado. Conversar con él y que no tuviera que explicarle nada porque me agarraba la idea de una era realmente refrescante.

Así empezó uno de los coqueteos más adultos que he tenido. El nivel de cortejo era 1A, además había respeto y admiración... estaba bastante bueno.

Claudine, una amiga que estaba saliendo con un chico de 26 se dio cuenta y me dijo: "¿qué tal BabyB?".

Días después del evento Claudine y yo salimos a almorzar y entre risa y risa hicimos una lista de los beneficios de salir con chicos menores que nosotras, digamos que estén entre los 20 y los 35. Claudine estaba antes casada con un hombre de casi 50 y mi ex tenía 38, pero era como de 30, emocionalmente hablando. O esa es la conclusión a la que había podido llegar.

Entre lo conversado con Claudine y lo experimentado tengo varias observaciones sobre los *babes*, esos "niños" de ahora. Te dejo algunas...

Observaciones sobre los *babes*

1. Están más en contacto con su lado femenino que los de nuestra generación a esa edad.
2. Tienen mejores hábitos que los de nuestra generación.

Entre ellos, pararse temprano, ir a entrenar, comer de manera consciente, dormir lo que se debe, ponerse el magnesio en las noches… nada es raro para ellos, de hecho, te ponen al día y todo.

3. Tienen muchísima energía. Las mujeres usamos mejor nuestra energía a los treinta que a los veinte, época en la que sí teníamos energía pero estaba muy dispersa. Estos niños derrochan energía para hacer todo lo que queramos… y más.

4. A su edad ya tienen proyectos y cosas que querían y que manifestaron, lo que las personas de nuestra generación aún están intentando hacer.

5. Alcemos las manos por su espíritu emprendedor. *Yes, yes, yes*.

6. Son los jefes en *t-shirt* y *jeans* que tienen hombres de traje en nómina. El mundo es de los jóvenes y sus ideas. Es la verdad.

7. "Vamos a X concierto", "vamos a probar X cosa"… sí, sí y sí. Cero complicaciones u obstáculos.

8. Cuando se ponen niños, puedes ver a través de sus patrones.

9. Puede que se pongan muy fáciles y te aburras, o que te asombren y te den la vuelta. Son impredecibles.

10. No se sienten amenazados por tu éxito.

Pero hay algo…, algo que los *babes* no tienen: *the moves* (las movidas).

Si estás saliendo con uno, te dejo por aquí una guía de preguntas para hacerte:

1. ¿Entiende él realmente todos estos sueños por los que yo estoy trabajando?

2. ¿Entiendo yo sus sueños, que por la mayoría ya pasé hace un rato?

3. ¿Siento que debo estar más joven que nunca o me relajo siendo YO?

4. ¿Tiene actitudes de niño que me fastidian?

5. ¿Me siento celosa de sus amigas o de las niñas de veintitantos?

6. ¿Realmente ME VE o soy como una ambición más? (Muchos nos ven hechas y derechas, con mucho *mojo* y energía, y se sienten orgullosos de la conquista. Sucede. Igual como cuando un hombre de cincuenta y tantos sale con una chica de veintitantos).

7. ¿Hay dinámica mamá-hijo? ¿Me entran ganas de cuidarlo y mimarlo tipo bebé?

8. ¿Me pide permiso para hacer ciertas cosas?

9. En reuniones con "su gente", ¿me siento fuera de sitio?

Claudine estaba muy feliz con su niño de 26. Estaba yendo hacia un lugar. Esto lo marca mucho la mujer de nuestra edad, es decir, nosotras y nuestro comportamiento. Tenemos más fuerza de voluntad para mantenernos en nuestro sitio que las chicas que ellos conocen, sabemos lo que valemos y eso es buena base para tomar decisiones en las relaciones. Claudine de verdad estaba consciente de todo esto, de lo que aprendió antes, y estaba relajada, feliz. Repito: tenía acción, dirección y se dirigía a un lugar que estaba planificando en su mente. El niño iba de la mano caminando, y no, eso no quiere decir que jamás le haya salido con algún comportamiento de su edad, porque hasta la fecha aún hay cosas por acá o por allá que trae Claudine a los almuerzos para discutir y evaluar. Pero está disfrutando el proceso.

Yo, por mi parte, vi mis patrones cuando conocí a BabyB. En un par de meses él ya tenía unos planes locos. Apenas habló de mudanza sentí el *scratch* en el disco de vinilo. (Esto no es conmigo, hijo. Múdese por usted, con usted y como usted quiera).

Le conté a Chloe. Ella sabía todo sobre BabyB, la situación, mis circunstancias pasadas, etcétera.

Como ya me había sucedido (o, mejor dicho, como ya había manifestado antes), él y yo pasamos de 1 a 100 en un minuto. Con Escorpio no supe decir que no, que no podía con lo que estábamos manifestando. Soy del tipo de personas que, bueno, algo me da miedo y voy igual, lo que ha sido positivo en cuestiones de crecimiento, trabajo y reconvención, pero fatal en relaciones. Esta vez tenía que hacerlo diferente. Tenía que escuchar mi intuición.

> **Chloe:** Tienes que decirle. Ese hombre se está mudando. Dile que no quieres. Dile que están bien así, o si no estás bien así, ya sabes.

> **Yo:** ¿Cómo le digo muy cuchi pero no cuchi? Yo le canté mil veces *Despacito*. ¿Por qué no agarró la pista? Yo me lo dije mil veces… si esto va a ser algo, me lo puedo tomar con calma.

Y no, no quería que se terminara el tema con BabyB. La estaba pasando muy bien, pero seguir era muy egoísta de mi parte, porque yo no me veía con él a largo plazo, a pesar de que tiene mucho de lo que uno puede querer en alguien serio.

… No, no quería el mismo patrón, y creía que lo mejor era que él se emocionara con alguien que se emocionara con él de verdad, y yo quería a alguien que fuera lo suficientemente fuerte para entender mis sueños.

Recordemos que para que una relación se dé y tenga potencial deben presentarse tres cosas:

1. **Compatibilidad.** Intereses en común y al menos ganas similares de crecimiento consciente.

2. **Química.** Porque sin eso… ¿qué?

3. *Timing* (el momento correcto). Y aquí la cosa se pone *tricky*. Sé que si hubiera conocido a Josh un poco más adelante en el proceso del trabajo de mis patrones, quizá sería para mí el tipazo que es. Así que, por ahí, no era el momento. Estaba apenas levantándome, despertando y cuidando de mí, cosa que es normal. Pero ajá, igual era la persona perfecta, en el momento que debía ser, con la energía ideal que hacía *match* con la mía en ese instante. Él tenía tantas ganas de dar, de hacerme sentir bien, de superarse a todo nivel y tener qué ofrecer… pero yo también le di lo que necesitaba en ese momento de su vida y trabajamos juntos en patrones

emocionales de enlace en los cuales sacó 20 puntos. Y sé que al final los dos quedamos bien con lo que nos dimos.

Esta vez no accedí a los planes acelerados, no me desaparecí ni lo traté mal para que me dejara o llegáramos a una crisis. Fue uno de los finales más antifinales del mundo, al menos para mí. Recuerdo cuando me dijo: "no me subestimes. La vida te da sorpresas", y sí que me las dio… en el buen sentido. Allí dije adiós a varios patrones limitantes que tenía.

Agradezco de corazón que con BabyB entendí que podía volver a sentirme feliz, encantada, tener esas conversaciones de toda la noche, hacer planes que logramos concretar y disfrutar. Si bien no creo que un clavo saque otro clavo –yo esperé mi tiempo, trabajé en mí después de Escorpio–, BabyB fue la mejor experiencia post mala ruptura. Me hizo sentir que todo lo duro que fue terminar con Escorpio había sido pequeño, había pasado hace mil años, y que claro que uno se puede volver a encender con besos y miradas. Más y mejor.

Pero la lección en todo esto no es sólo sobre los *babes*. La lección también está en observar el contraste en las relaciones y usarlo para entender quién es uno, lo que uno quiere, e identificar cuándo estamos cayendo otra vez en nuestros patrones. No hay reglas en las relaciones, tampoco valen las expectativas buenas o malas que tengas de alguien que conozcas. La vida realmente te puede sorprender.

Y de pronto, allá afuera, está un chico increíble en sus veinte, disponible para que lo disfrutes, y que además ya sabe bien cómo aprovechar su retorno de Saturno[*].

ENJOY.

Reafirma quien eres hoy y honra el camino que se abre hacia quien quieres ser mañana. Visita www.miastral.com y descarga gratuitamente los ejercicios correspondientes a este capítulo (ver instrucciones en la página 16).

[*] Según los ciclos astrológicos, el retorno de Saturno es un periodo que va de los 28 a los 30 años, en el que se derrumban las estructuras que nos sostuvieron durante la priemra etapa de la vida.

En la aceptación DEL MOMENTO presente conectamos CON EL AMOR PROPIO.

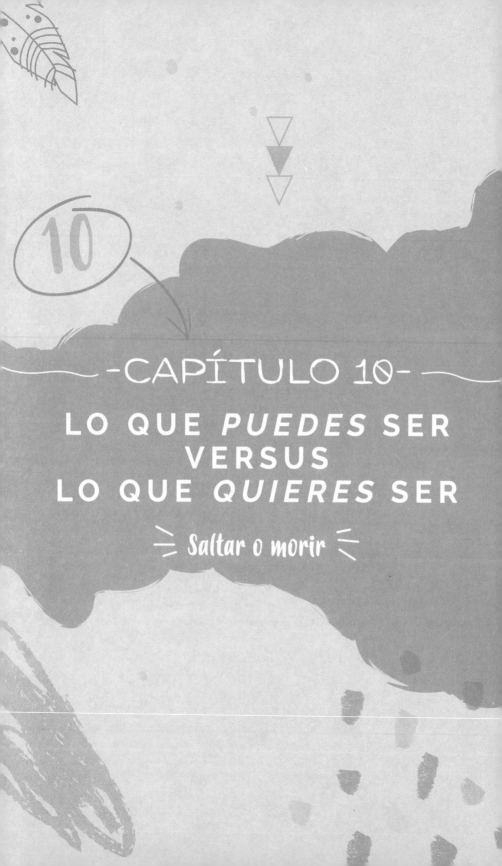

-CAPÍTULO 10-

LO QUE *PUEDES* SER VERSUS LO QUE *QUIERES* SER

Saltar o morir

Playlist sugerido:
Never Ever Too Late (Nunca nunca es demasiado tarde),
página: 241

Esta es la historia de Ona, una mujer de 33 años que está recién divorciada después de tener una relación por 13 años... Sí, se casó muy joven, pero ese no es el centro del asunto. El hecho es que después de un divorcio muy difícil saltó a una relación en poco tiempo y nunca se dio el chance de procesar la separación, hacer trabajo interno y actualizarse.

No tardó mucho para que los mismos problemas que tenía con el esposo, los tuviera con el nuevo chico, y no sólo se puede pensar que escogió al mismo tipo de hombre, se trataba, más bien, de que su perspectiva era la misma.

Al pasar por una situación de divorcio o mudanza, al vernos haciendo tantas cosas en el mundo material, asumimos que el cambio se está dando, y es así. Pero ya va, el cambio que ves afuera viene de un cambio que se estaba gestando adentro hace tiempo. Las transformaciones que siguen a las que ves hoy deben empezar a gestarse también interiormente al terminar una etapa.

Ona acabó su matrimonio, entre otras cosas, porque sentía que no podía ser ella. Pero aun así, luchó mucho –con ella y con todo– para ser cada vez mejor. Se fue de la relación para descubrirse, pero resulta que su "li-

Hasta que entiendas que el cambio es una puerta que se abre desde adentro y que tú tienes la llave, serás todo lo que *puedes* ser.

beración" no dependía del exmarido, sino de ella misma y del respeto a su proceso.

También te cuento la historia de María Claudia, que a sus 35 años se divorció después de tres años de matrimonio, pero fueron siete años más los que ella se identificó con la identidad de "divorciada", y por eso tampoco estaba trabajando en ser todo lo que quería ser y hacer, sino en todo lo que "uno puede hacer cuando está divorciada a esta edad".

Titi (otra historia) salió embarazada muy joven, se casó, y cuando la nena tenía dos años, se divorció. A sus 24 años ya tenía una niña de siete y, según ella, por tener ya una hija tan joven, debía conformarse con cierto trato y con cierto tipo de hombre, porque no se consideraba digna de algo especial.

Te cuento estas historias para que entiendas que todo esto está en nuestras cabezas. Nos identificamos con nuestros retos por más tiempo del necesario, fallamos en actualizarnos y sin darnos cuenta podemos vivir una vida en la que remamos contra marea, contra nuestro potencial, contra nosotros mismos. Nos acostumbramos y decimos que la vida es así, que las cosas cuestan, que ser quien somos nos cuesta y no tiene por qué ser de esa manera.

Verás, hay una gran diferencia entre identidad e identificación.

Identidad tiene que ver con las ideas que tenemos de nosotros mismos. Estas, que forman un rompecabezas, vienen dadas por género, religión, edad, generación, nacionalidad, estatus social. De eso sabe el ego, que se encarga de mantener en el tiempo el apego a esas ideas, haciéndote creer que todo eso en verdad te define, al punto quizá de limitarte. Hay otras ideas de la identidad que vas armando tú según la manera en que te percibes, y que vas cambiando cuando vienen experiencias que aumentan la profundidad en tu trabajo de consciencia y te hacen modificar la percepción que tienes de ti. Reescribes tu historia y actualizas tu identidad.

Pero seamos honest@s... ¿Cada cuánto buscas nuevas experiencias en las que puedas llegar a conocerte mucho más?, ¿lo haces conscientemente o esperas a que algo fuerte ocurra para hacer cambios y ver de lo que eres capaz? Lamentablemente, la mayoría no está consciente de esto, espera que algo pase y les toma tiempo aceptar que ha cambiado la forma en que se percibían, lo que implica que hay partes de la vieja identificación que se sentían como hogar pero que hay que dejar atrás.

Identificación se trata de cómo te unes a otros que tienen intereses similares, y estar con ellos o con ciertos elementos refuerza la identidad en sí. Esto puede ser para bien o para mal. Muchas veces, cuando tienes una idea negativa de ti mismo, la mantienes en el tiempo y la conviertes en parte de tu identidad, y si encuentras a alguien que se siente igual, tienes la sensación de estar "en familia", y esa idea se hace más fuerte. Por eso hay que recordar que la libertad empieza por los oídos, por así decirlo. Eso de escuchar a otros e identificarte sin cuestionar si quieres estar dentro de "esa identidad" mantenida en el tiempo es peligroso.

Hasta que entiendas que el cambio es una puerta que se abre desde adentro y que tú tienes la llave, serás todo lo que *puedes* ser: probablemente cansad@ de tu vida, desganad@, con un *mojo* bajo, con afectaciones en tu salud… tal vez seguirás en el mismo lugar real o emocional, algún aspecto de la vida estará derrumbándose, o te verás en una situación repetitiva de la que te sientes víctima.

Es tu deber contigo mism@ actualizarte, y no hay mejor manera que llevarte a nuevas experiencias para que conozcas de qué estás hech@. Y si bien uno no puede tirarse en paracaídas, hacer un *tour* por el Caribe o salir de excursión todos los días, siempre tienes la opción de plantearte retos, y cuando estás en un momento de transición es cuando más vale la pena.

La meta es que llegues a un lugar interno donde no te apegues a la identificación ("soy hombre/mujer, tengo tantos años y amo hacer tal cosa") y te lleves más allá, sabiendo que dentro de ti está todo el potencial que quieres despertar. Desear que el hoy no sea igual que el ayer es suficiente motivación.

Trabaja tu potencial, actualízate y desapégate de esas ideas que te etiquetan y por lo tanto te limitan. Visita **www.miastral.com** y descarga gratuitamente los ejercicios correspondientes a este capítulo (ver instrucciones en la página 16).

El momento presente es el único en el que podemos hacer algo diferente para crear nuevos resultados.

-CAPÍTULO 11-

PUNTO DE CAMBIO

*Muerto el perro,
se acaba la rabia*

Playlist sugerido:
It Was the Best of Times, It Was the Worst of Times
(Era el mejor de los tiempos, era el peor de los tiempos),
página: 242

De vuelta a las historias que conoces...

Tenía que pasar. Un Mercurio retrógrado que se acabó al mismo tiempo que una luna nueva. Una reunión para hacer rituales, mis mejores amigas y yo concentradas en cambiar la marea de meses muy raros, difíciles.

Aunque trabajo todos los días con astrología y doy clases de luna nueva, es difícil que coincidamos las amigas para hacer los rituales y hacerlos bien, ya que, como te pasa a ti, cuando finalmente nos vemos hay demasiado que decir.

Pero sucedió. Estábamos todas MUY decididas a hacer los rituales y a celebrar la recién salida colección de velas de luna nueva que yo tenía.

Por cierto...

Hay que hacer los rituales con personas que se hayan ganado estar allí, no todo el mundo merece escuchar tu historia y tus emociones privadas. Este ejercicio es poderoso y lo que otros reboten de vuelta a lo que expones te afecta y sugestiona.

Jueves

El ritual fue así: de acuerdo a la energía de la luna nueva, buscamos elementos que la representaran como flores y frutas. Todas estábamos vestidas con estampados o colores de primavera. Nada de alcohol o vicios que nos hicieran sentir la energía baja. Después de una pequeña meditación, le expliqué a cada una dónde le caía esa luna nueva, dónde estaba arrancando directo Mercurio y, finalmente, cada una dijo en voz alta lo que quería manifestar en ese ciclo lunar de 28 días. Lo que cada una decía era de alguna manera estructurado por las otras. Pocas veces nos escuchamos y nos percatamos de la manera en que estamos creando las ideas, de las palabras que usamos o de las perspectivas limitantes desde las que nos expresamos. Por eso, cada una hablaba y las otras la motivábamos basándonos en que nos conocemos y nos queremos mucho.

En lo que cada una quería había mucha emoción. De verdad, después de tres meses de una montaña rusa profesional, física, emocional, etcétera, que habíamos experimentado cada una por aparte, la intención más fuerte era paz, estabilidad y dejar atrás patrones limitantes del pasado.

El ritual terminó, y como era jueves, cada una salió a lo suyo.

Para ese momento yo estaba saliendo (para variar) con otro actor, Acuario*, y era temporada de eventos en mi ciudad. Aunque fuimos a uno de ellos, yo simplemente no estaba allí. Él –llamémoslo Actor #4– es un chico dulce, pero vive de su imagen. Bombón de melocotón, pero algo en mí no hacía clic, así que en medio de la situación le dije que estaba muy cansada y que me iba a dormir. Mi ascendente Piscis es el mejor para tirar bombas de humo. Antes no avisaba, me

---

* Lo genial de salir con personas Acuario es que no presionan preguntando qué fue lo que pasó y adónde te fuiste, sino un casual: "¿qué planes tienes este fin de semana?, ¿qué hacemos?". La cero presión de los Acuario es encantadora. Sé que much@s no han tenido experiencias tan agradables con ellos porque viven en su mundo, pero mientras estás *dating*, es buen ejercicio, es refrescante.

iba, pero a esta edad ya eso no se puede. Al menos pongo mi mejor cara y ojitos piscianos y me excuso. Cuando esto pasa, usualmente no aparezco más. Y así fue. *Bye bye*, Actor #4, pero eso no es lo importante…

Viernes

Un día después del ritual, me desperté luego del sueño más feo que había tenido no en meses, sino en años. Soñé que me encontraba con Escorpio y que me agarraba las manos y me decía: "¿qué estás haciendo?", y sentí pánico y ansiedad. Lo sentí total. Esta es la cosa con los sueños: en ellos no hay límites para experimentar las emociones. Juro que si me lo hubiera encontrado en la calle y me dice eso, le habría sonreído y le habría dicho: "gozando, haz lo mismo". Pero me levanté sudando y muy muy revuelta. No había soñado con él desde antes de terminar la relación.

Me paré a trabajar y después fui a buscar a Chloe para hacer diligencias. Le conté todo y me dijo que ella también había soñado con alguien del pasado. Las dos hicimos referencia a *Eternal Sunshine of the Spotless Mind*, queríamos un Lacuna Inc. que nos borrara cada pequeño recuerdo, pero después nos reímos cuando nos dimos cuenta de que al pensar en otros ex hasta se nos habían olvidado sus nombres. ¡Bah! Sucede, todo pasa.

Aunque no hablamos más del tema, ese mismo fin de semana Chloe se enfermó grave y yo seguía con esa sensación en la panza, pero no de extrañar a Escorpio, sino de pensar que estaba ahí, en mi cabeza, por algún rincón y sin pagar renta. No, no, no. Pero no podía resistirme porque entonces haría más fuerte la sensación, así que me puse a meditar.

Sábado

Una de las amigas que hizo el ritual fue a un concierto con su novio y entrando se topó con el exnovio con el que terminó hace seis años. Todas habíamos quedado en reportar lo que estábamos haciendo en el grupo de WhatsApp. De repente, cuando me fijé, tenía 73 mensajes, y allí es cuando sabes que algo terrible está pasando, y usualmente es de relaciones.

Cuando abrí el chat, me tomó como 39 minutos ponerme al día, mientras los mensajes seguían entrando.

Ella: Lo vi, está más viejo, parece un hombre. Me suda todo, me siento como borracha y no he tomado nada.

Nosotras: ¿Y tu Juan?

Ella: Al lado, se dio cuenta de que casi me caigo. ¡Está vivo! No lo puedo creer. Por tantos años lo vi sólo en 2D y ahí está, VIVO y no en 3D, sino en 4D. Debió permanecer en mi memoria como inteligencia artificial, pero no…, ¡existe!

Chloe: Dios mío, deberían meterlos a todos en una bola que da vueltas y rueda al precipicio. Saber nomás que están ahí afuera, vivos, y que respiran es una amenaza presente. ¡ALERTA!

(Chloe tiene, como yo, muchos planetas en Escorpio y estaba muy enferma. Podrás entender…).

Yo: Calma, es normal. ¡Imagínate! No se habían visto desde unos días antes de la boda (cancelada) y ahora tú tienes 30 y el 36. Obviamente están "grandes"… ¿Y estaba *hot*?

(Uno es uno, siempre…).

Ella: ¿Qué hago?, ¿me quedo?, ¿me voy?

Yo: Nadie nunca se va de un concierto así, querida. Disfrútalo. De hecho, te vas a dar cuenta de que saltando y cantando se te pasa un poco.

Esto siguió hasta las 4 a.m., así que tengo que parar acá porque esta historia continúa.

Domingo

Vamos a un *brunch* Chloe, Aniella y yo. Aniella había salido la noche anterior y se sentó a quejarse tal cual: "¿qué onda con los hombres acá en Miami?".

Aniella seguía batallando contra sí misma sabiendo que Scott no era para ella, pero negada a conocer a alguien nuevo. Y ya había pasado mucho tiempo y muchas muestras de que Scott no estaba para nada preocupado.

Chloe y yo escuchábamos a Aniella, que contaba con frustración la historia, y le sugerimos un cambio. Nuevas experiencias crean nuevas memorias, queda menos espacio en el disco duro para el pasado.

Aniella contó que una amiga la había invitado a visitar Barcelona, y que estaba considerando irse.

Lunes

Nuestra amiga que vio al ex seguía muy muy revuelta, así que nos reunimos para hablar de eso y hacer una pizarra imaginaria para conectar los puntos. En eso, otra amiga que teníamos años sin ver, porque se mudó de ciudad, escribió en el grupo: "¿a que no adivinan a quién me encontré en el vuelo a Brasil?". Al EX NOVIO de la amiga que se lo encontró en el concierto.

Yo pensé: "*WTF?* Ahora están apareciendo por todos lados. ¡Qué miedo! Lo último que quiero después de mi sueño es encontrarme a Escorpio".

Nuestra amiga seguía afectada cuando su hermano la llamó para pedirle ayuda porque había chocado su carro en una ciudad cercana, así que tuvo que enfocarse en eso e irse. Nosotras seguimos hablando de todo y de nada, pero dijimos: "este ritual revolvió todo".

Martes

"Hola, mucho gusto, soy otro Escorpio".

Yo y mis negociaciones con el Universo. Por alguna razón, estaba entrando otro Escorpio en mi vida y con mucha fuerza. Llamémoslo

Ben, para esta etapa *Felicity*. Llamémoslo "No eres un clavo, tienes madera de protagonista".

Ok.

Miércoles

Mientras Aniella compraba su pasaje a Barcelona, se hizo un *extreme makeover*. Cambió drásticamente su cabello.

Chloe seguía postrada en cama.

Una chica que trabaja para mí y prácticamente dirige todo el equipo, y que además es muy cercana, anunció que estaba embarazada. Otra Sagitario en cama.

Yo estaba grabando muy tranquila y entre mensajes con Ben. No tengo notificaciones del celular, así que si la pantalla se enciende es por una llamada. En medio de un audio de 45 minutos, allí estaba su nombre... (viejo) Escorpio. Alejé el celular como si pudiera verme a través de la pantalla.

(¿En serio? ¿Ahora? No, no, no, no).

Yo: ¿Aló?

Escorpio: Heeeeeey.

(Cool-Calmed-Collected).

Hablamos por dos horas en las que por ahí me decía que muchas cosas en su vida estaban cambiando. Mudarse de apartamento, cambiar de trabajo, etcétera, etcétera, etcétera, en tres meses; "la vida se le vino abajo", y en realidad no me refiero a lo que pasó conmigo. Nosotros teníamos planes de mudarnos juntos, justo para ese momento en el que a él se le terminaba el alquiler de su apartamento. Pero nunca pensé que en "ese momento" le iba a caer todo encima. Por algo pasan las cosas (mucho más adelante entendí), y por algo yo no tenía que vivir esa experiencia.

Claro que hablamos de nosotros, de "te extrañé muchísimo", pero no me sentía débil. De "estoy muy orgullosa de los dos porque no nos buscamos" y "pensé que jamás me entendería así con alguien, pero ahora sé que no es verdad".

Él me dijo: "quiero darte un abrazo", pero ya la conversación se había puesto en tal tono que le dije: "¿de verdad?, ¿sólo un abrazo?". Él respondió que creía que sí.

No quedamos en nada, ni en vernos ni en no vernos, nada, y fue mejor así.

Llamé a Chloe y le conté todo.

> **Chloe:** Si se van a ver que no sea en tu casa ni en la de él. Tienen tanta historia en estos 17 años que mejor prevenir. Y no te afeites, y ni se te ocurra ir bombón.

> **Yo:** No, no, no quedamos en nada, y no pienso producirme en caso tal. *Man repeller* total.

A lo largo de la tarde no estuve pensando en Escorpio, sino en Ben. La verdad es que Ben entró un tiempo antes, sin buscarlo, sin elegirlo, sin cazarlo. Ben llegó como llegan las cosas buenas, cuando no las estamos esperando. Además, él estaba haciendo todo el esfuerzo por conseguir que lo de nosotros se diera.

Ya no sentía melancolía por el pasado, me revolvía, sí; el sueño fue duro, pero en el mismo, cuando Escorpio me decía: "¿qué estás haciendo?", yo entendí muy bien que era una parte de mí que sabía que él estaba desapareciendo de una esquinita de mi mente.

A las 6:30 p.m. Escorpio llamó para ir a comer. *Man repeller* total, me fui y nos fuimos. El camino de mi casa al lugar jamás se me había hecho tan largo. Al verlo caí en la serie #MeSorprendoAMíMisma porque no sentí nada. Es él, claro que es él, el que conozco de siempre, el que me conoce muy muy bien, con el que tengo una historia y una conexión muy familiar, pero ES ÉL, y él es mi amigo, no mi pareja. Él es lo que era antes de que entráramos en una relación, él es... Él, sin mucho *fuzz* y ahora, para mí, sin nada de *zsa zsa zu*.

No tenía nada que decir, no me sentía animada por la conversación, pero tampoco estaba molesta. Estaba en la nada, y este tema lo he trabajado con Estrellita: "la nada es algo, es como un bloque que ocupa espacio", y recordé este trabajo, así que respiré y empecé a buscarle conversación sobre asuntos cotidianos.

Llegamos al lugar y resulta que... cuando él y yo estuvimos juntos, yo me relajé mucho de mis estructuras, lo que fue genial, pero también me hizo perderme un poco a mí misma y a asuntos por los que había trabajado mucho y en los que creía. Estábamos en un lugar que no era vegano, sino más de sus excesos, que eran muy cuchis para mí en un momento, pero ahora, como reflejo de su consciencia, pues no.

Él pidió su comida, y la verdad es que yo pedí lo que pude haciendo tiempo porque no tenía mucho que decir. Bajé el menú, pedí mi cena, se fue el chico que recibe la orden y Escorpio me dijo: "viste, yo sabía. Sabía que me ibas a ver y que te ibas a dar cuenta de que no estuviste enamorada de mí".

(Oigan al señor...).

Pero en efecto. Yo pensé que cuando lo volviera a ver me iba a derretir en el piso, pero no sé qué pasó, no fue así, y como él tenía razón, no pude sino hacerme la que no había escuchado y cambiar la conversación; pero lo mencionó al menos tres veces más.

No voy a llenar más este libro contando lo que decía y no decía, ni cómo terminó la noche, pero sí diré que sentí que lo de nosotros definitivamente había terminado, y sin pena ni gloria. Agradezco que nos encontráramos cuando éramos niños, que estuviéramos juntos en la universidad, que fuéramos amigos por más de 15 años, que tuviéramos esa relación tan linda y acelerada, pero lo que más agradezco es que terminó.

Al volver a mi casa tenía muchos mensajes de Ben, pero llegué, me bañé, me quité la calle y el recuerdo de encima, y otra cosa empezó adentro.

Ben estaba de viaje, así como mandada a hacer la situación. Lo llamé y le conté TODO. No iba a repetir los mismos patrones. Ben, tan Escorpio y todo, me dijo: "me imaginé, porque jamás nos desconectamos, pero está bien, está muy bien y te agradezco la sinceridad".

En medio de la llamada con Ben, Escorpio llamó *(Like, really?)*. Cuando el pasado llama no tiene nada nuevo que decir, así que lo dejé ir. Al día siguiente a primera hora, mientras hablaba con Ben, Escorpio volvió a aparecer, pero no había más nada que decir ni que hacer.

Ben llegó dos días después, y en vez de preguntarme más de lo que pasó, estaba centrado en vernos, en los planes, en el fin de semana, en otras cosas que queríamos hacer el resto del mes.

Al conectar un montón de puntos, entendí que la relación con Escorpio jamás estuvo dada para ser, y creo que siempre lo supe. Me sentí como "la chica del tren" de la película, pero en el tren espiritual, como si mis dudas, peleas, etcétera, hubieran sido una manera de protegerme de cometer el peor error de mi vida, y con cada cosa que pasa o que vivo, me doy cuenta de que es así.

Está comprobado que el ser humano necesita darle significado a sus historias, que escogemos una interpretación. Al inicio la mía fue que Escorpio nunca me quiso, ahora sé que sí, pero que ambos estábamos viendo y viviendo situaciones muy distintas, y que no, esta vez no tenía que convertirme en el impulso creativo de nada, que podía alinearme con alguien que en vez de ser quien inicia las cosas, es quien responde. También aprendí que aunque haya personas con quienes te comunicas sin palabras, eso no quiere decir que son para ti. Hay personas con quienes no tendrás afinidad total inmediata, o que tienen diferente *background*, cultura, ideales, pero con quienes puedes tener un ¡CLIC! y, más importante aún, valores similares y energía que va a la par con la tuya, y eso es muy excitante.

Aunque la historia completa continúa, insisto en que es mejor darle uso a este espacio para hablar de los saltos de los otros. Sigamos…

Como ves, fue un mes muy raro el que vivimos después de ese ritual, así que te voy a resumir lo que pasó con todos los personajes de este capítulo:

Aniella

¿Recuerdas que ella necesitaba un cambio? Pues sucedió. Al final de ese mes, Aniella se fue de viaje a varias ciudades de Europa. Lo hizo rápido, sólo tenía un par de semanas de vacaciones. En mucho tiempo de limbo no había entendido que el mundo era su ostra y que Júpiter en Libra quería que viajara y creciera. Así que gracias a otros aires, otras personas y un cambio drástico de horario, lo logró. En su viaje, Aniella conoció a alguien especial, y no especial porque fuera el hombre de su vida, sino porque se dio cuenta de que la señal invisible de "no disponible" que ella llevaba cargando en la frente al fin se había caído.

Y es que las vibras no mienten. Hay muchas mujeres que cargan esa señal aun con mucho tiempo de estar solteras. Así mismo hay mujeres casadas que vibran "aquí estoy" y jamás dejan de llamar la atención. Es cuestión de actitud, dicen, yo digo que es cómo piensas, cómo te sientes, cómo vibras, cómo te conduces por la vida. Hay que estar claro en lo que uno está sintiendo, en lo que uno quiere, en darse su tiempo y saber cuándo una situación se ha mantenido sin cambio por tanto tiempo que ya no da más. La vida es muy corta, todo pasa muy rápido y no podemos olvidar que hemos venido a experimentar AMOR, pero que eso empieza en uno y por uno.

La amiga que vio a su exnovio en el concierto

Al fin pudo exorcizar muchos temas que tenía adentro. Fue a ver a Estrellita y empezaron a trabajar en emociones que ella había puesto debajo de la alfombra hacía seis años. El mayor cambio sucedió en las expectativas que tenía sobre su novio actual y su trabajo. Verás: el exnovio de ella, chico corporativo, tenía todo en su lugar (menos el corazón), era ejecutivo/emprendedor/manifestador en el mundo material. Ella tendía a ir de extremo *hippie* a extremo chica corporativa, vibrando ambivalencia. Al encontrarse al ex, vio lo que ella era antes, pero entendió que ya no se sentía así. Y que tenía que bajar la presión que se ponía para lograr cierto estatus profesional y la presión a su nueva pareja para que fuera como el ex. Muerto el perro, se acabó la rabia. Pasado este suceso, ella se suavizó y siguió trabajando por sus metas, pero sin látigos de cabeza. Aceptó a su novio así como es, su relación mejoró y llegaron al punto medio. Esta historia es real y sigue tejiéndose, así que ya te contaré más.

Lorena

Ella fue otra amiga que hizo el ritual y se fue a Bali con un chico que había conocido en línea. Se fue la misma semana que Aniella viajó a Europa, que yo me fui al Disneyland de los vinos y que Chloe viajó a la playa en Costa Rica. Todas estábamos fuera de la ciudad pero muy dentro (de nuestras vidas), y Lorena estaba muy ansiosa, porque eso de conocer en la vida real a un *virtual crush* es fuerte, pero se atrevió y fue genial. De hecho se habían visto rápidamente hacía dos meses, pero en ese momento Lore no permitió que fluyera nada porque tenía miedo, aunque durante los meses siguientes que no se vieron habían hablado por todos los medios existentes. Esta vez ella se preparó. Se conocieron más, tomaron confianza y él se la ganó. Lorena, que no tenía novio hacía más de siete años, había conocido al hombre de su vida. Todas lo supimos cuando volvió.

Ben

Me encantaría que todo el mundo supiera lo genial que es este chico. Yo intento aterrizarme todos los días, pero lo mejor es que él ayuda porque también genera energía de tierra: concreta, toma decisiones (rápidas) y cumple. Por un buen rato creí que sus lecturas de Osho eran un *show*, y que no era cierto que veía todos mis videos, pero leyó *Rompiendo patrones* en un día y pensó que podía hacer una segunda parte basado en A, B y C. Después se puso creativo y proactivo investigando sobre leyes y marcas.

Como dije, Ben es Escorpio, y lo más interesante es que tiene a Saturno fuerte y muy bien posicionado. Su Júpiter está en Libra, justo encima de mi Marte, y él estaba teniendo su retorno. *Not bad at all.*

¿El *downside?* (porque siempre lo hay): ver cómo lo llevamos despacito, porque ambos somos muy acelerados. Así que ya te contaré, pues esta es una historia que recién se está tejiendo.

"Oh, but your love is such a swamp, you don't think before you jump [...] you're the only thing I want". *The Last Time* de The National.

En conclusión...

Siempre hay un punto de giro. Este siempre está disponible, pero puedes temerle porque cruzarlo implicaría dejar atrás algo que quizá aún se quiere seguir manteniendo. Sea una idea, un recuerdo, una persona, una emoción, un miedo... era un lugar familiar, pero si lo piensas te asustaría ver que quizá era tan familiar, que lo has superado completamente pero no te has actualizado. Una vez que empieces a considerarlo, te darás cuenta de que incluso la rabia o molestia que sientes por alguien o algo que ya no está es el único vínculo que tienen, y que mereces avanzar. Cuando lo medites en serio, sentirás dónde está el punto de giro, cuándo es tiempo de cambiar.

Una oposición Júpiter en Libra versus Urano en Aries claro que ayuda, pero, al final, lo decides tú. Estas oposiciones no suceden seguido, pero por algo las llaman *The THANK GOD Alignment* (la alineación GRACIAS A DIOS), porque traen la liberación que te permite ser quien verdaderamente eres y empezar a relacionarte como quieres.

OH, LOVE.

Suelta todas las ideas que te mantienen atad@ al pasado y reconoce tu punto de cambio. Visita **www.miastral.com** y descarga gratuitamente los ejercicios correspondientes a este capítulo (ver instrucciones en la página 16).

El VERDADERO CAMBIO inicia DENTRO DE TI.

12

LA CHICA DEL TREN...
ESPIRITUAL

Afinar la intuición

Para quienes no la vieron, contextualizo: La chica del tren es una película de suspenso que muestra cómo muchas veces nos imaginamos que una pareja es perfecta cuando en verdad no sabemos todo lo que pasa por detrás.

En una reunión con mis amigas, estábamos hablando de la película y les dije: "Miren, la chica del tren en parte somos todas. Todas vemos afuera lo que creemos que no tenemos, sin saber qué hay detrás de esa supuesta imagen de perfección. También somos la chica que ha estado en una relación que parece perfecta hasta que despierta a la realidad y se da cuenta de que en verdad no lo era".

Ahora yo te pregunto a ti: ¿cuántas veces has terminado una relación y sólo después, cuando has empezado a unir los puntos, has confirmado que no estabas loca y que esa intuición que te decía que por ahí no funcionaba era correcta?

Antonella, una profesora de pilates, estaba terminando de darme una clase y me dijo: "Mia, antes de que te vayas quiero preguntarte algo: ¿qué está pasando allá arriba? El fin de semana mi novio terminó conmigo de repente. De forma totalmente inesperada…".

En un segundo recordé varias cosas que Antonella había comentado en clase: que su novio no la había invitado a pasar el Día de las Madres con su familia, a pesar de que ella vive sola acá en Miami y que ya los conocía y tenían tiempo de salir juntos; que había decidido darse un tiempo con él para que la extrañara; que a menudo él hacía comentarios incómodos sobre su alimentación y estilo de vida, etcétera.

En otro microsegundo me pasó por la mente una experiencia similar que yo tuve:

Adam (llamémosle así) es otro Escorpio pero de ascendente Géminis. Nuestra relación empezó de amigos, pues de verdad éramos muy compatibles, pero por la parte de la atracción no me sentía tan enganchada, porque como le conocía varias manías, aunque fuera lindo lo veía más con su paquete de patrones. Pero Adam vio una ventana de oportunidad cuando yo acababa de terminar una relación y aprovechó para entrar.

A diferencia de la manera en la que él trataba a las chicas con las que salía, con quienes era bastante escurridizo, conmigo estaba *on point*, pero por ahí siempre me palpitaba adentro algo que SÉ muy bien: las conductas cambian, pero los patrones no, a menos de que haya trabajo en ellos.

Sin embargo, como yo en mi proceso estaba trabajando la apertura, la suavidad y soltar el control, me dejé llevar. Pero no pasó mucho tiempo antes de que mi cuerpo se sintiera incómodo; me sentía desenfocada y no entendía por qué, si todo "estaba bien" en el trabajo, en la salud y en lo demás.

En medio de eso, Adam me invitó a viajar a Nueva York. Mientras estábamos en el aeropuerto, tuve un miniataque de pánico que yo asumí como un síntoma de mi miedo al compromiso, y echando mano de mi patrón "tengo miedo pero voy de todas formas", continué. Después empecé a ver señales y a sospechar de ciertos detalles, pero como otro de mis patrones es buscar lo que está mal para salirme de las relaciones, no quise hacer el *show* (para no recoger las sillas, capítulo 1), y preferí meditar y observar.

Cuando meditaba yo pedía que me mostraran una pluma roja como señal de que tenía que irme de la relación –ya para ese punto estaba muy enganchada y la relación iba "viento en popa"–. La pluma roja no llegó, pero él decidió terminar la relación de manera abrupta.

Tiempo después, cuando empecé a unir los puntos de lo que pasó en nuestra relación, vi todas las señales que se me habían presentado: mi cuerpo había tratado de avisarme de muchas formas que por ahí no era y yo no lo quise escuchar. Las alarmas (aunque no las plumas rojas) sí se habían disparado, ¡yo sabía quién era él! Y a pesar de eso había decidido meterme ahí. Había decidido no ver. Me había olvidado de escuchar mi intuición…

…Antonella seguía esperando que yo le respondiera su pregunta, y de repente sacó una mala* con una pluma roja (¡ajá!).

Finalmente le dije: "Antonella, nada pasa de la nada, hay señales que elegimos no ver porque parte del trabajo interno es tener certeza, tener fe, y la vía es hacia adelante". Por eso es tan importante meditar, llevar un diario, escucharnos, reflexionar sobre lo que nos crea contraste. Claro está que debemos entender que es nuestra experiencia subjetiva, pero es suficiente plasmarla y volver a ella un tiempo más adelante para saber si nuestra intuición está en lo correcto o no".

Un rato más tarde me puse a pensar de nuevo en *La chica del tren*. Uno es experto en ser observador, pero de lo que le conviene. Si de verdad entendiéramos que el observador afecta lo observado; si fuéramos conscientes de que aunque estemos en una relación es importante escuchar el diálogo que sostenemos con nosotros mismos (podría decir "monólogo", pero no, porque nos preguntamos, nos respondemos, nos preguntamos otra vez y así funcionamos como varios personajes); si cultiváramos el hábito de reflexionar en la noche sobre el día que tuvimos; si observáramos nuestras acciones y actitudes… si hiciéramos eso comprenderíamos que en nosotros están todas las respuestas y que sólo es necesario hacer las preguntas precisas para encontrarlas, hacer, incluso, las preguntas que nos dan miedo.

---

* Mala: pulsera o collar de cuentas para meditar.

Nunca olvides que dentro de ti hay una energía especial, espiritual. Una luz y guía siempre a tu alcance.

Nunca olvides que dentro de ti hay una energía especial, espiritual. Una luz y guía siempre a tu alcance. Otras personas pueden ser tus guías, pero ellas sólo te orientarán si tú lo permites y si pones de tu parte para participar en tu proceso en vez de sólo hacer lo que se te ordena. Escúchate. Cuando lo hagas entenderás que algunas veces tenías razón en lo que creías, pero que en otras ocasiones no estabas tan cerca de la realidad. Aprenderás a confiar en ti y a irte de los lugares (reales o emocionales) cuando algo se sienta mal. Aprenderás a leer las señales de tu cuerpo, en donde se guardan muchos miedos y memorias. Sanarás.

TIPS PARA AFINAR LA INTUICIÓN

1. Reconoce la sensación. Si algo no se siente bien, pregúntate: ¿cuál es la sensación que tengo? ¿en qué área de mi cuerpo está?, ¿qué color tiene?, ¿qué nombre le pondría?, ¿es miedo?, ¿ansiedad? Escribe tus respuestas. Aunque estas estén cargadas de subjetividad, si respondes de manera rápida, sin pensar y anotando lo primero que viene a tu mente (libre asociación de ideas), créeme que se te van a revelar muchas cosas, si no hoy, seguramente sí muy pronto.

2. Identifica el contexto de la sensación. Si algo no se siente bien, pregúntate: ¿qué situación o experiencia ha desatado esa sensación?, ¿he sentido algo así antes?, ¿cómo se parecía la situación anterior a lo que sucede ahora? Escribe tus respuestas usando la libre asociación de ideas.

3. Medita. Siéntate en silencio y observa las imágenes que llegan a ti. En ellas encontrarás muchas claves valiosas.

4. Anota tus sueños. Y, hey, los sueños no son profecías, pero sí dicen mucho de emociones reprimidas, cosas que captas en vigilia pero que contienes. Lleva un registro de ellos y medita sobre sus posibles mensajes.

5. Pasa tiempo en la naturaleza. Esto es vital para salir del mundanal ruido que nos impide escucharnos y sentirnos.

6. Desconéctate de la tecnología. Si no lo haces estarás todo el tiempo en tu mente y no tendrás acceso a tu sabiduría.

7. Lleva un diario con "tus sospechas". Ejemplo: "Querido diario: hoy Carla no me habló en la oficina. Creo que está molesta porque ayer no pude almorzar con ella". Días después quizá te enteres de que Carla estaba súper estresada con su familia por X razón, y entonces sabrás que tu intuición estaba fuera de alineación y que debes hacer trabajo para escucharte mejor, más allá del ego y los miedos. También puede pasarte al contrario, que escribas: "presiento que mi ex Juan (o ex Elena) ya está con otr@", y que lo confirmes más adelante. Entonces sabrás que tu intuición va por buen camino.

Descubre de qué maneras te habla tu intuición y aprende a conectar con ella. Visita **www.miastral.com** y descarga gratuitamente los ejercicios correspondientes a este capítulo (ver instrucciones en la página 16).

DENTRO de ti tienes LA LUZ y GUÍA QUE necesitas, siempre a tu ALCANCE.

-CAPÍTULO 13-

"LA OTRA"

La sombra

Llegó la hora de hablar de "la otra"*.
Y no, no vamos a hablar solamente del tipo de infidelidades que te estás imaginando; vamos a hablar de las infidelidades que nos hacemos a nosotros mismos y de las que poco nos percatamos. De cómo "la otra" muchas veces no existe en la vida real, sino que es el reflejo de nuestra propia sombra, de nuestra inseguridad.

Recuerdo una vez que me ocurrió a mí. Estaba en una relación con un chico y andaba obsesionada con la idea de que me estaba siendo infiel. La única persona a quien mencionaba el tema era Chloe, y hasta tenía un pacto con ella para llamarla cuando me entraran las sospechas y así evitar estallar o reaccionarle directamente a él.

Chloe, quien había vivido la experiencia de "la otra" una vez en su familia y otra vez en una relación propia, usaba el término "el síndrome de la rebuscadora" para referirse a esa persona que está obsesionada con la idea de

---

* Para efectos prácticos de la lectura de este capítulo, y según aplique, entiéndase "el otro" en lugar de "la otra".

que hay alguien más en la vida de su pareja y se la pasa buscando señales y averiguando a lo CIA a ver qué encuentra. Ella decía: "si tu novio quiere sacarte los cuernos, te los sacará de todas maneras, lo espíes o no. Así que si no ves ninguna señal concreta, no vale la pena perder tu energía buscando pruebas y suponiendo cosas".

Para entonces yo andaba de "rebuscadora" y quería encontrar una señal evidente para poder sacarle el tema a mi novio con todos los colores. Así que me puse a investigar un poco más sobre el fenómeno "la otra que no soy yo", y en esas fui donde Estrellita, mi terapeuta.

> **Estrellita:** Descríbeme a "la otra".

> **Yo:** Ella le da atención. Tiene tiempo libre. Cocina. Es súper dulce, etcétera, etcétera, etcétera.

> **Estrellita:** Me estás diciendo que ella hace justo lo que tú no haces y que sabes –porque él lo dijo la vez que vino a terapia contigo– que a tu relación le caería bien que hicieras, que le dieras un poco más de tu tiempo, que te relajaras, ¿cierto?

> (*Oh, wow*).

> **Estrellita:** Ella –"la otra" que imaginas– hace todo lo que tú podrías modificar para mejorar tu relación, pero no te has decidido a cambiar. Por eso te inventas esta historia de "la otra" porque, eso es más cómodo, en lugar de aceptar que aún no te nace hacer el cambio. Así que es mejor proyectar y luchar.

Mientras se abrían mil cajones en mi cabeza, me di cuenta de que encontraba un cierto placer en identificarme con rasgos que estaban muy lejos de ser los supuestos rasgos de "la otra". Yo venía trabajando hacía un buen rato en el tema de suavizarme, de ser más dulce, y al inventarme a "la otra", lo que estaba logrando era poner mentalmente en competencia a la Mia dura y a la Mia suave, que estaba empezando a encontrar salida.

Aparte de eso, me di cuenta de que pensaba que él estaba más interesado en lo que yo no soy, que en lo que sí soy, a pesar de que la relación iba bien y que él estaba apoyándome con mis decisiones de vida en cuanto a trabajo y emprendimiento. Entendí que los juicios no venían de él, sino de mí y de la culpa que tenía por no poder abrirme a profundizar en mis sentimientos.

Por eso "la otra", o la idea que tenemos de ella, nos dice más sobre nosotros mismos que sobre cualquier otra cosa. Es una proyección que nos puede servir de guía para trabajar en nosotros.

Ahora, también está "la otra" que sí existe, que vive y respira, que se comprueba, que ahora ocupa un lugar que tú ocupaste o hasta comparte el lugar contigo, si tú lo permites. A menos de que estés bien con el hecho de encontrarte en una relación abierta, al saber que hay otra persona en la vida de tu pareja debes aceptar que esto sucede porque tú lo permites; sólo lo que toleras es lo que continúa.

De estos hay tantos casos como relaciones. Pero como hay casos de casos, te cuento el de María Olga.

Ella estaba a punto de casarse cuando se enteró de que su prometido le había sido infiel. Entonces decidió romper el compromiso y todo el mundo se quedó sin saber por qué. Luego se fue de viaje con sus amigas más cercanas, entre las que estaba la mamá de una de nosotras, que es bastante jovial y tiene mucha experiencia en cuestión de relaciones. Ella le dijo: "no lo necesitas para mantenerte. No lo necesitas para sentirte completa. Siempre has sido una mujer muy completa. Lo único que QUIERES de él es amor y, por eso, puedes tomar la mejor decisión".

Es muy difícil manejar la situación de infidelidad cuando uno depende de la otra persona o tiene otro tipo de compromisos con ella, pero ese no era el caso de María Olga. Ella no lo necesitaba, simplemente quería compartir lo que ella era, y esa fue la razón principal por la cual su noviazgo fue tan lindo. El novio, al parecer, se asustó y cometió un error.

Si tu novio quiere sacarte los cuernos, te los
sacará de todas maneras, lo espíes o no. Así que
si no ves ninguna señal concreta, no vale la
pena perder tu energía buscando pruebas
y suponiendo cosas.

Pasaron dos años y el novio aún estaba esperando que María Olga lo perdonara. Ella continuó con su vida, pasó el dolor muy en privado y se separó en lo posible del ambiente de su ex. Pero se reencontraron, y aunque los dos habían cambiado, el amor estaba allí. Ella ya lo había perdonado. Él, durante ese tiempo, maduró y cambió patrones porque tocó fondo, y ahora sí entendía que lo que ella quería era crear algo juntos, que su relación no era una demanda ni una necesidad, que la infidelidad era uno de sus "no negociables" y que si volvía a pasar, ya él sabía cuál era el resultado.

Parece una historia feliz, ¿verdad? Lo es, pero haberla vivido con ella te mostraría la realidad del asunto: no es fácil. Sabernos traicionados nos da mucho dolor, pero también debemos hacernos responsables de lo que permitimos y entender si hay una herida más profunda asociada con esa tendencia y que de alguna manera avale una infidelidad.

Por ejemplo, en mi caso yo había flirteado con otros estando en una relación, y me resultaba lógico que mi pareja lo hiciera también. Mi trabajo no era parar de flirtear, sino entender por qué necesitaba atención de otras personas o sentir el *rush* por un subidón de ego. Ese fue mi verdadero trabajo.

En el caso de María Olga, ella se fue muy fiel en el proceso, porque tenía el espejo de su madre, quien sufrió mucho cuando descubrió que el marido le había sido infiel.

Así como la historia de "la otra" imaginaria esconde información muy profunda sobre nosotros mismos, también las situaciones de infidelidad reales tienen una lección para darnos: más allá de lo que vemos, del dolor o la molestia que genere la situación, esta siempre revela algo de nosotros que debemos traer a la luz y trabajar.

"La otra" puede ser nuestra sombra, la proyección de aquello que no queremos ver pero que a todas luces transmitimos. "La otra" es ese espacio donde vaciamos nuestros miedos e inseguridades porque a veces es más cómodo poner la responsabilidad de lo que sentimos en algo externo, que ver (y sentir) lo que nos está pasando adentro.

¿Recuerdas cómo a Peter Pan su sombra le jugaba tretas todo el tiempo y el chico luchaba contra ella? Bueno, para dejar de ser los niños que nunca crecieron debemos asumir responsabilidad, es decir, debemos tener la habilidad para responder ante cada situación. Y si abrimos el clóset donde tenemos a "la otra" guardada, podremos darnos la oportunidad de jugar con esa sombra y ver qué tiene para enseñarnos.

Descubre de qué maneras te eres infiel a ti mism@ y saca tu sombra a la luz. Visita **www.miastral.com** y descarga gratuitamente los ejercicios correspondientes a este capítulo (ver instrucciones en la página 16).

Se necesita VENIR de un LUGAR DE oscuridad para empezar a apreciar LA LUZ.

14

-CAPÍTULO 14-

EL TERREMOTO

Cuando caen las estructuras

No se llega al turning point (punto de quiebre) sin un pequeño terremoto que rompa las estructuras. Así como tenemos una identidad que reforzamos todos los días con las identificaciones ("soy hombre", "soy rubia", "soy abogado", "tengo 32 años"…), también hay estructuras mentales que sostienen esa identidad. Y cuando empezamos a identificarnos con cosas diferentes, cuando estamos pasando por un "cambio de identidad", esas estructuras dejan de sostenernos; ya no dan seguridad, sino que limitan.

A mí me pasó con Escorpio. Antes de empezar mi relación con él, mi día empezaba a las 4 de la mañana para grabar videos y escribir. De 8 a.m. a 6 p.m. atendía en consulta, me encargaba de lo que pedían las personas de mi equipo y hacía tareas pequeñas; había mucho movimiento. Dentro de ese horario acomodaba también mi tiempo de entrenamiento y meditaba un rato en la mañana y otro en la tarde. Además estaba en una dieta 100% vegana, así que comía cero proteína animal y ninguno de sus derivados.

Entonces llegó Escorpio, a quien, para efectos de este capítulo, llamaré "El rey del placer", porque si alguien sabe disfrutar de la buena vida, es él –y no lo digo en mal sentido–. Es uno de los hombres más viajados y cultos que conozco. Su trabajo lo lleva a todos lados, así que de tomar buen vino, vestirse de maravilla y estar en el momento presente, él sabe.

Cuando la relación inició, mi rutina empezó a cambiar, pero yo estaba muy emocionada como para darme cuenta de que mis estructuras se estaban rompiendo y que eso era justo lo que yo había pedido –había dicho que quería más tiempo para mí, liberarme de mi juez interior, no ser tan autocrítica y disfrutar por lo que había trabajado tanto–. Pero un mes más tarde empecé a entrar en pánico: no estaba grabando tanto como antes, a veces me perdía el entrenamiento de la mañana o me desaparecía todo un domingo y dejaba de hacer las cosas que solía hacer.

También hubo cambios en la alimentación. El vino no faltaba por aquí o por allá y los carbohidratos no sanos tampoco. Puedo decir que durante dos meses –temporada que se juntó con mi cumpleaños, los de mis dos mejores amigas, Navidades, Año Nuevo, Reyes– crucé *todas* mis fronteras.

Y esto trajo problemas entre "El rey del placer" y yo. Aunque tenía muy claro que esos cambios eran mi decisión, había una parte de mí que pensaba que él "era el culpable" de que yo –¡qué horror!– al fin estuviera viviendo. Empecé a molestarme con él por cualquier tontería y un día que tuvimos una discusión grande por otra cosa, noté que lo que más me incomodaba era pensar que yo hubiera "perdido" mis estructuras por él. Pero ahí entendí que en verdad Escorpio era sólo un trampolín que me estaba impulsando a hacer lo que yo había querido desde hace tiempo: disfrutar la vida. "El rey del placer" era una buena excusa para probar que había vida más allá de Saturno (límites) en tránsito, en conjunción a mi Sol natal[*].

La discusión pasó, y unos días después de haber superado la gran pelea, estábamos cepillándonos los dientes para acostarnos a dormir.

---

[*] Cuando Saturno llega a nuestro Sol natal "cosa que sucede cada 29 años" (el famoso retorno de Saturno), tendemos a restringirnos o ponernos sanos límites para producir resultados. El *downside* de eso es que podemos ponernos en modo "viejitos" y poco tolerantes, sintiendo que tenemos mucha responsabilidad en nuestros hombros y entonces no nos podemos relajar.

Escorpio: ¿A qué hora vas a poner tu despertador?

Yo: A las 5 a.m. (ya eso para mí era ser bastante flexible).

(Él me agarra por las manos, cepillo de dientes en mano, pasta dental voland).

Escorpio: ¿es en serio? Sabes que nos encanta quedarnos al menos una hora acostados, despiertos, juntos. No me hagas rogarte y pasar de nuevo por esto. ¿Cuándo vas a entender? Ven, ven… (me lleva a la báscula). Pésate. Has comido mucho mejor, estás alimentándote con más proteínas y minerales y pesas menos que cuando empezamos. Mírate la piel, la cara. El mundo no se te está rompiendo, te estás abriendo y estás más bella que nunca.

(No lo adoren, no lo conocen…).

Escorpio: Ahora chequea el reporte de ventas. No te está yendo peor, estás mejor. Y hablemos de la relación con tu mamá. Están hablando varias veces a la semana. ¿Entonces? Relájate y la vida se relaja contigo.

No estoy decorando esto, en serio. Escorpio no es mi caballo de batalla ni santo de mi devoción, pero esto fue un gran despertar. La lección del asunto fue que rompí mis estructuras, las cuales eran ficciones creadas por mí para darme una ilusión de control y estabilidad. Con Escorpio aprendí que podía crear nuevos cimientos y que nada malo iba a pasar; que tomarme tiempo libre después de tantos años de trabajo para crear algo en el mundo, en mi mundo, no podía destruir lo que había hecho, quien yo era en esencia, el carácter que me había formado; que relajarme un poco no me hacía menos responsable… me hacía humana.

Para este punto, sabemos que "El rey del placer" no sobrevivió, pero aún hoy agradezco esas lecciones, porque en donde estoy y en la relación que tengo ahora me mantengo muy consciente de mis estructuras pero también de mis "flexibilidades", de los momentos de "no tiempo", cuando no existe otra cosa que nosotros dos.

Pero quiero contarte otra historia: la de Paulina.

Ella es más *hardcore* de lo que era yo antes. Sus rutinas pueden dejar a cualquiera cansado con sólo ver su agenda. Antes de estar con su marido había terminado una relación de años porque él no comía igual que ella, ni era "medido" como ella. Cuando empezaron la relación ella no era así, pero después se endureció y, como él no cabía en sus estructuras, se dejaron.

En menos de dos meses, Paulina ya estaba de novia con un chico de su mismo gimnasio diagnosticado con OCD (*Obsessive Compulsive Disorder*)* que le iba muy bien a sus estructuras y rutinas. Este chico era la medicina que Paulina necesitaba para despertar y entender que estaba siendo demasiado rígida con ella misma y que eso no le daba felicidad, como tampoco se la daba tener el cuerpo perfecto.

La relación terminó cuando el chico, de manera muy estructurada, le entregó una lista de razones por las cuales no podían estar juntos. Y allí quedó.

---

* Trastorno obsesivo-compulsivo: es una condición que hace que las personas tengan pensamientos no deseados, "obsesiones", y que repitan conductas compulsivas sin control, lo que interfiere en sus relaciones y en su cotidianidad. Es una condición que nadie critica porque a simple vista pareciera algo positivo, que favorece a las personas detallistas y aceleradas hoy en día, pero no es un juego; es una dolencia a tratar.

Para tener en·cuenta...

1. Las estructuras y la planeación te dan una guía, te proporcionan seguridad. Pero si no te conoces, pueden ser una manera de tapar inseguridades, seguir mandatos y no hacer el trabajo de conocerte y escucharte.

2. Todos tenemos estructuras, pero estas han de ir cambiando de acuerdo a las necesidades principales del momento (ver capítulo 2). Si no estás actualizándote constantemente, puedes quedarte en estructuras que ya no te favorecen, sino que te limitan.

3. Cambiar de estructura es cambiar de patrón. Para hacerlo, primero hay que iluminar la estructura, después identificar cómo se muestra en tu vida y luego analizar cuáles son los resultados que ha dado.

4. Sabrás que una estructura ya no está dando buenos resultados cuando te ves chocando con la realidad, cuando has dejado de sentir que avanzas y te llega un punto de quiebre (ver capítulo 8) que te hace iluminarlo.

5. Tú no eres tus estructuras, eres mucho más. Tampoco eres sólo el resultado de ellas. Tú permaneces, las estructuras cambian. Para cambiar una, hay numerosas herramientas que puedes utilizar. Después del *a-ha! moment*, cuando te das cuenta de que hay algo que cambiar, debe venir el "no puedo ser indiferente ante esto". A partir de allí, dependiendo de tu urgencia y la importancia que le des al asunto, puedes ir a psicoanálisis, usar programación neurolingüística o tareas de neuroasociación (los ejercicios que propongo para este capítulo te ayudarán muchísimo). Como seres humanos somos increíbles y podemos cambiarlo todo a nivel de pensamiento, lo importante es ser aplicados.

¿Por qué es importante cambiar los patrones que tenemos en las relaciones amorosas?

Primero, hacemos el cambio por nosotros, pero también por una motivación de compartir. Somos hij@s de la generación del *new age*, filosofía sin mucha base, que ha pasado de boca en boca y que reza que la felicidad está dentro de uno; que alguien puede tratarte mal pero respiras, sonríes y dices: "la felicidad está dentro de mí". Yo no invalido el asunto, pero hay más: hay que entender lo importante que es asumir responsabilidad y poner sanos límites. Mi felicidad depende de mí, pero quiero alinearme con otros para compartirla. Sin embargo, antes debo conocer mis patrones que sabotean buenas conexiones o la expansión de mi energía, conocimiento, etcétera. Aparte, recuerda que "Mi locura ama tu locura" (capítulo 3), que atraemos lo que somos y que tendemos a engancharnos con personas que tienen patrones similares. Esto te hará despertar –como a mí y a Paulina– gracias al contraste de lo que esos patrones crean, emanan y atraen. Un choque o final termina de hacerte entender que cierto patrón no da para más y que es tu responsabilidad aceptar que lo que antes de pronto funcionaba, ahora está limitando lo que quieres vivir y sentir.

Tip

Hacer cosas nuevas te ayudará a crear nuevos caminos neuronales, así como descansar también te dará fuerza y facilitará tu proceso de aprendizaje. Atrévete a experimentar y date tu tiempo.

Y voy más allá…

Linda era una chica a la que yo atendía cada mes y además estaba haciendo su cambio de patrones con Estrellita (la terapeuta de todos). Linda empezó todo esto porque estaba muy insatisfecha con su trabajo, pero no lograba reunir el coraje para irse. En el trabajo interno, Linda terminó una mala relación en 2014, conoció a un hombre maravilloso en 2015 y se casó en 2016, pero aún no superaba el patrón de querer crear seguridad económica para su familia materna por sobre todas las cosas. Esto era algo que había tenido que hacer desde muy chica y ya lo tenía en piloto automático. Pero llegó un punto en donde eso de proveer, de no dejar el trabajo seguro –aun cuando su esposo le decía que la ayudaba mientras buscaba algo que amara–, de cargar todos los problemas reales y emocionales de sus familiares fue demasiado: tuvo su punto de giro y se fue del trabajo.

No habían pasado ni dos meses cuando encontró otro trabajo seguro, pero este tampoco era lo que ella soñaba. Linda era una persona MUY creativa y terminaba siempre en trabajos de cubículo, grises y con horario de cárcel. Le pasaba más o menos lo que les suele suceder a las mujeres que se conforman con el que pase por no quedarse solas, pero con las cuestiones de trabajo y de afirmación de su energía masculina en el mundo.

Luego de cinco meses, le dije a Linda que trabajara conmigo. No iba a ser fácil, pero sabía que podía hacerle ver todo el potencial que tenía. Sus consultas conmigo terminaron, con Estrellita continuaron, y en un par de meses se empezó a destacar. Mucho en ella había cambiado: su actitud ante la vida era diferente, tenía más tiempo libre, estaba trabajando en algo que le gustaba y estaba rodeada de mucha energía femenina. No fue sino que yo lo dijera en una reunión con el equipo y ella empezó a enfermarse por una parte del cuerpo y después por otra, y así durante un mes. Su sistema estaba apagándose con cortocircuitos.

En mi cabeza… era Marte en su casa 6 del cuerpo reventando todo lo que estaba sin atenderse. En su cabeza… andaba en discusiones con el seguro. En la cabeza de Estrellita… no sé porque debe ser un laberinto, pero le dijo:

"tu cuerpo, tu estructura, está rompiéndose y estás chocando contra quien creíste ser por mucho tiempo".

Vino una luna llena. Linda tuvo un *a-ha! moment*, se dio cuenta de que no quería manejar esa pequeña crisis como antes –haciéndose cargo– y que ahora rendirse y dejar que aflorara la nueva Linda que ella tanto había deseado era un acto de amor. Entender que no tenemos el control de todo es una forma de amor propio. Entender que nadie está esperando que seamos la Mujer Maravilla es un acto de cuidado personal, aceptación y amor. Entender que parar en medio del carril es una forma de estar en el camino hacia la evolución, también lo es. Cambiar de tren, cambiar de dirección, todo es parte de un proceso que fluye, que vibra, que no para, porque somos VIDA.

Y le quedó claro. Luego vino el reto de comunicarle a su mundo, no con palabras sino con hechos y ejemplos, que la nueva Linda estaba para quedarse, pero eso es otra historia.

¿Sabes cuáles son tus estructuras actuales y qué tan útiles están siendo para lo que quieres lograr? Visita **www.miastral.com** y descarga gratuitamente los ejercicios correspondientes a este capítulo (ver instrucciones en la página 16).

Nuestra atención direcciona *nuestra* ENERGÍA, da vida DONDE REPOSA.

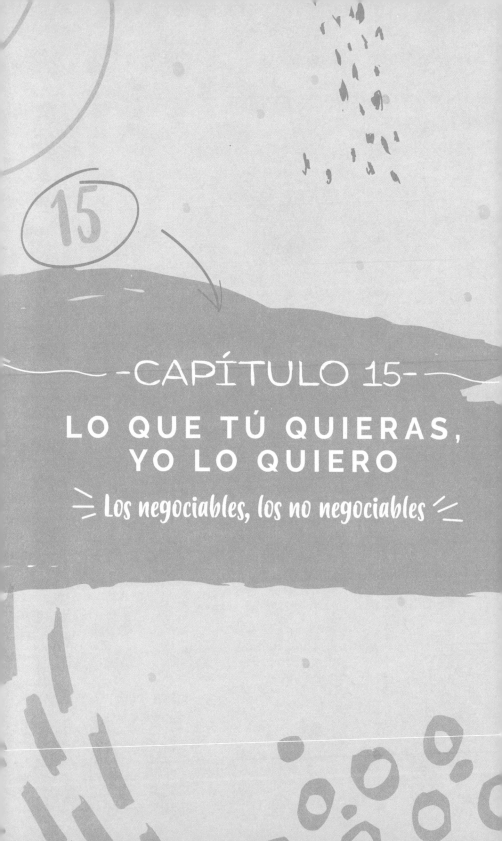

-CAPÍTULO 15-

LO QUE TÚ QUIERAS, YO LO QUIERO

Los negociables, los no negociables

Marte en Libra en la casa 7: su servidora.
Estrellita: Vamos a dejarlo hasta aquí por hoy.
Yo (anoto): "Cómo establecer una relación con un
hombre sin verlo como una competencia".

Así terminó una sesión con Estrellita en una de esas terapias en las que ya estaba liberada de Escorpio. El de la competencia era un tema que habíamos tocado hacía mucho tiempo, quizá a mis 29, pero en otro contexto y con muchas lecciones de vida menos.

La situación actual era la siguiente: yo ya estaba lista para salir de nuevo, ya estaba conociendo gente (recordar a Tauro, BabyB, Actor #4 y Ben, más otros que todavía no he mencionado), pero a la vez estaba muy despierta y no quería cometer los mismos errores ni caer en los mismos patrones.

Sin embargo…

En esa sesión le había contado a Estrellita que al parecer seguía moviéndome en piloto automático porque Ben, que ya me rondaba, estaba yendo muy rápido y muy furioso, como los anteriores.

Estrellita: Tú los eliges exactamente así: novios y rivales. Entonces miremos si al menos el patrón ha cambiado en algo. Veamos:

Es abogado… *check!* (mismo patrón).

Es *workaholic* (adicto al trabajo)… *check!* (mismo patrón).

Es ambicioso… *check!* (mismo patrón).

Es competitivo… *check!* (mismo patrón).

Te es fácil darle la vuelta…

Yo: Ay, Estrellita… no tanto.

Estrellita: ¿Sientes la necesidad de negociarle todo, todo el tiempo?…

Yo: ¡Aaay!

Esta era una conducta que se generaba de mi patrón. Consistía en que, en vez de colaborar, yo competía. Veía en mi pareja a alguien que me retaba, que quería que yo lo retara, lo que era divino al principio, pero después, o en ciertas ocasiones, se sentía como una rivalidad. Con Escorpio me pasaba mucho. Pensaba: "tú das, yo doy. No das, no doy. A ver quién da más. A ver quién cede más". Y obviamente, si leíste el capítulo anterior, sabrás que él se cansó de tener una rival, quería una compañera (cosa que entendí mucho después). Estaba claro, yo no quería repetir lo mismo con nadie más, ni siquiera con colegas o amigas, porque ya lo estaba notando.

Después de esa sesión –como suele pasar– manejé una hora de vuelta a mi casa, necesitaba *time out*. No quedaba más que procesar la información.

Ben me había escrito varias veces, me había llamado también, pero no tenía cabeza para hablar. Después logré salir de mi posición egoísta y lo llamé muy tarde, como para darle un toque dulce al asunto y descansar, porque estaba emocionalmente drenada. Como siempre me pasa con él, una llamada no puede ser sólo una llamada. Cinco minutos se convierten en tres horas y no podemos parar.

En la conversación, Ben estaba hablando de los planes del fin de semana, y yo empecé a negociarle de una vez. No había ninguna razón para hacerlo, sólo que eso era lo mío: argumentar. Él es muy persuasivo y el mejor dándome la vuelta a mí, pero esta vez…

Ben: ¿No estás haciendo justamente lo que hablaste con Estrellita? Mira, no me tienes que negociar. Yo lo que quiero es estar contigo, así que tú dime qué quieres. El lema es: "lo que tú quieras, yo lo quiero; cuando tú quieras, yo quiero".

(Fue tan simple que me dejó fuera de lugar. No me dio cancha para jugar, no tenía más nada que argumentar).

Yo: …

(Esto era nuevo).

Yo: Ajá…

(Aunque intenté cambiar el tema, él continuó…).

Ben: Hagamos algo. Como lo hablaste con Chloe hace meses, pongamos en un cuadro imaginario los negociables y no negociables.

"Los negociables y no negociables" era una teoría de Chloe. La primera vez que la escuché fue cuando hicimos el ejercicio de la pizarra con Aniella. En una parte pusimos los hechos con las fechas en las que Scott había sido… Scott. Del otro lado de la pizarra estaban los negociables y no negociables que le íbamos a sacar a Aniella a punta de interrogación, como detenida en el FBI, para que se diera cuenta de cómo estaban las cosas.

La teoría de los negociables y los no negociables

Negociable: lo que quizá no te gusta pero en lo que puedes ceder, cambiar, llegar a un acuerdo.

No negociable: lo que no se permite. Lo que no está dentro de ti perdonar.

Para algun@s un no negociable puede ser una infidelidad, para otr@s, que la otra persona le falte el respeto a algún familiar. Cada cabeza es un mundo, y tus negociables y no negociables son muy tuyos, lo importante es que los conozcas y también que entiendas que pueden ir cambiando con tu trabajo de consciencia, así que actualízate.

Ben: Que sean los negociables los que nos den oportunidad de negociar y disfrutar el proceso porque nos encanta a los dos. Pero de resto, lo más importante es que no sientas que soy tu competencia o rival.

(Oh, wow).

Yo pensaba: "no me lo creo, no me lo creo, no me lo creo". Pero me lo creí, porque uno elige su experiencia y, en ese momento, la mía era que YO estaba rompiendo mi patrón desde adentro, y un participante hermoso me estaba ayudando. Sabía que si me mantenía centrada en el trabajo de terminar de romperlo, podría avanzar, por mí, para mí, para poder compartir con él o con las experiencias que vinieran.

Acá me voy a enfocar un poco más en el caso de las chicas. Por entonces yo estaba armando una ponencia sobre la mujer empoderada en estos tiempos. Esta mujer es –en concepto y en experiencia– muy diferente a la de ayer, y no me refiero a hace mucho, con ir cuatro años atrás tenemos. La mujer empoderada antes (circa periodo de Tantras Urbanos) tenía que ver con ser productiva, alcanzar ciertos roles. Con la glorificación de estar ocupada o poder mantenerse, darse seguridad y a veces (duro decirlo) convertirse en el hombre que perdieron o nunca tuvieron. Sé que much@s acá van a decir que esto tiene siglos pasando, pero no estaba tan consciente como cuando en 2012 toda la información empezó a explotar, y fue al mismo tiempo cuando pudimos darnos en verdad una mano, así sea virtualmente hablando.

La mujer empoderada de ahora está trabajando con intensidad en volver a abrirse, en confiar en sí misma, en soltar el control, en regularse emocionalmente. Se pregunta por qué le cuesta lograr en su vida emocional lo que logra en el ámbito profesional y cómo puede hacer para vibrar más alto y alinearse con alguien que sea un igual. También tiene la tarea de luchar contra premisas instaladas que le dicen que "a cierta edad no se puede hacer x" o que "sí es independiente, entonces pasará x".

Esto de lograr ser suavecitas por fuera y fuertes por dentro (como decía mi abuela), de tener un verdadero discernimiento sobre cuándo usar la energía femenina y cuándo la masculina, ha sido un reto.

Técnicas hay muchas, y vas a ver varias en los ejercicios de este capítulo, pero lo que he detectado como un patrón es que cuando la mujer fuerte por fuera se da el chance de ser vulnerable, viene un rompimiento, un desbalance que la lleva a crear un nuevo balance entre su energía femenina y su energía masculina.

Está el caso de Amalia.

Amalia (muy Virgo) andaba por los 27 años cuando ya tenía una firma de bienes raíces bajo su mando. Le iba muy, pero muy bien. Era además muy activa: entrenaba conmigo a las cinco de la mañana, encontraba tiempo para ir a yoga al mediodía, se cuidaba muy bien y era muy cariñosa. A sus 28 se comprometió con su novio, que era un chico en sus 30 largos con varios emprendimientos geniales bajo el brazo. Al aceptar el compromiso, él le pidió que dejara de trabajar y que se "centrara" en asuntos de la boda. Pasaron varios meses antes de que ella lo hiciera. Organizaron una boda

La mujer empoderada de ahora está trabajando con intensidad en volver a abrirse, en confiar en sí misma, en soltar el control, en regularse emocionalmente.

enorme por más de 13 meses. Ya por ahí ella pasaba de energía masculina de mando a energía masculina con fachada femenina cuando su "único trabajo" era este asunto de la boda.

Y faltaba poco…

Un par de días antes de la boda, ella rompió el compromiso por motivos que una Virgo como ella nunca va a contar, pero que tenían que ver con uno de sus no negociables. Ella misma decidió irse del apartamento, volver a casa de su mamá y empezar desde cero. Much@s pensarían que en ese momento fue más masculina que nunca, pues emprendió una acción difícil de asumir, pero no fue así. Amalia fue fuerte, eso no está en duda, pero la fuerza que la llevó a tomar la decisión fue la femenina, cargada de amor propio.

Y fue por haber vibrado con su energía femenina (que incluso puede ser más fuerte que la masculina cuando de manifestar en la realidad se trata) que en un año ya tenía trabajo y un proyecto personal que la enciende, estaba en una nueva relación y compartiendo con muchas amigas, a diferencia de cuando tenía su relación anterior.

No estoy diciendo que Amalia sea el ejemplo absoluto de la mujer empoderada de ahora. Si la conocieras, lo primero que pensarías es que es la chica más dulce, jocosa y empática del salón. Y es justamente eso: hay lugares donde la gracia te lleva al empuje, y eso empieza contigo, dentro de ti.

Para mí rivalizar o competir con el otro era sólo una manifestación de cómo me retaba a mí misma. Pero ya estaba emocionalmente drenada. Y aunque podía explicar esto con mi Marte (planeta de la guerra, la acción) en Libra (signo de las relaciones) en mi casa 7 (casa de socios y parejas)*, la batalla ya no me hacía gracia. Ahora sabía que quería y podía elevar esa posición

---

* *Fun fact:* Ben nació también con Marte en Libra, en el mismo grado matemático que el mío.

de mi carta para ser la que colabora de manera animada con alguien que
es lo suficientemente fuerte para llevarme de la mano y recordarme que
–¡gracias, Libra!– también me puedo equilibrar y relajar.

Si aún no sabes cuáles son tus negociables y no negociables
indaga en ti y atrévete a establecer sanos límites.
Visita **www.miastral.com** y descarga gratuitamente
los ejercicios correspondientes a este capítulo
(ver instrucciones en la página 16).

Una oposición no es una guerra, es una negociación, es lo que me permite conocer quién soy y mis términos.

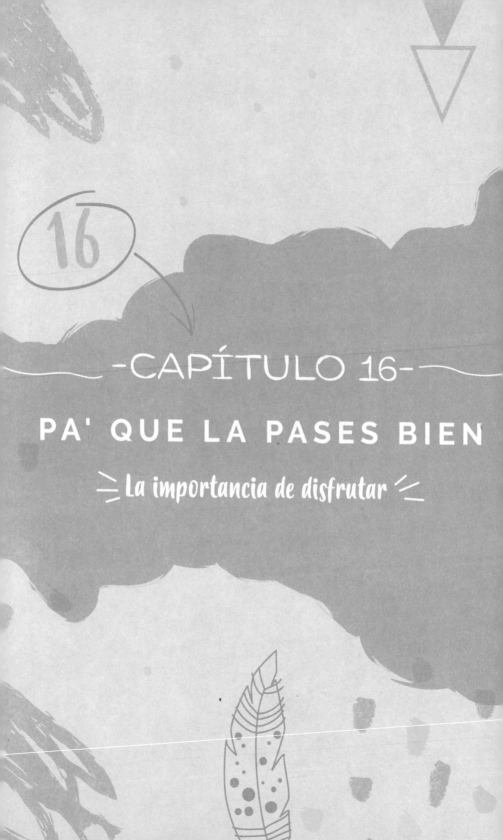

-CAPÍTULO 16-

PA' QUE LA PASES BIEN

La importancia de disfrutar

No sé si conoces *Un curso de milagros*, de Helen Cohn Schucman. Es un libro que explica cómo trabajar a nivel de causa para generar cambios en la realidad material. Es un texto grande y denso, hay muchísimas guías para interpretarlo porque requiere paciencia y cierto nivel de consciencia. Desde que recuerdo lo estoy estudiando, y como se me da esto de simplificar las cosas, te voy a resumir una premisa muy importante que se desarrolla ahí: el tiempo pasa más rápido cuando nos la pasamos bien.

Para ir un poco más profundo –pero no demasiado–, el tiempo es una ilusión, aunque sea una herramienta muy buena para organizarnos. En verdad nadie puede asegurarte que cuando un año se está acabando, se está terminando un ciclo, pues "un año" es más una medida establecida por el hombre. Tampoco nadie te explica por qué una hora dura 60 minutos o por qué a ti te toma tres meses superar a alguien y a otr@s más les toma dos años. El tiempo no sólo es creado por el hombre (cuando se trata de medidas generales), sino que es creado por cada uno de nosotros según nuestro nivel de consciencia.

En referencia a esto último, el tiempo pasa más rápido si disfrutamos el momento presente, y lo más cómico es que en medio de eso, no hay tiempo.

A ver: cuando estás hablando con alguien que te encanta, no miras el reloj, quieres que la noche no termine. El tiempo se pasa volando, y jamás cuentas los minutos. En cambio cuando estás en el banco parece que los minutos no avanzan y se siente que el tiempo es eterno.

Dejo esto claro y voy con la historia.

Tal vez te preguntes cuánto tiempo me tomó superar a Escorpio. La respuesta es: tanto tiempo como me costó suavizarme y ser vulnerable…, saber que soy humana y que estas cosas pasan. A uno se le rompe el corazón. Uno se hace ideas de que "esto es para siempre", a pesar de que sabe que los *breakups* son cosas que pasan. Uno se mete en la historia y, bueno… para concluir, fueron (apenas) tres meses.

Y lo cuento porque…

Si a mí me hubieran dicho: "vas a estar *down* por tres meses", me amarro la camisa, me preparo y ¡vamos! Pero yo no lo sabía, y por la manera en la que me sentía, juro que pensé que podía estar así mucho tiempo. Pero entre más me suavizaba conmigo, menos dolor sentía. Pasé de desear ser cualquier persona que no conociera a Escorpio (literal, miraba a la gente y decía: "ella es feliz, porque ella no lo conoce") a reírme a carcajadas, aunque después me volviera a quedar muy callada. Pero es así. Un día te empiezas a reír. Te reconoces más humana, más simple, más suave y sí… con el corazón aún abierto.

Fueron exactamente tres meses, como marcados por un reloj interno. Luego empecé a disfrutarme, y mi disfrute no tenía que ver con los chicos que había conocido en esos tres meses: *yo* me estaba disfrutando. Ya no tenía ganas de salir para distraerme o de irme de donde estaba porque no aguantaba la bulla. Al fin tenía apetito. Al fin no medía lo que podía importar a otros que estaban cerca de mí y de él. Era yo otra vez, pero mejor.

Después de los tres meses vinieron las tres semanas más rápidas de las que tengo memoria. Recuerdo que un sábado en la tarde subí un *snap* que decía "las cosas están cambiando muy rápido", asombrada al comparar ese día con un sábado de un mes atrás. Ese mismo fin de semana fue que conocí a Ben, y a partir de allí el tiempo empezó a pasar demasiado rápido.

Llevaba un rato saliendo con él y pasándomela genial, cuando, un día, después de clase de pilates, le dije a Chloe:

Yo: bueno, y ¿qué pasa si estoy perdiendo el tiempo?, ¿qué pasa si me gusta demasiado?

Chloe: Ay, Dios mío, ya lo vas a mandar a la mismísima m… Ahora que tenemos planes para el fin de semana. Dime de una vez, ¿van o no van?

Yo: Chloe, no lo soporto. No soporto pensar en él constantemente entre un artículo y otro, no soporto que sea tan bello, así no se puede vivir.

(Lo digo entre risas, porque es mi manera de decir que me gusta mucho mucho, y Chloe entiende porque nos conocemos desde chiquitas).

Chloe: ¿Alguna vez te conté el cuento del sofá?

Yo: No.

Chloe: Qué raro, me lo contó mi papá. Había una vez una pareja. El hombre juraba que su mujer le era infiel en su casa mientras él trabajaba. Una tarde, el hombre salió temprano del trabajo y llegó a su casa a ver si era verdad, y ¡pum!, era cierto. La mujer estaba con el amante en el sofá y el hombre dijo: "se acabó, voy a botar el sofá".

Tal vez te preguntes cuánto tiempo me
tomó superar a Escorpio. La respuesta es:
tanto tiempo como me costó suavizarme
y ser vulnerable...

Yo: Entiendo. No es el sofá. No se trata de Ben. Mañana puede ser José, Juan, etcétera. Yo sé que la única manera de alejarme de mi patrón es acercándome a otros, pero, ay, ¡la bola de nieve!*

Chloe: Ya va, tú no te estás yendo con otro de cabeza como siempre. A Escorpio lo lloraste, lo enterraste y le hiciste cuaresma en la oficina de Estrellita. Jamás te habíamos visto así. No eres la misma, deshiciste esa bola de m... de nieve.

(Ajá, ajá).

Tenía que parar un poco para apreciar mi proceso, porque en verdad, de todas las cosas que había vivido, la ruptura con Escorpio había sido... especial.

Menos mal que escuché el cuento del sofá, porque las cosas que vinieron después me llevaron al punto de giro, que no tenía que ver con Ben, sino conmigo. Son mis patrones, los que sostengo rotos, los nuevos que estoy creando.

Pero volviendo al tema del tiempo, estudios sociales comprueban que cuando nos sentimos bien, nuestro lenguaje corporal cambia y nos hace ser más receptivos y es más fácil que se nos acerquen. Mientras que cuando estamos tensos y con carita de circunstancia, está difícil. Y yo te pregunto... ¿De dónde viene esa actitud? ¿De dónde nace esa carita? De lo que pensamos. Somos un magneto de personas y situaciones que hacen reflejo de nuestros pensamientos dominantes. ¿Recuerdas la historia de Aniella (capítulos 7 y 11)? No bastaba con que ella saliera a conocer gente si aún

---

* "La bola de nieve" fue una clase de consciencia que nació de una conversación que tuve con Carito hace un par de años. Estábamos hablando de un amigo que salía de una relación y entraba a otra, se casaba, se divorciaba, tenía otra novia, le daba anillo, rompían el compromiso (Géminis, usted verá), y ella me dijo: "mira, a él le va a caer la bola de nieve. Un día va a parar y todo lo que no ha trabajado luego de dejar mal a las chicas, de cortarlas sin razón, todo ese mal karma y cúmulo de situaciones internas lo van a atropellar. (Dicho y hecho, por cierto).

estaba enganchada con Scott, faltaba que lo sacara de su sistema, que se diera más atención, que atendiera sus cosas, que se divirtiera más para que los demás se sintieran magnetizados hacia ella. Porque ¿quién no quiere estar cerca de alguien que es energía?

Si te dijeran que te queda una semana de vida aseguro que vivirías los próximos siete días al máximo. Ni tú ni yo sabemos cuánto tiempo nos queda en la Tierra, pero sí sabemos que más vale un día colorado que toda la vida descolorido, y que por más que botemos el sofá, igual tendremos que hacer frente a nuestros patrones y limitaciones. La manera de hacerlo es relacionándonos, pues en la conexión con otros habrá encuentros de contraste que nos enseñan y nos motivan a ser cada vez mejores. Habrá conexiones fantásticas que nos muestran partes de nosotros que no conocíamos. Habrá "para siempres" que se acaban mañana y los "hoy por hoy" que se hacen eternos.

Nada cambia si uno no cambia, y nada nos motiva a hacerlo más que el amor (y no sólo el de pareja).

Trae tu consciencia al presente y disfruta cada segundo.
Visita **www.miastral.com** y descarga gratuitamente
los ejercicios correspondientes a este capítulo
(ver instrucciones en la página 16).

LA luz
ACORTA EL
tiempo y
CONVIERTE el
trabajo EN AMOR.

-CAPÍTULO 17-

ÁGAPE

≥ Ante todo, la amistad ≤

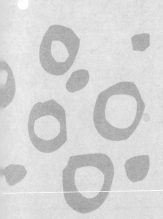

Hay una buena razón por la cual los kabalistas celebran Tu B'Av* (San Valentín judío) el día de la luna llena en Acuario, que se da en el mes Leo: si tomamos en cuenta que Leo es el signo del ego, del Sol, de saber lo que nos hace brillar, en su luna llena la Luna toma luz del Sol en ese signo y le dice: "no eres el único que brilla. Tu función es brillar para dar luz a los demás, para compartir, y así recibirás luz de vuelta".

En la astrología, Acuario es el signo del ambiente circundante, de lo social, de los amigos. ¿Por qué se celebraría el día del amor con esta energía y no

---

* Tu B'Av es la apertura del amor y el corazón a nivel de Kabbalah. Se celebra el día de la luna llena en Acuario de cada año, en el que empieza un juicio de 40 días antes del Año Nuevo judío para saber qué queremos llevar o no a un nuevo año de vida. En esta festividad podemos tomar la decisión de atraer a nuestra alma gemela.

en el mes Libra (relaciones) o Piscis (el amor incondicional)? ¿Por qué se celebra San Valentín en febrero que es el mes de Acuario?

Ummm…

Está claro: la base de una buena relación es la amistad genuina, el ágape*. Si existe ese fundamento, la resolución de conflictos es más fácil, el entendimiento se da mejor, hay intereses en común y cuando se mezcla con atracción es algo realmente delicioso.

Mi relación con Escorpio fue así: fuimos novios cuando empecé la carrera de Derecho. Allí no funcionó porque ambos estábamos muy jóvenes y yo tenía una historia interminable con *The Hulk*, que duró 11 años. Pero Escorpio y yo nos hicimos muy buenos amigos, al estilo de no separarnos nunca, de irnos de viaje juntos. Todos mis novios lo odiaban y todas sus novias me odiaban a mí.

Sin ponernos de acuerdo, ambos nos fuimos de nuestro país natal a vivir a la misma ciudad y por casualidad terminamos viviendo en el mismo edificio. Para entonces andábamos cada uno en lo suyo; él ya se había casado y divorciado y yo andaba en una nueva relación, pero seguíamos encontrándonos por todos lados. Con las vueltas que da la vida, él resultó haciéndose muy amigo de Chloe y ella me lo mencionaba todo el rato. Yo estaba 100% concentrada en Miastral, lo que implicaba unas serias negociaciones con el Universo, así que no prestaba mucha atención al tema. Pero un día que Venus en mi signo conectó con Urano (planeta que

---

* En su obra *El banquete*, Platón habla de tres tipos de amor: eros (amor apasionado), philia (amor filial) y ágape (amor espiritual). Este último es el amor desinteresado, la ternura, la delicadeza, la no violencia. No es el erotismo que arrasa el tú y yo de la amistad, es la entrega hecha amor. Es la dimensión más pura, es la benevolencia sin contaminaciones egoístas en el amor. No es irreal ni idealizado, porque incluso el ágape tiene condiciones. Es simplemente la capacidad de renunciar a la fuerza y el control, rindiéndose a la persona amada. Está lejos de ser sólo sentir el placer erótico o la alegría amistosa, es pura compasión. El amor de este tipo no requiere esfuerzo, en él no hay espacio para "mi agenda". Es la última etapa en la evolución del amor.

rige Acuario)* en Aries, se me cruzaron los cables, nos encontramos y allí empezó la historia que conoces.

Una de las razones por las que inicié la relación de manera consciente es porque él realmente me conoce. No a Mia, no a Miastral, él realmente sabe quién soy yo. La base de amistad hizo que la etapa de *dating* pasará muy rápido y saltara a "somos novios, vamos a vivir juntos, nos amamos para siempre". Todo el mundo a nuestro alrededor pensó que esto era *the real deal*.

Algo aprendí de ese tema de iniciar relaciones con amigos… en la astrología hay tres casas de la rueda zodiacal relacionadas con el amor: la 5, cuando el romance comienza; la 7, el compromiso, y la 8, la fusión de energías donde el ego desaparece para poder sentir unión.

Bueno, Escorpio y yo pasamos de 5 a 7 en un segundo, y es un error que recomiendo no cometer. No importa que se conozcan de siempre, vive tu casa 5, vive las salidas, el cortejo, el conocerse de nuevo en esa dinámica, porque aunque sientas demasiado, si no vives esta etapa no se crea profundidad.

El resto de la historia de la relación es justo eso… historia, pero lo que quiero agregar acá es que aunque no hay nada más delicioso que vivir este tipo de relación, a menos que traces sanos límites para que crezca en su nueva dinámica, puede no funcionar. Evidentemente.

En cambio conozco dos a quienes sí les funcionó… a Cata y su gordito.

Ya te he hablado de Cata. Una vez que fue a visitar a una amiga se reencontró con alguien que –ay, ciclos de Venus– tenía 16 años sin ver. La chispa entre

---

* Las relaciones que empiezan con alineaciones de Urano comienzan rápido pero pueden terminarse rápido también. Lo mejor es iniciar con alineaciones de Saturno, aunque uno no puede controlar eso, ya que las cosas pasan como deben pasar.

ellos se encendió como nunca antes. Ellos no habían sido novios, pero sí muy buenos amigos. Ahora, ya ambos en sus treinta y con ganas de una relación estable, se engancharon. El detalle es que él vivía muy lejos. Pasaron dos semanas lindas y ella se vino de vuelta emocionada pero con muchas dudas. Justo en ese momento yo pasaba por la ruptura con Escorpio y estaba muy cínica ante ese tipo de relaciones que nacen de la amistad, pero ella probó de manera estelar que sí se puede, y una de las situaciones que ayudó en el proceso es que, como el gordito vivía lejos, habían tenido el chance de hablar mucho antes de estar uno encima del otro nublando sus razones. Durante dos meses estuvieron hablando por todos los medios que la tecnología ofrece ahora, hasta que quedaron en verse en un viaje de vacaciones –por cierto, este tipo de historia está sucediendo mucho ahora gracias a las redes sociales (energía Acuario) que propician encuentros con personas a quienes les habíamos perdido la pista–.

Lógicamente, muchos muchos detalles debían afinarse antes del encuentro que decidiría todo. Cata estaba en modo "todo por la corona" y nosotras la apoyamos. Retos de pilates, ropa nueva, evaluar las posibilidades… todas estábamos en ese sueño. Como dije hace unos capítulos, Cata llevaba más de nueve años sin salir con nadie. Estaba trabajando en sí misma, en sentirse bien con su cuerpo, en transformar patrones de la infancia (¡Estrellita para presidente!), y de un año para acá había experimentado un despertar increíble, drástico. Justo antes de irse al viaje en el que se reencontró con el gordito, estaba vibrando alto, pasándola bien, y no me refiero a rumba, sino a pasarla verdaderamente bien, a disfrutarse, a darse gustos (cosa que antes no hacía), y fue allí cuando "las estrellas se alinearon". Mi predicción para Acuario con el tránsito de Júpiter por Libra (vaya al extranjero) no se quedó corta, y todo sucedió: la base de amistad y respeto y haber dejado el contacto íntimo para después, luego de tanto tiempo hablando a toda hora, realmente hicieron maravillas.

Ahí es cuando uno entiende que las relaciones deben ser conscientes, y que para eso tú tienes que estar consciente. No es soplar y "ay, nació relación". Tampoco es que haya un ser humano que sea sólo para ti: hay personas con las que somos compatibles, con las que tenemos química y con quienes nos topamos en buen *timing*. Pero el resto depende de la voluntad y de lo que ambas partes estén dispuestas a invertir en crear algo. En las relaciones se trabaja, lo que pasa es que cuando tienes un buen *match*, el trabajo es delicioso.

Hay mucho más que contar sobre la historia de Cata y su gordito, que se sigue tejiendo mientras escribo este libro, pero por ahora están avanzando para que él se venga a trabajar para acá porque ya no quieren una relación a distancia. Desde que están juntos, lo mejor de ambos ha florecido en todas las áreas de su vida. Cuando hay potencial, ganas, buena voluntad de compartir con alguien que se siente "justamente bien", todo es posible, y por eso las cosas entre Cata y el gordito se están moviendo súper rápido.

Lección rápida de astrología
Algunos signos amigos que pueden enamorarse

Géminis y Sagitario
Este dúo tiende a empezar como una amistad que quiere experimentarlo todo, viajar y pasarla bien, y el *mood* es: "mi pareja no lo entiende, pero tú sí y me dejas ser". Luego se cruzan los cables y a menos de que tengan a Saturno bien posicionado y ambas personas hayan madurado emocionalmente, puede que tanta búsqueda de libertad les haga entender que siempre debieron quedarse como buenos amigos.

Acuario y Sagitario
Acuario siempre está list@ para los planes de Sagitario y no l@ juzga. Esto a Sagitario le encanta porque puede ser quien verdaderamente es y además tener con quien compartir sus aventuras sin que le impongan otras maneras de hacer las cosas (lo digo porque Sagitario también ama jugar

con Géminis, por ejemplo, pero ahí no funciona, porque en este caso se juntan el hambre y las ganas de comer). Con Acuario, Sagitario lleva el control, pero lo que no sabe es que Acuario no aguanta el sube y baja todo el tiempo. Entonces, o quedan de amigos para aventuras varias, o pueden pasar de amigos a novios si Sagitario empieza a bajar sus revoluciones.

Escorpio y Piscis

Escorpio ama la empatía que siente de parte de Piscis. Un día se da cuenta de que no hay como Piscis para relajarse, descargarse, ser como es y, además, sentirse consentid@ y admirad@. Aunque Escorpio piensa que tiene el control de Piscis, los peces son personas con el corazón MUY grande y tratan al escorpión igual que al resto del zodiaco. Para que esta amistad se torne en amor y compromiso, Escorpio debe dejar de subestimar a Piscis y darle gusto, esa es la carnada para mantener al pez fiel y cerca.

Libra y Acuario

Esta combinación es deliciosa porque se da sin forzarla. Quizá allí está el detalle. Libra quiere pero no se impone, sólo lanza indirectas. Acuario se apena. Pueden estar enamorados mucho tiempo antes de que uno de los dos dé un paso. Si el hombre es el Libra, hay más chance de que una relación amorosa se manifieste.

Tips para que una relación amorosa entre dos amigos funcione

1. Mantengan el misterio en sus rituales individuales. Es decir, por mucha confianza que se tengan, guárdense para sí mismos esos detalles súper privados que pertenecen al plano individual.

2. No usen los mismos apodos que usaban cuando estaban de amigos.

3. Antes de decidirse a ser pareja, tómense un tiempo para entender el paso que darán, evalúen lo que eso significa en su relación y en su vida personal. Es importante hacer ese trabajo interno.

4. La primera vez que estén juntos en la intimidad, procuren que sea súper especial, aprovechen todo lo que saben el uno del otro e incorporen detalles para sorprenderse.

5. Dejen claro, clarísimo, que son novios y que ya no están en la categoría de amigos. Procuren tener algo así como "las reglas de la relación". Dejen claro que no es una amistad con derechos, tanto para ustedes como para sus pares. No confundan su relación pasada de amigos con el presente, ahora comienza una nueva forma de relacionarse.

6. Si eran amigos (ojo, amigos de verdad), el Juan sabe de los Juanes anteriores y la Elena sabe de las Elenas, así que hay que conseguir un *middleground* para alguien que sabe todo.

7. Ambos tienen que recordar que están iniciando una relación. Si bien el amor es *friendship set on fire* (amistad puesta al fuego), él o ella no es tu bff (*best friend forever*, mejor amigo para siempre), no es tu Samantha (de *Sex and the City*) y menos tu mejor amigo gay. Tú tampoco eres su *bro* (su "hermano"). Hay involucradas otras emociones, otras situaciones, y se construye una intimidad muy distinta.

8. Libérense por la culpa o el miedo por sentir lo que sienten, afronten la situación juntos.

9. Si comparten un grupo de amigos, creen momentos íntimos que se diferencien de las salidas con el resto de gente. Ábranse a compartir con los amigos lo que sienten para que entiendan que no es una aventura.

10. Compórtense con naturalidad, no caigan en posturas de "la amiga o el amigo versus la novia o el novio".

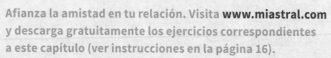

Afianza la amistad en tu relación. Visita www.miastral.com y descarga gratuitamente los ejercicios correspondientes a este capítulo (ver instrucciones en la página 16).

Ambos DEBEN QUERER ESTO y ambos deben ESTAR conscientes de LO QUE QUIEREN.

-CAPÍTULO 18-

СПАСИБО, *SPASIBO*, GRACIAS

≥ Las relaciones conscientes ≤

En un espacio entre Escorpio y Ben, tuve una relación con, llamémoslo, El Ruso. El Ruso es Leo, ascendente Acuario. Nodos en Leo y Acuario, Júpiter en Libra.

Yo entré en su vida un poco antes de que Júpiter entrara en ese signo, así que él estaría teniendo su retorno. Los nodos también estaban llegando a las posiciones natales de él, así que sabía que era una persona que estaba pasando por un momento muy significativo en su vida y decidí, conscientemente, ser parte. Y allí empezó todo, en la intención.

Lección rápida de astrología

Retorno es cuando un planeta de tránsito va a volver a una posición natal. El retorno de Júpiter se da cada 12 años, y se trata de un año de crecimiento, reconocer tu abundancia interna, cómo eres canal de bendiciones para otros. Mucho depende de dónde está Júpiter en tu carta y en cuál signo.

El retorno nodal es cuando los nodos de tránsito (puntos matemáticos donde suceden los eclipses) vuelven a los lugares en los que estaban cuando tú naciste. Cada nueve años hay un retorno nodal, pero no exacto, sino inverso. De todas maneras, son 19 meses en los cuales los eclipses te llevarán de la mano a tu carril de vida, la razón de encarnación.

El Ruso y yo nos conocimos en un evento de meditación, porque es fundador de centros de yoga y meditación en la ciudad en la que vivo. A sus cortos 35 años tenía una buena trayectoria, una barba increíble, pelo leonino de impacto y una destreza única para envolver a las personas, al menos para bien.

Este hombre podía lanzar una campaña política mañana y ganar. Sus causas –que defiende con mucha pasión– encantan a otros por la manera como él las expresa. Yo nunca había salido con alguien a quien personas de todo tipo se le arrojaran con tanta admiración. Todo el mundo lo ama, menos mis amigas, pero no porque sea malo en algún sentido, sino porque ellas decían que nos parecíamos mucho en muchas cosas, y que usualmente sólo hay espacio para que una persona se robe el *show*. Yo no lo sentía así, no me considero así y, para ser honesta, me encantaba verlo brillar.

La relación no se dio de manera lineal. Tendíamos a coincidir en muchos eventos porque nos gustan las mismas cosas, y finalmente empezamos a salir. Para mí, salir con alguien que no toma alcohol, que es 100% vegano, con quien podía hablar hasta las cinco de la mañana de temas que son "raros" para otros, estando en un jardín o en una fiesta donde a pesar de la gente sólo existíamos nosotros dos, era algo muy diferente. Eso de meditar en las mañanas al levantarnos, de tomarnos el agua con limón, el jugo verde y discutir brevemente la intención del día, en verdad era hermoso.

Con El Ruso aprendí lo que era una relación consciente, una relación en la que se decide estar, en la que se puede hablar con claridad de quien uno es, de lo que se quiere lograr. En la que uno escoge dar lo mejor todos los días, en compartir sin agenda. En la que no hay juegos mentales, hay retos juntos en los que el otro puede ver cuándo te estás saboteando y traerlo a tu atención, en la que ambos quieren ser buenos, muy buenos en la resolución de conflictos. Una relación en la cual la meta es crecer y amas al otro queriendo que sea mejor, que sus objetivos sean alcanzados. Una relación en la que se respeta el espacio del otro, en la que el pasado sólo suma… la relación con El Ruso fue parte del proceso para llegar hasta acá.

El aprendizaje en esos meses fue constante, considero que logramos cosas lindas juntos, no sólo para nosotros, sino incluso para otras personas a nuestro alrededor, pero como él me dijo y lo mencioné en un capítulo anterior, hay tres requisitos indispensables en una relación: atracción, compatibilidad y *timing*.

El punto sobre la atracción no hay ni que explicarlo. La otra persona debe gustarte. Si en la atracción se incluye la admiración, es excelente. De mi parte considero que admirar al otro es lo que te mantiene con ganas de crecer y mejorar. Sobre la compatibilidad, esta va más allá de que te gusten las mismas canciones que al otro. Ya adultos, se trata de compatibilidad hasta en valores, en las metas que tienen individualmente, sentirte a gusto con quien es el otro. Y en cuanto al *timing,* que es el punto difícil, se trata de que ambas personas estén listas para una relación, porque por mucha atracción y compatibilidad que haya, si uno se está mudando de país o está en otra relación, no va a estar allí 100%.

Y por eso, porque a mí me faltaba un requisito, tuve que terminar. El *timing* no era el correcto para mí. De la manera menos adulta envié un mensaje de "adiós" por el que me disculpé más adelante en un correo. Y aun en ese momento, El Ruso me dio una lección de amor y comprensión. Por eso, y por todo lo que he contado en estas páginas, le estaré agradecida por siempre.

Ahora… para resumir un poco este tema de las relaciones conscientes, te explico:

¿POR QUÉ QUEREMOS UNA RELACIÓN CONSCIENTE?

1. Porque somos muy inteligentes como para permitirnos ser el único obstáculo en el camino que nos enseña a amar.

2. Porque no hemos llegado hasta acá sólo para "llegar hasta acá".

3. Porque queremos compartir el proceso interior con alguien que lo acelere.

4. Porque es en las relaciones de pareja donde más vamos a ver lo que proyectamos y a veces no queremos aceptar.

5. Porque hay un tipo de crecimiento que podemos hacemos solos, pero hay otro tipo de crecimiento que se hace junto a otros.

6. Porque no queremos y no podemos seguir iniciando relaciones para olvidar el pasado, para llenar un vacío o por cualquier otra razón egoísta en la que se desarrolla una interacción entre uno y su propio ego, donde el otro en verdad no tiene ni cabida.

7. Porque queremos saber desde el inicio que nuestra relación tiene una intención verdadera, que no está viciada.

MANDAMIENTOS DE UNA RELACIÓN CONSCIENTE

1. **Escucha activamente:** *escucha* realmente al otro; no lo oigas sólo para saber qué responder.

2. **Sé suave:** no juzgues, sé dulce contigo y con el otro.

3. **Practica el desapego:** preséntate con tu 100% y no esperes nada, ten una intención pero no tengas agenda, no esperes algo. Ve sin expectativas.

4. **Explora:** aventúrate a hacer cosas nuevas con el otro, indaga en situaciones diferentes. Invierte tiempo en tu pareja, organízate, juega, ríete.

5. **Sal de la mente:** procura tener experiencias sensoriales con el otro, dale un masaje, vayan a la playa, conecten…

6. **Dale espacio al otro:** respeta el tiempo a solas de la otra persona, entiéndela, dale el tiempo para que comparta con otros y haga lo que le gusta y valora.

7. **Deja al otro ser:** permite que la otra persona pueda revelar su naturaleza y ser quien es, no te hagas historias, deja que manifieste y no trates de controlar.

8. **Comparte tus intenciones y sueños:** en la mañana, establece conjuntamente una intención para el día y comparte tus reflexiones en la noche.

9. **Desarróllate constantemente:** cada uno por aparte, en lo que hace, debe seguir creciendo con sus propios proyectos y metas. Cuando cada quien trabaja en su individualidad tiene más que ofrecer.

10. **Demuestra el cariño:** no te dé pena ser dulce, incluso si es en público. Esto te abre a que se desborde el amor.

11. **Ten claro que el crecimiento y el propósito vienen primero:** escoge como compañer@ a una persona para quien la luz sea lo principal. Lo más importante es salir de tu ego y compartir.

12. **Toma responsabilidad:** no señales ni culpes al otro. Ten la valentía de cachar las proyecciones que puedes estar haciendo en el otro, y a cada instante hazte consciente de cómo estás manejando tu relación personal.

13. **No juzgues:** a veces caemos en juicios sobre temas que no son más que patrones que nos acompañan. Evítalos, sé parte del proceso y ayuda al otro a mejorar.

14. **No reacciones:** si te sientes dolid@ y haces un comentario mal intencionado o cargado de emoción, puedes poner al otro a la defensiva y le cierras la puerta al entendimiento. Hazte consciente de tus reacciones y para un momento antes de permitirte tenerlas.

15. **No fuerces las cosas:** si ambas partes están trabajando de manera consciente, cada etapa se desarrollará a su ritmo. Las etapas se viven, no se obligan.

Empieza a manifestar una relación consciente o a transformar la que ya tienes. Visita **www.miastral.com** y descarga gratuitamente los ejercicios correspondientes a este capítulo (ver instrucciones en la página 16).

Y allí empezó TODO, en la INTENCIÓN.

-CAPÍTULO 19-

FIDEICOMISO EMOCIONAL

La certeza de lo que será

Hace mucho tiempo mi amiga Lisu, que es diseñadora, recibió una propuesta para ser parte del jurado de un *reality show* al estilo "juzguen al diseñador". Lo que le pedían hacer era evaluar y criticar el trabajo de personas que apenas se estaban iniciando en la industria.

Cuando Lisu me contó me emocioné mucho, porque aparecer en pantalla podía ayudarla muchísimo en su carrera, tendría exposición, su nombre estaría en grande. Por eso, cuando ella me contó que había declinado la oferta, le pregunté por qué, y ella contestó: "Mira, ya eso está allí. Si se presentó la oportunidad de estar en televisión es porque han visto mi trabajo y les llama la atención. Sé que algo similar puede volver a presentarse, pero de una manera que esté más de acuerdo con la forma en que me quiero mostrar. No quiero juzgar a personas que están pasando por lo que yo pasé y someterlas a un cierto nivel de humillación. No es justo ni deseado".

Quedé perpleja con mi carita de protagonista de novela mexicana mirando al infinito. Luego me pasaron por la cabeza todas las oportunidades que se me habían presentado y que yo había tomado por miedo a perderme de algo o a que no se volviera a dar el chance. Pensé en todas esas veces en que no me permití escuchar mi intuición y en cómo me sentí después.

Por el contrario, ya más adulta y después de esa conversación con Lisu, he visto las maravillas que ocurren cuando decido desde la consciencia, cuando decido sabiendo que tengo el derecho a elegir si quiero tomar esa oportunidad o una similar pero en mejores condiciones, porque he entendido que si una buena oportunidad se presenta es porque esa energía ya está disponible para mí.

A ver, en cuestión de relaciones…

¿Te ha pasado que te enamoras, sientes un *crush* gigante y cuando se acaba crees que más nunca se va a volver a repetir, que jamás te vas a volver a sentir así?

Sé que sí. Yo también lo sentí. Comenté en capítulos anteriores que lo que más me daba miedo era no volver a tener una conexión "emo-mental" con alguien como la tuve con Escorpio. Seguía dándole atención a eso que había sentido y buscaba referencias, comparaba mis relaciones de amistad, etcétera, con tal de poder decirme: "sí, Mia, tienes razón, no hay nada igual y por eso es que deben volver a encontrarse".

Después, con todas las lecciones que aprendí y con el trabajo interno que hice, dejé de buscar esas referencias en mi vida. Y quizá no tuve esa emo-conexión con ninguno de los chicos del "medio tiempo", porque en realidad inicié y di pie a esas conexiones sin haber superado a Escorpio. Pero ya cuando desperté y empecé a meditar todas las mañanas de nuevo, volví a conectar eso que llamo *fideicomiso emocional*: "ya lo viví, existe. Ya lo viví, está para mí".

Y así pasó. Eso fue de hecho lo que nos enganchó a mí y a Ben. Me di cuenta de que no tenía que ser Escorpio, de que si yo era auténtica conmigo misma iba a poder identificar eso que me gustaba de él en otras personas, y que podía recrear la misma sensación que tuve con Escorpio. Después de todo yo fui parte de esa chispa que no se limita a lo amoroso, sino que puede extenderse a varias conexiones con distintas personas, incluida, claro está, la conexión con quien te gusta y te encanta.

Pero lo más bonito de esto es entender que no hay recursos limitados, que somos nosotros mismos quienes ponemos freno a nuestras habilidades para trabajar y compartir con otros, cuando insistimos en que las cosas se den sólo de cierta manera o sólo con cierta persona.

Voy a dar otro ejemplo...

Una tía recibió un diagnóstico. Tenía cáncer. Le buscamos varios especialistas buenos en su ciudad, en otras ciudades. Ella sólo quería ser atendida por un médico en específico, sin saber que ese "requerimiento" era una manera de negar lo que le estaba pasando. A pesar de las súplicas y conversaciones medio manipuladas para convencerla de que se viera con otro de los médicos que sí estaba disponible, ella seguía en limitación y negación. Menos mal que antes de que fuera muy tarde se rindió (y rendirse no es tirar la toalla, sino entender que el método que uno tiene para hacer las cosas no es el único y que nuestros mecanismos de defensa limitan todo lo bueno y positivo que un proceso puede ser en más niveles que los visibles) y consiguió curarse.

Y ahora un chiste...

Una vez mi profesor de Kabbalah me contó una historia de un señor que vivía en una ciudad que se empezó a inundar. El agua subía y el señor rogaba al Creador que lo salvara, mientras subía de pisos. Cuando llegó al techo en medio de sus súplicas, apareció una lancha con unos chicos que lo invitaron a subir, pues la ciudad se iba a inundar por completo. Pero el señor les dijo que no, que el Creador lo iba a salvar. Luego pasó un helicóptero del cual le lanzaron una escalera, pero el señor dijo que no, que el Creador lo iba a salvar. Al final, el señor murió ahogado, se presentó frente al Creador y le dijo: "yo creí en ti, te recé a ti, ¿por qué no me salvaste?". El Creador le contestó: "yo te envié la lancha, te envié el helicóptero... claro que te escuché".

Moraleja: lo que deseas y hasta lo que necesitas está dado para ti. No te limites… así todo parezca trabajo duro, más trabajo interno, quizá lo que buscas está con una persona diferente a la que tú esperabas.

Recuerdo que hace años di una clase de consciencia sobre este tema: hay personas que dicen que están solas y sienten que no hay amor en sus vidas porque asocian el amor con una pareja. En realidad, no se dan cuenta de que el amor abunda en su vidas: familia, amigos, invitaciones, momentos para compartir… Siguen pensando que no es suficiente porque no está la atención de esa persona, ESA persona, cuando en verdad, si se está interesado en manifestar una buena relación, se debe vibrar amor en cada conexión, así no sea amorosa. Cada relación es una oportunidad para hacerlo.

¿Se entiende? Sé que sí, y esta es una de las lecciones que nos lleva al punto de giro, porque cambia la manera en la que "buscamos" el amor, entendemos que el amor no se "busca", sino que hay que vibrar, conectar, compartir y PERMITIR que este se alinee contigo.

Postdata: para que sepas, mi amiga Lisu fue invitada una vez más a trabajar en televisión, y allí ganó un concurso para diseñar toda la línea de ropa de una tienda importante. Su certeza e intuición estaban *spot on!*

Para afianzarte en la certeza de que lo que has pedido ya está en camino, visita **www.miastral.com** y descarga gratuitamente los ejercicios correspondientes a este capítulo (ver instrucciones en la página 16).

Nada atrae más que la certeza de merecimiento.

-CAPÍTULO 20-

THIS IS IT

¿Estaremos solter@s para siempre?

Playlist sugerido:
A corazón abierto
página: 243

Hay un capítulo de *Sex and the City* en el que
Charlotte, la más romántica y soñadora,
muy frustrada después de una mala cita se
pregunta dónde estará su príncipe azul, pues lleva
saliendo con chicos desde los 15 años
y nada que lo encuentra.

También hay una película que fue muy famosa en los noventa llamada *Singles* (solteros), en la que se presentaban en bloques diferentes tipos de relaciones y de personalidad. Su último bloque se llamaba *"Have fun, stay single"* (diviértete, quédate soltero), refiriéndose a que las relaciones son trabajo duro y que es más sencillo salir, conocer gente y pasarla bien.

Recuerdo cuando estaba recién terminada con Escorpio y Carito me dijo: "ahora empieza lo divertido. Te lo mereces. Disfruta". Tan Carito ese consejo…, y por un ratito la idea me animó. Sin embargo, me acordé de uno de los recuerdos más lindos que tengo con Escorpio y que atesoro porque me hizo caer en cuenta de muchas cosas. Va así:

Habíamos decidido ir a Nueva York a ver un concierto, y el día que llegamos yo estaba un poco en modo ataque de pánico porque íbamos a pasar varios días solos él y yo, y ya yo sentía que este chico iba en serio. Luego de cenar fuimos a un club de jazz –si algo romántico teníamos, era que compartíamos ese tipo de planes juntos, se sentía como una historia que no me estaba pasando a mí, no porque no creyera que no lo mereciera, sino porque aunque ese tipo de cosas me habían sucedido antes, no las había vivido con alguien con quien me sintiera así–. Luego fuimos a un bar a pasarla bien y a bailar. Después a caminar. No dejábamos de reírnos, en serio parecíamos una fiesta andante de dos personas. En un momento, me paró y me dijo: "¿por qué no crees en esto?, ¿por qué tanto miedo?". Yo sabía por qué, sabía todo y lo podía decir, pero no dije nada. Él me insistió: "¿en verdad quieres estar *dating* (saliendo) para siempre?, ¿no te das cuenta de que *esto es* (en sus palabras… *this is it*)?".

Esto me quedó retumbando en la cabeza. ¿De verdad voy a seguir con miedo al compromiso cuando en otras áreas de mi vida puedo ser tan comprometida? ¿De verdad creo que este juego puede continuar para siempre? Por muy excitantes que sean las primeras citas, ¿de verdad quiero seguir con esto de empezar de nuevo una y otra vez?

No, no es divertido.

No, no es lo que quiero continuar.

Y no. No es mi identidad.

Mientras termino este libro hay una relación que a mí me está moviendo muchos bloques, pero me encuentro lo suficientemente despierta como para cacharme cuando estoy cayendo en patrones. Me llamo mi propia atención y decido hacerlo diferente, y no diferente a mí, sino en sintonía con lo que quiero, con lo que estoy eligiendo de manera consciente, y eso sí dista un poco de quien creí ser.

También, al momento de estar terminando esta serie de lecciones, noto cómo cuando abres tu mente y tu corazón hay muestras constantes de que el amor con otro existe y es espectacular, pero no puede ser egoísta, no puede estar basado en tu agenda o manteniendo un muro de contención.

El libro ha sido un proceso espectacular para mí y para los personajes que acá nombro y con quienes comparto a diario. Cada una de estas personas está enterada de lo que aquí he escrito y en sus propios cuestionamientos sobre el tema (amor y relaciones) se han vuelto más conscientes de lo que quieren y cómo trabajar por ello.

Chloe y su esposo han cambiado su dinámica. Ella está vibrando más energía femenina, él tomando más acción para que sus planes avancen. Son buen ejemplo de amigos que se convierten en novios, trabajan día a día en su relación y no la dan por sentada.

Aniella está abierta a conocerse mientras está conociendo a alguien. Ya no tiene ataques de ansiedad. Ya sabe que no está "plantada". Entiende que "estabilidad" y "hogar" son cosas que lleva dentro, que nadie se las puede dar y que algo "familiar" no necesariamente tiene que ser la opción para siempre si ya hace daño.

A Cata la apostamos casada pronto, o a lo mejor ya está en esos planes con su gordito y no nos lo ha dicho, porque bien reservada es.

Claudine está aceptando que debe ser más suave con ella misma, relajar sus estructuras, alinearse con personas que no la van a juzgar como ella lo hacía internamente. Aprender el poder de darse el permiso de volver a empezar.

Estrellita es... Estrellita, y seguirá ayudándonos a conectar los puntos internos con las señales externas para continuar creciendo y evolucionando.

Fran, que de verdad es Fran y que no mencioné en este libro porque es un poco más reservada, está empezando una aventura muy especial: ser mamá. Y ahora voy a ser una madrina astral. Con esta noticia se inspiraron otras, porque ver AMOR en acción, avance, y cómo se abre la vida, más que inspiración, es una medicina.

Entonces no. No creo que haya que estar solter@s para siempre. Creo que hay mucho que podemos lograr a solas, que estar solter@s es un momento especial para conocernos mejor, conocer nuestras motivaciones, aprovechar para hacer cosas que cuando estamos en pareja usualmente no hacemos, pero hay un crecimiento especial que realizamos de la mano del otro. Si entendemos que trabajamos adentro para impulsarnos a compartir, que esa es la meta última (y no me refiero sólo a relaciones románticas), el trabajo y el camino se llevarán de manera distinta. Por algo el año judío (*Rosh Hashanah*) empieza en el mes Libra (relaciones) y la primera luna llena de ese año es en Aries, para que se iluminen los patrones egoístas que nos impiden conectar realmente con alguien.

Date cuenta de que cada vez que pasa algo importante en tu vida quieres compartirlo con alguien, que de nada vale tener el yate más grande del mundo o cualquier lujo si nadie más lo puede disfrutar. Entonces… ¿por qué dejar para después el trabajo emocional que puede ayudarte a superar estas trampas del ego para poder compartir de verdad?

No esperes más.

Actualiza las verdaderas razones por las que quieres estar con alguien y manifiesta una relación consciente.
Visita **www.miastral.com** y descarga gratuitamente los ejercicios correspondientes a este capítulo (ver instrucciones en la página 16).

Utiliza este espacio para crear tu propio mantra

21

-CAPÍTULO 21-

TODO FINAL ES UN INICIO

Esta historia continuará...

"... y de repente me sentía recorriendo el mismo camino aunque el paisaje fuera diferente. Era como reconocer un perfume que tenía mucho tiempo sin oler y, claro, me dio miedo. Pero de una vez me recordé a mí misma todo lo que pasó para estar en este lugar. Puede que las emociones me sean conocidas, pero era justo lo que quería, volver a sentir lo que había sentido y más. De hecho, está bien tener algo familiar en un emprendimiento nuevo, o tenerme a mí misma en una nueva relación en la que las sensaciones y emociones me son conocidas... porque sigo siendo yo, pero con consciencia de mis pasos. No les temo a las expectativas, todos las tenemos. Yo las tengo y él las tiene. Ahora sé que no son estas sino el manejo de mis emociones mientras mis expectativas se cumplen (o no), mientras yo me abro a mi ritmo y él al suyo, lo que hará la diferencia.

Insisto, no tenía que olvidar el olor de las rosas, pero sí aprender a tomarlas por la parte del tallo que no tenga espinas. Conozco mejor las mías, sé dónde están, cómo tratarlas y cómo, en el acercamiento a otro, por mi deseo, me libero de ellas poco a poco. No me preocupo. La historia no se va a repetir. Ahora sé cómo recorrer el camino".

Extracto de mi diario en referencia a mi relación actual.
Escrito al tiempo que iba terminando este libro.

La mejor terapia que tuve para superar mi última relación y abrirme a empezar una nueva fue escribir este libro. Al inicio te conté con el corazón abierto lo que sentí cuando supe que era hora de empezar. Sabes también que tenía una estructura muy diferente para este plan, pero la vida me enseñó una vez más que las estructuras son ficciones que funcionan para ciertas cosas, y que si hablamos desde lo personal, desde lo humano, todos estamos aquí para hacer lo mismo: sanar.

Sabes que no soy de compartir mi vida privada, pero creo que acá expuse un montón. Sin embargo, lo hice cuidando lo que queda de mi privacidad y la de las personas involucradas, e igual se siente bonito y respetuoso. Todas las experiencias son verdaderas, las historias son ciertas, y, desde esa verdad, espero que este libro te haya ayudado a recorrer tu propio camino, a sanar en el proceso, a crear una nueva vía y a mejorar la dinámica en todas tus relaciones.

Antes de irme, quiero que respondas estas preguntas para que veas con claridad cuánto creciste con la lectura de estas páginas.

1. ¿Cómo ha mejorado tu relación contigo desde que iniciaste este libro?

2. ¿Y tus relaciones con otros (familia, amigos, pareja, compañeros, etcétera)?

3. ¿Has identificado ya tus necesidades principales? Si la respuesta es afirmativa, ¿qué haces para satisfacerlas?

4. ¿Has podido reconocer patrones de saboteo en tus relaciones?

5. ¿Tienes claro cómo te has dejado influenciar culturalmente en cuanto al tipo de relación que debes tener o a lo que "deberías" hacer según tu edad?

6. ¿Ya actualizaste tu estructura? ¿Ya la estás poniendo en práctica?

7. ¿Sabes cuál es el tipo de conexión que quieres experimentar ahora que te conoces un poco mejor?

8. Neale Donald Walsch dice que "cuando las relaciones humanas fracasan, es porque entramos en ellas por las razones incorrectas". ¿Puedes identificar tus motivaciones actuales para empezar una relación?, ¿son diferentes a cuando empezaste el libro? Observa cómo se iniciaron tus relaciones pasadas y cómo las motivaciones (conscientes o no) dicen mucho de la manera en que se desarrollaron.

9. ¿Mantienes actualmente una conexión o relación donde no te sientes valorad@ y reconoces que afecta el posible encuentro con alguien que valga la pena? En caso de ser afirmativa tu respuesta, ¿ya sabes qué hacer?

10. ¿Reconoces ahora que cada oportunidad de compartir es la oportunidad de expandir tu capacidad de amar?

11. ¿Puedes ahora reconocer la diferencia entre sentirte atraíd@ por alguien que le hace bien a tu ego y sentirte atraíd@ por alguien que le hace bien a tu alma? Explica tu respuesta.

12. ¿Qué tan conectad@ o desconectad@ te sientes de tu intuición?

13. ¿Ya empezaste un registro (diario) que te ayude a afinar tu intuición y a distinguir la voz del ego de la del alma?

14. ¿Estás utilizando tu agenda o alguna otra herramienta para checar cómo vas con tu estructura y patrones?

15. Del 1 al 5, ¿cuánto sientes que creciste durante la lectura de este libro?

Espero que este libro te haya ayudado a
recorrer tu propio camino, a sanar en el
proceso, a crear una nueva vía y a mejorar
la dinámica en todas tus relaciones.

¿Entiendes este poema?

"Hay emociones que aún no has sentido.
Dales tiempo, ya casi están aquí".
Nayyirah Waheed

El secreto está en entender que, con el tiempo, tú te estás abriendo a sentir. Descubrirás que estás preparado para hacer expansión de tu capacidad de amar y ser amado, y que el amor siempre está presente en tu vida con diferentes caras, diferentes tipos de conexión y múltiples oportunidades para compartir.

Y, bueno, esta historia continuará…

Tú me conoces. Estoy en todos lados para ti día a día, y seguro has visto pedacitos de estas historias en *social media*. Sé que ahora estarás mucho más pendiente de esos pequeños *snaps* acá y allá, señales o algo que recuerdes o que relaciones con un personaje o capítulo.

No me queda más que darte las gracias por leer, escuchar, atender y llevarme de la mano en mi proceso. Ha sido un largo camino, pero estoy segura de que has disfrutado cada paso (sí, incluso los incómodos) tanto como yo. Espero que las lecciones de este libro te sigan guiando, te acompañen y te ayuden a despertar para que puedas ver todo lo que está disponible para ti.

Hay una versión de nosotros que fue la que empezó este libro –en mi caso para escribirlo, en el tuyo para leerlo y trabajarlo junto a mí–, y hay otra versión muy distinta que es la que lo cierra (y que tiene ese brillo que no podemos describir). Ambas versiones merecen ser valoradas y reconocidas porque nos han traído a este punto donde tenemos terreno fértil para crecer y manifestar nuestros deseos.

Gracias por ser coautor o coautora de este libro, que con certeza se siente como el más grande de los nuevos comienzos. Gracias por celebrar conmigo la capacidad que tenemos de transformarnos… por vivir junto a mí esta experiencia infinita de conocernos y descubrirnos.

Repasa todo lo aprendido en este libro, celebra cada experiencia que te trajo hasta acá y continúa entrenando. Visita **www.miastral.com** y descarga gratuitamente los ejercicios correspondientes a este capítulo (ver instrucciones en la página 16).

Sólo AL conocerme -ENTIENDO- mis LÍMITES, y me permito CONTINUAR.

Playlist sugerido:
Sunset Drinking Pink Rabbits
(Bebiendo conejos rosados al atardecer),
página: 244

Bonus
track A

GUÍA PARA
*BREAKUPS**
Cuando las cosas terminan

* Rupturas.

De mi diario personal...

"Amor propio...

Amor propio son límites. Amor propio es saber decir que no.

Es saber que tienes el poder de parar lo que te hace mal.

Es quedarte con algo o más de lo que entregas porque necesitas recargarte.

SON LÍMITES

L Í M I T E S

y también un adiós.

Es dar valor a lo que ayuda en tu proceso. Es amar a quienes te acompañan en el mismo.

Es dejar de dar atención a quien te la ha quitado.

Es no perder el sueño por el que se ha dormido.

Es no dar energía, luz o palabras a quien se rindió y no honró tu presencia.

Es adiós.

Es dignidad

al

decir

ADIÓS.

Y te digo adiós mil veces. Te digo adiós en cada momento del día, aunque a veces en mi mente te encuentre.

Es decir adiós y que con cada suspiro al soltarte se vaya una parte de mí.

Es no continuar el rechazo a lo que siento. Es fluir porque de esa manera te puedo dejar ir.

Es tiempo para mí. Es no buscar lo que no existe en ti.

Es ver la verdad y la mentira.

Es aceptar el cansancio y empezar a descansar.

Es, sin duda, darme permiso de libertad.

Porque en este proceso, que no estoy negando, estoy cambiando absolutamente y tú estás en el mismo lugar.

Es porque quiero respirar.

Es porque anhelo el día en que tu nombre no se pronuncie más.

Es porque necesito espacio para que llegue algo nuevo.

Y es la conclusión que no se dio. Libre asociación.

Es tu muerte la que celebro hoy".

Yo, Venus retro en Aries, 2009, al terminar con Leo ascendente Piscis

Guía solar

POR QUÉ TERMINA CADA SIGNO, CÓMO LO HACE Y POR QUÉ LO EXTRAÑARÁS O NO

Todos hemos pasado por el dolor de una ruptura, pero no todos lo demostramos. Algunos lo expresan sin saberlo, otros tienen una manera determinante de no dejarse llevar por el dolor. Y sí, aunque la forma como manejamos una ruptura tiene que ver en gran parte con nuestros patrones, cuando no hemos trabajado a profundidad nuestro nivel de consciencia, el ego puede influir bastante en ese proceso, y una guía solar nos puede ayudar mucho para entender lo que está pasando. Te cuento cómo son las personas de cada signo cuando están pasando por una ruptura.

✴ ARIES

Tiende a dejar una relación si siente que l@ limita en cosas que quiere hacer. También le sucede que pierde la emoción muy rápido, sobre todo si es joven. Este signo ama los inicios, así que la rutina y lo tedioso baja sus revoluciones, lo que le hace sentir que está perdiéndose del mundo. Otra razón para terminar es que no se esté haciendo lo que él o ella quiere, sobre todo si es un Aries que no ha trabajado consciencia ni cultivado paciencia.

Cuando Aries termina...

Los finales con Aries pueden ser batallas campales, pero cuando se va, se va. Usualmente terminas extrañando el fuego que tiene y l@ buscarás de nuevo. Te lo hará difícil por un momento y luego se abrirá otra vez. Esta persona se presta para relaciones de ciclos y partes —"Parte 1: el inicio", "Parte 2: la secuela"—, pero no pasa mucho en el tira y encoge hasta que decide iniciar una nueva vida y abrirse a conocer gente diferente.

L@ extrañarás porque:

- Es súper *hot*.
- Es energía pura.
- Sus planes son excitantes.

No l@ extrañarás porque:

- Su compañía te deja extenuad@ y necesitas días de descanso.
- Sufre de falta de madurez.
- Quieres alguien con quien compartir, no que te mande.

✳ TAURO

Si eres una persona que discute mucho, que interrumpe los momentos de paz, que es muy inquieta, que no escucha sus consejos, que quiere cambiarl@ o que no respeta su familia o lo que es indispensable para él o ella, esto no tiene mucho potencial. Tarde o temprano Tauro buscará algo más seguro, y con esto no digo que no tome riesgos, pero sí necesita alguien en quien confiar y proyectarse a largo plazo.

Cuando Tauro termina...

Tauro es una persona metódica, y si va a terminar es por razones ya muy bien pensadas. Debe haber un buen motivo, sobre todo si está a punto de dejar un lugar cómodo y estable. El final puede ser lento, hasta en partes, pero pasada la incomodidad, lo hará muy bien. En él o ella podrás conseguir un amigo o amiga más adelante, pero no esperes contarle de tu nueva pareja o que te quiera ver con alguien de su círculo, de hecho, ninguno de sus amig@s te podrá tocar.

L@ extrañarás porque:

- Cuando está enamorad@ te da su todo y cumple lo que promete.
- Cocina delicioso.
- Te trataba como una princesa o un príncipe.

No l@ extrañarás porque:

- No hay persona más terca en este mundo.
- No le gustan los cambios impuestos o planes espontáneos.
- Tiene que comer y dormir. Sé que esto es normal, pero para alguien Sagitario o Géminis tener que parar el mundo porque el bebé necesita una siesta es un *deal breaker*.

✳ GÉMINIS

¿Por qué una persona Géminis termina una relación? Buena pregunta. Ve tú a saber. No habrá astrólogo ni persona civil cuerda que te dé una razón, puede ser cualquiera que se invente al momento. Lo que sí te digo es que es posible que lo haga de un momento a otro y que en menos de dos meses ya haya un nuevo protagonista de su novela. Sí ya estaban casi en el altar. Sí, su conexión era única , como la que los Géminis crean con todo el mundo. Este es el signo de la mente, y las personas de este signo establecen vínculos con gente afín, cuya conexión mental es lo más. Pero su mente nunca se queda quieta. Para mantener a una persona Géminis feliz tienes que ser la mujer o el hombre orquesta, y nadie tiene tiempo para eso. Otra cosa que te digo es que para que aprecien lo que tienen, les toca perderlo. ¿Y quién quiere jugar toda la vida?

Cuando Géminis termina...

Géminis cambia muy rápido de opinión y tiende a ser una persona impulsiva. Por eso, puede que termine, pero que cambie de parecer y regrese rápido. Lo que pasa es que no siempre se relaciona con otro Géminis, y alguien puede decirle que no hay vuelta atrás y ahí es cuando empieza a aprender. Pero tiende a caer en el patrón de terminar una relación y continuar en otra muy similar, hasta que se dé cuenta de que hay trabajo interno pendiente, y la cosa es que tenga la voluntad de hacerlo. De llamarlo, puedes llamarlo, te va a contestar, pero ¿para qué volver a lo mismo si tú has cambiado y quizá él o ella no?

L@ extrañarás porque:

> Podían hablar de lo que fuera hasta la madrugada.

> Con nadie te reíste tanto.

> Por andar con él o ella, estabas enterad@ de todo lo que pasaba en el mundo.

> Sus manos… esas manos milagrosas.

No l@ extrañarás porque:

> Ya te cansaste de revisar toda red social a ver si cachas algo raro.

> Es indeciso para todo.

> Da un paso adelante con el compromiso y después da cinco atrás.

✳ CÁNCER ✳

Para que Cáncer termine debe estar muy al borde. Es buen@ llevando la situación al punto de lograr que el otro termine, mientras él o ella aprovecha y aprecia los momentos que les quedan juntos. La otra cosa es que si ha hecho algo malo tiende a sentirse culpable e inicia episodios al estilo "sabes que te amo, ¿cierto?", cuando no suele tenerlos, y eso te desconcierta. Toma la pista.

Cuando Cáncer termina…

No creo que muchos lo sepan, pero Cáncer puede terminar una relación con mucho rencor y no querer saber de la situación por bastante tiempo. Ni una llamada, ni una palabra, sobre todo si le hiciste daño. Cáncer necesita tiempo a solas y aparte para recuperarse. Al terminar, sus rutinas suelen cambiar mucho y su salud se ve afectada. Si no vas a ofrecerle algo real, no l@ busques para volver. Si él o ella fue quien terminó y lo hizo de manera seria, es porque sabe que no eres la persona para su estabilidad emocional, y eso hay que respetarlo.

L@ extrañarás porque:

> Cuidaba de ti como nadie.

> Es lo más en situaciones familiares.

> Sabe escuchar.

No l@ extrañarás porque:

> Es extra sensible. Toca andar con guantes de seda para todo.

> Puede ser "muy ahorrativ@", por no decir otra cosa.

> ¡Ahora vas a poder salir y divertirte! Tener planes espontáneos y no tener que devolverte a las 12 a.m. para sacar el perrito.

✳ LEO

Salir con una persona Leo es lo máximo. Tienes un Sol personal brillando sólo para ti, pero quiere lo mismo. Cuando termina la relación, casi siempre tiene que ver con problemas de atención o peleas constantes que no soporta. Sí es cierto que le gusta una dosis de drama, pero si estás constantemente con peleas por celos, de mal humor o baja vibración, no lo soporta.

Cuando Leo termina...

Espera que le pidan que no se acabe, que no se vaya. Logra hacer de los finales una situación dramática y pasional que muchas veces lleva a la reconciliación. Pero si se termina y sospecha que ya no hay amor, le va a doler mucho, aunque no lo demuestre, y se esforzará por rehacer su vida de una manera aparentemente espléndida (a menos de que sea ascendente Piscis o Escorpio, pues manejaría todo en privado), y pronto buscará en qué poner su atención y pasión, sea un nuevo proyecto o un nuevo amor. Si estás en una relación de muchos años que termina y vuelve con un Leo, déjame decirte que pueden estar así toda la vida y que pueden hacerse más daño que bien. Es importante parar, analizar la situación y proponerse hacer las cosas lo mejor posible.

L@ extrañarás porque:

➢ Nadie brilla como él o ella. Una vez que se va, sientes que tu vida se ha apagado, y te comento que cuesta acostumbrarse a la vida así, a menos de que salgas con otro Leo.

➢ Es la persona más deslumbrante que hay.

➢ No hay nadie más encantador al cortejar, todo se siente como un evento especial.

No l@ extrañarás porque:

➢ Toda la luz debe de estar sobre él o ella.

➢ Le encanta llamar la atención y a lo mejor tú eres una persona privada.

➢ Es muy terc@.

➢ No da vuelta atrás.

✳ VIRGO

Esta persona deja cuando se da cuenta de que no la necesitas. Ama sentirse útil y necesitada. También puede que te deje porque está enfocad@ en un proyecto o porque fuiste groser@ repetidas veces, y al fin juntó fuerza de voluntad para moverse hacia adelante por amor propio. Jamás viste venir eso ni todo lo que hacía por ti.

Cuando Virgo termina...

Virgo es un signo femenino, y como maña muy femenina deja pasar. Si ve que una relación va mal, espera a que se consuma y le terminen, o no dice nada para que las cosas no se pongan peores. Pero en su falta de acción también crea una reacción en el otro, que usualmente se convierte en molestia o ira. Cuando termines una relación con Virgo te va a dar espacio, pero al mes o dos aparecerá para saber cómo estás y si te hace falta algo. Si le terminas de una manera muy dura se rodeará de personas que le ayuden a reconstruir su vida, y después de muchos meses podrá hablar y aclarar la situación para quedar como conocidos.

L@ extrañarás porque:

- Te acomodaba todo, se encargaba de todo.
- Te gustaba cómo se esforzaba para que tuvieran lo que necesitaban.
- Creía en ti, te motivaba a ser lo mejor que puedes ser.

No l@ extrañarás porque:

- Cada pequeño detalle debía ser revisado.
- Quieres una pareja no una mamá o un papá que cuide de tu camisa planchada.
- Le falta iniciativa y fuego, o al menos eso crees. Al final te das cuenta de dónde estaba realmente siendo invertida esa llama.

✳ LIBRA

Libra se deja influenciar (una vez un Libra terminó conmigo porque su mamá le dijo que yo era temperamental. Éramos muy jóvenes, pero igual...). Quiere además que todo sea ideal, y cuando eres humano, cuando se ven las costuras, ya no se emociona tanto. Claro, si ha madurado es una pareja excepcional, pero estás leyendo esto porque no funcionó, y quiero que sepas que seguro, detrás de cualquier discusión, hay un poco de malcriadez, porque todo el mundo l@ ha tratado como rey o reina.

Cuando Libra termina...

Libra es un signo que empieza sus relaciones como amistad, o al menos crea una buena base de entendimiento y afinidad con el otro. Es una persona que estará en una relación trabajando por ella cuanto se pueda, pero pondrá un límite cuando sienta drenado su amor propio. Puede que al terminar continúe siendo tu contacto en redes sociales, y que te salude en encuentros o eventos, pero si ya siente que dio su 100% no volverá. Eso sí, seguirá siendo buen amigo o amiga de personas cercanas a ti y de tu familia, y de alguna manera se enterará de todo lo que estás haciendo.

L@ extrañarás porque:

- Iban a los mejores lugares, comían delicioso. Sabe lo que es placer.
- Te hacía sentir extra especial.
- Estaba allí para ti 100%.

No l@ extrañarás porque:

- Se deja influenciar y cambia de opinión con rapidez.
- Le cuesta ser independiente económicamente.
- Para haber sido una persona que no podía vivir sin ti, al final parece que se las arregló muy bien para empezar otro trabajo, relación, intereses, etcétera. ¿Cuándo pasó todo eso?

✳ ESCORPIO

Terminar con Escorpio puede ser una batalla. Se siente absoluto: te dio todo y ahora no quiere dar nada. ¿La razón? Se proyectó a futuro contigo y cree que no valió la pena la inversión. Sus razones son muy privadas. Además, te tiene un poco de reservas porque sabes cosas de él o ella que nadie sabe, l@ viste vulnerable y quisiera que murieras callad@.

Cuando Escorpio termina…

Cuando Escorpio termina sí que no hay vuelta atrás. Puede que haya discusiones y separaciones de momento, pero cuando rompe no hay manera de volver. Tiene la tendencia a guardar rencor por un buen tiempo, pero ya cuando el rencor se pasa, sólo deja ir. Esto puedes comprobarlo incluso si estás "terminando" con un amigoo amiga Escorpio. Esta persona sabe que perdiste al ser más comprometido y leal (a su manera) de tu vida, que te darás cuenta y que la extrañarás.

L@ extrañarás porque:

- Es el mejor amante. Punto.
- Su intensidad te arrebataba. Es intenso con su trabajo, en el periodo de cortejo, en la manera de declarar su amor… constantemente.

➢ Estar con él o ella te daba la sensación de ser poderos@. Poco a poco habías aprendido a conectar con tu poder personal y te sentías inmortal.

No l@ extrañarás porque:

➢ Demanda lealtad que no siempre da.

➢ Se cierra y no sabías lo que le estaba pasando por dentro.

➢ En cada pelea quedabas por fuera y se volvía de piedra. La pelea se resolvía cuando él o ella así lo decidía.

✱ SAGITARIO · ˙

Termina por falta de libertad, por miedo al compromiso o porque "evolucionó" y no le seguiste el ritmo. Te voy a decir algo que no debería, pero es que es tan seguro que vale la pena plasmarlo en papel: hay una cosa que Sagitario no soporta y es sentir que hizo algo mal. Si no hizo bien la cama tomará un curso para aprender a hacerla y callarte la boca. Por eso, si al terminar le muestras que hizo algo mal, no querrá soltar. Pero tiene que ser un error verdadero, uno que alguien inteligente y consciente podría prever, pero él o ella no lo hizo ¿cómo es posible? Eso sí, si l@ pones a que te ruegue por mucho tiempo no l@ volverás a ver más nunca en tu vida.

Cuando Sagitario termina...

Si Sagitario termina contigo o deciden juntos acabar la relación, no va a querer hablarte hasta que pase un buen tiempo. O si sale con otras personas y no funciona, y eres tú quien da el paso para saber cómo está, es mejor que sea después de un buen tiempo, pues difícilmente te buscará para volver, ya que es una persona orgullosa.

L@ extrañarás porque:

➢ Es el más divertido y se inventa un chiste siempre.

➢ Sus conversaciones hasta la madrugada te daban la sensación de que habías hecho un curso acelerado en la universidad sobre cierto tema.

➣ Podía ser *light* o bastante profundo, así que podías contar con él o ella para tus momentos felices y los que no eran tanto.

No l@ extrañarás porque:

➣ ¿Cuántos libros puedes leer en un día? ¿Cuántos *podcasts* puedes escuchar? Se necesitan una batería externa y 20 horas más al día para poder ir a su ritmo.

➣ Ahora podrás descansar. Sagitario no duerme, su mente no para y además tiene vida social, y cuando sale es "hasta abajo".

➣ Tenías que comer bien, estar en forma, tener una vida admirable para estar con él o ella. Si no te admira, te termina. Y tú eres human@, ¿no?

✳ CAPRICORNIO

Es confiable y apasionad@. Cuando termina una relación, usualmente es porque ve que quieres algo más serio y no está list@, o porque ha conocido a alguien que es mejor partido. Lo lamento, pero es cierto. Y te dirá que está demasiado ocupad@ en el trabajo.

Cuando Capricornio termina...

Cuando Capricornio termina es muy determinad@. Si hay aspectos tensos a Plutón o planetas más aspectados en Escorpio, puede incluso obstaculizar tu crecimiento personal o profesional de alguna manera. Cuando Capricornio ha madurado un poco te hace saber las razones por las cuales la relación no funciona y, aunque puede sentirse mal, lo va a soltar si sabe que es algo que no le conviene. Lo que sí sucede, es que, a pesar de intentar soltar con todo su corazón, si pasa el tiempo y aún sigue enganchad@ con la otra persona, la buscará de nuevo con un plan que explique por qué ahora sí puede funcionar, y va a dar su 150% para hacer que así sea.

L@ extrañarás porque:

➣ Es seguro de sí mismo y hace lo que dice. No alardea, te muestra de lo que es capaz.

> Nace hermoso y sexy. Tiene un *sex appeal* increíble.
> De alguna manera se hacía cargo de ti, te sentías segur@ a su lado.

No l@ extrañarás porque:

> Te sentías constantemente evaluad@ por él o ella.
> Es *workaholic*.
> Tenía días raros en los que quería estar apartad@ del mundo y tú no sabías si era eso o algo más.

✳ ACUARIO

Hay dos tipos de Acuario: l@s que terminan de manera inesperada y l@s que se acomodan y tú les terminas porque ya ni participan en la relación. De todas maneras, terminar con una persona Acuario debe hacerse rápido y sin mirar atrás. Lo que usualmente sucede es que llegaste al llegadero y te vas sin avisar, o lo puedes hacer con una llamada muy rápida. No dirá nada, esperará a que vuelvas o entiendas que sencillamente él o ella es así. Es justo la falta de iniciativa y pasión lo que te empezó a matar el amor, así que piénsalo antes de volver por costumbre.

Cuando Acuario termina...

Los Acuario terminan de manera inesperada, pero no por simple capricho. Ell@s evalúan si tú puedes acompañarl@s en lo que quieren vivir y si no es así, prefieren cortar la relación. Rara vez te piden cambiar, pero si ell@s cambian y su pareja no se pone al corriente, se sentirán desconectad@s.

También sucede que Acuario, al ser signo fijo, tiene claras las características de la persona con la que quiere estar. Tiene una idea en la mente, un "tipo". Puede salir con alguien sabiendo que no es LA persona y cortarla luego, si conoce a alguien que se amolde más a su "tipo", alguien con quien sí se vería en serio. Verás, esto no depende tanto de ti como de lo que está fijo en su mente. Además, parece loco, pero Acuario ama la seguridad y le encanta alguien que le brinde esa sensación de confianza. Por el contrario, alguien muy errático o cambiante, inestable en su humor, l@ ahuyenta.

L@ extrañarás porque:

- Si eres una persona que necesita espacio, estar con un acuariano es lo mejor.
- Tiene las mejores ideas *ever.*
- Era tu mejor amig@.

No l@ extrañarás porque:

- ¿Le gustas todavía?, ¿no le gustas más? Sus señales son muy confusas y estabas enloqueciendo tratando de descifrarlo.
- Sufre de falta de empatía o profundidad emocional.
- Rara vez luchó por la relación.

✳ PISCIS

Te aseguro que hay Piscis con los que no has terminado. Tú crees que sí, pero para los peces las relaciones nunca terminan. Igual si tú terminas (porque él o ella no sabe cómo) llora un rato, pero está convencid@ de que nadarás a sus aguas alguna noche y te recibirá como si nada. Eso sí, debes saber que hay muchos peces en el mar y rara vez han dejado de rondar por aguas profundas.

Cuando Piscis termina…

A pocos les cuesta tanto terminar como a un Piscis, porque si ha creado un vínculo con alguien, sentirá de alguna manera que es para siempre. Aparte, si está molesto hoy, ya está de amores mañana. Vive en un mundo de fantasía donde la aventura romántica siempre puede reiniciarse, y no es la persona más diestra en poner límites, así que no se toma el final muy en serio porque en cualquier momento la cosa puede fluir hacia la continuidad y la eternidad. Si a Piscis le terminan y lo dejan, puede alimentar fantasías con su ex durante mucho tiempo después. Necesita un despertar para darse cuenta de que debe hacer su vida de nuevo, y mientras tanto cuidarse de no caer en apegos, adicciones o conductas nocivas.

L@ extrañarás porque:

> Pasaron fines de semana en los que sólo existían ustedes dos y vivían en una burbuja.

> Te sentías aceptad@. No hay nada que pudieras decirle que lo hiciera juzgarte o hacerte sentir mal.

> Es el mejor amante. Siempre está dispuesto a ir a la cama.

No l@ extrañarás porque:

> ¿Hasta cuándo ibas a probar pociones mágicas y hierbas en tu *smoothie*?

> ¿Hasta cuándo tendrías que esperar las señales para reconocer el momento de comprometerse?

> Intuías que tenía conexiones psíquicas con otras personas.

Guía para sobrevivir
A LAS RUPTURAS QUE PARECEN EL FIN DEL MUNDO

1. **Acepta la situación y medita para poder asumirla desde un punto de equilibrio.** Ni mejor ni peor de lo que es. Es una pérdida y nos hace sentir la ruptura no sólo de una relación, sino también de una continuidad y una cotidianidad, de sueños y planes.

2. **Observa si tienes rencor.** Usualmente hay emociones mezcladas, pero el rencor es una señal de que estás muy apegado a tu posición en la situación o a la actitud del ego de "¿por qué a mí?", lo que hace muy difícil la aceptación. Muchas veces la rabia es la única manera de no enfrentar que algo en realidad se acabó, porque "aún quedan cuentas pendientes", pero mira, no. Explico: si en tu mente aún quedan asuntos sin resolver porque él o ella te debe algo –real o emocionalmente hablando–, estás creando un vínculo

y un "está por verse", que te deja a ti sol@ en la situación. Eso que está pendiente se convierte en una cadena que te une de manera emocional al otro, y es sólo un mecanismo de defensa contra el dolor de enfrentar la realidad.

3. **Convérsalo con un especialista o una persona objetiva.** Debes ventilar lo que tienes adentro. Y no, tu grupo de amig@s es lo máximo, pero es como un ciego ayudando a otro ciego a cruzar la calle. Te van a decir lo que quieres escuchar, y tú más bien tienes que ¡abrir los ojos!

4. **Date un masaje.** El cuerpo acumula las emociones. Si fue una ruptura de pareja, estabas acostumbrad@ al roce, a sentir a la otra persona. No te digo que vayas a enamorarte de la o el masajista, pero necesitas esa estimulación y muchos abrazos de tu familia y seres queridos.

5. **Ponte nuevas metas.** Es natural que cuando terminamos una relación queramos hacer mejoras en nuestra vida. La mayoría de las personas se compromete a obtener una promoción en el trabajo o a mejorar su cuerpo físico. De hecho, es algo que algunos libros te recomendarían, pero creo que estamos más despiertos que eso. Ponerte metas es genial, pero si se encuentran asociadas al ego están destinadas a demostrarle algo a alguien (él o ella), lo que crea un vínculo con la persona que ya no está. Te la pasarás pendiente de que vea tu nuevo carro, tu nuevo cuerpo, tu nuevo color de cabello, sin hacer esto realmente por ti.

Claro que me parece motivador ir por la promoción o por el cuerpo que quieres, pero empieza sin pretensión o satisfacción al ego. Comienza por metas que alimenten tu alma. Inicia el proyecto personal que tanto querías o métete a clases de yoga o meditación. Poco a poco empezarás a darte cuenta de que con cada clase estás más en calma y más cerca de lograr una postura en la que antes te sentías incómod@ porque quizá estabas sensible y vulnerable.

6. **Haz *playlists*.** La música es muy poderosa y nos ayuda a poner en palabras lo que no sabemos sacar de adentro. Haz uno para soltar lo que sientes. No te quedes enganchado al *playlist* del despecho. Date el chance, cántalo, pero suéltalo. Haz otro para motivarte en las mañanas, otro para motivarte a trabajar, y que no falte uno de mantras y cuencos tibetanos (en el siguiente recuadro, una anécdota al respecto).

Para que te rías y entiendas más allá de "te prometo que funciona": estaba hablando con mis amigas del caso de Fabiola. Ella terminó una relación larga y acto seguido se fue un mes a India. Veíamos las fotos e, incrédulas, no entendíamos cómo estaba tan tranquila después de semejante terminada. Luego, yo terminé una relación y empecé a ir a clases de kundalini yoga de dos horas y media con música de mantras. Los repetíamos sin cesar.

Cuando empecé no tenía idea de nada de lo que estaba diciendo, pero me los aprendí y seguí asistiendo, y empecé a darme cuenta de que en esas dos horas al día no había cabida en mi mente para pensar en el ex. No había manera, por más de que tratara, de no centrarme en la vibración y los mantras. Al salir sentía una gran diferencia: que al menos en esas dos horas de las 24 del día podía respirar. Les conté a mis amigas: "yo sí creo en la felicidad de Fabiola". En verdad puede ser o no ser, porque cada quien ve el mundo a través de lo que es, pero yo pensaba que sí era posible porque ella estaba meditando a diario y además en un ambiente completamente nuevo. Si a mí me servía hacerlo sin cambiar de ambiente, imagino que a ella mucho más.

7. **Muévete en nuevos ambientes.** Cada vez que yo pasaba por un momento difícil me encerraba en el baño y me acostaba en el piso por horas. Desde chiquita, cuando por primera vez mi mamá me dijo que no podía viajar a verme, lo hice, y se convirtió en un lugar seguro donde podía llorar y nadie me veía. Incluso grande lo seguía haciendo, aun cuando vivía sola o en pareja y él no estaba en casa. La última vez que pasé por una ruptura, en vez de encerrarme me fui de viaje. No fui para huir, fui para abrirme y moverme en un lugar donde me sentía segura porque estaba lejos de la rutina, de los recuerdos y de él. Me fui a conocer la ciudad sola. La contemplación de la playa era mi nuevo lugar seguro. De este viaje me encantaba que había una diferencia horaria considerable, y que de nada valía preguntarme qué estaría haciendo él. Me sentía en otro mundo. A lo mejor tú no puedes viajar, pero puedes explorar tu ciudad con otros ojos. No hagas lo mismo que siempre haces cuando te sientes mal. Sé valiente por ti.

8. **Cambia la rutina de la mañana.** Busca una meditación guiada, mejor si esta se enfoca en dejar ir. Apenas te despiertes siéntate en la cama y escúchala con los ojos cerrados.

1. **No te conviertas en el o la ex** *stalker.* En esta era digital es típico que te despiertes y revises sus redes a ver si en la mitad de la noche –cuando igual tú no pegaste un ojo– él o ella se sacó la lotería y se casó de manera relámpago con alguien. Revisas todo mil veces hasta caer en cuenta de que no pasó gran cosa. Aunque esto se vuelve un hábito, puedes cambiarlo. Al menos empieza proponiéndote revisar sus redes después de las diez de la mañana. Te lo digo sin problema porque sé que rápidamente, máximo dos semanas después, te vas a dar cuenta de que tu día empieza bien y cuando te pones a revisarlo te sientes mal, y ¿quién quiere sentirse mal mucho tiempo? Me pasó rapidísimo, prefería mantenerme UP que estar poniéndome en situaciones de hueco en el estómago. Recuerda además que las redes son construcciones convenientes de la realidad. Él o ella va a mostrar lo que quiera y cuando quiera. Te enterarás de lo que te tengas que enterar cuando toque. Nada haces rebuscando. Absolutamente nada.

10. **Sácal@ de tus conversaciones.** Dile a tus amig@s que ya estuvo bueno de hablar sobre lo que pasó. En mi caso, mis amigas eran (son) amigas del ex. Un día, una amiga de entrenamiento que tengo –que superó la ruptura más fea que he escuchado en la vida– me dijo: "si quieres superarlo de verdad, dile a tus amigas que no te hablen más de él". Él no ayudaba, llamaba de vez en cuando a mi mejor amiga. Al inicio me gustaba saber qué le decía, pero un día le dije: "Chloe, me hablas de él si le pasó algo realmente malo o si se va a casar mañana, de resto, no quiero saber nada en absoluto". Chloe nunca más me habló de él, hasta que le sucedió algo en verdad malo. Igual, seguía pasando que cuando salíamos las cuatro amigas a comer al estilo *Sex and the City*, cada una hablaba del chico con el que estaba saliendo, y una de las otras hablaba de Él. Y no tardé mucho en decirles, "a lo Miranda": "¿hasta cuándo vamos

a gastar una, dos o tres horas hablando de lo que ellos quieren, ellos hacen, etcétera? Por amor a *Yeezus*, hablemos de los proyectos, de los viajes que queremos hacer y más". No me fui de la mesa como Miranda, pero sí empecé a cambiar las conversaciones. Hasta empecé a llevarme revistas como *Entrepreneur Magazine* para mostrarles artículos sobre el tema y que ya no le diéramos tantas vueltas a lo mismo. De más está decir que nos sirvió a todas.

11. **Recuerda que el tiempo cura las heridas.** Jennifer Aniston lo logró: Como sabes, Jennifer fue la esposa de Brad Pitt, y su ruptura fue humillante y muy pública. No tenemos las cremas de Jenny, ni dormimos en Tupperware para no envejecer jamás, pero ríete por favor, y date cuenta de que hasta las relaciones más largas y más fuertes también terminan. Con los días, semanas, meses, incluso se te olvidan las cosas. Hace unos meses me tocó dejarle un archivo a El Extranjero, con quien viví ocho años, y se me olvidó el número de apartamento. Me reí y me di cuenta de que en realidad uno supera hasta lo que cree insuperable.

12. **Recuerda que un clavo no saca otro clavo.** Conseguirte un nuevo Juan o una nueva Elena tan pronto cortas no sólo no funciona, sino que cuando pares en algún momento, incluso meses después, saldrá el luto del ex a la luz para que lo trabajes. Tómate el tiempo que necesites, y aunque la distracción es parte del proceso, enfócate en hacer una limpieza de tu casa, haz voluntariado, viaja, toma clases. No te obligues o te armes ilusiones con el corazón necesitando aún curitas. Vas a saber cuándo estés list@. Vas a volver a reírte. Vas a volver a ver a alguien con unas ganas increíbles. Vas a dedicarle canciones divertidas y a descubrir cosas nuevas mientras se conocen. Vas a volver a amar en grande. Te lo juro (en el siguiente recuadro, una anécdota al respecto).

Diligente como soy, siempre que yo pasaba por una ruptura ya tenía el ojito puesto en alguien más. La última vez estaba trabajando con Estrellita mi afán por salir con alguien de inmediato. No estaba fácil, porque "de la nada" conocí en un programa de televisión a un Tauro *a-mazing*. El hombre trató de acercarse de maneras muy cuchis, y así se la pasó dos meses. Una tarde caí en los viejos patrones y le dije: "ok, vamos, ¿adónde vamos?". Él dijo: "adonde quieras, ¿quieres que te cocine en mi casa?". Ehh, no… Me dije: adentro, casa, sofá, besos. No estoy lista. No estoy lista. No estoy lista. Solté el teléfono y él seguía escribiendo mientras yo entraba en pánico. Total que le dije: "vamos a patinar", ya que el Tauro es bueno en cualquier deporte, ejercicio, ropa de ejercicio, sudor, olor de verdad, un niño hermoso. "¡Ok! Al salir del canal vamos. A las seis de la tarde te voy a buscar". A las cuatro de la tarde apagué el teléfono y dentro de mí rogaba que de la nada mi ex apareciera y me dijera: "no lo hagas", por el Divino Niño y todos los ángeles, Mia, escúchate. Prendí el celular, y una hora después ya Tauro escribía: "¿estás lista?". Ay, ay, ay. No estoy lista. No estoy lista. No estoy lista. Pero me alisté. Y a las 5:30 de la tarde ya estaba abajo de mi casa. Se bajó, me abrió la puerta del carro, nos fuimos, y de verdad la pasamos increíble. La cita terminó a las 11 de la noche, cuando él aún sugería que nos comiéramos algo por ahí, pero yo ya no podía más y no quería nada más. Algo en mí había cambiado, porque me conozco y antes me habría lanzado a crear una relación nueva. Tauro lo intentó por dos meses más y un día me dijo: "tú sigues enrollada, ¿no? Avísame cuando se te pase".

Sentí un alivio increíble de ya no tener que responder mensajes o quedar en planes que sabía que no iba a cumplir. Lección aprendida.

13. **No uses a Mercurio o Venus retro como una esperanza para que tu ex vuelva.** No uses herramientas de crecimiento personal para mantener la esperanza. Y no lo digo al estilo Saturno pesimista. Tú cuida de ti, haz tu vida. Atiéndete muy bien. Igual, si se encuentran más adelante, tenías que soltarlo antes para poder cambiar de perspectiva. Si no sueltas primero no te impulsarás a cambiar, y vas a estar pendiente de todo lo que el otro hace. Hasta un *like* que él o ella le haga en redes a una persona *random* te lo vas a tomar personal. Entiende que así como tú estás viviendo la ruptura, él o ella también. Todo lo que hacemos después de terminar es la manera como creemos (a veces sin ser conscientes) que vamos a sentirnos bien. A menos de que la relación se termine sin amor, todo lo que tú y el otro hacen es una forma de volver a casa.

14. **Aprende.** Uno aprende más fuera de la relación que en la relación. O, mejor dicho, hay lecciones que sólo se pueden tomar cuando estamos en pareja, pero otras que sólo se aprenden estando solteros y añorando una relación. Ahora, después de la ruptura, es cuando absorberás más información de tus libros, meditaciones y audios, cuando más te preguntarás quién eres y qué quieres. Esto es valiosísimo.

15. **Cuida de ti.** En estos momentos es cuando más debes cuidarte. No pierdas el sueño por alguien que se durmió. Duerme tus horas, come mejor que nunca, llévate a hacer actividades buenas para ti. El mal cuidado sólo hace el proceso más difícil. ¿Por qué te lo harías más complicado? Aprecia este periodo de recuperación y consiéntete alimentando bien tu mente y tu alma. ¡Ámate más!

Consejos

PARA VOLVER AL *DATING*[*] DESPUÉS DE UNA RUPTURA

Hay muchas cosas que decir acerca de esta transición, pero como muchos de los consejos vienen de lecciones y experiencias que también han vivido mis mejores amigas, te dejo la opinión que ellas me dieron al respecto:

♡ "Disfruta ese momento, no salgas con alguien y empieces a hacerte ideas de que es el amor de tu vida, date el chance de conocerl@ y no te adelantes a los hechos. Lo otro es que debes tratar de no comparar a esta nueva persona con la anterior, evita decir: como mi ex me dejó por otr@, est@ quizá es igual". *Mariana*

♡ "Aprende de tus experiencias, pero no te predispongas. Cada relación es diferente, y aún más si tú has cambiado. Haz el trabajo y ten confianza en quien te has convertido". *Maca*

♡ "Abre tu mente y tu corazón a nuevas experiencias. No se trata de abrir la mente y el corazón al nuevo chico o chica haciéndoles responsables de tu felicidad, sino de abrirte a nuevas experiencias que te van a mostrar partes de ti que estaban de luto o guardadas y que ahora quieren volver a vivir". *Claudia*

♡ "Persigue tu felicidad. Hazte consciente de cuáles fueron tus errores en la relación pasada, y cuando te veas cayendo en los mismos patrones, páusate. Al inicio de una nueva relación, busca planes sanos donde se diviertan y saquen el niño interior". *Yeraldine*

[*] Salidas románticas.

♡ "Entre una relación y otra, date el tiempo de aprender a estar a solas. Luego, al conocer gente nueva, sé tú mism@ en vez de orientar tu energía sólo a agradar. Sal con personas con quienes puedas ser tú". *Chloe*

♡ "Toma el tiempo entre relaciones para amarte a nivel de cuerpo, mente, espíritu. Llévate a practicar actividades que siempre quisiste hacer, y allí conocerás gente con tu misma vibración. Conócelos y ábrete a su amistad, y deja que las cosas florezcan a su ritmo. No se apresura la primavera". *Valentina*

♡ "Ríndete. Ya perdiste una relación y estás viv@, llen@ de vida. Ya no hay más que perder, sólo ganar, así que sé lo más auténtic@ posible. Relaciónate, conoce gente nueva, que se te haga natural llegar a un lugar y conversar de diversos temas. No sobreanalices qué lugar tiene cada una de esas nuevas personas en tu nueva vida. De allí pronto nacerá una relación gracias a tu más alta vibración". *Gigi*

♡ "No le des muchas vueltas a lo que dice la gente. Pensarán que has esperado mucho, o que has esperado poco y que ya estás saltando a una nueva relación. Sólo tú sabes si estás list@. No tengas ideas preconcebidas sobre cómo se van a dar las cosas. Puede que la primera relación después del *breakup* sea con *el elegido* o *la elegida,* o que sea una muy corta que te aclare mucho más, y está todo bien. Un final es una ventaja que te da la vida para reinventarte y liberarte de miedos, del ego". *Marianto*

Como ves, casi todos los consejos son el mismo, al fin y al cabo todas somos personas como tú. Nos enamoramos, nos estrellamos, nos hicimos ilusiones de nuevo, le vimos la carta astral y las conexiones de Venus. Nos contamos las historias, nos vamos a buscar después del chaparrón y celebramos cuando pasa algo emocionante. Al final, todos acordamos en este punto: el amor hace girar nuestros mundos y siempre hay una razón para creer otra vez.

Y tú... ¿qué consejo te darías?

Bonus track B

▽
▽
▽

THANK YOU FOR THE MUSIC

— Playlists* —

* Gracias por la música (listas de reproducción).

Nada como la buena música para superar un *breakup* o amenizar el principio de un nuevo amor, ¿no? Pensando en eso he creado estos *playlists:* para que te inspires mientras lees, llenas los ejercicios o simplemente estás por ahí, a tu bola. Si no lo he dicho lo digo ahora: en las relaciones, muchas de las cosas que nos cuesta entender las comprendemos mejor con *bits* y *lyrics* prestadas, escuchándolas, cantándolas, llorándolas, ¡bailándolas!

¿Entonces?

... Enjoy!

Nota

Para encontrar la versión ampliada de estos *playlists* y más, sígueme en Spotify: @Mía PT o visita www.miastral.com.

CAPÍTULO 1: EL QUE HACE EL *SHOW*, RECOGE LAS SILLAS
LET IT HAPPEN (DEJA QUE SUCEDA)

Esta lista goza de sonidos innovadores y ucranianos, lo cuales aligeran los pensamientos dominantes que nos hacen repetir patrones. Es una brisa de aire fresco.

- Let It Happen – Tame Impala
- Bombay – El Guincho
- Mr Noah – Panda Bear
- Palmitos Park – El Guincho
- Do You Realize?? – The Flaming Lips
- Electric Feel – MGMT
- Five Seconds – Twin Shadow
- Red Eyes – The War on Drugs
- Brains – Lower Dens
- All Around and Away We Go – Mr Twin Sister
- Fireflies – Still Corners
- Unless You Speak From Your Heart – Porcelain Raft
- The Night – School of Seven Bells
- I Belong in Your Arms – Chairlift
- Crazy – Au Revoir Simone

CAPÍTULO 2: *MY MOON, MY MAN*
FULL MOON MADNESS (LOCURA DE LUNA LLENA)

Este *playlist* tiene canciones ideales para las noches de Luna llena. Acompaña el capítulo sobre nuestra Luna natal, que tanto influye no sólo en la elección de pareja, sino en cómo damos y recibimos amor. Escúchalo mientras lees el capítulo.

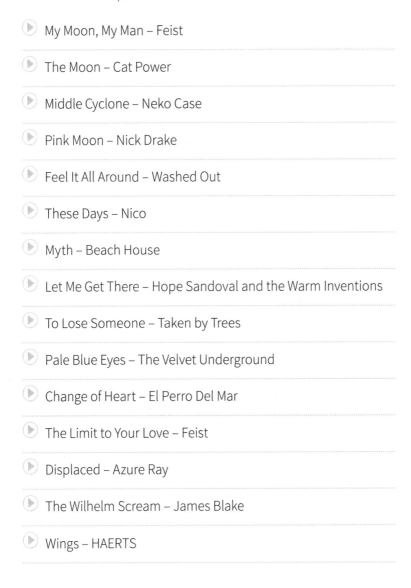

▶ My Moon, My Man – Feist

▶ The Moon – Cat Power

▶ Middle Cyclone – Neko Case

▶ Pink Moon – Nick Drake

▶ Feel It All Around – Washed Out

▶ These Days – Nico

▶ Myth – Beach House

▶ Let Me Get There – Hope Sandoval and the Warm Inventions

▶ To Lose Someone – Taken by Trees

▶ Pale Blue Eyes – The Velvet Underground

▶ Change of Heart – El Perro Del Mar

▶ The Limit to Your Love – Feist

▶ Displaced – Azure Ray

▶ The Wilhelm Scream – James Blake

▶ Wings – HAERTS

CAPÍTULO 4: LAS REGLAS DE LA ATRACCIÓN
ABSOLUTE CERTAINTY (CERTEZA ABSOLUTA)

Este *playlist* tiene canciones cuyas letras encienden tu poder personal y confianza. Es como para escucharlo antes de una gran reunión de trabajo o antes de hacer una movida audaz.

- ▶ Stronger – Kanye West
- ▶ Send It Up – Kanye West
- ▶ POWER – Kanye West
- ▶ Hell of a Life – Kanye West
- ▶ Can't Tell Me Nothing – Kanye West
- ▶ Touch the Sky – Kanye West
- ▶ Radioactive – Imagine Dragons
- ▶ Roar – Katy Perry
- ▶ American Woman – Lenny Kravitz
- ▶ Are You Gonna Go My Way – Lenny Kravitz
- ▶ Barracuda – Heart
- ▶ How You Remind Me – Nickelback
- ▶ Can't Stop – Red Hot Chili Peppers
- ▶ So What'cha Want – Beastie Boys
- ▶ Hate Me Now – Nas ft. Puff Daddy

CAPÍTULO 5: LA METÁFORA DE LA PIZZA
LA DOULEUR EXQUISE (EL DOLOR EXQUISITO)

Nunca estamos exentos de desear algo que no puede ser nuestro. Y aceptémoslo: disfrutamos un poco el dolor y la intensidad que acompaña ese sentimiento. Es un placer morboso que nos lleva a entender qué deseamos y a aceptar nuestra sombra, a darle reconocimiento, a integrarla y a volver al equilibrio. Cuando del dolor del amor que duele rico se trata, esta es la mejor música para acompañarte.

▶ Paper Bag – Fiona Apple

▶ Shadowboxer – Fiona Apple

▶ Fast as You Can – Fiona Apple

▶ Be Be Your Love – Rachael Yamagata

▶ Elephants – Rachael Yamagata

▶ Two Weeks – Grizzly Bear

▶ I Want You – Prinzhorn Dance School

▶ Love Me Two Times – The Doors

▶ Intro – The XX

▶ The First Cut Is the Deepest – Sheryl Crow

▶ Honest – Kelly De Martino

▶ Nightcall – Kavinsky

▶ Night – Zola Jesus

▶ Dime cuándo comenzó el dolor – Ely Guerra

▶ Hands Away – Interpol

CAPÍTULO 7: NUESTRAS CREACIONES
OUR CREATIONS (NUESTRAS CREACIONES)

Todo lo que tienes es porque tú te lo provees. Lo que aún no tienes es porque tú lo limitas, porque no crees que sea posible. Todo cambia cuando haces ajustes mentales y de consciencia, cuando cambias cómo piensas. En este *playlist* hay varias canciones que hablan del tema.

▶ Brains – Lower Dens

▶ Our Inventions – Lali Puna

▶ Oblivion – Grimes

▶ Let It Happen – Tame Impala

▶ Stillness Is The Move – Dirty Projectors

▶ You And Me In Time – Broadcast

▶ Percolator – Stereolab

▶ Solaar Pleure – Mc Solaar

▶ Miss Modular – Stereolab

▶ Moby Octopad – Yo la tengo

▶ Saturday – Electrelane

▶ Clouds over the Pacific – James Pants

CAPÍTULO 8: LA VIDA TE DA SORPRESAS
THE BREAKING POINT (EL PUNTO DE QUIEBRE)

Todos pasamos por esto, por un punto de no retorno en el que entendemos nuestra responsabilidad en un patrón (o en una situación que se presenta) y lo hacemos consciente. Esto es como un despecho con uno mismo del que toca pararse y comenzar desde cero. Estas son las canciones que acompañaron mi propio punto de quiebre.

▶ Soul to Squeeze – Red Hot Chili Peppers

▶ Pink Rabbits – The National

▶ More than This – Electrelane

▶ Lucky Clover – CocoRosie

▶ Wish You Were Here – Lia Ices

▶ When It's Time – Lotte Kestner

▶ Harvest Moon – Neil Young

▶ A Case of You – James Blake

▶ Please, Please, Please Let Me Get What I Want – The Smiths

▶ Re: Stacks – Bon Iver

▶ True Love Will Find You in the End – Headless Heroes

▶ Love Is Won – Lia Ices

▶ Ah, Ah, Ah – The Coral Seas

- ▶ Song for Zula – Phosphorescent

- ▶ Wash – Bon Iver

CAPÍTULO 9: ¿SOMOS *COUGARS*?
I ADORE YOU (TE ADORO)

Si alguna vez sales con un chico o una chica menor, como que toca poner-se al día con la música que escuchan los "chiqui-millenials" (*babes*). Pero como yo soy como soy, preferí diseñar una lista que me pusiera en el *mood* de mis veintitantos y, bueno, pasarla muy pero muy bien.

- ▶ This Is the Last Time – The National

- ▶ Adore You – Miley Cyrus

- ▶ Downtown – Majical Cloudz

- ▶ Next to You – Bumblebeez ft. Maria

- ▶ Good for You – Selena Gomez ft. A$AP Rocky

- ▶ Hands to Myself – Selena Gomez

- ▶ Everyday – Ariana Grande ft. Future

- ▶ Youth – Foxes

- ▶ Let Me Know – Yeah Yeah Yeahs

- ▶ TOO GOOD – Troye Sivan

- ▶ Despacito – Remix – Luis Fonsi, Daddy Yankee ft. Justin Bieber

- ▶ Sweet Beginnings – Bebe Rexha

⊙ I'm into You – Chet Faker

⊙ Turn Me On – Norah Jones

⊙ Wild is the Wind – Cat Power

CAPÍTULO 10: LO QUE *PUEDES* SER VERSUS LO QUE *QUIERES* SER
NEVER EVER TOO LATE (NUNCA NUNCA ES DEMASIADO TARDE)

Este *playlist* es el de la mujer o el hombre empoderad@ cuando descubre que no sólo puede empezar desde cero cuando quiera, sino hacerlo de forma regia.

⊙ Crown on the Ground – Sleigh Bells

⊙ TKO – Le Tigre

⊙ Run Baby Run – Garbage

⊙ I'm so Excited – Le Tigre

⊙ Cannonball – The Breeders

⊙ Combat Baby – Metric

⊙ Malibu – Hole

⊙ Be a Body – Grimes

⊙ Girls Just Wanna Have Fun – Chromatics

⊙ Kill for Love – Chromatics

⊙ Alala – CSS

▶ New in Town – Little Boots

▶ Bulletproof – La Roux

▶ Good Mistake – Mr Little Jeans

▶ Bassically – Tei Shi

CAPÍTULO 11: PUNTO DE CAMBIO
IT WAS THE BEST OF TIMES, IT WAS THE WORST OF TIMES
(ERA EL MAJOR DE LOS TIEMPOS, ERA EL PEOR DE LOS TIEMPOS)

Este *playlist* es para esos momentos en que, asumiendo responsabilidad, entendemos que no podemos ir atrás y hacer las cosas de manera diferente, pero que sí podemos usar las lecciones y aplicarlas a una nueva relación o situación.

▶ So Sorry – Feist

▶ I Wish You Love – Rachael Yamagata

▶ I Take on Your Days – Corrina Repp

▶ I'll Be Seeing You – Corrina Repp

▶ Criminal – Fiona Apple

▶ Never Is a Promise – Fiona Apple

▶ Love Ridden – Fiona Apple

▶ Caught a Little Sneeze – Tori Amos

▶ Don't Let Me Down – Joy Williams

▶ Pink Rabbits – The National

▶ All – Corrina Repp

▶ Warning Sign – Coldplay

▶ The Last Time – Kelly De Martino

▶ A Dedication – Washed Out

▶ The Greater Times – Electrelane

CAPÍTULO 20: *THIS IS IT*
A CORAZÓN ABIERTO

Por varios meses estuve viajando con Ben a diferentes ciudades. El juego era cachar con *Shazzam* la canción de un momento en que estuviéramos de lo más más felices, después escoger las que más nos gustaran y hacer un *playlist*. Este es uno de varios que hemos hecho juntos.

▶ Everything You Want – Vertical Horizon

▶ While You Wait for the Others – Grizzly Bear

▶ No esperes más – Alex Cuba ft. Anya Marina

▶ Love Love Love – Of Monsters and Men

▶ Malibu – Miley Cyrus

▶ This Town – Niall Horan

▶ Yellow – Coldplay

▶ One Call Away – Charlie Puth

▶ Something Just Like This – The Chainsmokers, Coldplay

▶ True Love – Coldplay

▶ Gravity – John Mayer

▶ Birds – Coldplay

BONUS TRACK A: GUÍA PARA *BREAKUPS*
SUNSET DRINKING PINK RABBITS
(BEBIENDO CONEJOS ROSADOS AL ATARDECER)

"Pink Rabbits"*, de la banda The National, es la canción de despecho más hermosa que he oído en mi vida. Como la escuché hasta que el cantante quedó afónico cuando terminé con Escorpio, usé esa frase para nombrar este *playlist*, que es como para sentarse frente a la playa con la puesta de sol y hablar con alguien de todo lo que quieres soltar.

Este listado lo hice no hace mucho, ya bien terminada con Escorpio y muy bien con Ben. Estaba en Los Ángeles y Escorpio estaba volviendo a aparecer. Por un momento se me revolvió todo, pero no porque quisiera volver con él, sino porque lo que me estaba diciendo era lo que yo había querido oír durante meses, pero ya era demasiado tarde. Me daba tristeza que no hubiera en mi cuerpo fuerza ni para considerar retomar un amor que fue muy bonito. Ahí me di cuenta de que esa relación se había terminado totalmente dentro de mí y me sentí como sin casa. Así que le dije adiós una vez más a Escorpio, después de pasar meses diciéndole adiós todos

---

* Para entender lo que quiere decir la letra pasé semanas estudiando cada canción del disco *Trouble Will Find Me*, el disco al que pertenece, porque se trata de una ruptura explicada paso a paso (la primera canción es la molestia; la segunda, la discusión; la tercera, la ruptura…). En "Pink Rabbits" el cantante se pregunta si ella pensará en él mientras toma "Pink Rabbits" en su sillón. Una vez, en Los Ángeles, descubrí que así es como se le dice a una copa de vino rosé (mi favorito), y que la canción se trata realmente del rosado en la puesta de sol en esa ciudad, de la que se habla mucho en ese disco de ruptura.

los días en mis meditaciones. Después de darme cuenta de eso, después de sentirme rara, me sentí libre. Y brindé. *Pink Rabbits forever.*

▶ Pink Rabbits – The National

▶ This Is the Last Time – The National

▶ Graceless – The National

▶ One – U2

▶ All I Want Is You – U2

▶ Soul to Squeeze – Red Hot Chili Peppers

▶ Interstate Love Song – Stone Temple Pilots

▶ Present Tense – Radiohead

▶ While You Wait for the Others – Grizzly Bear

▶ iieee – Tori Amos

▶ September Song – Agnes Obel

▶ Don't Swallow the Cap – The National

▶ Runaway – The National

▶ Fake Empire – The National

▶ Conversation 16 – The National

NOTA FINAL

Este libro no habría sido posible sin la oportunidad que me dio Editorial Planeta para ser tan transparente y auténtica como se puede, y por eso sé que si esto sale bien, mientras sigo trabajando en mí y mis protagonistas continúan creciendo en sus relaciones, como sé que lo harán, quizá venga una segunda parte donde hablaremos de muchos otros temas que no cupieron aquí. Por eso, gracias.

COPPER
CANYON

COPPER CANYON

CANYON

Tim Means

COPPER CANYON

ISBN No: 978-0-578-91422-0

Library of Congress Control Number: 20219133188

Cover is an original work of art by Benjamin Means, reproduced with his permission.

This is a work of fiction. Although the story takes place in the context of the actual laws, rules, regulations, governmental agencies, and court decisions of the United States and references a number of actual historical events such as mine disasters, the characters and the story are entirely fictional.

To my beloved wife Judith without whose love and encouragement this book would never have been written, to my former colleagues at Crowell & Moring, and to the miners of America.

PREFACE

This is a novel about a small coal mine operated by honest, hard-working coal miners in a small town in the mountains of Southern Colorado. Underground coal mining is an inherently dangerous business. Although intensive federal regulation by the Mine Safety and Health Administration ("MSHA") has helped to vastly reduce the number of accidents and injuries that have tragically scarred the history of the industry, even the best-intentioned regulatory scheme will never be able to make the mines completely safe, so long as the laws are made, enforced, and implemented in the mines by inherently flawed human beings. Between error and evil, coal miners will inevitably be injured and die in underground coal mining.

This novel tells their story. It is set in a fictional town and a fictional mine operated by fictional miners. But it is the actual regulatory scheme of the Federal Mine Safety and Health Act and the actual techniques of underground coal mining that are also major characters in the novel. The novel reveals the way that MSHA interprets and enforces the law, as well as the way coal mine operators try to comply with and sometimes evade MSHA's requirements, and that, just as flaws in human character can be a driving force in the human drama, flaws in the law can also determine how that drama unfolds. Despite generally well-meaning people attempting to protect the safety and health of coal miners by imposing and enforcing stringent legal standards on the industry, and generally well-meaning people trying to mine coal in compliance with that regulatory regimen, the law and its enforcement were destined to cause tragedy.

AUTHOR'S NOTE

Because the legal regulation of coal mining plays such a central role in the story you are about to read, I have included at the end of the story a list of legal references with citations to the federal statutes, regulations, and court decisions which figure in the events as they unfold. The legal references are there for anyone whose curiosity or interest in the law inspires them to look further into the legal context which frames the events which combined to constitute the Copper Canyon mine accident tragedy.

PROLOGUE

All 41 members of the Committee filed somberly into the ornate, mahogany-paneled hearing room in the Rayburn Office Building on Washington, D.C.'s Capitol Hill, even the Senior Congressman from Alabama who rarely mustered the energy to attend its meetings these days. Although a few members mugged for the cameras of the waiting press corps, most seemed weighed down by and focused on the gravity of their mission that day. As the last member took her seat, the Chairman called the House Oversight and Investigations Committee to order and began to summarize the findings of what had been an extraordinary legislative investigation of a government agency's accident investigation: "As the past month's hearing record reveals, the fatal Copper Canyon Coal Mine Accident could have been prevented. Although the Mine Safety and Health Administration blamed the mine operator for knowingly and willfully causing the accident through multiple violations of federal safety standards, the record tells a totally different and disturbing story, graphically revealing the shocking truth that this terrible tragedy would never had happened but for a fundament defect in the federal Mine Safety Act and the incompetence, if not gross malfeasance, of the government officials administering that Act. While there were, in fact, safety violations that immediately triggered the accident, the occurrence of those violations was ultimately more the fault of MSHA than of the mine operator.

"We are today transmitting to the full Congress not only our report detailing our findings and our recommendation that disciplinary proceedings be commenced against those government officials who allowed the accident to occur and then covered up their own failures by blaming the accident on the mining company, but also two reform bills to prevent the recurrence of another Copper Canyon disaster. The first bill amends the whistle-blower protections of the law to correct that defect and thereby prevent it from contributing to any future fatal accidents, and the second takes away from MSHA the authority to investigate fatal mine accidents and vests that authority in a new independent commission. As we transmit our findings, report favorably those two reform bills to the full Congress for approval, and close this investigation, we extend, on behalf of the federal government, our deepest apologies to the miners of the Copper Canyon Coal Company and to the whole Town of Heavenly, Colorado, for the terrible tragedy that was inflicted upon them."

With those words, the Committee concluded its first-ever independent investigation of an agency's completed fatal accident investigation, which it had initiated to try to better understand how it could be that, despite the extensive federal safety and health requirements governing the mining industry, fatal accidents continued to happen. The Committee's investigation had revealed that the existing provisions of the Mine Safety Act, which assigned to MSHA responsibility for preventing such accidents from occurring in the first place, by comprehensive regulation and rigorous enforcement, were failing to achieve their essential purposes in no small part because the agency had an inherent conflict of interest: although it was charged with regulating workplace safety and health to protect miners from accidental injury and death, the agency's additional role as the investigator of mine accidents put it in the position of effectively investigating itself and how well it had performed its safety mission. As a result, its institutional bias undermined its ability to identify the actual root causes of accidents by overlooking its own failures, the defects in its regulatory scheme, and the mistakes and misconduct of its own personnel as contributing to the occurrence of fatal accidents, naturally tending instead to blame them on the acts or omissions of the mining companies. Moreover, the government was consequently failing to identify needed reforms in its own practices and failing to discipline or prosecute its own negligent or corrupt personnel as necessary steps in preventing accidents in the future.

Worker safety activists had long-decried the agency's role in investigating the accidents that it had failed to prevent as a structural flaw in the law, institutionalizing the agency's inherent bias as a formula for self-vindication and thus a built-in impediment to the protection of miners' safety. Going back at least to the horrific Sago and Aracoma mine accidents in West Virginia in 2006, reform bills had been proposed to create some sort of independent accident investigation commission, but it wasn't until the Copper Canyon tragedy and the exposure of MSHA's Copper Canyon Accident investigation report as a shocking whitewash to cover up the agency's own substantial role in causing that fatal accident that the momentum for its creation reached the critical mass necessary to send such a bill to the floor of Congress for a vote.

The story you are about to read is the tale of that tragedy. Although the characters and plot are fictional, the regulatory scheme governing the safety of coal mines as portrayed below is not fictional in any respect and the mine accident circumstances described could have happened and may still happen absent reform of the flawed processes exemplified in this account to tragic effect.

COPPER
CANYON

"God is dead."
Frederich Nietzsche

1

MINE ACCIDENT!

The call for a Medevac helicopter to be put on standby readiness had been relayed to the Southern Colorado Interagency Emergency Response Center by the 911 operator who took the desperate call from Heavenly, Colorado, in the Sangre de Christo Mountains west of Trinidad. Four coal miners were believed trapped underground and possibly injured at the Copper Canyon Coal Mine.

The miners were missing and incommunicado since what appeared to have been an explosion, fire, and mine collapse, following initial reports of an earthquake in the area. Mine rescue personnel were being assembled, and the emergency specialists at the federal Mine Safety and Health Administration were en route to the mine to take command of the accident site and to manage the rescue effort. The coal company's designated Family Liaison, Benny Alvarez had begun a fraught outreach effort, calling the families of the missing miners. Filled with terror, anxious family members and friends, their usual Sunday morning routines shattered, were rushing to the mine, urgently seeking information and reassurances, but only confusion and uncertainty could be had.

Chaos was in command. The air palpably vibrated with fear, a ghostly echo of the earth's tremors that had shaken the underground mine with such explosive repercussions. The screaming sirens of approaching emergency vehicles were only welcome for the auditory and emotional relief they provided from the competing crescendo of heart-rending questions and cries of the mining community throng.

"How many are there?"

"How deep are they trapped?"

"Has anyone seen Carlos or Hector Ramirez?" "Where the hell is MSHA?"

"Where the hell is Laine?," demanding the presence of the Mine Superintendent who ran the operation.

"What is taking so long?"

"Is it true there's ten miners down there?"

"Is that Rosie's car in the parking yard? Rosie Rodriquez must be in there!"

Increasingly drowned out by the swelling sounds of air-piercing sirens from the squadrons of emergency vehicles approaching the mine, the throbbing crowd actually quieted a bit and somehow seemed to get a hold of itself, gripped by an overwhelming anguish that stilled its voices as a transcendent fear weighed down upon it like the mountain mass that had apparently come crushing down on the missing miners.

Oddly, the wailing call of a lost little boy audibly seeking his daddy momentarily rose above the din. A frazzled woman, still wearing the apron she had on when she'd heard the news that propelled her out of the kitchen and up the canyon toward the mine, scolded anyone within earshot, "Get that little child out of here! This is no place for kids."

"Christy!" Someone had spotted the Dayshift Section Foreman's wife, an elementary school teacher. "Can you help that poor child?"

A small mob of miners angry with fright pressed tentatively forward toward the mine entrance in a scrum as if seeking through aggregation to overmaster each individual's reasonable hesitation that would otherwise hold them back from trying to force their way into the mine past the barricade of guards positioned there. The pressure of the scrum subsided upon the arrival of the County Sheriff, bellowing into his bullhorn to disperse that mob, and back everyone away from the mine mouth: "Clear the yard! Clear the yard!," he kept shouting. "Make way for the ambulances! Come on everybody, if we want anyone to be saved, we need to get out of the way of the first responders!"

The Sheriff's mind was racing as he struggled to at least mentally map out a landing zone that could accommodate the approaching Medevac helicopter, much less physically clear away the crowds.

The Copper Canyon Mine Rescue Team stood by, coiled and ready to spring into action, but was being held back, its members growing angry with frustration that their brother and sister miners needed them underground, could be bleeding and broken and needing medical attention and evacuation before conditions worsened. Was it their imagination or were they feeling and hearing another deep tremor vibrating up through their steel-toed, metatarsal boots from the mine workings hundreds of feet below?

A single question united every soul assembled there: What in God's name is taking so long? What are we waiting for?

2

A DISTANT RUMBLE

Absently threading his fingers through his thinning hair, once brown but now increasingly white, Tommy Menzies looked up occasionally from his computer, and smiled at the uncharacteristically quiet street he could see through the long narrow windows across from his desk. Peering through the ovals of his gold-colored wire-rimmed glasses, he was methodically working through his overflowing email in-box, catching up with bits and snatches of the last work week's tasks that remained uncompleted and readying himself for the priorities of the week ahead. It was a Sunday ritual he had followed almost since he first became an associate at his law firm decades ago, one that he found key to professional and personal survival. He viewed it as a "gift" of extra time to stay on top of things, a quiet time relatively free of interruptions, which had become perhaps even more important after he had been promoted to partner seven years later. With so many different matters to manage, associates and counsel to train, supervise, and monitor, partner colleagues at his firm and others to coordinate with, and opposing counsel to anticipate, accommodate, appease, or outmatch, it had become entrenched as a normal, but indispensable part of his work week.

There were endless law firm administrative and practice management tasks that had to get done (billing, planning, staff evaluations, expense reports, and, of course, the annoying but indispensable submission of timesheets detailing the work he had completed the week before). If his timesheets were not submitted by Monday at 5:00 p.m. each week, he would be put on the firm's R.A.T.S. list, encouraging "rapid attorney time submissions" by automatically withholding attorneys' paychecks for a week (or more if the attorney's time was more than one day late). Though he no longer lived paycheck to paycheck as he had when starting out, when his kids were still little and his wife was only able to work part-time, the past terror of missing a paycheck had indelibly etched into his superego the timely timesheet submission routine. Just what the law firm's management had intended.

Finally, those quiet Sundays in the office, comfortable in his "dress jeans" and tennis shoes with the office officially closed for the weekend, and refreshed after a restful albeit errand-filled Saturday at home, were also critical to reflection, taking stock, and taking the time to invest in nurturing client relationships. It was a time for emailing current clients to check into their personal and commercial wellbeing, catch them up on developments in their matters, alert them to upcoming deadlines and tasks, and send them news of agency rulemaking developments or decisions in cases of potential importance to their pending matters, coal mine safety and health law, or the mining industry more broadly. And, if there was any time left over after all of that, he made it a practice to send some of that same kind of information to prospective clients, especially reports of recent cases he or his partners had won, both to foster goodwill, but also, more importantly, to show them that the firm was very much plugged-in to what was going on in the industry, the government agencies that regulated it, and the courts that refereed the relationships between mine operators and regulators. Ideally, prospective clients would think of him the next time they needed legal help fending off the burdens of a new regulation or were targeted by an agency enforcement action.

Menzies sensed a faint, barely perceptible, rumbling of the building, deep in its bowels or somewhere in its structural sinews. He had long ago concluded that these occasional and ephemeral phenomena were not seismic signs of the building's imminent collapse but merely innocent vibrations radiating up from the Washington, D.C., Metro Subway system whose subterranean tunnels carried its electric train cars not deeply enough beneath the street adjacent to his office building. Only once, in all his years there, had it turned out to be an actual earthquake. He recalled it vividly, first with all the attorneys and staff stepping into the hallways outside their offices and asking each other apprehensively "Is that just the Metro?" and whether – just in case it were an earthquake – they should stand in the door frames of their offices, in the moments before the robotic announcement came over the firm's public address system directing everyone to leave the building by the nearest emergency staircase, and not to use the elevators. Though the earthquake turned out to be more than 100 miles away in rural Virginia, the masses of lawyers, lobbyists, and federal government employees that filled the canyons of Pennsylvania Avenue as far as the eye could see were a sight that Washington had not witnessed since 9/11.

Remembering those shocking events, he stared out his office window, moving his gaze upward from the street to the federal agency buildings that lined Pennsylvania Avenue, his recollections interrupted by the ping of his desktop computer announcing the arrival of a new message, a news alert: a mine accident had trapped a crew of coal miners underground! An earthquake or explosion had rocked an underground mine in Colorado and emergency crews were on their way. *Not again*, he cursed to himself. An awful but familiar icy chill ran through him, his stomach tightened, and his teeth and fists all clenched at once. As stress gripped him, he was torn between what he feared was the right thing to do, picking up the phone to call his new coal mining client in Heavenly, Colorado, to make sure it wasn't them, and persuading himself that the odds were against it and that the client would call him if they needed him, so that he could ignore the alert and return to his comfortable Sunday morning routine. Even if it were them, he rationalized as he worked at convincing himself that he could go back to getting his timesheets done and really didn't need to make that telephone call, they would be immersed in managing the crisis and didn't need what they might view uncharitably as the distraction of an ambulance-chasing lawyer from Washington. Besides, he reassured himself, he had only recently begun representing the folks at Copper Canyon, defending the company against a so-called whistleblower action brought by MSHA claiming that it had unlawfully discharged one of its miners for complaining about safety hazards at the mine. Defending against a whistleblower's claims was one thing, but a mine disaster was quite another. The company might well want to retain someone else, someone local in Colorado, for legal help in a mine disaster, though it had never before suffered the misfortune of a mine disaster and would have no idea of the magnitude of the emotional, legal, and economic horrors in which it would be soon be engulfed. Nonetheless, better to wait, he resolved. Odds were that it was a different mine, anyway. Monday would be soon enough to look into it.

Of course, if it were another mine operator in trouble, there might be a business opportunity to get a new client in need of experienced mine safety counsel like him to help it navigate the legal shoals that surely lay ahead. He resolved to investigate further during the week ahead, as he tried to pretend he wasn't in a state of anxiety, half-expecting the phone to ring at any moment, summoning him to catch the next plane to Denver, while struggling to re-immerse himself in his Sunday routine, unable to shake the stress that had so unexpectedly and so thoroughly disrupted it.

3

AT THE ACADEMY IN BECKLEY

It was a little over three years earlier and 1500 miles to the east of Heavenly, at the National Academy of Mine Health and Safety in Beckley, West Virginia, that Calvin McCoy had stepped to the lectern to give his introductory overview lecture to a new class of coal mine inspector trainees and was honored with enthusiastically appreciative applause from the Superintendent of the Academy and nearly every member of the professional staff who had assembled in McCoy's classroom in recognition of the 35th anniversary of his service at the Academy. Embarrassed and pleased at the same time, Chief Instructor McCoy reddened and paused briefly, nodded his silvery head in gratified acknowledgement and then motioned with his hands as if to shoo his Academy colleagues out of the room so that he could get on with the business that had been his raison d'etre since not very long after the Academy's founding.

Turning to face a fresh class of Mine Safety and Health Administration employees ready to be introduced to their powers and duties as fledgling federal coal mine inspectors, McCoy had already recovered his composure as he began: "Ladies and gentlemen, welcome to Coal Mine Safety 101."

"As MSHA inspectors you will have extraordinary powers and extraordinary responsibilities, all for the protection of what the United

States Congress in the Federal Mine Safety and Health Act of 1977 declared to be America's "most precious resource – the miner."

This new crop of federal mine inspectors would eat, sleep, and breathe the fundamentals of coal mine safety and health science and technology, and the laws regulating occupational safety and health in the coal mining industry, for the next 21 weeks, living and learning at the sprawling Academy campus, an outpost of the U.S. Department of Labor, beautifully located in a richly forested Appalachian Mountain valley just outside Beckley, West Virginia.

The class was composed of 15 very lucky men and women who had scored these locally prestigious jobs as MSHA inspectors, positions that came with coveted federal civil service salaries and benefits better than almost anything else available in the Tri-State area where the economically blighted coalfields of Kentucky, Virginia, and West Virginia converged. Though jobs in coal mining itself still paid more, if you could snag one in the dwindling industry, the position of MSHA inspector offered fewer risks, both physically and economically, especially since the fear of climate change had swept the world's capitals. These Mine Academy trainees, many of whom lacked even a college degree, knew they had hit pay dirt, and some were still contemplating their good fortune, as they tried to focus on the initial lessons, rather than the beguiling redbud blossoms glistening in the dewy dampness of the glorious spring morning naturally illuminated outside their classroom windows.

"We all know the tragic history of the coal industry," McCoy intoned. "But we are here because Congress promised the American people that there would be no more Monongahs, no more Fairmonts, and no more Scotias," reciting the names of three of the most horrific modern coal mining disasters, each of which had at least helped to pave the way for legislative reform of occupational safety and health regulation in the coal industry. "When it enacted the Federal Mine Safety and Health Act of 1977, and created MSHA to enforce it, Congress literally laid down the law and gave us the tools to ensure that every coal miner in the country could go off to work every morning knowing that he would be going home safely to his family at the end of the day.

Though too many miners have died, we can be comforted that every drop of blood they accidentally shed in the mines has taught us how better to prevent a recurrence and their graves are the foundation on which today's stronger laws and regulations were built so that no other miners will befall such a fate."

"You will learn here the regulations that coal mine operators must obey to prevent mine fires, explosions, and cave-ins, which we call 'roof falls,'" Instructor McCoy went on, "and you will learn how to enforce those regulations – which are based on the latest, cutting-edge advances in science and technology – to support the mine roof to prevent deadly roof falls, and to prevent the fires and explosions that have killed thousands of miners, by preventing both the hazardous accumulations of coal dust and methane gas which fueled those fires and explosions and the occurrence of sparks or flames that ignited and exploded those fuels."

"Our job is to eliminate all the workplace hazards that threaten miners' lives, so we take not only a belt-*and*-suspenders approach to regulation, but also an even more rigorous regulatory 'onion' approach, enforcing literally hundreds of regulations that afford layer upon layer upon layer of protective requirements, each of which alone should be enough to prevent the occurrence of mine accidents, but all together provide a systematic network of redundant protections that mutually reinforce each other to guarantee an end to the shameful coal mining carnage our history has endured."

McCoy's words stirred the inspectors-in-training, excited and inspired them with the noble safety mission on which they were embarking. Too many of their own fathers, brothers, and neighbors had gone into the mines only to be broken, burned or brought home in body bags. They wanted to make a difference. And they were going to have the power and opportunity to do so.

McCoy continued, laying out the fundamentals they would need to master if they were going to succeed in their mission: "Before we get into the pillars of mine safety and health regulation, you need to learn a little law. To succeed in accomplishing the objectives that Congress has charged us with, we need to reflect on the fact that they have given us a law to enforce, and that we are law enforcement officers. Though we cannot arrest anyone one, Congress has endowed us with extraordinary powers in order to protect the coal miners of our Nation. The policeman may carry a gun and have the power to make arrests, but you will have a power that not even policemen possess. You will have the power to order a coal mine shut down if you think it is too dangerous because there is an imminent hazard. You can order an entire coal mine evacuated and idle hundreds of miners and not even the CEO of the company in her office in a skyscraper in Manhattan has the authority to stop you or overturn your order. You'll learn the particulars of your extraordinary powers a little later, but for now we are just going to focus on the broad legal concepts that we need to understand as law enforcement officers."

He paused briefly to let that sink in, turning his head methodically to individually acknowledge and make eye-contact with each of the budding inspectors, pleased to see their attentiveness, before continuing. "So, when I say we are law enforcement officers, what law am I talking about? As you know by now, that law, our law, is the Federal Mine Safety and Health Act of 1977. It is a federal statute, which is too much of a mouthful to say every time we need to refer to it, so we called it for short 'The Mine Act' or 'The Mine Safety Act' or sometimes just 'The Act.' But that is not the only law we are responsible for enforcing. There are also implementing regulations that the Assistant Secretary of Labor for Mine Safety and Health has promulgated, following procedures laid out in the Mine Safety Act, that generally flesh out and specify with greater precision and amplification the details of what the Act requires. It is important that you understand that those regulations are just as much the law as the statute is, in the sense of mine operators having to comply with them and us having to enforce them.

Additionally, the laws we enforce include MSHA-approved individually tailored mine-specific plans for roof control, ventilation, training, and a handful of other things spelled out in the regulations. Moreover, on top of all that, a lot of the time we'll be relying on countless policies and interpretations of the statute and the regulations that, though not technically laws themselves, the leaders of the Agency at its headquarters in Arlington, Virginia, just across the Potomac River from the Nation's Capital in Washington, have formulated to further guide mine operators and inspectors in how the regulations are to be understood and applied in certain specific situations. Finally, the law we will be enforcing also includes judicial and administrative decisions which are binding precedents governing how the statutes, the regulations, and other laws are to be interpreted and applied, and you will learn those as well."

"Any questions so far?" McCoy asked. "Anybody thinking that if they had wanted to become lawyers, they would have gone to law school? I can sympathize, but if you are going to be a law enforcement officer, you had better get a good handle on what exactly that entails, and then get used to it. Just wait until you have to give a deposition or testify in court when a mine operator challenges a citation or an order you have issued as part of doing your job to protect miners against what you determined to be violations of the law! It can be a little intimidating at first, but once you get used to it, you will find it to be personally empowering." He allowed himself a smile, a barely perceptible widening of the corners of his mouth. A few students smiled in response but, he noticed, most remained soberly focused on taking detailed notes and hardly looked up when he paused.

"Okay, now that you know what law it is that you are going to be enforcing, we can turn to the fundamentals of mine safety and health. Most of you will already know some of what we are going to cover, but none of you know it as well as you need to know it, or understand it nearly as well as you are going to by the time I am done with you."

"I have identified and am going to teach you what I have come to think of as the seven primary pillars of underground coal mine safety and health regulation. Like the bones that comprise the human skeleton, these seven pillars are the framework on which the complex tissues of myriad but vital regulatory requirements are supported and fleshed out."

"My Pillar One is roof control. The law requires that primary mine tunnels which are called entries and are like long underground avenues, and the secondary tunnels which are called crosscuts and are like the shorter cross-streets that intersect the entries in a grid-like pattern, cannot be cut too wide, no more than 20 feet from side-to-side or rib-to-rib, nor cut too high from floor to roof, in order to prevent roof falls. The height of the tunnels is rarely a regulatory issue because the entries and crosscuts are dug through wide soft coal seams, with the surrounding hard rock strata naturally limiting their heights. The law takes account of the geophysics of tunneling, which you probably all learned yourselves as kids digging tunnels in the sand at the beach: if you dig your tunnels too wide or too deep, the weight of the overlying sand will become greater than what the walls of the tunnel can support, the tunnel will collapse, and the sand above will cave in, filling the tunnel."

"That is usually not much of a problem at the beach, but it is a matter of life and death when the tunnels are filled with coal miners. And that is exactly how thousands of miners have been injured and killed over the years, and why, in addition to regulations that set limits on the width and height of all mine openings, they also require that each mine obtain MSHA approval of a roof control plan designed with the particular geologic conditions of that mine in mind, ensuring as best they can through the use of sophisticated computer modeling that substantial-enough blocks of coal (appropriately enough called "pillars") be left between the entries and crosscuts to hold up the mine roof from falling in. Each mine's roof control plan goes further and requires that the mine roof also be mechanically supported by specified sizes of steel roof bolts drilled up into the roof and anchored in the overlying rock, similar to long screws or moly plugs, to hold the roof up, as well as potentially requiring additional support from horizontally installed steel plates, steel mats, chain link fencing, steel beams, wire mesh screens, or the installation of standing timbers and steel posts, among other things, to hold up the roof, as needed."

"So, if the mine operator complies with the regulations and his roof control plan, no miners should ever be killed or maimed by roof falls ever again. Of course, a big part of your jobs will be to check to make sure that each mine you inspect is in compliance with its approved roof control plan."

"Moving on to Pillar Two, which is ventilation control. We have come a long way here, with science and technology enabling us to leave far behind the days when canaries in cages had to sacrifice their lives to warn us of dangerously deficient oxygen levels in our coal mines. Actually, ventilation control involves navigating our way through complex, multi-hazard scenarios. Because mining coal underground is done in confined spaces where breathable air is not naturally abundant, and because mining coal commonly liberates significant quantities of methane gas which is embedded in most coal seams, and generates considerable respirable coal dust which can be both flammable and explosive as well as cause respiratory diseases, most notably coal workers' pneumoconiosis ("Black Lung" disease), the law requires that all underground coal mines be adequately ventilated. There must be enough ventilation to ensure that: (1) sufficient oxygen (at least 19.5 percent per volume of air) is provided where any person must work or travel; (2) methane gas is diluted below a 2.0 per cent volume of air (it is explosive at concentrations between 5% and 15%) and carbon monoxide below 2.5 per cent, and any other harmful, noxious, explosive, or flammable gases, dust, or fumes, are diluted, rendered harmless and carried away from the working place by airflow; and (3) coal dust is diluted and carried out of the mine to prevent excessive amounts (as set by regulation) which could cause explosions as well as Black Lung and other lung diseases."

"Particularly hazardous is a mixture of explosive concentrations of methane gas and coal dust in atmospheric suspension. Although coal dust in suspension alone can ignite and potentially explode, alone it is not nearly as flammable as methane gas but some of the very worst mine accidents in history have resulted when methane explodes and the forces of the explosion then cause accumulations of coal dust to be raised into suspension in the air and ignited by the flames of the methane explosion, which together in horrific combination geometrically intensify the deadly and destructive forces of the explosion and vastly expand the geographic area affected."

McCoy spoke with a passion that did not escape his trainees' attention. The intensity of the explosions he was describing was eerily echoed by the intensity in his voice. It was obvious that the subject was not merely a technical, academic matter to McCoy. His description of the "deadly and destructive forces of the explosion" had to come from a place in McCoy that lay deeper than his vocal chords. Only a man deeply scarred and haunted could deliver so urgently compelling a lecture.

Was it their imagination or did the students actually hear him exhale with relief as McCoy left behind the lessons of ventilation control, or tried to? "In addition to statutes and regulations, which detail the measures that must be taken at every underground coal mine in the Nation to ensure adequate ventilation, the law requires that each individual mine have an MSHA-approved ventilation plan designed to ensure the achievement of these objectives in ways particularly tailored to the conditions presented there."

"Pillar Three is fire prevention and control. Because a fire in an underground mine can be such a threat to human health and life, and because these mines inherently contain flammable fuels (methane gas, coal, and coal dust, among other things), the law strictly regulates potential ignition sources, and establishes elaborate requirements to ensure the availability and operability of effective means of fire prevention and control. In particular, the law restricts the presence and location of potential ignition sources, from tobacco smoking, to open flames, electricity, explosives, and even heat-causing friction, while requiring extensive fire-detection, fire-preventation, fire-suppression, and fire-fighting measures. For example, in the gassiest parts of coal mines near the coal face, all electrical devices, including even those as small as smartphones, are flatly prohibited unless certified by MSHA as "permissible," meaning that they are physically incapable of creating a spark which could ignite methane or other combustibles."

McCoy had to pause briefly, unintentionally, unavoidably but likely imperceptibly to all but those who were observing him most closely. As many times as he had taught these classes, he could never get past "permissibility" without faltering momentarily over the anguished memory of the day during his second year at the Academy when he learned that the Mid-Continent Dutch Creek No. 1 Mine had exploded. He was standing in this very classroom, albeit before the latest renovations which had equipped it with state-of-the-art electronics, media systems, and Wi-Fi connectivity, when the Superintendent of the Academy had interrupted his class briefly to bring him a note that the mine had exploded and that he needed to call his parents who still lived nearby it in Carbondale, Colorado.

The news from his parents was chillingly somber: 15 miners had perished in a combined methane-coal dust explosion. They slowly read him the names over the telephone: Ron Patch, Gene Guthrie, Glen Sharp, Brett Tucker, Terry Lucero, Hugh Pierce, Dan Litwiller, Tom Vetter, Kelly Greene, Richard Lincoln, Kyle Cook, John Ayala, Loren Mead, John Rhodes, and Robert Ragle. Of those few he had not known personally, there were only a couple whose father, mother, brother, or sister he did not know, whether from the Garfield County Little League, Roaring Fork High, Mid-Valley Baptist, or some other local program or institution.

After much soul-searching, he had volunteered to assist in the ensuing MSHA accident investigation, for which he was granted a leave of absence from the Academy. He vividly recalled the words of the MSHA Accident Investigation Report issued many months later, partly because he helped to write them and partly because they so painfully reflected the bitter lessons he was striving to impart to his students at the Academy:

> The investigators concluded that an outburst of coal and methane occurred at the face of the No. 1 entry . . . releasing large amounts of methane and coal dust, creating an explosive methane-air and coal dust mixture. The outburst was s caused by extensive stresses exerted on the coalbed and the face by the massive overburden and other geological conditions at the mine. The explosion occurred when methane had accumulated around the continuous mining machine and migrated into the compartment housing the light switch and the light switch controlling the lighting system on the continuous mining machine was turned off. The electric components of the switch were housed in an explosion-proof compartment which, while designed to be explosion-proof, had not been maintained in permissible condition.
>
> The cover of the compartment had not been properly installed because it had been closed upon a No. 14 AWG insulated wire inadvertently left in the plane flange joint of the compartment causing an opening exceeding 0.015 inch. The opening permitted methane to migrate into the compartment and flame and burning material to escape the compartment when the methane inside was ignited by an arc caused by the operation of the switch. The escaping flame and burning material ignited the explosive methane-air mixture in the face area of the No. 1 entry. The following conditions and practices contributed to the cause of the explosion:
>
> The lighting system was not installed in accordance with the wiring diagram that was submitted by Mid-

17

Continent with their request to install the lighting system and approved by MSHA. The lighting system on the continuous mining machine was not deenergized when the methane monitor activated as the methane content exceeded 2.0 percent.

The installation and wiring of the two-pole light system control switch and the installation of the cover of the explosion-proof compartment was not performed by a person who was qualified . . . or under the direct supervision of a qualified person.

The flame path under the cover of the explosion-proof compartment was not properly tested to ascertain that the compartment was in permissible condition after the cover was installed.

As the words of the accident report came back to him, McCoy could not help but imagine the scenario that likely unfolded just before the catastrophe. . . .

Crew Foreman Ron Patch is directing his crew in the aftermath of the outburst that had spewed coal dust and methane into the atmosphere near the coal face, knocking down the brattice cloth curtains hung to channel the intake air currents into the coal face to dilute methane and carry away coal dust. Without adequate ventilation, the methane levels must have exceeded the 2.0 percent level at which the methane monitor on the continuous mining machine was set to deenergize it, because the mining machine was suddenly deactivated.

In his mind's eye, McCoy could see Patch commanding the crew, "Okay, boys, pronto, pronto, let's get those curtains rehung so we can restore face ventilation and get power back on the miner and start cutting coal again." As the crew promptly set about to rehang the curtains to safely dilute the methane so the machine could be reactivated, Patch is puzzled to observe that six lights on the mining machine are still blazing away, though it was otherwise deenergized because the methane monitor had detected excessive gas in the air. A minute or two pass before the horror strikes him!

He cries out to no one in particular, "Jesus! The sniffer must be busted! It didn't shut down the lights when it cut power to the rest of the machine!"

"Glen!" he shouted to Glen Sharp, the mining machine operator, through the terror that clutched at his throat, "throw the off-switch on the lights before we get blown to smithereens," frightened that the methane that knocked the power to the rest of the machine might be ignited by the electric power somehow still flowing to the burning lights.

But neither Patch nor Sharp nor anyone else on the crew knew that the explosion-proof cover on the lighting system had been compromised when the cover was inadvertently installed over a protruding wire, which effectively prevented the compartment from being fully closed, leaving an impermissibly wide gap, and thus could no more have foreseen that gas and coal dust could have entered the compartment through that opening than that turning off the light switch would ironically create the spark that would ignite that coal-gas mixture, much less allow the flame from that ignition to escape the compartment through that same opening, and then ignite the methane-coal dust mixture put into the mine atmosphere by the outburst. The bodies of six crew members were later found right there in the face area, killed by the blast forces, by carbon monoxide poisoning, or both. Nine other bodies were found in the mine during the rescue and recovery operations, killed by CO poisoning. In addition to the company's own permissibility inspections, an MSHA inspector had checked the mining machine for permissibility at least twice since the lighting system on the machine had been improperly modified in ways that created the ignition hazards, but failed to detect the several errors. It haunted McCoy that all the redundancy built into the regulatory safety system had not been enough to prevent this avoidable tragedy . . . .

McCoy snapped back into the present, and resumed his lecture. "Pillar Four is fuel control. In addition to the legal requirements governing the control of methane gas, the law prohibits accumulations of loose coal and other combustible materials such as paper, wood, gasoline, and oil which could fuel a fire. In addition, the mine operator is required to render inert all exposed surfaces of the coal, including the tunnel roof, floor, and side rib walls, as well as coal dust accumulations anywhere by applying the requisite amount of pulverized calcium carbonate, known as rock dust, sufficient to ensure incombustibility."

With the painful flashback to the Dutch Creek mine disaster still somewhat hovering in the margins of his mental state, McCoy seized the moment to drive home a point. "You might ask me, 'why, Mr. McCoy, do we need to add a bunch of additional regulations to prevent the accumulation of substances that might ignite and fuel a fire or explosion when we already have multiple regulations that limit or totally prevent the existence of possible ignition sources like electrical sparks and open flames? Isn't that excessive over-regulation?' And that is a reasonable question. But the answer is unequivocally and overwhelmingly clear: we need all the redundancy we can get because to err is human and miners are human. Stuff happens. Mistakes of omission, oversight, ignorance, and evil are endemic."

"Two examples from the not too distant past readily make my point. First, it was on December 7, 1992, that eight miners were killed at the Southmountain No. 3 Mine in Virginia when, because someone failed to conduct a required mine examination, no one detected that required ventilation curtains were missing, and that recent roof falls and water accumulations had seriously restricted air flow, which together compromised the ventilating air currents needed to dilute methane below explosive levels and carry off coal dust which could ignite or exacerbate a methane explosion, much less that someone had failed to apply the necessary quantities of rock dust required by law to render coal dust incombustible. Had all these all these errors of omission occurred, the MSHA accident investigators would likely never have known it but for the errors of commission they also discovered: amidst the miners' bodies they found the cigarette butts and butane lighter that triggered the deadly explosion."

"Incredibly, less than one year later, a foreman not far away in East Kentucky, blew himself up when he lit a cigarette in an undetected pocket of methane at the Elro No. 5 Mine. If any of you are still thinking that this is a story of excessive over-regulation, maybe mine inspecting is not the career for you!"

As McCoy turned the page in his outline and prepared to move on to the next pillar, he caught sight of one of his trainees staring out the window, apparently at a remarkably red-feathered male cardinal that had just landed on and beautifully complemented the redbud tree growing just outside the building. Annoyed by her apparent inattention to his lecture, McCoy, after checking his seating chart to identify the distractingly distracted student, challenged her: "Ms. Wu, perhaps you could share with the class what it is that you see outside the window that you think is more important than learning about the role fuel control plays in improving mine safety and health?"

Susan Wu did not hesitate to reply. In a calm, self-assured voice, staring sharply back at McCoy through almost bottle-thick lenses framed by low, flat bangs of glossy jet-black hair, she answered him without hesitation: "Yes, sir, thank you. As you were finishing explaining about fuel control and the need for redundant regulations, I had noticed a magnificent red bird landing on that flowering tree right outside the window, and I couldn't help thinking about how lovely a scene it was, how precious life is, and how sad it is that other birds, canaries, had to give *their* lives to save those of miners past. All at once, I was filled with a sense of how critical our mission is here, as we are being trained to dedicate the rest of *our* lives to save the lives of future miners."

McCoy's annoyance melted into admiration, and he felt a surge of energy and optimism, not to mention a bit of self-satisfaction. He hardly knew how to recover his balance after his attempt to embarrass a distracted student into paying closer attention had evoked such a thoughtful response. After a moment, smiling broadly, he replied: "Thank you, Ms. Wu. Pardon my intrusion. Coincidentally, our next topic is the importance of training in protecting miners' health and safety. So, we turn to Pillar Five."

4

SUSAN ROSE WU

S usan Rose Wu was the only person of Asian ancestry in McCoy's class, and one of only a few females. But her coal mining connections were at least as strong as those of any other member of the class. Her father, Dr. Yick Wo Wu, had mined coal in his native Taiwan before earning his doctorate in rock mechanics there. Lured to the United States by a professorship at West Virginia University, Dr. Wu's extraordinary technical expertise more than offset his failing struggles to master spoken English, as he promptly established himself as an academic superstar who before long had been named to an endowed chair in Ground Control and Rock Mechanics, and was regularly called upon by private industry as well as governmental agencies for his expertise in rock mechanics, modeling, and finite element analysis to evaluate the adequacy of mine designs for ensuring ground control stability and preventing mine accidents

It was her father's work that had brought her to the Academy, but not directly. She had been proudly following in his footsteps, studying mining engineering as an undergraduate at the university in Morgantown, with a concentration on ground control in underground coal mines, when the stocky and bookish student's life took a major turn. Accompanying her father on one of his frequent consulting trips, she found herself in Heavenly,

Colorado, a town in the lower reaches of the Sangre de Christo Mountains where her father had been engaged by the mine operator they referred to locally as AC&CCC, the American Coal and Coke Company of Colorado, to conduct a geotechnical analysis of the suitability of its Copper Canyon coal mining operations for longwall mining. An enthusiastic backpacker and all-around nature lover, Susan's soul was completely captured by Heavenly during their week-long site visit. Something about its tight-knit community of mutually-supportive coal miners and their families living simply in such a sun-soaked mountainous setting beguiled her, ultimately enticing her to reexamine the academic career path she and her father had jointly taken for granted as her vocational destiny.

Mystified by the strength of her attraction to Heavenly, Susan wondered if she were unconsciously channeling her Formosan ancestors who had lived in great harmony with nature in a coal mining village in the mountains of what is now Taiwan, a place she had visited with her father as a young girl, though by then coal mining was only evident there as represented in a mining museum and model coal mine for tourists. Whatever its unconscious roots, the magnetism of Heavenly exerted a powerful attraction, her usually iron will yielded, and she resolved to change course.

Though she had nonetheless remained at WVU to complete her Bachelor of Science in Mining Engineering, upon graduation she hired on as an entry level mining engineer at AC&CCC. Though the only woman on its professional staff at the time, she found the work fascinating and fun, and the community everything she had hoped and known it would be. She was instantly embraced by the townspeople as if she were a long-lost native, invited to join the Heavenly Hikers Club, and welcomed into the choir at the Holy Shepherd Roman Catholic Church, though she did not advertise the fact that she joined it solely for the opportunity to sing, her religious faith more symbolic than sincere, more vestigial than vital.

Unfortunately, Susan's vocational change in course had not anticipated the declining fortunes of the coal industry. When competition from cheaper natural gas began to combine with environmentally driven regulatory restrictions on coal-fired electrical generation to force AC&CCC to seriously cut its costs and question its very economic viability, the job of the junior mining engineer was one of the first casualties because, as the company candidly admitted to her, she did not have a family to support, unlike the senior mining engineer who supervised her work. An unsuccessful job search in a shrinking coal industry led to her return home to Morgantown to live with her father. Her frequent visits to the undergraduate placement office were ultimately successful, as it was there that she saw the posted notice that MSHA was recruiting for a new crop of coal mine inspectors to replace a growing tide of retirees.

A job as an MSHA inspector had considerable appeal. Not only would she be able to use her mining engineering background but she also could give back to the coal community through public service. What job could be more satisfying than helping to protect coal miners from health and safety hazards, she reasoned. The coal mining industry had been so good to her family, stretching back across time and space to her ancestors in Taiwan. In the same way that Susan's strong altruistic streak had previously drawn her to plan a career in teaching, now it was drawing her toward public service as a coal mine safety inspector. And you never know, she thought, with her technical background and experience in deep cover mining, one of these days it might even provide a pathway back to Colorado and, ideally, to Heavenly and hiking the Sangre de Christos again, if she could get assigned to the nearby MSHA Field Office in Trinidad.

In any case, that had become her dream and now here she was at the Academy and on her way. Despite her initial devastation at the loss of her job at AC&CCC, Susan had now come to wonder whether that might not turn out to have been a blessing, a stroke of disguised good fortune, or perhaps even a matter of destiny. As McCoy continued his inspiring lecture, Susan could not help but feel thankful that her regular visits to the WVU Placement Office had been rewarded by the opportunity that was unfolding.

5

HEAVENLY, COLORADO

The Sangre de Christo Mountains were thrust high into the Southern Colorado skies. Straddling the New Mexico-Colorado border, the Sangre de Christos rise up into truly majestic – there is no other way of putting it justly – snow-capped peaks, some towering as many as 14,000 feet above sea level.

In a land where the first inhabitants had discovered the magic black rock whose flaming spirits warmed their caves and cooked their food, a modern recreational wonderland had more recently blossomed, along with the longstanding and hard-scrabble local working-class communities supporting themselves primarily with jobs in mining and ranching. Those earliest Native Americans who had relied on the flaming black rock solely for heating and cooking had been driven away and isolated on high desert reservations. In their place, drawn by occupational opportunities that they and their forbearers had mastered for many generations in the "old country," waves of immigrants found their way to the area, originally from England, Wales, Scotland, and Germany.

Whether for ranching or mining the veins of gold, silver, copper and coal that permeated the mountains, these late 19th Century immigrants populated the high desert plains, valleys and mountainsides in and along this Southernmost stretch of the Front Range of the Rockies. Coal, especially, was the magnet that drew so many to work the mines as their fathers before them had done in Europe. Coal had fueled the boilers of the locomotives that brought so many of them and then carried off the coal they mined to the urban and industrial markets which hungrily consumed it to fuel electric power plants, power factories, and heat the homes of the workers whom they in turn employed. It was the first "black gold," as they called it, and deservedly so.

Coal was central to the foundation of the fast-growing 19th and 20th Century American society, feeding not only the families of the Copper Canyon miners, but also the egos and proud identities of the miners themselves, nourished by near-universal recognition of their vital contribution to a growing Nation.

The town of Heavenly grew in the lower reaches of Copper Canyon, where Copper Creek flows down from the mountains before descending into the high desert to deliver its life-nourishing bounty, irrigating the surrounding ranches and farms. Fed by mountain snows and streaming down a creek bed stained orange in places by the water carrying acid rock drainage from oxidized iron and sulfide ores, Copper Creek sustained the community in every way, from meeting the domestic and recreational needs of growing working class households and the agricultural community, to enabling the coal-washing plants, steel mills, and electric power plants that naturally took hold and flourished there for over a century – until environmental, economic, and political currents began to conspire against Heavenly and other coal towns across America.

Founded by those Northern European immigrants whom the Westward flows of the transcontinental railroads had deposited there, Heavenly had thrived with their alluvial energy, supplemented over time with miners from Southern and Eastern Europe. More recently, Spanish-speaking immigrants from Mexico, legal or otherwise, brought both a willingness to work and a desperate need for it, which more than compensated for their lack of coal mining experience, much less English language skills.

Coal mining was a family affair in Heavenly. Of the newest residents, the Mexican-American families were often represented by two or three brothers, while the older families commonly contributed two or three generations of miners – grandfathers, fathers, uncles, and sons (only rarely daughters) working side by side, or cross-shifting, so there was always a Scott, a Schmidt, a Poulson, Kowalski, Miller or Menotti, not to mention at least one Alvarez, Garcia, Rodriquez, or Hernandez, on the job at the Copper Canyon Coal Mine, just nine miles further up the Canyon from Heavenly. And if the families of Heavenly weren't fully employed by the Copper Canyon Coal Mine or other mines in the area, then they likely were tending the boilers at the Pioneer Mesa Power Plant, at the mouth of Copper Canyon, manning the coke ovens and blast furnaces at the adjacent steel mill, or nearby selling all of them equipment, services, and supplies.

They didn't call it "black gold" for nothing. At least not in the old days. The indigenous peoples of Copper Canyon knew the magical power of coal, we know, because the petroglyphs on canyon walls and in some of the caves that ran deep into them show black rocks on fire, with people cooking birds, rabbits and deer over them. Some of those caves themselves had been primitive coal mines, hollowed out from the mountainside before they were occupied.

For well over a century, local residents had supported themselves by digging for that dirty black rock, a virtual carbon cornucopia of job creation and sustenance, directly or indirectly feeding and sheltering and educating entire communities.

But for all its beautiful black bounty, Copper Canyon's coal did not give up its treasures to the faint of heart. If you wanted to partake of its riches, you had to go into the dark blackness that was its home and wrest it violently from the earth.

It was a home where the unknown lay behind or inside every black rock wall, black rock tunnel roof, and black rock tunnel floor. To mine coal was to become an explorer, discovering new worlds hidden in the earth until the very moment it was penetrated in pursuit of its promised treasure. But at every moment of the quest, that voyage of extractive discovery was fraught with potential peril: pockets of explosive gas; suffocating low-oxygen "black damp;" drowning torrents of mysterious, uncharted underground rivers; lung-crippling, killing coal dust and toxic gases; unstable geologic fissures and faults ready to bury the voyager; coal pillars under pressure ready to burst; and crushing cave-ins of unstable, brittle rock layers unseen above, obscured in the opacity of the mine roof. Surprise was the only unsurprising aspect of underground coal mining so deep beneath the mountains cradling Copper Canyon.

6

THE MINERS OF COPPER CANYON

The miners of Copper Canyon were a fine and worthy bunch, by and large, bonded together with coal miners everywhere by a common language that reflected the fundamental polarities of their working lives in which the location of everything and every person in their underground world was identified as being either "inby," meaning closer to the coal face being mined, or the opposite, being "outby," meaning farther away from the face and closer to the mine's opening on the surface. They were fundamentally good men, hard-working, dedicated family men. They were also dedicated to each other, concerned with each other's health, safety and overall wellbeing. They didn't necessarily like each other. No, not at all – as in most communities of men, some liked each other and disliked others, some were close friends and a few were actually enemies. Some were more capable than others, some more selfish. There was nothing remarkable about them in that respect.

But despite their individual friendships or animosities, they were nonetheless remarkable in their overall dedication to one another, in their collective identities as coal miners. Something about their common task, their common mission, their common reliance on each other for their common safety and survival created a unique fellowship, even among enemies. Perhaps it was a fellowship that came from going down deep into the earth together every day, day after day, entering a dark, potentially perilous unknown, where hidden dangers might await them, one man's mistake could doom them all, and a single act of carelessness could kill.

Perhaps it was that risk of carelessness that seared into their souls and forged that deep-seated caring for each other. The concept of human brotherhood may be universally based on mankind's common existential fate, but it was no such vague, generalized, abstract existential identity that defined the miners of Copper Canyon.

Because they faced the possible consequences of its failure on every shift, the miners of Copper Canyon viscerally, intensely, consciously and unconsciously lived that naked mutual responsibility every single day of their lives. Their brotherhood bound them to each other in their deepest, innermost, elementally spiritual places, as if it had become encoded in their very fiber, because it was not based on merely idealized values of progressive human beneficence and a universal common weal, but on their real, concrete, in-your-face dark and common peril that it seemed as if only they alone truly shared.

Like coal miners everywhere, each of the miners of Copper Canyon not only was critically dependent on each of the others, but each also knew and appreciated what that meant for how they must live their lives. Out of their shared self-interest was forged a deeper, almost transcendental, but intensely functional merger of identities.

Although some – philosophers and liberal idealists, mostly – would argue that we all share this common bond of inherent interdependency, and that the miners were only forced to confront it more acutely because of the tangible immediacy and transparent intensity of that shared peril, few people – philosophers and liberal idealists included – would so readily and without hesitation throw themselves headlong into whatever chaos or conflagration might suddenly threaten their brethren.

Perhaps infantrymen and certain other warrior classes historically have done so, but that was a wholly different dynamic, as is the bravery of today's "first-responders" – the police, firemen, paramedics and others whose job it is to save the lives of innocent strangers when accidents occur. Those first-responders are in their very vocation serving as professional heroes. They identify as such, brave and self-sacrificing, as likely do random heroes and good Samaritans when they situationally spring forth from obscurity to rescue strangers, but it is not any identification with those random victims which defines and motivates heroes. Unlike the underground coal miner, it is the heroes' very separateness, their otherness in relation to the victims they rescue, that defines and shapes them.

Coal miners do not think of themselves as brave and self-sacrificing heroes, professional or otherwise. Indeed, there were no heroes aboard the mantrip personnel carriers that bore the crews of Copper Canyon miners into the blackest bowels of the Sangre de Christo Mountains at 7:00 a.m., 3:00 p.m., and 11:00 p.m. every working day, every week, week after week. There were no heroes there in the bathhouse donning hardhats, cap-lamp batteries, self-contained self-rescue "SCSR" emergency oxygen packs, filter-type self-rescue devices, and the like, shift after shift, on their way to harvest Copper Canyon's coal. There were only coal miners there, doing what they had to do, miners who earned a living by not dying, supporting themselves and their families not by assuming the role of anyone's hero or savior, but rather the role of *potential* victims who were nonetheless desperately, subconsciously determined that none of them could allow any of them to become an actual one.

Curiously, cruelly, Copper Canyon's coal miners saw the outer world more clearly from the depths they daily dwelled than the more privileged few who peered down from the airy illuminations of the mountain peaks high above them. As the overlords went about their business proudly comforted by their perceived mastery of the universe, the humble coal miners of Copper Canyon had few illusions about their ability to resist the unpredictable centrifugal forces of random events as they left the relative security of the mantrip to immediately "hot-seat" the mining equipment surrendered to them by the departing crew of the preceding shift, before their seats grew cold, ensuring that no equipment idle time would interrupt the steady flow of coal heading outby from the face of the coal seam to the conveyor belts carrying it to the surface in validation of their subterranean efforts.

Despite the passage of decades, even centuries, and despite the vast improvements in working hours, wages, benefits, and health and safety, since their forebears worked the coal pits of Wales and Silesia, the coal miners' mission remained the same, venturing into the godless darkness, wresting the coal from its clutches and defying gravity to keep the coal flowing upward and out, despite the continuing rotation of the earth, the shifting of atmospheric pressures and tectonic plates, surrounded and yet permeated by pulsating electro-magnetic fields of random particles and waves across time and space. But even the strength of their brotherhood could not protect them from the evil in the world.

7

HUMAN PROGRESS AND THE ADVANCE OF MINER SAFETY

Coal mines were more dangerous in the past because mining techniques and technologies were much more primitive, consistent with the relatively rudimentary scientific and engineering understandings on which mine safety was necessarily grounded in the past. Governmentally-imposed safety rules were similarly more primitive, but at least most miners did not intentionally violate them because, if nothing else, they knew that it would be sinful to do so, and the Almighty God who sees everything and knows everything would punish them, dispatching them to Hell and eternal damnation. So most miners did their best to do what the safety rules required, even if they didn't think they were necessary, and also to obey the Ten Commandments, seeing compliance with the two mandates as not inconsistent.

Later, with the progress of science and technology, it became possible to mine much more safely, and laws were passed to require that coal mining be conducted in safer ways, using the latest advances in safety practices and technology. For example, the perilous difficulty of detecting highly explosive and combustible methane gas due to its invisibility, odor-free, and taste-free nature led to the invention of the now-venerable flame safety lamp (that would burn more brightly, alerting miners to the presence of methane gas, in a controlled glass and metal chamber that prevented that flame from escaping and thereby preventing the methane in the mine atmosphere from igniting or exploding), and it in turn was replaced by digital methane detectors that not only detected methane in the mine atmosphere but also indicated the exact percentage of methane in the air, and smoking, of course, became totally prohibited in underground coal mines.

The advancing achievement of increased safety in the mines was not as robust in actual mining practice as what that scientific and technological progress should have yielded, however, because, concurrently, the so-called "death of God" was affecting even remote mining communities. Men and women everywhere in the Western world were increasingly coming to believe that there was no omnipresent, omniscient God who would instantly know it if a miner did not comply with safety laws, so they instead mined faster and more recklessly than safety laws would have permitted, avoiding compliance with such costly safety requirements that would have slowed down coal production and reduced profit margins, without the fear of punishment by God, a fear that had previously informed all action, at least for the great majority of miners, those who were not morally corrupt or evil-hearted. Without the belief that God would be watching and ready to consign them to eternal damnation if they opted for expediency over obedience to the mine safety laws, more miners began to ignore the law and to mine unsafely, some willingly, and some under management duress, at least when no government inspectors were around. Feeling invulnerable, or at least invisible to all authority, governmental and divine, on occasion a few would even sneak a cigarette into a mine and blow themselves, and sometimes others, to pieces.

Over time, with the dilution of internal controls that accompanied the disappearance of an omnipresent God, society recognized that tougher governmental regulation was necessary – more regulatory requirements had to be imposed, and more inspectors, more heavily armed with greater powers to monitor and compel compliance, had to be deployed to enforce those regulations, and stiffer penalties had to be imposed too deter and punish violators—if the mines were going to become safer, consistent with scientific and technological progress. In fact, history has shown that as fewer miners believed in an omniscient and vengeful deity, the more extensive the regulations, the more numerous and powerful the inspectors, and the tougher the penalties, needed to be in order to maintain a robust compliance with safety and health standards. If God were no longer watching, the government needed to be.

Every aspect of the coal mining process and every aspect of the mine environment had to be expressly prescribed by regulations to preclude miners from making unsafe choices, whether to reduce their costs, save time and speed up mine production, or simply out of laziness or thoughtlessness. Discretionary choices could be dangerous choices, so new rules would have to be promulgated to dictate every conceivable course of action. Cookbook regulations rather than more amorphous, general performance standards were needed to mandate that every step of the mining process would be conducted in what federal safety engineers and safety policy experts had determined was the safest way.

Because mines and mining conditions varied widely across different regions of the country and even from mine to mine within the same regions based on a broad range of geologic and other environmental factors that affected mine safety and health – even "coal" itself varies from region to region and coal seam to coal seam, differing in seam thickness, hardness, friability, volatility, and chemical constituents – not all aspects of mining could be governed by standardized and uniform regulatory mandates applicable nationally. However, it was determined that the law could nonetheless protect the safety of the miners by supplementing the national regulations with localized mine-specific engineering and regulatory requirements tailored to the unique conditions of each mine, and approved by government regulators in advance of authorizing the opening and operation of each new mine in order to safely address such variables among mines.

So it came to be that the law required each underground coal mine to comply with its own federally approved, particularized roof control plans (to prevent mine roof falls), ventilation plans (to prevent dangerous build-ups of methane and toxic gases and keep respirable coal dust concentrations in the air at acceptable levels), mine waste impoundment plans (to prevent dam failures like the 1972 Buffalo Creek disaster where a coal slurry impoundment collapsed killing 125 people downstream of the mine), miner training plans, firefighting and evacuation plans, among others.

Because some coal miners, whether through laziness, ignorance, incompetence or greed, could not be relied upon to comply with all those myriad regulatory requirements when government inspectors were not present, like those miners who would sneak a pack of cigarettes into the mines, despite the express prohibitions of federal law, the possibility of government inspection had to be a constant threat. Otherwise it was a certainty that some unscrupulous or reckless miners would mine in unsafe ways, only cleaning up and coming into compliance when they believed a government inspection was due. So, in order to be effective as possible without stationing federal inspectors in all mines around the clock, the law had to require that there would be surprise inspections, unannounced and without any need for the search warrants that the law required prior to inspecting all other private businesses. Such constitutional privacy rights had to be sacrificed because coal mining was just too dangerous otherwise. To ensure compliance, the mines had to be on constant alert, to expect that a government inspector could show up at any moment of any day. A real-life pop quiz with real-life consequences for the unprepared.

An army of mine inspectors had to be trained to implement this scheme and accomplish the national commitment to better protect mine safety and health. So, the Federal Mine Safety and Health Act of 1977 provided for the establishment of the National Mine Health and Safety Academy in Beckley, West Virginia, and required that every new inspector spend months in residence, until fully trained.

Though mine accidents, injuries, and fatalities, were progressively and substantially reduced in number, unfortunately, tragically, they could not be eliminated. No matter how many pages of regulations were promulgated, no matter how many inspectors were trained, no matter how frequently surprise, warrantless inspections were made, miners were human and made mistakes; and there were still some miners who believed they could cheat the system: inspectors could not be everywhere at all times and the cost of compliance was so high relative to the risk of getting caught and the size of penalties not sufficiently high, that there were and always would be miners who, weighing the costs of compliance against the benefits of non-compliance, believed the odds were in favor of evading detection and getting away with noncompliance to produce more coal at lower cost. Government enforcement simply could not replace an all-knowing God for ensuring obedience. Nor could any regulatory regimen quell the untamed spirits that roiled the earth.

But then man's suffering from the Godless chaos and rampant lawlessness planted the metaphysical and technological seeds through which man would create a new God, or at least a force of technological demi-gods to substitute for the lost God in order to better level the playing field against evil and incompetence and begin to bring forth the degree of improved miner safety and health that would have been expected to flourish under modern scientific and technological advances had only men not lost faith in God. The mismatch between the multitudinous opportunities for misconduct and the law enforcement resources available to detect and deter it inspired a Promethean technological response: first, information technology and subsequently, surveillance technology, would begin to offset the divine desertion and fill the post-deity void that law enforcement alone could not, the eye of the machine replacing divine omniscience to punish and deter misconduct.

It was discovered that technology could substitute instead with sweeping automated monitoring capabilities and controls, and the mines were ripe for these digital deities. For example, methane monitoring technologies made possible the installation of various devices that could not only automatically give miners an instant visual and audible alert to rising and explosive methane levels, but also, for those who would ignore those warnings, actually take functional control of the equipment away from them.

Hence, methane monitors (some called them "sniffers") were legally required to be installed on certain pieces of equipment like the huge mechanized "continuous miners" and the cutting shearers on longwall mining machines, both of which cut coal from the face of the coal seam, potentially releasing methane gas which is widely embedded within it, and thereby creating the risk of a fire or explosion, and were also required to signal alarms and then de-energize and entirely shut down those machines when set levels of methane were detected.

Thus there would be no need to rely on the coal miner's vigilance in paying attention to methane levels, much less any need to rely on him to act responsibly and lawfully by shutting down mining equipment when elevated methane levels were detected. Neither God nor the government inspector would be necessary to deter and punish misconduct, nor any need to rely on the coal miner to protect the mine from the hazards of methane. The regulations requiring the use of methane sensing technologies were a significant safety improvement but only one part of the story of coal mining's technological salvation.

Similarly, rather than continuing to rely solely on the coal miner to purchase, properly maintain, deploy, and use fire-fighting hoses and extinguishers when they detect smoke or flames, new carbon monoxide monitoring devices were developed to detect not only the existence of respiratory hazards from this invisible, odorless poisonous gas, but also early signs of fire, because in its earliest incipiency, combustion produces carbon monoxide before there is sufficient smoke or heat generated to be detectable by human senses. Upon the development of CO monitoring technologies, government regulations could and did mandate their installation to provide early detection and prevention of fires.

In the same way, heat sensors are now mandated on pieces of mining equipment, tied into automatic fire-suppression systems that no longer depend upon alert miners to identify equipment fires and to activate fire extinguishers manually; instead a deluge of water or fire-suppressing foam is automatically released to extinguish a fire before it can spread, a constant peril in an underground environment where the surrounding walls, the roof, and the floor were usually composed of highly combustible coal.

Proximity-detection and collision avoidance systems ("PDS") were then required, first on continuous mining machines, then on other pieces of mobile mining equipment. Using electronic sensors to detect motion or the location of one object relative to another, PDS do not depend on miners to be continually cautious or compliant when working in close proximity to moving machinery in the confined spaces of the underground environment. They compensate for the moments of inattention that can kill or maim even the most conscientious miner. To prevent machines from crushing, pinning and striking miners, these PDS systems emit visual and audible alarms when approaching possible collisions and then, if necessary, automatically shut down the machine before a collision can occur.

Intensive safety and health regulation combined with intensive enforcement, now enhanced by automatic sensing and control technologies, have gone a long way toward protecting the safety and health of coal miners by ameliorating the inherent hazards of underground coal mining, which can be compounded by human laziness, ignorance, carelessness, and incompetence. Unfortunately, even those technological advances, augmenting the Mine Act's intensive regulatory scheme, were also not enough to protect miners from the persistence of greed and evil. Though technologies had changed over the generations, mankind had not.

8

BACK AT THE ACADEMY IN BECKLEY

Still smiling inside, and making a mental note to keep a close eye on the promising Susan Rose Wu, McCoy continued his orientation lecture. "Pillar Five is training. The law requires underground mine operators to adopt and comply with an MSHA-approved training plan that ensures that each coal miner receives at least 40 hours of training in mine safety and health, covering a detailed curriculum covering the fundamentals of roof control, ventilation, electrical hazards, hazard recognition, the use of self-rescue devices, emergency procedures, first aid, the safety and health aspects of the jobs he will be performing, and the statutory rights of miners and miners' representatives under the Mine Act. In addition, the law requires new task training in the safety and health aspects of a different type of job before a miner may lawfully perform that other job at the mine, and at least eight hours annually of refresher training."

"Pillar Six is frequent, documented inspection and examination of the mines to discover and eliminate any hazardous conditions and any regulatory violations which could contribute to them. This is the pillar of mine safety where we play our most important role, though we are only one part of the story. The law provides for three primary mechanisms to ensure that hazards and violations are promptly detected and eliminated, as follows:

1. Frequent, documented examination of the mine by the mine operator and prompt reporting to MSHA of hazards and accidents that have imperiled or could likely imperil miners. Pre-shift, on-shift, and weekly examinations of the mine are mandatory duties, and there are set deadlines for the reporting of accident, injuries, and occupational diseases.

2. Frequent, documented, surprise, warrantless inspections of each mine by MSHA, with civil and criminal penalties for any person who gives advance notice to anyone of an MSHA inspection. It is critical to the success of the regulatory program that the mine operator can never know when MSHA may show up to examine every square inch of the mine, so that the operator must therefore maintain the mine in compliance with all the safety requirements of the law at all times to avoid risking civil and criminal penalties for non-compliance, such penalties including possible mandatory withdrawals of all personnel from areas affected by certain types of violations or hazards.

3. Continual monitoring of safety and regulatory compliance by the miners themselves. Since MSHA cannot be everywhere in all mines at all times, the law encourages and empowers miners to serve as MSHA's on-site eyes and ears. As they are instructed during their required training, the law gives miners the right to complain – to co-workers, mine management, and to MSHA itself – about their safety concerns, with absolute impunity from retaliation by the mine operator. It also gives miners the right to refuse to work if they have a good faith, reasonable belief that it would subject them to a serious hazard, even if that belief turns out to have been wrong. For example, there was one case I remember where a couple of coal miners named Hogan and Ventura had been suspended without pay for five days because they had refused to get into the elevator that lowered them into the mine to work because they believed that the elevator was unsafe. In fact, the elevator was safe, and the miners were mistaken in their belief that it was not safe, but only because that elevator had just been returned to service after being repaired after an earlier breakdown. But, MSHA

took the mine operator to court and got the miners' suspensions reversed and got the operator penalized for discriminating against the miners, because the operator had neglected to inform the miners that the repair work had been conducted and the elevator certified safe, which meant that the miners' refusal to get into the elevator to go to work was protected activity because it was based on a good faith reasonable belief that the elevator was unsafe."

McCoy chuckled to himself every time he told that story, because it was always a surprise to his students to learn that the miners had won even though the elevator was in fact not unsafe when they refused to ride it.

"Uniquely, unlike any other federal occupational safety and health regulatory program, the Mine Act has long been authoritatively interpreted to protect such safety and health whistleblowers from retaliation for even the most frivolous of complaints. I can hardly overstate how critical this right is for miner safety." There it was again, that haunted passion in McCoy's tone. "That's because Congress believed that mining was so dangerous and the need to encourage miners to report their concerns so great that it sought to assure them that they need not hold back any safety complaints, no matter how unsubstantiated or nebulous, based on a fear of being punished, if their concerns turned out to be unfounded."

This whole subject was, in fact, very personal for McCoy, though he never let on how intensely personal it actually was. In fact, he had never revealed anything about his background to his students, rationalizing to himself that it would be "unprofessional," but suspecting all the while that it was really from embarrassment so deep it bordered on mortal shame. It went way back, to when he had started out in his first full-time job as a coal miner in his teenage years in a small town in the hills of West Virginia where he had moved after growing up in a town full of miners in the mountains of Colorado and being lured into the mines back East both by the prospect of a union contract that promised hourly wages that a man could support a family on, so long as his luck held out, and a desire to connect with his mother's people who still lived in the area.

Although most of the men in his home town back in Colorado worked in the mines, like the folks here in the green rolling hills of West Virginia's Northern Panhandle, and no one else admitted to fear, it had nonetheless been terrifying decision for McCoy. Back then the federal Bureau of Mines inspected the mine once each year to make sure that that there were no safety violations and they could issue withdrawal orders shutting down all or part of a mine if they found an imminent danger, all the miners had reassured themselves. But there were no federal health standards to protect them from choking levels of coal dust (it frightened McCoy that long after he left the mine each day when he blew his nose, the mucous was black and that nearly all the older miners, starting around when they reached age 40, seemed to wheeze and breathe really heavily when doing their daily tasks), and once a year did not seem often enough for safety inspections when by the very nature of job the mining environment was constantly changing their working conditions as they tunneled into the unknown. And what if even those safety violations which were found by the federal inspector did not get corrected after he had issued a notice of violation and left the mine to be uninspected again for another 12 months? He had heard more than a few of the bosses say they didn't care if they got a notice of violation because there were no monetary penalties for violations and because the "federal man," as they called the inspector, wouldn't be back for a year and even then would not have the power to shut them down for anything short of an imminent danger.

Yet, young miner McCoy, who had taken some solace from the fact that these mines of his maternal homeland were only half as deep beneath ground as the Mid-Continent mines where his neighbors and friends worked in Colorado, always under the shrouded threat of coal bursts and cave-ins from the crushing weight of those tall mountains above the tunnels they mined out there, had knuckled down and sublimated his fears as he went about his work along with everyone else; it was not his fears that were the source of his shame. That shame traced back to an incident that occurred back in 1968, the year before the public outcry over the persistent death toll in America's coal mines led to the passage of the Coal Mine Health and Safety Act of 1969, which finally brought coal miner health under federal regulatory protection and first instituted many of the safety reforms that were broadened, strengthened and extended to all mines under the Mine Act later in 1977, notably the quarterly inspections, mandatory penalties for violations, withdrawal/ closure orders for a variety of violations, and the creation and protection of miners' safety rights. His shame dated back to Halloween, October 31, 1968, a date which still haunted McCoy, though the ghosts in question didn't come until a few weeks later.

He had worked the day shift. In spite of his fears, he had become a good coal miner and had been selected to be trained as an underground electrician. As part of his training, he was given the opportunity to serve as helper to Alex Long, one of the mine's senior electricians, a kind of apprenticeship. It was a coveted job for a young miner, though some days the old-school ways of the irascible senior electrician sorely tested McCoy's promotional ambitions. And so they had that day when McCoy had watched with initial puzzlement and then growing concern as the senior electrician seemed to be disconnecting the alarm that was designed to cut off all power to the rest of the mine anytime the main ventilation fan stopped for any reason. Since the alarm was intended to both shut down mining operations to reduce the risk of a methane gas explosion which might occur with the loss of ventilation necessary to prevent gas from building up to explosive concentrations and at the same time to alert the miners of the need to evacuate the mine until ventilation could be restored, McCoy initially assumed that in his ignorance he must be misapprehending what the electrician was actually doing, or thought perhaps he was just doing maintenance and would then promptly reconnect the alarm after cleaning and lubricating the fan. Concern began to crowd out McCoy's puzzlement, however, when the electrician directed him to pack up their tools and drive him to their next maintenance task, repairing a circuit breaker in one of the working section's electric power centers. When McCoy protested that they had better not leave the now-disabled mine fan alarm without reconnecting it to restore its functionality, Long flatly rejected McCoy's protest.

"You miss the point, McCoy. The whole reason we came here today is to do precisely that, to prevent this fucking alarm from shutting down coal production every time the dumb-ass fan goes on the blink. It never takes long to fix and reset it, and it's just plain ridiculous to shut down the whole mine while we do. I ordered a new fan and it should be delivered tomorrow or the next day. The new one won't keep blowing a fuse every few days like this antique piece of junk does."

Long just shrugged off McCoy's stricken look and his adamant protest that government safety standards unambiguously required that the alarm either be restored to functionality immediately or the mine would have to be evacuated as a precaution: "You don't understand, kid. Truth be told, that is one of them government rules that are killing this industry. Why have to shut down the whole frigging mine just because a fan goes down, when you can fix the damn thing in less than hour? I am sorry. That's just a bunch of bullshit. I have kept this mine powered-up and running since long before you was born. I know this system, I know this mine, and I know that we can get the fan fixed before any hazardous gas build up. Part of your training needs to be learning how to be practical, which means being not just safe but also flexible, because mining is inherently hazardous and if we get too cautious, we will never produce any coal at all. Then, we'd all be out on the street with a tin cup in hand and all your safety would not be worth shit."

McCoy had hesitated before making his decision. He feared that if he stood on principle, his budding career as a mine electrician would be in jeopardy. Ultimately, though, he had swallowed hard and, looking Long right in the eye, speaking softly but firmly, McCoy replied: "With all due respect, sir, I can't accept that. What you are doing is not only unsafe but also illegal. I have to insist that you comply with the safety rules. Otherwise, I will have no choice but to report this to the Uppers."

"Suit yourself, McCoy. Just who do you think ordered me to do this? You are done as an electrician, probably as a coal miner, too. When you speak to the Uppers, please tell them that if they don't fire you, which I think they should because you are not cut out for this business, someone needs to find you another assignment in the mine and that I recommend cleaning the toilets. Perfect job for an ass-wipe sissy like you."

McCoy knew that Long was not conning him. It would do no one any good if he complained to upper management, least of all him, if he wanted to keep his job. He thought about calling the Bureau of Mines or the State and reporting the danger. But he had heard and seen what happened to whistleblowers. Word always got out. Not only did they lose their jobs, but they could be blackballed by every coal mine operator in the business. Besides, he told himself, Long is probably right, the new fan will be installed tomorrow, and I am just making a mountain out of a molehill. McCoy concluded that he had no real choice. It was his paycheck that was supporting his whole family, since his Dad had become disabled with Black Lung disease. So, he never complained to upper management and he never called the government. He wasn't proud of himself, but he kept his job. He never knew whether the new fan had come the next day and been properly installed with the alarm reconnected.

Happily, he did not get reassigned to bathhouse cleaning, despite Long's threat, but instead to shoveling the belts, cleaning up the coal that spilled off them as they carried it to the mine mouth and beyond. Unglamorous and backbreaking work, but it was honest work and it helped keep the mine safe. His hard work and dedication to the job soon put him back onto a production crew and then soon after that onto a promotional track again after a few months. He started taking classes part-time, something he continued until he got a bachelor's degree in mining engineering after he quit the mine a couple of years later and took a job as a federal coal mine inspector.

His students did not need to know any of that, McCoy rationalized. Nor did they know that his mine had blown up one night a few weeks later when he was off shift, or that three miners on a graveyard maintenance crew, including Alex Long, had perished. The government never figured out what had caused the explosion, so badly had the mine been damaged in the explosion, the resulting fire, and the subsequent flooding of the mine with water to finally extinguish the fires that had stubbornly persisted for weeks after the explosion. The victims' remains were never recovered. No one needed to know McCoy's suspicions about what may have caused the explosion, about the three ghosts that haunted him, or about the private shame that had led him to this job at the Academy to atone for his selfish failure to do something that could have prevented a tragedy.

McCoy did not lose a beat as he neared the conclusion of his lecture that day on his 35th Anniversary at the Academy: "Indeed, another unique weapon in the Mine Act safety arsenal to encourage miners and their representatives to report their safety concerns and to exercise all of the Act's safety rights is that the law provides that not only will MSHA and its lawyers at no cost represent any miner who has been punished by his employer for exercising those safety rights, but MSHA will prosecute the mine operator or any other person (such as a supervisor) for unlawful discrimination if they punish a miner because he exercised his safety rights. If it is established that such retaliatory punishment occurred, the law imposes a civil penalty on the perpetrator, and requires that the miner be made whole, with back pay and lost benefits, including the right to be reinstated to his job if he had been terminated."

"Finally, and again to ensure that miners will not hesitate to make safety complaints for fear of suffering economic hardship due to unemployment during the potentially protracted time period between their termination on account of whistleblowing and the time it might take for MSHA to investigate their discrimination complaint and then successfully prosecute the offender to get the miner reinstated and obtain back pay, the Mine Act requires MSHA to go to court promptly to get an order requiring the *temporary* reinstatement of the miner pending completion of those discrimination proceedings."

"And," McCoy paused for emphasis, again making eye contact with each of his students, "remarkably, the miner is entitled to be temporarily reinstated to his old job even if it turns out that his termination was not in fact, as he had alleged, motivated by the employer's intent to retaliate against him for a safety complaint or other exercise of Mine Act rights, so long as his claim that it was retaliatory is not patently frivolous. Although the mine operator can ask for a hearing to prove that the miner was actually fired for absenteeism, incompetence, insubordination, committing safety violations, a downturn in business, or some other non-discriminatory reason, the law requires that the employer's presentation of such proof must be deferred until MSHA completes its full investigation of the miner's discrimination complaint, files with the Federal Mine Safety and Health Review Commission a complaint alleging discrimination against the miner, and seeks a final decision on the merits that the miner was retaliated against on account of Mine Act protected safety activities. In the meantime, until that complaint on the merits has been litigated, decided, and each side has exhausted its appeal rights, the miner remains temporarily reinstated to his regular job, which means that, as a practical matter, the miner may remain temporarily reinstated for a lengthy period, sometimes for years."

"Thus, the Mine Act incentivizes miners to speak up about safety concerns, to be our eyes and ears, and to call MSHA without hesitation, and we provide a toll-free hotline 24 hours a day for safety complaints to facilitate that process, plus we guarantee anonymity if miners want. Although the frequency of hotline use varies from region to region and mine to mine, we receive hundreds of safety complaint calls every year and are required by law to promptly investigate each and every one." McCoy's rueful mental murmur silently cried out for a millisecond, "Too late for me!", before McCoy's Pillar Six concluded: "As you can see, the miners' rights protections of the Act have really empowered miners to serve as MSHA's safety agents and have increased safety in the mines as a result, something all of us at MSHA can take great pride in."

What McCoy did not tell his class of trainees is that Congress's creation of these progressive miners' rights protections has also had an unanticipated dark side, in that those rights were also susceptible to misuse and abuse by miners gaming the system for selfish, improper purposes having nothing to do with real safety concerns, and creating safety risks of its own. Not worth mentioning now, McCoy thought to himself. It doesn't happen that often, so why confuse these eager new inspectors by going into the problem of occasional abuses by a few bad apples. In any case, McCoy was more of a true believer, more of an MSHA Kool-Aid consumer than a thoughtful critic. Though that may have weakened him as a model teacher, it actually enhanced his effectiveness as a trainer.

"Finally, Pillar Seven is enforcement. This pillar of safety depends on us. The Mine Safety Act requires inspectors to issue a citation (or an order under certain circumstances) if during an inspection of a mine they discover a violation of the Act or its implementing regulations, and it mandates that a monetary civil penalty be assessed against the mine operator for every violation cited, even if the violation was unintentional or unknown to the operator. Where the violation was not entirely accidental, but the result of negligence or intentional misconduct, the civil penalties are greater, potentially exceeding $100,000, though most civil penalties are much lower, ranging from the hundreds to thousands of dollars each. Criminal penalties of hundreds of thousands of dollars, and jail time for company supervisors, from the lowest level section foreman up to company CEOs, are available to deter and punish certain types of knowing or willful violations."

Until recently, McCoy had taught his classes of inspectors that one of the flaws of the Mine Act as enforced in the real world was that, despite the law which on its face reached even up to the CEO level, the CEOs always got away. Whether insulated from liability as a practical matter due to the niceties of corporate legal structures and their limited liabilities or due to the fact that corporations hired the best lawyers to defend their CEOs and other top brass, it was always the lower level supervisors who took the fall. But, amazingly, wonderfully, miraculously, that paradigm had finally been, if not shattered, then at least called into question by the indictment and subsequent conviction of the CEO of Massey Energy for conspiracy to violate the Mine Act, after 29 coal miners were killed in an explosion at Massey's Upper Big Branch Mine in West Virginia. Although McCoy has been bitterly disappointed that Massey's CEO had only been convicted of a misdemeanor offense, he was thrilled that after all these years a CEO was at least actually going to prison and paying a $250,000 fine. It may have been a unique situation where all the stars in the heavens aligned to facilitate a CEO's conviction, given that the CEO in question had become a premier villain in the eyes of the United Mine Workers of America on account of his years of buying and then busting UMWA-represented coal mines, then reopening them as non-union operations, and that that CEO had micro-managed his coal mining operations down to the finest level of operational detail, effectively precluding the standard CEO's defense that he had no responsibility for the mine's daily operations -operations which MSHA believed had led to the violations and resulting mine accident that killed 29 coal miners. Whatever the explanation, it was a glorious step forward in the protection of the health and safety of coal miners and McCoy was thrilled to have lived to have seen it. And so, today, he added no caveats, no cynical annotations to his lecture regarding the broad reach of the Mine Act's liabilities to punish and deter even CEO misconduct. The Massey's CEO's conviction would stand forever as a warning to corporate executives that they could not rely on corporate structures to immunize them from personal liability for their failure to prioritize the safety of their employees.

"The fundamental difference between a citation and an order," McCoy continued, "is that when you issue a citation, which the Act says you "shall" do if you discover a condition that you believe constitutes a violation of the Act or one of the mandatory safety and health standards or other regulations that implement it, you must set a reasonable time for the operator to abate the violation. However, the mining operation can continue in the meantime. An order, by contrast, does not allow the operation to continue. And that is the critical distinction between a citation and an order: to encourage compliance and to keep the mines safe, the Mine Act, unlike the Occupational Safety and Health Act that applies to nearly all other types of workplaces in America, empowers MSHA inspectors not just to issue citations but also to issue orders that effectively require the immediate closure of all or part of a mine under certain circumstances – such as after an accident has occurred and until we can investigate it, or if certain more egregious types of violations have occurred, or when an inspector believes that there is an imminent danger situation – by commanding the immediate withdrawal of all miners from the affected area, except any miners who may be needed to correct the violation or eliminate the hazard."

"These withdrawal orders, also called 'closure orders' because they can effectively shut down mining operations altogether, must be complied with by the mine operator immediately, even if the mine operator believes that the order is completely groundless and that the inspector is mistaken in his belief that a hazard or a violation exists. Because Congress wanted to make sure that the inspector and the mine operator, if they err at all, err on the side of caution, the Mine Act makes it a federal crime not to comply with such a closure order. And the courts have held that a mine operator has no due process right to a hearing before a cessation of mining is ordered, even if the result is that the whole mine must be shut down, notwithstanding the generally applicable constitutional right to a due process hearing *before* a governmental deprivation of a person's property, reasoning that the deprivation of property rights in order to protect the public health and safety is constitutional so long as the mine operator will have a right to a sufficient post-deprivation hearing sometime in the future."

"We will, starting in class tomorrow, go into great detail as to the particular types of citations and orders that we can issue, when they can be issued, and what kind of fact-findings you need to make before you can issue them. You will learn not only about imminent danger orders, but accident control orders, unwarrantable failure orders, untrained miner orders, and failure-to-abate orders for when an operator fails to correct a violation within the time you set for abatement. It is an impressive arsenal, unmatched by any other regulatory agency, and you will need to learn well how to wield each of those enforcement weapons if you are going to be the most effective instrument of mine safety and health. Don't let it go to your heads, but you are going to be like superheroes compared to the almost toothless pussycats at OSHA."

"By now, class, I hope that you are beginning to recognize what an extraordinary and comprehensive law the Mine Safety Act is, and the unique authority you will have as MSHA inspectors to protect miners and to serve the public interest in protecting what Congress itself proclaimed to be the Nation's 'most precious resource—the miner.' Though too many lives had to be lost along the way to get us here, those lives were not lost in vain, but have given us, in the Mine Safety Act, a remarkably powerful set of regulatory tools to ensure that today's miners can go off to work each day with confidence that they will be able to safely emerge from the mine at the end of their shift and go home to their families without injury."

"With the Mine Act, we have harnessed together the latest scientific prescriptions, regulatory proscriptions, and vigorous enforcement to create a surefire formula for a safe future for miners. Before the Mine Act was enacted, *hundreds* and sometimes even *thousands* of miners a year had lost their lives in America's mines. Since the Mine Act, that shameful death toll has steadily declined. Indeed, in recent years, fewer than twenty miners a year have died in America's coal mines, many fewer than the number of workers who perish each year on our farms, fishing boats, timberlands, and factories. Today, working in a convenience store is more deadly than working in an underground coal mine! Yet, I am sure we can all agree that even one mining fatality a year is one too many. And so our motto today at MSHA has become our goal: 'Zero Fatalities.'"

"As MSHA's newest crop of inspectors, you are being empowered with the Mine Act formula for success. I will be counting on each of you when you leave here at the end of this training program to 'get us to Zero!'"

"I know that's a lot to digest, but don't worry. This is just the overview presentation. We will come back this afternoon and every day and drill down on these subjects until they have become almost second nature to you by the time you complete this total immersion training course."

McCoy watched silently as Susan Wu and the other inspectors-to-be packed up their notebooks, closed down the laptop computers they had been issued by the Academy, and shuffled out of class. What McCoy failed to tell them, of course, was that there was a fatal flaw in the formula, fatal in every sense of the word. It wasn't something McCoy deliberately concealed from them – it had never even crossed his mind that he was withholding information that they might need to know. But the ugly truth was that even the best science, and even the most advanced safety technologies and most rigorous regulatory enforcement efforts could not overmaster either the fancies or the furies of fate, and that MSHA's success depended on something inherently unpredictable, and undependable – the flawed human being himself. From the least skilled hourly laborer to the company CEO, from the federal mine inspector to the Assistant Secretary of Labor for Mine Safety and Health, all inescapably human. Tragically, despite society's best intentions, the Mine Act has not and seemingly cannot overcome the reality that people may sometimes be greedy, dishonest and deceitful, selfish and self-centered, arrogant, insensitive, and even cruel, not to mention distracted, careless, capricious, ignorant, and incompetent, even when well-intentioned. More tragically yet, humanity had deluded itself into thinking that, with enough planning and effort, good could prevail over evil, and that man could logically know all that needed to be known to control the random forces of chaos that reign beneath the earth where the miners of Copper Canyon were heading, every shift, every day, depending on each other for their safety.

As the story of the Copper Canyon Coal Mine tragedy would reveal, human character seems to never keep pace with advances in technology and human cognitive capacity, and the gap between them is the fissure from which hubris springs. If the miners may be lucky, hope at least may survive the collision between hubris and the realities of life.

9

COPPER CANYON COAL COMPANY IS LAUNCHED

The miners had been relieved to return to work again. It had been less than two years since Copper Canyon Coal Company had bought and reopened the scaled down mine from the American Coke and Coal Company of Colorado. They had worked together when the mine had been owned and operated by the American Coke and Coal Corporation of Colorado before the layoffs. AC&CCC had first idled its steel mills due to an inability to compete against the cheaper steels from Mexico, China and other low-cost producers, because of the less stringent environmental laws and lower labor costs of those foreign competitors. Once its steel mills closed, AC&CCC no longer needed the coal it had mined from its Copper Canyon Mine, or the coke it had produced from that coal to supply its steel mills. Though a few integrated domestic steel companies continued to mine coal they produced from their own, captive mines, mostly for export to Brazil, Korea and China, AC&CCC had seen the future and it did not include American-mined coal any more than it did American-made steel.

Although AC&CCC had also operated a coal-fired power plant which provided electric power to the steel plants, the company was not optimistic about the economic prospects for the power plant as a stand-alone business once the steel mills were closed. AC&CCC's green eyeshade analysts and its Wall Street advisors had concluded that the federal government's "war on coal" was more than a passing skirmish, but rather the start of a long-term regulatory policy shift toward phasing out all fossil fuel production and combustion in the country. Starting with coal, as the most vulnerable fuel, and then in the years ahead, once coal was out of the picture, environmental activist groups would then focus on putting the oil and gas industries out of business. The Sierra Club, funded by tens of millions of dollars donated by a billionaire New York political philanthropist, had launched its extraordinarily effective "Beyond Coal" campaign dedicated to extinguishing every coal-fired power plant in the nation and then in the world. Carbon-based fuels and other carbon-producing products and processes were "on the wrong side of history," governmental policymakers were coming to agree, as they laid the economic and regulatory groundwork for their view of a renewable and sustainable future.

Although a passionate minority within the AC&CCC executive brain trust pressed to retain and perhaps expand the power plant, as part of a rebranding of the company as a low-cost energy producer, the hedge fund investors that had gradually taken effective control of the company dismissed them as nostalgic Neanderthals and dictated complete divestment of both its coal mining operations and its coal-fired power plant – at fire-sale prices, if necessary.

As it happened, perhaps counter-intuitively, the best strategy was determined to be to put the company into bankruptcy before selling off its assets. "NewCo," a temporary name for the new company, would be formed by the passionate minority that had believed in the viability of repositioned coal mine and power plant entities and had been involved in managing their operations. In fact, once the bankruptcy court had agreed to the company's proposal to terminate the union contracts that had made the coal mine and power plant so costly to run, the prospect of lower cost, high-efficiency non-union ("union-free" was the preferred terminology) operations began to make the proposed new company seem viable. Then, when the bankruptcy court also agreed to release AC&CCC from its accrued pension plan liabilities to its former employees and retirees, a leveraged buyout was engineered and Copper Canyon Coal Company was born, a much-diminished phoenix rising from the coal ashes. The Pioneer Mesa power plant was separately spun off to a group of investors contingent upon their commitment to a low-cost coal supply contract guaranteeing the newly formed Copper Canyon Coal Company a market for all of its coal production for at least its first three years, as a demonstration period to evaluate whether the mine could produce coal cheaply enough to sustain itself and the economic viability of an independently owned power plant customer.

For the miners, the result was bittersweet. Although they had lost their accrued AC&CCC pension benefits, they would at least have jobs. Well-paying jobs, even without a union contract – Copper Canyon Coal Company paid its hourly miners over $50,000 a year, in a part of the country where almost nobody without a high school diploma (and few enough with one) made much more than minimum wage. Experienced miners and supervisors could make even more, up to and beyond $100,000. They would have affordable health insurance again, with free medical care for themselves and their families at the mine clinic on site. As for their lost pension benefits, they would at least be covered by a 401(k) retirement savings plan with a generous 15 percent company match.

But what mattered most, what really counted, was that they had their jobs back, and their beloved little town would survive. Weekly wages to support their families, and no need to leave Heavenly and relocate, with all the attendant family stresses and disruptions. Coal mining jobs had become scarce because so many mines had closed, caught in a squeeze between competition from cheap natural gas (thanks to fracking) and costly government regulations that not only jacked-up the cost of coal, but increasingly shuttered both the coal-fired power plants that had been their primary customers and the steel mills that consumed much of the rest of the coal. Many power plants were converting their boilers from coal to natural gas for cost reasons, as federally subsidized "clean" solar and wind energy seized increasing shares of the market.

So, on balance, Copper Canyon's coal miners felt like they could hardly complain. They all agreed that not to have to relocate and leave the aptly named Heavenly, Colorado, where many of them were born, was a blessing in itself. If ever a cup were half-full, not half-empty, it seemed like this one was theirs to cherish. For those few who were still believers, thanks were due to God. Others were content to thank Copper Canyon Coal Company.

Pete Miller and his family were among the most thankful. When the bottom fell out of AC&CCC and the layoff hit, Pete had just started working at the mine and was already a rising star. Born in Heavenly and fathered by a Copper Canyon miner, the sandy-haired Pete had nearly earned his degree in Mining Engineering and Metallurgy from the renowned Colorado School of Mines in Golden, Colorado, when family responsibilities necessitated his dropping out of school in favor of an immediate paycheck. Pete had started out as the junior section foreman at the mine. Though everyone assumed that Pete was intended for upper mine management, he was cutting his management teeth on the nuts and bolts of coal mining as the boss of an eight-member coal production crew, learning how to manage a coal mine by starting at the lowest, grittiest level of labor-management interface. He had previously worked a couple of summers in the mine as an hourly laborer and could have hired on as a higher level manager or mine engineer, but Pete was determined to learn the job from "below the ground up," he liked to joke.

Pete's wife Christy taught school in Heavenly. She had started out at Heavenly High, teaching English and Remedial Reading, because that was the only vacancy when they first moved to Heavenly, but one year of failed attempts at maintaining control over unruly teenage boys was enough. Fortunately, a job opened up at Canyon Creek Elementary where the long-haired blond (everyone said she looked like her folk music hero Mary Travers) could finally put to use her background in Early Childhood Education, and really *teach* students.

Christy and Pete had met while he was at the School of Mines and she was finishing her degree at the University in Boulder while completing her student-teaching requirement. They met standing in line at the refreshment stand at a folk music concert at the Red Rocks Amphitheatre just west of Denver and immediately bonded over their mutual love for "The Canadian Railroad Trilogy," later claiming that they felt the presence of Gordon Lightfoot in spirit at their wedding, though he had never RSVP'd to the invitation Christy had sent him.

It was a good marriage, and two kids came quickly. Too quickly, as little Richie arrived barely five months after their hastily-arranged wedding, and then a second child followed before Pete could complete his degree, much less his promising research on rare earth minerals. Both would have to wait. Christy had revealed the life-changing news to Pete one evening after they had finished one of the delicious dinners that Pete had prepared for them. Pete was the cook, and preparing their meals was his everyday way to relax after a hard day at school. To this day, however, they both remembered that particular meal vividly, in the way that everyone of their generation today recalls where they were and what they were doing when they first heard the news that the Twin Towers of the World Trade Center had collapsed in the fiery hell that Al-Qaeda terrorists had unleashed on America on 9/11, or when their parents' generation heard the news of President John F. Kennedy's assassination in Dallas.

"So, *what was in that dinner*, honey?" Christy asked as she washed the dishes and cleaned up, attending to her role in their nightly division of labor. "It was incredible."

Pete, who was uncorking a bottle of the inexpensive and a little too fruity cabernet sauvignon which was the best they could afford back then, in preparation for their post-prandial nightly ritual of enjoying a relaxing glass of wine together before Pete turned to doing his homework and Christy turned to grading her students' homework and preparing her lesson plans for the next day, answered with an obvious note of pride in his culinary handiwork: "It's all really good stuff, lover. Fresh diced garlic, grated fresh ginger, freshly squeezed lemon juice and grated lemon zest, chopped parsley, riced cauliflower, and fresh sliced mushrooms, all sautéed together in extra virgin olive oil, along with some shrimp and cod I found in the freezer. My own updated version of an ancient Pueblo Indian recipe culturally appropriated by Southern Ute and Zuni chefs in the Four Corners area," he teased. Christy's School of Education mentors in Boulder were quite adamant in their condemnation of the Anglos who tried to "steal" all the best traditions of other ethnicities to incorporate into their homogenized Great American culture under an outdated melting pot ethic.

Christy ignored the loving jab as she put the last of the thoroughly washed dishes into the faded-white plastic drying rack next to the sink, one of the many items from the Salvation Army store they had furnished their home with, instead asking Pete if he had thought of a name for his latest creation. "I'm an incredibly creative cook, but not very good at coming up with names for my creations," Pete demurred.

As they repaired to the sofa in their Spartan love nest, glasses of wine in hand, Christy was quiet. Settling themselves comfortably, both of them conscious that they could not linger long before turning to their respective vocational demands, Christy put her glass down on the weather-beaten pine coffee table without taking a sip, and measured her words carefully as she sought to segue into where she knew their conversation needed to go. "How about if we put our heads together and see if we can't come up with a name for one of your newest creations?", she began, only semi-playfully, looking intently into his eyes. Before Pete could answer, she continued, "What would you think about 'Kristen'?"

Pete, who'd been about to offer something along the lines of "Southwest Colorado Cauliflower," reflexively started to dismissively laugh off Christy's suggestion as either way too hard to remember, too frivolous or just unhelpfully inappropriate, caught himself first, as he detected something in the look on her face. Something at once fragile and vulnerable, but also tentatively radiant. Putting down his wine glass next to hers, and drawing her close to him, it was dawning on him what her answer might be as he asked, "This isn't about dinner, is it? What are you trying to tell me?"

"I'm trying to tell you that you are not only incredibly creative in the kitchen but also in the bedroom!" Her tearfully shouted reply said it all as they hugged and cried joyfully together. Another child in their lives just then made no sense, none at all, except who can say what does or does not make sense when the randomness of fate can outmatch the pill and will a baby Kristen into being. The rest of the world, principally Christy and Pete, would just have to deal with it.

And so they did. Christy's paycheck at Foothills Academy, where she had landed her first teaching job, had barely been enough to support the two of them, much less two kids. Once Kristen made her upcoming arrival known, Pete recognized right away that completing his education was something that would have to be postponed. Since he had been looking forward to putting his growing mining expertise to concrete use as it was, he took the economic imperatives of his unexpected family responsibilities with reasonable equanimity and good grace as he set about to find a job.

Although Copper Canyon was hardly the sophisticated, high-tech modern mining operation he'd been training for at the School of Mines, it still had a lot to offer. Familiarity has more going for it than we sometimes recognize, he decided, especially when facing sudden financial distress. Not only had Pete worked a couple of summers at the mine, but both his father and older brother were already working there. His mother would be nearby to help Christy with the kids and, although the whole family's dream had been for Brainiac Pete to make it to the mining big leagues, their vicarious ambitions gracefully yielded to the need for everyone to face the new realities, regroup, knuckle-down, and make the best of what fate had dictated, otherwise known as "Plan B."

And so it happened that, rather than one of those advanced metal mining operations that Pete had been grooming himself for, where cutting-edge metallurgical chemistry was the true core of mineral extraction, or even one of the state-of-the-art longwall coal mines, run by a sophisticated, publicly-held coal operator, complete with stock options, profit-sharing plans, and fleets of advanced autonomous equipment, it was back to basic room-and-pillar mining at Copper Canyon where even the transition from conventional mining (using explosives to fracture the coal face) to the mechanized continuous mining methods standard in most modern mines had occurred within his father's memory. Perhaps if the company did well, longwall mining would be in its future, Pete mused good-naturedly.

It seemed as if Pete and Christy had barely unpacked in Heavenly when the AC&CCC bankruptcy began its journey from rumor to reality. Peter had gotten off to a great start at the mine and was enjoying "bossing" his crew, as a foreman's supervisory duties were called by coal miners, and the sudden shutting down of the mine totally shocked him, as the looming prospect of a financial abyss cruelly mocked all his careful planning and the disruptions he had endured in bringing his family to Heavenly. Like the other miners, Pete was so ripe for the offer of a job with NewCo that he accepted it – like every other miner in town – reluctantly waiving his legal right under federal labor law to compensation from AC&CCC for its failure to provide the requisite 60-day advance notice before a layoff, as a condition to employment by NewCo. He had briefly but unsuccessfully tried to persuade his fellow miners that they should take legal action to resist that precondition because it was not only illegal for the AC&CCC

not to give them 60-days' advance notice of the layoffs but also to condition re-employment on such a waiver. But his fear that stubborn insistence on asserting that legal right to compensation for lack of the required pre-termination notice would jeopardize his job and, equally important, the jobs of his fellow miners and neighbors, combined with Christy's urging, persuaded him to drop the issue. It would not be the last time that advance notice would play a potentially pivotal role in his life.

Almost two years had now passed since NewCo, renamed as the Copper Canyon Coal Company, had been launched out of the AC&CCC bankruptcy. The market pressure on the mine had been unrelenting and the three-year coal supply contract guarantee with the Pioneer Mesa power plant was approaching its final year. Every miner was acutely aware that the ability to keep that coal reliably flowing to the plant was critical, along with keeping coal quality up and costs of production down, to getting the crucial contract renewal. Understanding that the future of their jobs depended on meeting these three criteria – reliability, quality, and price – was a remarkable motivator of the workforce.

On the positive side, Pete marveled at how their shared economic risk unified them, much like their shared physical peril had unified miners historically. Labor and management were bound together in a common mission that could wonderfully weather any storm that might lie ahead. That unity of purpose, that common consciousness of shared destiny, did wonders for productivity.

Pete proudly watched how smoothly his crew pulled together and gave of themselves to ensure that Copper Canyon Coal Company, and their livelihoods, could continue. Absenteeism was virtually unknown, almost no one took paid sick leave because he claimed he had "strained his back," nor did they goof off on the job, cheat on their time cards, or skip doing the daily tasks required in operating a safe coal mine: conducting required mine examinations, lubricating the belts, replacing worn cutting bits on the ripper head of the continuous mining machine, cleaning up spilt coal accumulations, rock-dusting, tightening loose roof bolts and ventilation curtains, and on and on. Everyone pitched in and the mine performed at peak efficiency.

Almost everyone, that is. A few rogue miners rode the coattails of the rest, not rising above the laziness, selfishness, deceit, dishonesty, and perhaps even the evil, that collectively can constitute humanity's historic Achilles' heel. Whether a matter of simple human failings or of a darker character – perhaps some of both – the success of Copper Canyon Coal Company was unfortunately far from assured.

10

LUCAS JONES

In sharp contrast to the great majority of Copper Canyon Coal miners, Lucas Jones was a rotten son-of-a-bitch. A technically talented and experienced mine mechanic, Lucas had a dark core of malevolence. He was always on the lookout for opportunities to profit at the expense of others, to get more than his share while doing less than his share, and perfectly happy to make life worse for others in the process. Yet he was highly skilled. No one at the mine could match his ability to repair the massive continuous mining machines, the scoops, roof-bolters, shuttle cars, and belt drives of a coal mine, but he was always looking for ways to avoid work, whether by disappearing for a nap when needed for a critical repair, or getting someone else to carry the load for him, for example by feigning a back injury or a fainting spell, or by identifying a bogus, contrived safety hazard that would require that the work he was scheduled to do be postponed until that "safety" issue had been resolved.

As most of the crew knew and some of the supervisors suspected, if Lucas could not find some colorable claim of a legitimate safety issue in his work area, on one of those many days he did not feel much like working, he was not above creating an actual hazard that would bring work to a halt, one way or another. Indeed, there was little that was beneath him. It was child's play for an experienced miner like Lucas to covertly loosen a few key screws, insert an improperly sized fuse into a circuit breaker, slice a deep gash in an electrical cable, or pour sand into a crankcase for a diesel loader or the belt drive that kept the coal conveyor belts running to transport the coal they cut out of the mine – he had done all of that, and more. He would do worse yet.

If Lucas's mischief did not itself physically bring production to a halt (like the time he cut the hydraulic hoses on the continuous mining machine) or if the foreman would not order the section idled to address the safety hazard Lucas had created, Lucas had other resources at his disposal. Sometimes, for example, he would himself have to "discover" the problem he had created, complaining to a supervisor that it required immediate attention, or even exercising his Mine Act right to refuse to work or to prevent others from working in the face of a safety hazard.

On other occasions he might wait until an MSHA inspector was on site to conduct an inspection and then alert him to a hazard. The MSHA inspector would then almost invariably order that production be stopped, and sometimes issue an imminent danger or unwarrantable failure order to the foreman, requiring him to halt further work – at least for as long as it took to repair the equipment or otherwise remedy the condition at issue. And sometimes that could be a lengthy process, for example when a replacement part has to be ordered from the equipment manufacturer or even freshly forged – a true homerun for Lucas, though a costly blow to the company in lost coal production during the ensuing downtime.

Other times, either because the foreman refused to idle the crew to address Lucas's imagined, discovered, or manufactured safety hazard, and instead ordered the miners to press on, or because Lucas was in a devilish mood and felt like harassing his foreman, Lucas would just telephone MSHA on its hotline to report a safety hazard. As required by the hazard complaint provisions of the Mine Act, MSHA would then launch an inspection to investigate the alleged hazard, not uncommonly within the day, then issue a citation or order to the foreman, sometimes with a threat of personal liability for allowing work to continue despite the existence of a safety violation or hazardous condition that he knew or should have known existed (Lucas knew of it, so surely the foreman did, too), thereby shutting down coal production until the condition had been corrected or until even later when the inspector could return to the mine to verify abatement and terminate the closure order.

Although you might think that Lucas could sometimes shoot himself in the foot when playing such games, as when the MSHA-ordered closure that Lucas had triggered caused the mine operator to send the crew of hourly miners home for the day, costing them all the wages they could otherwise have earned, Lucas was usually too shrewd to let that happen. Among his talents was a mastery of the Mine Act, especially those provisions designed to encourage miners to report safety concerns without fear of retaliation or adverse consequence. Among them, as Lucas well knew, one provision of the Act requires mine operators to continue paying miners who are idled for work stoppages that are caused by MSHA closure orders issued due to a suspected safety violation.

Though intended to encourage miners, who might otherwise refrain from contacting MSHA for fear of losing work and wages if MSHA did issue a closure order as a result, to report real safety concerns, that part of the Act could become a tool in the hands of devious miners like Lucas, who manipulated it both to get paid time off work and to harass their employers.

Another trick Lucas used as a Mine Act survival strategy ironically had nothing to do with actually surviving mining hazards as such. Rather, what Lucas had learned from others who had pioneered this strategy, grounded in the safety protections of the Act, was a job security ploy commonly known as "miners' employment insurance." Cunningly, Lucas would make it a point to regularly make safety complaints, legitimate or not, to his supervisors, to MSHA, or both, but always widely witnessed and documented. If there had been nothing actually wrong or questionable that he could find to legitimately complain about, then he would fabricate something or actually create a problem to complain about. All that was important was that he would always be able to prove that he had, in fact, on some recent occasion, made a safety complaint, no matter how frivolous it might be.

That was his "employment insurance" in that, any time he got in trouble, whether for sleeping on the job, stealing company supplies or tools, fighting, excessive absenteeism, or even cursing out his foreman and blatant insubordination, all of which over the years Lucas had actually done, any attempts to terminate or otherwise discipline him were almost certain to fail, if they were undertaken at all, given their anticipated futility.

That was because management knew from painful experience that Lucas could and would complain to MSHA that the company's disciplinary action against him was not in fact based on his alleged misconduct, but rather was actually taken in retaliation for his recent safety complaints or other exercises of his Mine Act miners' rights. Even in situations where his misconduct was egregious and well-documented, MSHA had nearly always given Lucas the benefit of the doubt and presumed that the allegation of misconduct was really a pretext for retaliating against Lucas for exercising his Mine Act rights.

Even when there was no denying the fact of Lucas's misconduct, MSHA nonetheless presumed that the punishment was unlawfully severe because Lucas had made safety complaints, conduct which the Act absolutely protected against any adverse action. MSHA had invariably cited the company for unlawful retaliatory discrimination in violation of the Act, assessed a civil penalty against it, and ordered the company to rescind its disciplinary action, even if that meant reinstating Lucas to his old job, with back pay. However, there was rarely a need for back pay because, assuming the company had gone ahead and terminated him despite his past success in getting MSHA to compel the company to reverse its presumptively discriminatory disciplinary action, MSHA had always forced the company to grant temporary reinstatement to Lucas immediately after his termination, so that he had never had to go without a paycheck during the lengthy investigation and administrative proceedings MSHA conducted to determine whether he had in fact been terminated in retaliation for his exercise of Mine Act rights as he had claimed. Usually MSHA's threat to initiate such proceedings had been enough to result in an informal settlement to avoid the cost of litigation, with the company backing down and reinstating him without the need for further proceedings.

Another advantage Lucas had going for him in these cases was that just about everybody at the mine was afraid of him, and therefore unwilling to complain or testify against him. Over his years at the mine, Lucas had managed to intimidate most everyone who knew him, from the rank-and-file hourlies to the foremen. Unlike the typical sociopath, Lucas had great intelligence and great insight into human character. He had a special antenna for identifying fear, weakness or other vulnerabilities in people and he excelled in manipulating and exploiting them.

Pete Miller, though new to the mine, was coming to believe that much of Lucas's behavior could only be understood as intended to create a reign of terror that would sow the seeds and fertilize the ground for the success of his future manipulations and scams – though sometimes it really seemed as if Lucas were just teasing, toying with, or torturing his coworkers for nothing more than the sheer pleasure he derived from inflicting psychic or physical pain on those around him. Lucas took vicious delight in drawing blood by towel-whipping the softest and most vulnerable of the miners in the bathhouse showers and in imagining the distress of a miner upon discovering the tires on his truck slashed when he came off a long, hard shift to head home on a bitter cold, dark and rainy winter night. But Pete ultimately had to conclude that, notwithstanding Lucas's delight in causing human suffering for its own sake, he had actually had a broader agenda, and had been intentionally grooming his immediate victims for future exploitation – each victim becoming someone he would be able to get to cover for him, lie for him, steal for him, or merely be too terrorized to complain about future victimization.

Lucas manipulated not only his fellow miners and his bosses, but he also manipulated and perverted the law that was designed to protect him, his safety and his health, hurling everyone in Heavenly on a trajectory toward a true Mine Safety Act tragedy. He successfully preyed upon the weak, gullible and well-intentioned almost up to the end.

11

THE RODRÍGUEZES OF COPPER CANYON

Luis Rodriquez was Pete Miller's continuous miner operator. Pete inherited the handsome, hard-working Hispanic miner when he took over as section boss of the "A Crew" which mined the Day Shift, upon his return to Copper Canyon Coal from his studies at the School of Mines. Luis knew the controls of the continuous mining machine better than any other miner operator at the mine. He knew precisely how much pressure to apply to spin the rotating drum that was the cutting head of the miner at the ideal speed and torque while tramming the machine forward to maximize the quantity of coal that could be produced with the optimal quality of the coal cut without generating too much respirable coal dust for the machine's water sprayers to suppress to keep the operation below the applicable regulatory respirable coal dust limits near the coal face where dust exposure was usually at its highest.

Luis also had an uncanny eye, almost a third eye, so that he rarely needed to actually look up to sense where the last row of already-installed roof bolts was located and he was unerring in maneuvering the continuous miner so as not to put himself unsafely and unlawfully under unsupported roof when he was advancing the miner as it cut into the coal face. Which is not to say that Luis never went out beyond the last row of bolts in violation of the regulations, but only that when he occasionally may have done so, it was intentional and tied to two preconditions: first, the crew's need for a boost to meet their production quotas and, second, the absence of any MSHA inspectors in the area.

Luis, a short but long-faced 35-year old with medium length black hair, had his green card and a pretty good command of English. At Valley Vocational College on weekends and at night, he took classes not only in remote control continuous mining methods (because he expected even struggling Copper Canyon Coal Company soon to be switching over to remote control miners like nearly every other mine operator still in business in the American West had done), but also in English as a Second Language. He was ambitious, dedicated, and talented and Pete's successful launch as a section foreman was in some part attributable to having the slender but tightly-muscled Chihuahuan native as his miner operator.

Luis's younger brother Ricardo also worked at Copper Canyon Coal. Taller, softer, and heavier than his brother, but also nice-looking, Ricardo was a general laborer and occasional fill-in mechanic on the "B Crew" which worked the afternoon shift under George Delinsky. Delinsky was the mine's most senior section foreman, with the thinning, longish white hair and the wrinkled, wizened skin to prove it. While many bosses started out running a section, usually moving up from the hourly ranks, most of them, the better ones or merely the more ambitious, moved further up in management, becoming shift foremen, belt foremen, maintenance foremen, assistant mine managers or even mine superintendents or mine managers. By contrast, Delinsky never sought to be promoted nor had he been seriously considered for promotion. It just wasn't something anyone had ever considered a good idea, least of all George Delinsky.

Short and pale with thinning white hair and perpetually reddened, blinking eyes, Delinsky liked being lord of his little kingdom where, some teased, he could throw his considerable weight around. He welcomed neither the responsibilities of a higher position nor the greater scrutiny and accountability a promotion would have brought with it. He had also, over the decades, developed his own ways of doing things on his section, some of them of barely marginal legality and some unquestionably improper. How he had managed to largely avoid being issued MSHA citations and company disciplinary measures was a puzzle to those of his colleagues who gave any thought to such things. Whatever his secrets, they stayed his secrets. Ricardo Rodriquez certainly wasn't talking about them.

Ricardo spoke almost no English, in any case, though that was not readily apparent because, unlike his gregarious bother, Ricardo was naturally reticent and contentedly kept to himself. He knew what his section boss required of him and he delivered it. Ricardo never questioned George's ways of running his section, and George never questioned Ricardo's legal status as an undocumented immigrant recently arrived from the deserts of Northwestern Mexico.

Rosalie Rodriquez was Luis and Ricardo's little sister. Short, strong, and outgoing like her older brother Luis, the chatty, cheery Rosie had moved in with her brothers when she arrived in Heavenly as a newly minted maintenance intern for the Copper Canyon Coal Company. As a favor to her brother Luis, Pete Miller had helped the charming and delightfully dimpled young woman in obtaining a paid internship co-sponsored by the Colorado School of Mines and the Women in Mining Educational Foundation for promising minority women interested in mining careers; successful interns would be eligible for permanent positions and work-study grants and scholarships to attend the School of Mines. Although officially designated a "maintenance intern" and technically classified as a member of Maintenance Department at the mine, as a paid intern she got to rotate throughout the mine, helping out wherever needed and getting trained in all aspects of the operation – one day assigned to production, the next day to engineering, the safety department, the coal preparation plant, mine planning, or environmental compliance – learning coal mining from A to Z, and from bottom to top.

Although the need for greater gender diversity had long been recognized as a priority among industry leaders, and organizations such as Women in Mining were committed to advancing the careers of women, especially women of color, in the mining industry, underground coal mines had been a particular challenge. The rough-and-tumble, macho culture of coal miners was less than enticing to many women with interests in the science and engineering fields, even those drawn to mining engineering and geology. Those who found a particular calling in the minerals industry tended to prefer surface mining, mineral exploration, beneficiation, metal mining or metallurgy. Underground coal mining was a hard sell.

Not that the male underground coal miners were universally receptive to working alongside female crew members. Old-timers were still superstitious about women working underground, the way sailors had once feared the presence of women on board their ships at sea. Underground mining and sailing the high seas were already tempting fate without introducing the jinx of cursed females. Nonetheless a few bold or desperate women had worked in the mines in the past, but surreptitiously, disguised as men, either in desperate need of the relatively high wages miners could bring home to support their families or because in many rural areas there were few other jobs available for anyone. Though perhaps it was because mining accidents did not ultimately result from the labors of those brave, disguised female coal miners, more likely it was because the Civil Rights Act of 1964 prohibited employment discrimination against women that slowly in recent decades females had begun to find their ways into the Nation's underground coal mines. Helped along by the Equal Employment Opportunity Commission, which first had to bring scores of legal cases on behalf of women, and threaten to bring many more than that, with substantial compensation recovered by some women, by the 21st Century there were increasingly more women working in underground coal mining.

More, but not many. They were tolerated at best by most male miners or endured with mutual awkwardness. At worst, an underground coal mine could be a hostile, hyper-masculine workplace and there was always a justifiable fear of sexual harassment. More than a few peepholes were discovered penetrating the women miners' shower rooms. Even in the most progressive companies, where sexual harassment was not tolerated, female miners were few and far between because underground coal mining is strenuous, stressful, and dirty. In any case, many of the women who took jobs in the mines soon moved on or up –if not out of the industry, then out of its depths and up to jobs on the surface, away from the gritty blackness of the coal coating their skin and nasal passages, away from the claustrophobia and constant consciousness of their potentially precarious position, subject to flooding, fire, explosion, crushing, suffocation and roof collapse. It was a man's world in the very worst of ways, with dark corners where, in a climate of stress and mortal fear, resentment of a woman's presence could suddenly erupt into sexual violence without warning. Even in the absence of women, tales of miners getting their "tools greased" were by no means apocryphal.

76

Since legal prohibitions against sex discrimination in employment were not enough to overcome these intimidating factors, women would have to be enticed by Women in Mining and others to go down into the mines and stay, and Rosalie Rodriquez was ready for the challenge. With two brothers as mentors and protectors, and encouraged by neighbor Pete Miller, Rosie had taken the plunge and was extremely enthusiastic about the job, notwithstanding a few disturbing assignments.

Although Rosie was fascinated by mining machinery and felt that equipment maintenance and repair were areas of likely specialization as she explored possible career development trajectories, her assignments in Copper Canyon's Maintenance Department could leave her anxious and uncomfortably apprehensive. She was pretty sure that it wasn't anything she disliked about the work itself, but more the sense of unease she felt about the mine's senior mechanic, Lucas Jones.

Though Lucas always acted friendly, smiling into her smoky black eyes, and always eager to show her the ropes, Rosie unconsciously recoiled from him. His mechanical expertise was unsurpassed at the mine, and he was generous with his time in training her. There had been no unpleasant incidents or encounters between them and she really wanted to learn everything she could from him, though she sensed her brothers' disapproval. And Rosie could not point to anything in specific that he had said or done that was disturbing, but disturb her, Lucas did. Was there a hint of a leer she perceived in his gaze? Could there be a leer in a person's voice, she wondered? Did she detect something cold and cruel in his tone of voice, a bit of menace in words that in and of themselves could not have been nicer? Perhaps in his avid assistance, she sensed an eagerness to show a curvy young woman more than the ropes? Whatever it was, Rosie felt eerily apprehensive every time her assignments took her into the Maintenance Department.

In the meantime, Rosie was taking no chances. She knew she could not avoid working with Lucas, and frankly she was learning a lot from him. She did not want to give that up. But she also feared that there were going to be times when she might find herself alone with him in a remote corner of the mine, where a broken-down shuttle car or diesel loader needed repair. In anticipation and apprehension, she signed up for martial arts training to prepare for the possibility that she might one day need to fend off an assault.

She had seen the signs for MAMAS in a strip mall outside of Heavenly, with pictures of girls, boys, and elderly people on a rooftop billboard, each of them making short work of the masked thugs attacking them. The Mexican-American Martial Arts Studio offered inexpensive group lessons on flexible evening and weekend schedules to accommodate anyone who might be interested, from school children to working people. So, Rosie signed up for the beginners' intensive course in Martial Arts for Self-Defense and began attending about three times each week.

Of course, it was hard to muster the energy to stop in for a class on the way home from work or on her days off, not to mention heading to the studio after dinner, when all she wanted to do was sleep or just decompress in front of the television. It was tempting to abandon the whole onerous venture when she reflected on the likelihood that her apprehension was nothing more than a foolish figment of her over-active imagination, especially as the weeks passed and Lucas said nothing and did nothing to justify her unease.

Because she could not quite shake the persistent doubt that she really might face future harm from Lucas, however, Rosie's resolve held firm and she stuck to her training regimen. It helped that she enjoyed the workouts and the enhanced fitness that came along with the training, plus she also enjoyed the sense of empowerment that grew alongside her developing self-defense skills. Her pleasure in vanquishing her male opponents when the MAMAS Boys and MAMAS Girls classes held joint sparring sessions surprised her, too. Aside from the physical exhaustion and loss of free time, Rosie consoled herself with the thought that even if Lucas were not an actual threat, an attractive young woman, even in the 21st Century, was never entirely free from jeopardy from dangerous predators, not to mention the macho guys whose fragile male egos depended on exploiting vulnerable women. Her self-defense training would either save her someday or at least allow her the benefit of a well-earned sense of self-confidence, she concluded, striking a fierce karate stance, as she regarded herself in the mirror, a proud, strong, capable woman who could handle whatever fortune might throw her way.

12

MSHA DISTRICT 9

The Copper Canyon Coal Mine was subject to inspection by the Trinidad Field Office within the Western District of MSHA. District 9 was by far geographically the largest MSHA coal district, covering all states west of the Mississippi except for Minnesota, Iowa and Northern Missouri. Though Trinidad Field Office Supervisor Richard Boylen reported to the District Manager in Denver, the Denver office gave Boylen wide latitude in the management of Field Office operations and summarily dismissed most of the complaints it received from coal mine operators under Trinidad's jurisdiction. District Manager John Gonzales had worked his way up from coal mine inspector all the way to District Manager by respecting turf boundaries and bureaucratic pecking orders, and along the way had developed a healthy skepticism of mine operators' complaints of allegedly over-zealous and biased inspectors who were allegedly out to get them or otherwise abusing their authority and treating mine operators unfairly. That healthy skepticism had recently soured into an unhealthy cynicism that colored his perception of the entire coal industry, if not the whole universe.

Tours of duty inspecting mines and then later supervising other inspectors when the phlegmatic, dark-complexioned Gonzales had been stationed successively in the Pikeville, Kentucky, Mt. Hope, West Virginia, and Pittsburgh, Pennsylvania District Offices had deepened his knowledge both of the MSHA bureaucracy and its politics, on the one hand, and of the coal industry it was designed to regulate, on the other. As Gonzales had learned along the way, one key to understanding MSHA was to realize that it was created *not* to promote and nurture the economic health of the mining industry in the course of performing its primary duty to protect the occupational safety and health of its workers, unlike the dual-missioned relationship some regulatory agencies have with the industry they regulate. In contrast to those other agencies, MSHA was created in the U.S. Department of Labor as an express rejection of that common regulatory model which previously had been the de facto approach of the U.S. Department of the Interior, which had housed the predecessor federal mine safety and health regulatory agency, the Mining Enforcement and Safety Administration ("MESA"), as well as the Bureau of Mines. In stripping all regulatory authority over occupational safety and health in the Nation's mines from the Department of the Interior, and relocating it in a new single-purpose agency within the Labor Department, where a sister agency, the Occupational Safety and Health Administration ("OSHA") already resided, Congress hoped to avoid any possibility that MSHA would ever put the economic interests of mining industry management above the health and safety of its workers.

Gonzales was also aware that the mining industry had fought against the relocation of its safety and health regulator to the Labor Department, contending that the economic well-being of the industry could not rationally be separated from the safety and health of its workers, that Congress was setting up a false dichotomy in the Mine Safety Act, and that there was no conflict between promoting the health of the business and the health and safety of its employees. More than once over his years with MSHA, Gonzales had been warned by angry coal operators that the harsh enforcement actions he was authorizing risked putting their mines out of business, thus taking jobs away from miners in order to guarantee that they would be even safer than they already were, thanks to what were already the most stringent mining regulations in the world. "Don't you think a miner would be healthier if he had a paycheck so he could afford to buy groceries and pay his rent and heating bills?" mine operators had asked him sarcastically.

Gonzalez had long ago learned that success in the agency also meant not acknowledging the legitimacy of any concern that MSHA risked putting its own employees out of a job, too, by "killing the goose that lays the golden eggs." Lately, though, with the closure of so many coal mines, locally crippling unemployment in the coal fields, and the beginning of buy-outs and reductions-in-force at MSHA, he admitted, but only to himself, to entertaining some second thoughts about whether there might have been some truth to the warnings of the agency's industry critics. But, there was no evidence that those second thoughts had ever resulted in his giving any mine operator a break he did not feel was deserved.

In any case, when he had hired Boylen, Gonzales had followed another principle of promotion he had learned during his successful navigation of the Labor Department's perilous bureaucratic shoals: surround yourself with people who know what they are doing, especially if you don't, and who are hardworking, especially if you aren't. Gonzalez had spent so long with MSHA's Eastern operations that he had gotten relatively little exposure to the safety and health challenges presented by mining for coal under very deep cover as some mines in the mountainous areas of Utah and Colorado did. Boylen, by contrast had gotten a good grounding in the regulatory challenges inherent in such very deep coal mines. A few years in MSHA's Alabama District Office (back then located in Birmingham) were more than enough for him to realize that, as difficult as roof control and ventilation can be in any underground coal mine, those difficulties can be geometrically more complex when mining deeper than 1500 feet below the surface. Those difficulties, among others he had only vaguely alluded to in an offhand moment, caused him to seek and gratefully accept a transfer to Western Kentucky where the Madisonville District offered the easier life that came with regulating shallower underground mines and lots of surface mines, and then on to the Gillette, Wyoming Field Office for more of the same.

Boylen had been enjoying a pretty steady diet of regulating surface mines in Wyoming when a run-in with some hotshot political appointee back at MSHA headquarters in Arlington, Virginia, led to his current exile to Trinidad, Colorado. But, for Gonzales, Boylen's reassignment was a dream come true, since he had been begging Headquarters to send him a Field Office Supervisor he could rely on to handle the aggravated safety and health risks that mining deep beneath the Rocky Mountains presented and, once Boylen was on board, Gonzalez knew enough to give him wide latitude to handle those special challenges, tuning out the complaints of the sometimes frustrated mine operators who fell under Boylen's jurisdiction.

Mining at depths ranging between 1800 and 2200 feet, Copper Canyon was just the type of challenge that Boylen had been trained to manage, and just the type he despised. From the beginning of his assignment to that field office in Southern Colorado, he expected conflict and stress: dreaded midnight phone calls, Sunday morning mine emergencies, and the constant tension between the regulatory demands of protecting miners' lives under such deep cover and the operators' demands that the survival of the miners' occupational livelihoods required more regulatory flexibility from MSHA. Unlike Gonzalez who would have completely ignored those entreaties, Boylen had to almost-daily grapple with them: though miners' safety and health always had to prevail, at what point was there already sufficiently protective regulatory redundancy in place that he could show some enforcement flexibility rather than imposing the potentially crippling costs of mandating yet another additional but marginally effective safety requirement?

Though there were a few problematic mines in Central Utah that Boylen had inherited when the Price, Utah, Field Office had closed due to the shrinking number of still-active coal mines, Copper Canyon clearly was going to be his problem child. The bankruptcy of AC&CCC and subsequent launch of a down-sized, single-section Copper Canyon Coal Mine augured ill.

Boylen expected from them a steady stream of belt-tightening cutbacks and operational economies that could strain the mine's capacity for compliance with MSHA's ever-more expansive, and therefore expensive to comply with, regulatory requirements. Just keeping up with the newest safety and health technological requirements that were steadily being imposed by new MSHA regulations was challenge enough for bigger, better-capitalized operations, but Boylen was anticipating Copper Canyon's staffing cutbacks, so he directed his inspectors to be extra-vigilant, to watch out for the kind of corner-cutting that could jeopardize safety, a problem he had seen at other downsizing companies.

Boylen expected that Copper Canyon's management would be tempted to conduct their own ad hoc cost-benefit analyses, justifying employing a belt *or* suspenders approach to safety, as a sufficient, but less costly, way to achieve safety, despite its failure to satisfy the redundancy requirements of MSHA's regulations. So Boylen assigned his newest and most aggressive inspector to Copper Canyon. Not yet 40, a little on the short side, and leaning toward wiry, with close-cropped black hair, Denny Dyer had been around the Western coal fields for most of his life. In fact, he had first cut his coal mining teeth at Copper Canyon, starting out there years earlier as a novice "red hat" (a term used for inexperienced miners because of the red hard hat helmets they wore for the first year to alert everyone else to their rookie status), back when it was still a multi-section mine operated by AC&CCC on a much grander scale. Though he had lasted several years there, the rumor was that it was not a happy experience for either Dyer or the company. Boylen did not know what went wrong or what the issues had been because the consolidated settlement of Dyer's union grievance, unfair labor practice complaint, and MSHA discrimination case over his termination by the company stipulated that the records be sealed and kept confidential. AC&CCC had also been required to expunge any mention of disciplining Dyer from its files and to give him a positive employment reference. Which it did.

After leaving AC&CCC, Dyer had next been hired by MSHA as a coal mine inspector. Following his appointment, he had been sent to West Virginia for his new inspector training at the Academy, where Calvin McCoy's lectures had really resonated with him, inspiring him as nothing else in life had ever done before. In his classes at the Academy, Dyer felt that he had finally found meaning and purpose. While many of his friends from back home had found their mission in the Church of Jesus Christ of the Latter-Day Saints, Dyer found his in MSHA. He took to the job effortlessly, energetically, and enthusiastically. He felt profoundly fulfilled by the opportunity the job gave him to improve the health and safety of America's coal miners, though as he acknowledged only to himself, his very deepest job satisfactions seemed to come from the respect and deference mine operators showed to him as he oversaw their regulatory compliance. After a rather undistinguished youth – academically, athletically, socially – and a less than stellar virgin vocational venture in the union workforce at Copper Canyon, Dyer, for the first time felt validated and empowered by the exercise of his new federal enforcement responsibilities. He was powerful, invested with the authority to make a real difference in his community, with the duty and the authority not only to *protect* people but also to *punish* those who he believed were not living up to *their* duty to provide a safe and healthful workplace for their employees. Denny Dyer fully took to heart the agency's credo that miners who went off to work each day had the right to return home safely to their families at the end of each shift. It was his sacred duty now to ensure that it happened, the credo fulfilled. With McCoy's Academy exhortations ringing in his ears, he resolved to devote his career to making "Get to Zero" not just a slogan but a reality, at least in the mines under his jurisdiction.

After a decade spent inspecting out of MSHA's offices in Orangeville and Price, Utah, Gillette, Wyoming and Craig, Colorado, Dyer had successfully applied for promotion to become an MSHA Special Investigator. A position he had felt a calling to since early in his career at MSHA, the role of the Special Investigator held great allure, affording the opportunity to continue with the health and safety mission he found so fulfilling, while adding the more substantial law enforcement role for which he had yearned. Though his regular inspector duties had given him meaningful civil law enforcement responsibilities, issuing citations to mine operators for regulatory violations, and sometimes mine closure orders where Dyer believed it was necessary to punish a more serious violation or avoid imminent danger conditions, not to mention getting occasional opportunities to testify against mine operators and their management officials at administrative hearings to enforce those citations and orders and assess civil penalties against operators and any company supervisors who had been charged with knowingly allowing violations to occur, the job of Special Investigator would offer more.

Although unfortunately he would not get to wear a special law enforcement officer's uniform, the job nonetheless held the greater stature that came from exercising criminal law enforcement authority. It also included the opportunity to train at the Law Enforcement Academy to learn the finer points of both the civil and criminal law enforcement provisions of the Mine Act. Special Investigators were specially trained in how to gather and preserve evidence, how to maintain a chain of custody of that evidence, and how to investigate and build a case for the prosecution. Witness interrogation techniques were a point of special emphasis, something Dyer knew in advance that he would enjoy. He did, in fact, excel at the Law Enforcement Academy and in his Special Investigator training classes at the Mine Act Academy in Beckley. It was, it seemed, a destiny realized.

Unfortunately, in spite all of that, Dyer's new career as a Special Investigator did not go well, or last long. Although his initial assignment to MSHA's Johnstown, Pennsylvania Field Office gave him the opportunity to demonstrate his passion for the job and the agency's mission, and although he was initially commended for the dedication he showed in performing his investigatory duties, his zeal for the work ironically proved his downfall. While it was not uncommon for mine operators to complain to MSHA management about what they perceived as the oppressive tactics of heavy-handed Special Investigators who prejudged them as guilty, the protests about Dyer's conduct stood out, not only in number, but also in tenor. MSHA was deluged with complaints describing him as a "jack-booted storm trooper," who used "gestapo-like" techniques and reduced some mine foremen to tears of terror and humiliation with threats of prosecution during interviews that that seemed more inquisitional than investigatory, more like a hostile cross-examination than a genuine search for facts.

The MSHA District Manager to whom Dyer co-reported at the time (along with the chief of the Technical Compliance and Investigations Office (TCIO) at MSHA Headquarters in Arlington) had already begun to conclude that Dyer was not working out as a Special Investigator and would likely have to go when he received reports that Denny kept a 19 millimeter Glock 17 semi-automatic pistol in his briefcase, sometimes plainly and intentionally visible to witnesses at the beginning of investigative interviews when he pulled out his laptop in order to document the interview. When Dyer was subsequently summoned to a meeting in Pittsburgh with the District Manager and the Chief of the TCIO, whom the District Manager had urged to join him for an internal disciplinary interview, he grudgingly opened his briefcase for them as directed, revealing the very weapon that the complaining witnesses had described.

Notwithstanding Dyer's protestations about his self-defense and Second Amendment rights, and his fears of reprisals from the scofflaw mine operators he had frightened with his threats of criminal prosecution, his probationary status as a provisional Special Investigator enabled his supervisors to order the immediate termination of his brief career as a Special Investigator. However, his years of largely unblemished service as a regular coal mine inspector earned him leniency and were the basis for his reinstatement to his old job.

When the news of Dyer's return to the inspectorate reached Denver, District Manager Gonzalez was eager to get him back. Passing over the promising candidacy of Susan Wu, though she came very highly recommended by Calvin McCoy at the Academy – and with Boylen's ready concurrence – Gonzalez welcomed Dyer back to MSHA District 9 and assigned him to the Trinidad Field Office. Though hiring Wu would have boosted the diversity-promotion component of Gonzales's annual performance evaluation, and though Dyer had lacked the temperament to be a Special Investigator, Dyer's experience with underground coal mining in the deep cover mines of the Rockies and the Inter-Mountain West, combined with a reputation for zealous Mine Act enforcement, issuing high-penalty citations and orders, that was almost legendary in District 9, gave Dyer the edge. Wu was still pretty green and did not have a reputation for the kind of toughness on mine operators that Gonzales believed was needed for the job.

Although remembered and valued by MSHA managers Gonzalez and Boylen, Dyer's passions were also remembered but not valued by the coal mine operators he had bedeviled. When word reached Heavenly that Dyer, now sporting a bushy black mustache acquired during his Special Investigator training, was back in town, there was concern among Copper Canyon's management. Some of the miners who had been there when Dyer had worked at Copper Canyon (some insinuated that he had worked for the union, not for the company) recalled that he had left under a cloud and they worried he might still feel the need to settle a score or two. (He had a disquieting reputation for score-settling.) Others had worked at mines that he had inspected while stationed at the Price and Craig Field Offices, and they alerted Operations VP Laine Allred to expect intensified enforcement from Dyer.

Laine was a towering figure at the mine and in the community. Approaching 70 and balding with a crowning fringe of white hair highlighting his sunbaked complexion, he still carried himself like a much younger man, with both a commanding and courtly presence; with his combination of intelligence, vast coal-mining experience, good judgment, and fundamental decency and humanity, Laine was universally and warmly respected. When the downsizing came and the new Copper Canyon Coal Company had emerged after the AC&CCC bankruptcy, there was no room in the budget to retain either the old mine superintendent or the human resources manager, so VP Allred assumed those responsibilities, as well.

Laine's response to the various warnings he received about what to expect from Dyer exemplified his leadership style. He called an all-hands meeting of management, inviting the hourly miners' representatives as well, to share the news with everyone that a new inspector with a fearsome reputation had been hired by the local MSHA office and was likely to be inspecting Copper Canyon before too long. He hardly needed to remind anyone that the mine was approaching the home stretch of its coal-supply contract evaluation period. The mine's ability to meet its tonnage obligations under the contract with Pioneer Mesa, while at the same time keeping the cost of coal down, had been successfully demonstrated to date, with just over one year remaining. So far, so good, but the miners all understood that the danger that disruption of coal production by MSHA closure orders, combined with costly civil penalty assessments for too many citations during the months ahead, could pose to their hopes for the job security a renewed and extended long-term coal supply contract could provide. The mine was too small and the contract calculus too finely balanced to allow for the introduction of any major enforcement-driven dislocations. Coal mining was risky enough in any case, with all the uncertainties of geology, ground conditions, and the ever-present possibility of a catastrophic mine accident, without adding in the regulatory jeopardy they could be facing under Inspector Dyer.

Gathered in the sparely furnished conference room near his office, in the somber company of the Copper Canyon supervisors, Laine's message to his team gave Pete Miller the chills, chills of awe and hope-tinged admiration. To those few old-timers like Laine himself who recalled the young Dyer with distaste from the time when he started his career at Copper Canyon many years ago, Laine cautioned against prejudging what he would be like today as a mature man and a trained MSHA inspector. He did not want to hear anyone prematurely cursing either their fate or MSHA. There wasn't time to be wasted on that. There were not going to be any calls to the District Manager or to MSHA Headquarters, much less to the Colorado Delegation in Congress, demanding or begging that Dyer be reassigned. No efforts were to be made to cover up violations or hide any of the more-problematic mining conditions they sometimes struggled with. No, instead, they were simply going to have to raise the level of their game. Starting with the ratcheting up of their internal mine examinations and, following that, the institution of a continuous-improvement internal compliance auditing regimen to correct any weaknesses in the mine's current compliance programs and to institute immediate corrective measures so that potential violations and any other hazards would be better anticipated, prevented or eliminated. Laine closed the meeting with a rousing call to action, commending them all for their impressive safety record to date, and assuring them that they would succeed in surviving the upcoming enforcement blitzkrieg because they were capable, conscientious miners and because they had no alternative.

In his brief career, Pete had never encountered an MSHA inspector like Dyer. Pete was proud of his compliance record and was initially puzzled by the old-timers' alarm. He ran a safe, buttoned-downed section – why should Dyer worry him? But afternoon shift foreman George Delinsky had no difficulty understanding the threat. He had long ago learned the difference a messianic, hard-ass enforcement hawk like Dyer could make in a mine's ability to run coal. He'd seen a few like Dyer come through over the years. They found violations that no one else could see, often because they interpreted the regulations more stringently than everyone else; and because they cynically expected the worst of every mine operator, they found it wherever they looked. All doubts and close calls went against the operator, and woe to the foreman who questioned those calls, as that only intensified the inspector's scorched-earth enforcement campaign, in the way blood in the water drove a shark's frenzy.

Though he was not sanguine about the mine's ability to continue its operations without a spike in civil penalties and closure orders, Delinsky was philosophical about it, thinking that perhaps he would resort to sycophancy to try to keep Dyer off his back, all the while reminding him that he had always cut him plenty of slack when Dyer has labored under him back in the day. In addition, Delinsky took comfort in the fact that he was close enough to retirement anyway, and could take whatever came with relative equanimity. He just had to wait it out. Screw the rest of them, he muttered to himself – "they done me no favors, paying me the same as the new Miller kid, though I been a section boss all these years." In any case, Delinsky had ways of knowing when MSHA was on the property and knew how to quickly clean up or at least cover up violations on his section by the time an arriving MSHA inspector had checked in with the Safety Department, gotten a miners' representative in tow, lined up transportation and made his way onto Delinsky's section.

13

INSPECTOR DYER HEADS TO
COPPER CANYON COAL

Dyer studied himself in the mirror in the locker room at MSHA's Trinidad Field Office, detecting a few strands of gray hair just beginning to appear around the temples. "This job may be aging me," he thought, "but it is all for a good cause." As he put on his uniform, overalls with the red-white-and-blue "MSHA" logo in bold, blue, block letters, and grabbed his hard hat, similarly emblazoned, from his locker for the drive over to Heavenly and then up Copper Canyon a little further to the coal mine, he felt surge of personal and professional pride: he was a soldier in a righteous war, charged with a sacred mission. As much as America needed affordable energy and communities like Heavenly needed jobs to sustain themselves, those needs were subsidiary to the need to secure the health and safety of the coal miner. Of course, Dyer believed that those goals were not mutually exclusive, that coal production and miner safety and health could easily co-exist, and that they were in fact interdependent. But, he had long ago concluded that if there were places and times when the two interests could not be reconciled, then jobs and coal were going to have to yield to ensure that human health and safety were fully protected. Besides, Dyer assured himself, that wasn't just a matter of his personal choice – Congress had already made that decision for him and for the country. There will always be other jobs, Dyer thought, but no one gets his arm, leg, or life back once it's been lost in the mines.

Dyer climbed into the driver's seat of the unmarked white Ford Bronco he'd been assigned by the MSHA motor pool and began the drive over to Heavenly and then the rest of the way up to the Copper Canyon Coal Mine. Were it not for the narrow, winding gravel road the last few miles up the Canyon to the mine, he could make the trip in less than two hours, but the Copper Canyon Coal mine access road could be slow going. Besides dodging the enormous coal haulage trucks and enduring the jostling of the sometimes-rutted road, Dyer had to watch carefully for boulders fallen from the mountain side, deer, bears, and even the occasional moose or elk that wandered into the road.

As Dyer settled in behind the wheel of the Bronco in the predawn darkness of a fine Monday morning in mid-July, his mind ricocheted between familiar topics. Though he could not fully get over that disappointment, he was by now pretty much at peace with his failure to make it as a Special Investigator. He had come to realize that the District Manager in Pittsburgh had never liked him and he believed that the TCIO chief had simply knuckled under the political pressure from the very coal mine operators that he was bringing to justice. He had not been fired for not doing his job well, but for doing it too well. Ironic and unfair. Guts never got one very far up the career ladder at MSHA, he mused, and probably not at any other government agency for that matter. Dyer also consoled himself that he could be more effective in serving the public interest back in his old job inspecting coal mines and actually ferreting out the hazardous regulatory violations that threatened miners' health and safety. Though he had enjoyed his brief stint as a Special Investigator, he knew that he had a special talent for spotting violations no one else could see and that he would be more valuable on the front lines in the mines. Now that he had the benefit of the advanced law enforcement training he got as a Special Investigator, he felt sure that he was going to be an even more effective coal mine inspector than ever before.

Dyer was aware that he had developed a reputation as an aggressive and sometimes overly zealous inspector, and he carried that reputation proudly. You cannot be too aggressive when it comes to protecting miners' lives, he was convinced. If some mine operators thought he'd been too tough on them, they were not being tough enough on themselves. He was simply doing his job. If sometimes maybe he did go a little overboard in the number and severity of violations he issued, Dyer could easily live with that. He would rather err on the side of safety and health than let a coal company get away with inadequate ventilation that could insidiously sow the toxic seeds of Black Lung disease that could progress from respiratory impairment to death, as it had with his own grandfather back before MSHA's progressively tougher respirable dust control standards had been instituted. But those standards worked only if enforced. To paraphrase a presidential candidate Dyer had read about from back in early Sixties, before he was born, extremism in defense of safety is no vice.

The very fact that he was feared by coal mine operators brought a smile to Dyer's face as he piloted his Bronco out of Trinidad. He felt that it not only empowered him but also validated him as a force for good in society, even if he had to bust a few balls along the way. What kind of process was "due" for a mine operator that took risks with coal miners' health and safety in order to make mining profits, Dyer reasoned. "Due process" sometimes had to yield to paying one's "dues," he chuckled aloud at his own wit as the miles to the mine melted away.

Aside from his well-muscled physique (maintained largely intact from his high school wrestling days) and his intimidating stony glare, Dyer relished the fact that, just as Calvin McCoy had taught them back at the Academy, Congress had armed him with several tools that gave him a huge advantage when he sought to put the fear of the law into sometimes recalcitrant coal companies, coercing compliance by those otherwise inclined to cut corners or shave at the margins of safe mining practice. For example, the Mine Act included certain provisions that reflected a deeply cynical but realistic insight into human character. Because Congress knew that regulatory compliance is more likely to occur if the regulated party is afraid of getting caught and punished, it mandated frequent inspections by MSHA (at least four times a year from stem to stern, top to bottom, underground and on the surface, wall-to-wall). It required mine operators to conduct their own pre-shift examinations to ensure that each mine was free of hazards before allowing mining crews to travel underground to work, and on-shift examinations to ensure that they stayed hazard-free during each shift, along with mandatory record-keeping that documented that the inspections were done and what conditions were found. Unlike OSHA's regulation of the rest of the Nation's workplaces (where there was no mandate for inspections at all and a finding of a violation did not necessarily result in any penalty), MSHA was required by law to assess a civil penalty for every violation cited, even if it was accidental and its existence unknown to the mine operator. Dyer relished the fact that, unlike an OSHA inspector, he had the power to shut down all or part of a mine, all by himself; if it later turned out that he was wrong in his view of the facts or the law, the mine could then be reopened by the operator, without any recourse against him. Again, Congress determined that coal mine operators should bear the risk of an MSHA mistake, rather than risk a coal miner's safety or the agency's limited budgetary resources. If there were one overriding theme in the Mine Act, it was to err on the side of health and safety. That theme was so deeply etched into Dyer's psyche that it informed his every professional action.

But what Dyer really appreciated was that Congress gave him special powers to catch the scofflaw operator in the act. He had the right, at any time of day on any day of the week, to search every corner of a mine without stopping to secure a search warrant as every other government regulator must before searching private property or even entering without permission. Wisely, he believed, Congress even made it a crime for anyone to give advance notice of when an MSHA inspection was coming.

Additionally, as a way to help MSHA discover violations that the operator had hidden or had covered up without reporting them, Congress had given coal miners the right to blow the whistle on the company to alert MSHA anonymously to violations by phone or during an inspection, with elaborate statutory protections to insulate the whistleblowers from retaliation.

And just in case there was something the MSHA inspector failed to detect during his inspection and that no one had called the MSHA hotline to report, Congress gave miners the right to select a representative to accompany MSHA inspectors as they travelled through the mine. The right to "walk around" with the MSHA inspector was intended to allow the miners to have someone with inside knowledge of the mine, a site-specific expert, to point out safety violations and other hazards to an inspector who might otherwise fail to detect them. Dyer really appreciated having such an in-house assistant during his inspections. Lest the miners' representatives be disinclined to exercise their walkaround rights for fear of losing paid time on the job, Congress had the foresight to require mine operators to pay them their normal wages for any time they spent on walkaround duty instead of on their jobs producing coal, and also made it illegal (as unlawful discrimination interfering with the rights of the miners or miners' representative under the Act) to take any adverse action against the miners' representative for exercising the walkaround right, even if the miners' rep had identified conditions or practices which caused the MSHA inspector to issue costly citations or orders closing down production operations. Dyer marveled at how Congress seemed to have thought of everything that MSHA might need to successfully enforce the Mine Act, and he was grateful.

A few miles before the turnoff for the mine access road, Dyer passed a low, squat, concrete-block building with just a few narrow windows and a giant sign on the roof announcing the location of "Lucas's Lingerie and Adult Video Shop." That sure wasn't there when I worked at Copper Canyon Coal, Dyer noted. "Lucas" was not a particularly common name in these parts, but it seemed familiar to Dyer. He vaguely recalled hearing about such a store from other inspectors and resolved to check it out someday – perhaps when his wife's birthday rolled around. He loved buying her sexy lingerie, one of those "gifts that keeps on giving," he thought, grinning broadly.

Dyer resumed his philosophical musings as he continued up Copper Canyon Road, searching for the left turn onto the gravel mine access road that led the last couple of miles to the mine and the Forest Service Trail Head located halfway to the mine. Thank goodness Congress had been realistic about human behavior in crafting the provisions of the Mine Safety Act that armed him and his fellow inspectors with the tools to protect miners from the selfish, short-sighted greed of those mine operators. People, not just mine operators, invariably try to cheat the system, he believed. "Rules were meant to be broken" seemed to be the one universal principle governing the human operating system. And there was the corollary, "any action is justifiable, as long as it enables me to get my share."

No matter how much the mines were regulated, it seemed, no matter how many surprise warrantless inspections MSHA conducted, there were always going to be mine operators who were determined to evade the law. Not that they were all avowed evil-doers or heartless and amoral animals. It struck him that they were mostly just normal people who were sure they knew how to run a safe coal mine and were convinced that it did not require compliance with what they considered the countless, costly, unnecessary regulatory commands of Mine Act regulatory overkill. Dyer had concluded that the majority of these mine operators honestly believed that if they were not continually being hounded by MSHA to postpone coal production in order to install excessive numbers of overly lengthy and unnecessarily sturdy roof bolts, clean up spilled coal accumulations, spread visibility-impairing clouds of rock dust, install ventilation curtains, and conduct endless mine examinations looking for safety or health hazards, they could just as safely run coal, but much faster and cheaper. Armed with this conviction, they would inevitably keep trying to find ways to game the system.

In fact, Dyer half convinced himself that the only reason Copper Canyon Coal had not paved its access road was to enable company lookouts to see the dust rising from the Canyon just below the mine as MSHA's Broncos made their way up the road to conduct "surprise" inspections. He knew that many mine operators had devised various schemes to end-run the statutory scheme of those surprise inspections, so that they would not have to maintain constant compliance with *all* of the MSHA regulations *all of the time*, but only when MSHA was on site. He had not forgotten his dismay, back when he had worked at Copper Canyon Coal, when he learned that the then-safety director had worked out a deal with the manager of the Texaco service station in Heavenly to call the mine whenever one of those signature white MSHA Ford Broncos went by heading on its way up Copper Canyon Road. The price of obtaining that heads up that MSHA was on its way, keeping that guy supplied with "house coal," all the coal he needed to heat his home and the gas station in the winter, was a true bargain for the mine, given the resulting savings from averted production losses from possible MSHA closure orders, savings on avoided interim compliance costs, and unassessed civil penalties for violations cleaned up before they could be caught.

In the Trinidad Field Office, Dyer had also heard a rumor that the guards at the Copper Canyon Coal Mine gate would radio down to one of the section foremen whenever an MSHA inspector came through the gate. Given the lag time before the inspector could check in with the Safety Department, get lined up with a miners' representative for walkaround purposes, and travel all the way into the working section deep underground, a section foreman who had skipped rock-dusting, hanging ventilation curtains, cleaning up loose coal accumulations and the like in order to focus instead on coal production could suddenly accomplish a lot of last-minute clean up, regulatory compliance, and hazard abatement. Dyer resolved to be on the lookout for any evidence of that unlawful advance notice and he relished the thought that he could be the one to expose such schemes and launch criminal prosecution for conspiracy to violate the Act's advance notice prohibitions.

He bemoaned the fact that people just did not seem to obey the law the way they once had, when they were afraid of eternal damnation and hellfire if they strayed from the path of righteousness, which required compliance with the laws of both man and God. Not too many God-fearing coal miners left anymore, he regretfully acknowledged. Of course, it was not as if he were much of a believer himself. But he was a believer in law enforcement. If it weren't for the cops – and mine safety and health cops like him – the law of the jungle would fill the divine void.

There were not enough cops in the world, much less MSHA inspectors, to keep society safe from law-breakers, of all shapes and sizes, he feared. From the murderers, rapists and robbers at the one extreme all the way down to the jaywalkers and shoplifters at the other, the fear of getting caught and punished was all that was left to maintain the social order and keep the mines safe. The deteriorating state of that social order and continued occurrence of mine accidents, injuries and Black Lung disease cases was stark evidence that the fear of getting caught and punished was not sufficient. Something more, something different was needed.

All his musing had slowed Dyer down, however. Suddenly snapping out of his reverie and realizing his trip was off schedule, he sped up so he could get the mine in time to go underground with the Day Shift crew at 7:00 a.m., secure in the knowledge that there were no speed cameras in the area and rarely traffic cops. As he mashed down on the accelerator to make up lost time, Dyer caught himself in a rare but fleeting moment of self-awareness: "am I just like the miners, cheating because no one from law enforcement is around to catch me?," he wondered, before quickly dismissing the idea, assuring himself that speeding was truly harmless out here on these deserted country roads and that a little excessive speed was justified by the need to get to the mine in time to catch those who really could do serious harm by violating life-saving safety regulations.

As it happened, Dyer's reflection on the lack of speed cameras took him down a different mental road, where the possibility of enhancing mine safety and health through the use of closed-circuit television cameras and other high-tech monitoring technologies aroused his law enforcement passions. Dyer missed the turnoff for the mine access road as his mind raced ahead, contemplating the benefits of a whole new regulatory initiative that could be built on the enhancement of compliance incentives by instituting continual and comprehensive electronic surveillance of mining operations. The temptation to use hidden cameras appealed to him viscerally, on the theory that the operator would never know whether or not any particular location or activity was under observation, and so ought to comply at all times, and he wondered whether the alternative of installing visibly obvious CCTV cameras and other monitoring devices might also have unintended adverse consequences, by leading not to compliance but instead to evasive non-compliance by inducing the operators to move their violations to places where there were no surveillance cameras.

Determining which strategy would be more effective, and more cost-effective as well, would be something the agency would need to study, perhaps during public notice-and-comment rulemaking, in which it could collect the input of mine operators as well as the insights of electronic surveillance equipment manufacturers. Dyer personally was leaning toward a combination of both hidden and visible cameras, and was anticipating a promotion and performance bonus for coming up with such a revolutionary compliance enhancement and enforcement strategy, when he suddenly realized that he had missed his turnoff. In a rapid correction he executed a screeching U-turn and headed back down to the mine access road. Crossing over Copper Creek on the little bridge at the mouth of the access road, he slowed the Bronco and began to ease up the gravel road toward the mine. He mentally reviewed the MSHA Uniform Mine

File which he had studied in his office the day before: Copper Canyon Coal Mine was a gassy mine (MSHA considered nearly all underground coal mines gassy), but less gassy than most according to the bottle samples taken at the mine exhaust fans during the most recent MSHA spot inspections; since the bankruptcy of the predecessor operator, the mine had been downsized to a single-section operation running coal on three shifts, spanning 24-hours a day, five or six days a week, with a maintenance shift every Sunday, but with plans to develop a more productive longwall section if their supply contract with Pioneer Mesa were to be renewed next year; and, he recalled noting that there were several idled continuous miner sections mothballed since the bankruptcy, and extensive abandoned workings from decades ago during the era of the mine's more successful coal mining past, creating potential gas accumulation hazards, as well as spontaneous combustion hazards if the seals isolating those areas from the active workings were not properly maintained. It always amazed him that spontaneous combustion of the coal in abandoned areas remained such a persistent risk in areas not mined for years.

Continuing his mental background review, he quickly checked off the other salient points he had identified in the Uniform Mine File: the coal seam being mined was relatively soft bituminous coal, relatively low in sulfur and mercury, currently averaging 12,000 BTUs, with a tendency of the mine ribs to crumble when exposed to air, sloughing to the mine floor, and potentially creating tripping and stumbling hazards, narrowing the travelways in the entries due to the coal sloughage piled up along the ribs, and becoming potentially combustible accumulations if not cleaned up regularly; fairly typical roof control and ventilation plans for this type of mine, and a relatively good recent history of violations compared with decades past when the mine had been regularly on the unwarrantable failure chain which had subjected it to multiple withdrawal orders for even violations that were not classified as "significant and substantial;" and now it was non-union, though with a unionized past, which explained the longer list of designated miners' representatives than in other non-union mines, many of those miners' reps competing for the welcome opportunity to skip their normal work assignments by getting paid instead to serve as a walkaround representative accompanying MSHA inspectors. *That* is probably where Dyer had seen the name Lucas before, it occurred to him: Lucas Jones was the name of one of the designated miners' reps he had noted on the list in the Uniform Mine File, which showed that this Jones fellow had also filed far more Mine Act hazard complaints[9] than any other miner at Copper Canyon. Could that really be the same "Lucas" as the one on the porn shop sign he had just seen? In any case, this Lucas fellow might be a useful source of information and was probably worth getting to know, he mused as he was waved through the mine gate by the guards, and pulled into the parking lot. The longer I work at this job, the more cynical and suspicious I get, he noted, but also the more effective!

He had two more priorities on his mental checklist for this inspection, his first ever at Copper Canyon and the start of the mine's third of four quarterly regular inspections for the year. Each quarterly inspection could take weeks, with meticulous attention to the checklists and completing the multiplicity of required forms included in the MSHA Inspectors' Manual. Each quarterly inspection required examination of everything pertaining to the mine, including records of production, accidents, injuries, training, and all pre-shift, on-shift, and weekly examinations, and the physical inspection of every inch of the surface and underground areas of the mine, focusing on ground control, especially roof conditions, underground mine ventilation, respirable dust levels, even in the coal storage silos on the surface, the incombustibility content of mine dusts, the safety of the slopes on the coal stockpiles and water levels in the sediment ponds. In the bigger mines, there were almost full-time "resident inspectors," since by the time one quarterly inspection ended it was time for the next one to begin. It was not that way at Copper Canyon. At least not anymore. But there were two particular things Dyer wanted to accomplish beyond the standard requirements of the Inspectors' Manual.

First, he had heard that the mine had a relatively new and inexperienced section foreman fresh from the School of Mines. Dyer had known Pete Miller's father when Dyer had worked at Copper Canyon, and recalled him with some vague bitterness. Not that old Walter Miller had done anything to Dyer, but Dyer had resented Miller just because everyone else really liked the guy, he was good at everything he did, a straight arrow who never broke the rules – sort of the opposite of Dyer back then, before he found salvation in MSHA and turned his life around.

Though Dyer knew it would not be fair, he was nonetheless looking forward to the satisfaction he expected to feel in lording it over Walter's son, putting the fear of God – or, more precisely, of MSHA as God's down-and-dirty functional equivalent—into Miller, and determining the quality of Pete Miller's day-to-day life. Perhaps he could start today in making the indelible impression on the young Miller that Dyer was going to be in charge of his destiny and that Dyer had the power to make his life hell if he chose to. Anyway, it would be for Pete Miller's own good to learn early on the Gospel according to Dyer, that a foreman's highest duty at the mine was not to run coal or help the company operate efficiently and profitably, but instead to maintain compliance with the Mine Act at all times. Dyer knew it was important to make a strong impression on Miller and to do it right away. From what he had picked up at the Field Office, and by studying the mine's surprisingly good recent violation history, it was obvious that predecessor inspectors must have been too soft on Copper Canyon generally, perhaps out of compassion for the fledgling, tentative nature of the operation after the bankruptcy. Miller had almost certainly been spoiled and allowed to become lazy about compliance, but that was going to end today. It was time for Miller to learn who was going to be his real boss, for his own good, and for Dyer's, as well.

That was one of the two particulars on Dyer's priority list for his inspection. The second, not unrelated to the first, was to do a little investigating into an accident that had happened the week before, and likely issue a citation charging Miller with an unwarrantable failure violation of MSHA's accident reporting regulations. It appeared that a miner had suffered a heart attack and died in the bathhouse under Miller's watch. Although the law requires that all accidents be reported to MSHA by phone within 15 minutes, from everything Dyer had been able to gather Miller had not reported this one for a full 30 minutes. He wanted to look into the details of exactly what had happened that day, and take enforcement action – whether he cited Miller in specific as having been responsible for the delay and guilty of high negligence in an unwarrantable failure to comply with the Act would depend on the results of his investigation. In any event, it would be an opportunity to make Miller sweat a bit. He relished the thought.

14

DYER INSPECTS THE MINE

As Dyer was parking the Bronco in the visitor's parking lot, baby-faced Pete Miller and his slightly weathered older brother Jason were engaged in a familiar argument in the corner of the bathhouse where Pete sat in his usual pre-shift position at the foremen's desk. Still in the trademark plaid shirt he wore beneath his Copper Canyon standard-issue overalls, and everywhere else, Pete had been immersed in his pre-shift paperwork, including completing and signing the MSHA-required pre-shift examination book certifying that the mine had been examined within the last three hours and that it was – at least in all the places where miners would be working or traveling during the upcoming shift – free of all hazards, and recording the detected methane gas levels, measured ventilation parameters in volumes and speeds of air flow, and any hazards that had been identified as well as how they had been abated.

"You are such a naïve little fool, Pete," Jason was mockingly admonishing him, and not for the first time, as he paced back and forth in front of the foremen's desk, where the mine examination books were kept. "I can't believe you go through this every day, setting yourself up like a lamb volunteering for the slaughterhouse. You think you are such a boy scout, but your good deeds in certifying compliance with the MSHA standards will not go unpunished. Take it from your big brother, one of these days an accident will happen and MSHA will claim it was your fault because you certified that the mine was safe before one of your crew got his shoulder shattered by a roof fall or shocked by a damaged electric power cable, and your life will be ruined! There is still time to kiss management goodbye and join me in the hourly ranks where we are immune from Mine Act liability. I am warning you, bro', I know what I'm talking about."

It had been a long-running debate between the two. Though Jason was five years older than Pete, and though everybody had always said that Jason was the smarter one, Pete was the foreman and Jason the hourly laborer. Mine management and the whole Miller family had expected Jason to rise up the ranks quickly, from an hourly to section foreman, section foreman to shift foreman, shift foreman to mine manager, and on and on and up. But Jason, who had once entertained such thoughts himself during his early days at Copper Canyon years ago, had come – uncomfortably and gradually but finally and resolutely – to the conclusion that the extra pay and prestige of a management position could never justify the likelihood of being targeted and prosecuted by MSHA for individual liability, civil or criminal or both, no matter how conscientiously you did your job and tried to maintain compliance, one of the seemingly endless list of regulatory requirements sooner or later would trip you up. If not today, tomorrow. If not tomorrow, then next week or next month. The system was rigged against section foremen. Jason's decision was cemented after he had seen it happen to several foremen during his first couple of years at the mine.

He was too much of a realist and far too cynical to believe that Pete would be spared a similar fate just because he was smart, meant well, and tried his best to stay in constant compliance. Too many aspects of the mine environment were beyond a foreman's control, both unknowable and unpreventable, but he had seen that one thing *was* predictable: there was always going to be a scapegoat. MSHA always had to find someone to blame, someone to prosecute, to prove to the public and the politicians that the accident was not only not MSHA's fault, but that it also was not the fault of the regulatory scheme or the technologies that MSHA required the mines to use, and, ultimately, not even an accident at all, but a fully preventable occurrence. It had become an institutional reflex. MSHA had too much political capital invested in the myth that miners would all be safe and healthy, if only the coal companies would comply with the Mine Act's rules and regulations, and that vigorous law enforcement by MSHA was all that was keeping the Nation's miners alive.

Pete shrugged off his big brother's admonitory taunting and, without replying, he finished signing the mine examination books, and busied himself with additional preparations for the upcoming shift. He made sure that the safety director had supplied sufficient dust pumps and personal dust monitors for the scheduled respirable dust sampling that the regulations required be done that shift, and looked over his notes for the safety meeting he always conducted with his crew at the start of each shift. Today's theme would be "Safety Means Assuming Nothing is Safe."

Neither Jason nor Pete disagreed with the premise that accident rates could be reduced, but neither believed that they were always preventable if only mine management would pay proper attention to regulatory compliance, as MSHA preached. And Jason's words of warning did gnaw at Pete. They always did. Although he would have liked to summarily dismiss Jason's concerns as overly-dramatic and an exercise in self-justification as an excuse for Jason's lifelong avoidance of responsibility fueled by his fear of failure, Pete was nonetheless nagged by the realization that there was substantial truth to Jason's warnings. Though Pete had taken courses like "Fundamentals of Mine Safety and Health" and "Mine Safety Systems" at the School of Mines, the longer he worked as a foreman, the more he realized that knowing the importance of mine safety and being committed to practicing it did not equate with actually achieving it: to the contrary, the more accurate equation would be "human beings + underground coal mining = accidents." More disturbing than that was the dawning recognition of a parallel equation – or, more precisely, the non-equation that "compliance does not equal safety," and its corollary that "accident = blame = foreman's liability."

The unfortunate truth was that, despite Pete's ideals and integrity, and he had an abundance of both, the more experienced he became, the more that experience undermined his faith in the system and in his fellow man. As much as he believed in the Mine Act and as proud as he was of the enormous safety strides the coal industry had achieved in concert with MSHA, the Mine Act had some serious flaws that he thought effectively impeded the achievement of its safety and health objectives.

Among other things, the self-defeating policy choice that Congress had made to exempt the hourly miner from any personal liability for his own violations (with a single exception for smoking underground) – regardless of whether those violations were simply careless or even intentional – was a recipe for disaster and an open trap for hapless foremen who were held responsible for the violations committed by the immunized hourlies.

And over time it seemed as if MSHA had become a bureaucratic institution controlled by people who were, as human nature sometimes seemingly dictates, more self-seeking than they were safety-seeking. To burnish their own reputations and vindicate themselves, when accidents happened, as they invariably did, MSHA officials naturally felt the need to blame someone other than themselves and the law which justified their professional existence. Consequently, MSHA never found accidents to be "accidents" as such but were inevitably determined to be the result of a coal mine's non-compliance with the Mine Act, either negligently or intentionally. Blame had to be assessed and coal mine management, which, at least in theory, had control over the mine, therefore had to be held responsible, accountable, and punished. Because the section foreman was at the frontline, with hands-on control of the mining operation for the mine operator, the section foreman was consistently the primary target for investigation and prosecution. Not that upper mine management was not also a welcome and worthy target if they could also be implicated, but it was rare that the "uppers" could be successfully charged with individual liability. Foremen, on the other hand, were easy targets. Not only were they presumptively present at the scene of the crime (of non-compliance with whatever health or safety regulation MSHA determined to have caused the accident), but if they were not actually present and in control of the mining operation, then they were presumptively negligent for *not* being there and in control.

The icing on the liability cake for MSHA's enforcement purposes was the existence in many cases of the required written records, signed by the foreman, documenting the fact that he had examined (or had delegated the examination to one of his miners) the workplace and certified that the mine was safe and in compliance with all regulations. Surely, MSHA reasoned, the foreman had either lied when he certified that there were no hazards, or he lied that he had examined the workplace as he had certified that he did, or that he was at least negligent in conducting the examination and failing to identify and correct the violations. One way or the other, the foreman was presumptively guilty of violating the Mine Act and responsible for any injuries or deaths that may have resulted. As Jason continually reminded Pete, to be a foreman is to draw the target on your own back and then step back to draw fire.

Pete's gloomy ruminations were interrupted by the sudden appearance of MSHA Inspector Denny Dyer, abruptly introducing himself, announcing that he was there to commence the mine's third quarterly regular inspection, and asking for the management and miners' representatives who would be accompanying him. As they quickly took each other's measure, Dyer announced that he wanted to travel into the mine in the diesel mantrip along with Pete's crew, though he refused to further specify what he wanted to inspect or where he ultimately wanted to go.

Although nothing in the Mine Act or any regulation required a mine operator to provide transportation within his mine, no smart operator denied transportation to an MSHA inspector. Which is not to say that they were happy to provide it, but they knew enough about human nature to not make an issue of it. Nor had many operators not heard the story of the coal mine operator back in Southern Illinois in the early 1990s who, after several particularly disruptive and citation-packed inspections by one extremely zealous inspector working out of the Vincennes District Office, flatly refused to provide him transportation on his next visit to the mine. And although that operator had actually prevailed in the resulting litigation contesting the citation he was issued for refusing a ride to that inspector, because in fact there was no such MSHA legal right, his victory in principle was Pyrrhic: the angry inspector, denied a ride in a mine vehicle, had walked the entire mine "spotting" countless alleged violations he would never have noticed if he had sped by them in the company vehicle. The likelihood that the inspector became angrier with every extra step he had to take in his increasingly uncomfortable steel-toed boots may very well have explained the curious fact that the ratio of citations-per-crosscut travelled steadily grew over the course of the inspection, as did the severity of the violations the inspector charged. "Experience runs a dear school,' observed Inspector Skavarch to his colleagues when back at his Vincennes office, "but there are some who will learn in no other."

Promptly assuring Dyer that he would be accommodated, Pete called the company safety director, the customary management representative who accompanied MSHA inspectors, to join them. In the meantime, Inspector Dyer examined the list of miners' representatives posted on the mine bulletin board to see who was on shift and next on the list due to "walk" around with him. A hulking figure of a man, balding, with a swarthy face fully sprouted with bushy gray hair, stepped forward, a scowl etched by his disproportionately thin lips, and presented himself as Dyer's miners' rep for the day: "Lucas Jones, at your service, Inspector." As Dyer scanned the list of miners' representatives, noting that Lucas Jones's name was not at the top as the indicated miners' rep on deck for the next inspection, Pete Miller got off the phone with Safety Director Ralph Radomsky, and injected himself into that conversation: "Lucas, it is not your turn today."

"True," Lucas admitted, "but no one else here today wants to do it," looking around the bathhouse with an air at once both commanding and menacing. Dyer, in turn, surveyed the room, now filled with Day Shift miners in the final stages of dressing and equipping themselves with their SCSRs, as the self-contained self rescue devices were called, their filter-type self-rescue devices, fully-charged cap-lamp batteries, and their hard hats bearing the lamps that would light their way through the underground darkness. No one spoke up to contradict Lucas and several miners were nodding bowed heads.

It was a battle that Pete chose not to fight further. He and Radomsky had tried several times in the past to rein in Lucas's disproportionate number of turns as the miners' walkaround representative, always unsuccessfully. All it had gotten them were Lucas's threats of or actual discrimination complaints to MSHA, and a few warnings from MSHA to back off or suffer enforcement action for violating the statutory rights of a miners' representative. In fact, when Lucas had first filed a petition with MSHA designating himself as a miners' rep, signed only by himself and Ricardo Rodriquez who had already signed such a designation petition naming a different miners' rep, the company had initially refused to recognize Lucas as a miners' rep because, it explained to MSHA, the mine not only already had half a dozen designated miners' reps (all of whom were designated by a larger number of miners), but Lucas was only designated as representing himself and one other miner who already had chosen a different representative, which surely could not be accepted as a valid designation of Lucas as yet another miners' rep.

Yet MSHA had rejected the company's objection, explaining that nothing in the Mine Act or the regulations expressly limited the number of miners' representatives that there could be at a mine, nor how many representatives each miner could designate, nor was there any rule against representing yourself as one of the "two or more" miners that the regulations required to designate a miners' rep. If Copper Canyon did not immediately afford Lucas the rights of a miners' representative, including the right to accompany MSHA inspectors on company time with no loss in pay from his normal wages for the time spent with the inspector, MSHA threatened to issue a citation with a 30-minute abatement window before issuing a failure-to-abate withdrawal order, possibly closing the mine and risking the imposition of a $7500 daily civil penalty for each day until the company finally complied. Facing the costs of the lost coal production during an MSHA-ordered mine closure, and the costs of litigation, even if the company eventually won its challenge to Lucas's status as a lawfully designated miners' rep, not to mention the potential for accumulating hundreds of thousands of dollars in those daily civil penalties if it eventually lost its challenge, the company instead acceded to MSHA's demands and recognized Lucas as an additional miners' representative.

But, at a mine where there were multiple miners' representatives designated by the miners, MSHA policy did require the miners to decide which one got to walkaround with an MSHA inspector during any particular inspection. Except when there were multiple inspectors going to different areas of the mine at the same time, generally only one miners' rep got to go along and still be paid his wages. The problem at Copper Canyon was that, on any day when Lucas had decided he wanted to be the walkaround representative, the other miners' representatives were afraid not to defer to him. And today was one of those days, since Lucas wanted to be the first to walkaround with the new MSHA inspector. He wanted to make a strong impression on Dyer as the inspector who was going to be leading the third quarterly inspection for the next several weeks, because he wanted to gain Dyer's confidence as someone who could be very helpful to him, and, most of all, because he wanted to start poisoning Dyer's mind against Pete Miller.

There was no love lost between Lucas and Pete. It was probably not too strong to say that they had come first to distrust and then soon to detest each other during Pete's relatively short time at the mine. Among other things, Pete had generally sought to prevent Lucas from taking other miners' turns at walkaround, as he had once again tried to do that morning, once again unsuccessfully. Early on, Pete had identified Lucas as a malingerer, a deceitful shirker, a bully, and an all-around bad apple. Already during Pete's short tenure as a section foreman, he had several times referred Lucas to Human Resources for disciplinary action.

The first time was when Pete caught Lucas towel-whipping one of the newer Hispanic miners in the shower. Pete had heard reports about such abuse from some of the miners, who had reported to him that little Carlos Ramirez was too frightened to complain and was generally bashful about speaking up because of his poor command of English. Lucas had a reputation as a bully and Pete had seen suspiciously raw, red welts on Carlos's skin more than once, but Carlos had denied the abuse when Pete questioned him. So Pete had been on the lookout to try to catch Lucas in the act.

The day he succeeded, the sight nearly brought Pete to tears. Pete had noticed that everyone else had cleared out of the showers suddenly, rather than filtering out one or two at a time, as they normally did. A quick scanning of the bathhouse revealed no sign of either Lucas or Carlos, so Pete rushed into the shower room to find Carlos, naked and crouched in a corner trying to cover his head and private parts as much as he could with his arms and curled up legs, as Lucas loomed over him, repeatedly whipping Carlos with a rat-tailed, wet towel so viciously that the sharp, cracking sound of each blow echoed in the shower room like a gunshot. Pete had ordered Lucas to stop, issued an immediate oral reprimand, and reported the incident to HR, causing Lucas to be placed on Step One of Copper Canyon Coal Company's progressive disciplinary policy.

Another time, Pete had gone into the machine shop looking for a mechanic to adjust the ATRS (the automatic temporary roof support mechanism on the roof-bolting machine currently in use on his section) which was not properly raising itself tightly into position to support the mine roof over the head of the roof-bolter operator until he completed the installation of permanent roof support. After searching the shop and calling out unsuccessfully for a mechanic to help him, Pete found Lucas fast asleep and nearly invisible, totally hidden except for one arm dangling down from the top of a bank of steel equipment lockers that stood over seven feet tall against the back wall of the shop. Pete grabbed Lucas's arm and roughly woke him up, angrily chastising him for sleeping on the job. Pete summarily rejected Lucas's initial defense that he was not asleep at all but had been merely looking for a missing box of lug nuts he thought might be up there, an explanation delivered with a wink and a nod to Pete to suggest that it was no big deal in any case and that Pete should cut him some slack.

When Pete proved unreceptive to that defense, Lucas quickly pivoted. Switching gears to try a different approach, he sought understanding and mercy from Pete, explaining that it was hard getting old, that he tired more easily, and that he had been up late the night before doing inventory at his porn shop, which only served to disgust Pete, who promptly reported the incident to HR which then placed Lucas on Step Two of the Progressive Discipline Policy, with a written warning.

There had been one other prior run-in between the two that further cemented their caustic relationship of mutual contempt. It had happened a couple of months earlier, back in the late spring, during the Second Quarterly MSHA inspection. When Pete's crew was on shift, MSHA issued a citation because the methane monitor on the continuous mining machine was not working. Inspector Everett Gustafson issued a regular citation for a violation of the regulation which mandated that the methane monitors which were required to be installed on all electric face equipment (meaning equipment installed or used inby the last open crosscut, which was the last crosscut between adjacent entries not separated from each other by a "stopping" – a cement block or aluminum wall – before the entries reached the coal face where the coal is cut from the coal seam), like continuous mining machines, had to be maintained in "permissible and proper operating condition." Inspector Gustafson, who had been with MSHA since before Pete was born and had known his father Walter when Walter had still worked at the mine, had taken an instant liking to Pete. He cautioned the earnest young foreman about the dangers of a non-working methane monitor not only to the section crew but also to everyone else in the mine. The monitors were required to visually and audibly alarm when they detected methane levels greater than 1.0 percent and to automatically de-energize the machine altogether when a 2.0 percent or greater was detected, for both compliance and safety reasons. Gustafson explained the importance of a working sensor.

"First, because MSHA regulations require you to shut off all electrical and mechanical equipment in the active working place if methane levels exceeded 1.0 percent and to evacuate all miners from the area if methane levels exceeded 1.5 percent, you could get cited for failure to do so without the benefit of a functioning methane monitor to alert you to those conditions. Second, and more importantly," Gustafson said, "I'm sure I don't need to remind you that methane levels can surge suddenly during active cutting operations as pockets of methane are unexpectedly liberated from the coal seam could ignite violently, killing everyone in the immediate area, and such an explosion could potentially propagate over a far more extensive area, especially if there are accumulations of coal dust to sustain and intensify the explosion, injuring or killing miners in areas outby the section, as well."

Gustafson had also checked the record books and seen there that the required weekly permissibility checks were being made, most recently by Lucas Jones, and that the sensor was recorded as having properly "calibrated with a known air-methane mixture at least once every 31 days," as required by the regulation. Pete had seemed genuinely surprised and distressed by the violation and so, as Gustafson explained to Pete, he was giving him the benefit of the doubt, and was writing the citation as a "low negligence" violation, not a more serious unwarrantable failure caused by management's "aggravated conduct." In other words, Gustafson was not charging the company generally or Pete specifically with intentionally causing the violation, being indifferent to the regulatory requirements for methane monitors, or recklessly failing to discover that the sensor wasn't working.

Inspector Gustafson had confided to Miller that over the years he had several times found methane monitors at other mines that had been taped over or otherwise covered up to cut them off from the mine atmosphere, and even "bridged out" where the electrical connectors to the sensor had been bypassed or disconnected. In those cases, it was clear that this critical safety device had been intentionally disabled, and Gustafson had not only issued an unwarrantable failure violation but had also referred the foreman for a special investigation for possible criminal prosecution, or at least for an individual civil penalty to be assessed against the foreman personally, along with anyone above him in higher management who may have also known about or ordered the tampering with the sensor.

Though Pete found it difficult to believe that anyone could do something so reckless, knowing that it was not only illegal but could also imperil everyone in the mine, he should not be so surprised, Gustafson told him. Pete could see the existential resignation on the old inspector's face and hear the calloused cynicism in his voice, as Gustafson wearily explained how human ignorance sometimes combined with greed in a dangerous calculus in which miners chose to bet on the certain financial reward of greater coal production if the mining machines were not periodically shutting down every time a harmlessly small amount of methane was encountered as opposed to the lesser, more remote risk that they might as a result unknowingly continue to mine despite the presence of explosive levels of gas that could be ignited by random sparks or by the electricity coursing through their mining machinery. "A devil's deal," Gustafson pronounced it.

Gustafson had seen it happen, and had later studied the reports detailing some of the past accidents where such an optimistic probability calculus had misfired dramatically and disastrously, not necessarily in the context of disabled methane monitors, but in too many other tragic risk/reward scenarios in which the guarantee of safety through compliance was sacrificed for short-term financial rewards deemed more certain than the remote risk of calamity. Too often mine operators have been willing to gamble with the safety of their employees.

But Pete had been more troubled by the methane monitor citation than he admitted to Inspector Gustafson. What was puzzling Pete was how it could possibly have happened, despite all the safety systems and checks and balances in place. And what Pete knew and Gustafson did not was that Lucas Jones, who was the one responsible for making the permissibility checks on the mining machine, was not trustworthy. Pete's suspicions led him later to check the records for several previous shifts.

The pre-shift and on-shift examination books had showed several recorded instances when 1.1 to 2.1 percent methane concentrations had been detected on the working section as measured by the examiners' hand-held gas detectors, during the Afternoon Shift, but there was no indication that the equipment had ever been idled as should have been required while efforts were made to ensure that the gas levels were reduced; quite the contrary, Delinsky's crew had mined near-record coal tonnage and the section had advanced the full distance projected on those shifts, despite the instances of elevated methane readings. It struck Pete that, if the methane monitor on the continuous miner had been operational, those methane levels would have caused coal production to be interrupted for some period of time, in which case the tonnages and distances Delinsky had mined would have been impossible to achieve.

Pete's suspicions were also fueled by something that had happened after the mechanic that Pete had summoned arrived on the section to abate the violation Gustafson had cited. The mechanic had quickly advised that he had diagnosed the problem with the methane "sniffer," which was that it had become clogged up with dust. He had opened up its metal housing, cleaned it out with a small piece of wire and a little brush, and made some sort of adjustment, before pronouncing it "fixed" so it could once again sniff out methane as required. He even tested it with a known concentration of methane he had brought with him as part of a permissibility tester kit. Yet, Pete caught an unmistakably conspiratorial wink from the mechanic as he left the section in his diesel pickup truck.

Of course, Gustafson felt comforted by the mechanic's assessment and was reassured that it was consistent with his own assessment of the situation and therefore probative of Pete's innocence, vindicating Gustafson's issuance of only a regular citation, not an unwarrantable failure violation. With all the coal dust and rock dust in the mine atmosphere, it made perfect sense that the monitor could have accidentally become clogged. Though Pete did not share his suspicions with the inspector, his concerns were not so easily assuaged. His subsequent discovery of the discrepancies in the previous shifts' records, the fact that Lucas Jones had been involved, and the at best enigmatic wink from the departing mechanic left Pete unsettled. He couldn't prove anything but nevertheless reported his concern to Radomsky in the Safety Department.

Unfortunately, Ralph had way too much on his plate already without yet another problem. He was overwhelmed, trying to keep up with the new respirable dust sampling requirements, SCSR upgrades and replacements, and SCSR storage plan requirements, MSHA's newly revised refuge chamber regulatory requirements, and providing the mandatory supplemental miner training on how to comply with all of these new MSHA requirements, not to mention the added recordkeeping requirements to document the mine's compliance with them, on top of his ongoing duties – administering the mine's safety training programs, seeking the required semi-annual roof control and ventilation plan amendments and re-approvals by the MSHA District Manager, and reporting all accidents, injuries and occupational illnesses to MSHA. Ralph was conscientious and capable and his heart was in the right place, but there was only so much he could do without additional staffing in the Safety Department, which was not going to be happening anytime soon, given the depressed coal market and the Pioneer Mesa contract-driven cost pressures. He had already complained to Laine that he could not keep up with all the new MSHA requirements, as each was successively thrust upon him, and Laine was sympathetic. It wasn't only MSHA that was overloading the coal industry with new requirements; every department at the mine was pleading for additional staff to help them keep up with the new federal and state regulatory demands, from water quality sampling and fish and wildlife protections to air quality monitoring, and the attendant training and new recordkeeping obligations tied to each. The best Laine could offer was to allocate a little of Rosie Rodriquez's time to Ralph, whose need was most acute, and for everyone else the promise of a share of one part-time intern from Trinidad Training Academy when the Fall semester began at the end of August.

All of which is to explain why Ralph simply did not have the time for a full-blown investigation into whether someone, and Lucas in particular, had intentionally disabled the methane sniffer on the continuous miner. Later, he would regret that he had not somehow found a way to make the time. But at that moment, all he could manage was to meet briefly with the whole Maintenance Department to express concern about what Pete Miller reported had occurred during Inspector Gustafson's inspection and to remind them that, both as a matter of law and company policy, compliance with safety standards was more important than coal production.

"I understand how you may feel," Ralph had appealed to them, "since those sniffers will shut us down at 2.0 percent methane, though we all know methane isn't dangerous until it reaches 5.0 percent and we are fortunate that we just don't have a big methane problem in this coal seam. And I know we are all anxious about keeping our jobs by keeping our tonnage up and costs down so we can get our contract renewed to supply the power plant after the current term ends next year. But you never know when we may encounter a pocket of methane in the dynamically changing environment of an underground coal mine, and our lives are more important than making sure we get a new contract with the power plant. Besides, these sniffers help us stay out of trouble with MSHA because they alert us if we get to 1.0 percent methane when we are required to take action to deenergize our equipment and at 1.5 percent when we are required to evacuate miners until methane concentrations are reduced. The sniffers just help us to do what the law already requires us to do."

He felt he had their attention, though at the same time he could sense Lucas's impatience growing. "But, surely I don't need to remind you that it is not your job to decide which government regulations we really need to comply with and which ones don't matter so much. Congress has already made that decision for us: the law demands full compliance at all times.. So, please, let the production supervisors worry about tonnage, and let Laine and the green eyeshade boys in the Accounting Department worry about costs and contracts. Your job and mine is to keep the mine safe and in compliance, okay? Any questions or comments?"

And with a nod, Ralph, who was already behind in preparing his proposed semi-annual ventilation plan amendments that were due at the District Manager's Office in Denver the next day, raced out of there like a shot, before he could hear the grumbling that ensued, except for one comment from Lucas as he headed out the door: "Go fuck yourself!" Lucas brought the mechanics' grumbling to a quick close when he matter-of-factly declared "we gotta' get rid of the boy scout." All the mechanics knew there were trying times ahead for Pete Miller. But it turned out that Lucas would first get a taste of his own trying times, because after Ralph reported back to Pete on his meeting with the Maintenance Department, including Lucas's parting shot, Miller went straight to Laine in his capacity as Acting HR Director. Because the rules set forth in the Copper Canyon

Employee Handbook prohibited cursing at a supervisor, Laine applied the Progressive Discipline Policy and put Lucas on Disciplinary Step Three, which got him an automatic one-day suspension without pay. It also meant that, under the Policy, one more offense within the next 12 months and Lucas would be terminated, absent mitigating circumstances.

Lucas had been biding his time ever since. As he mulled alternative take-down strategies, his resolve deepened and hardened. The more Lucas saw of Pete, the greater his contempt grew. Pete reminded him of his 2nd Lieutenant back in Vietnam. That know-it-all, rosy-cheeked ROTC kid was a clueless pain-in-the-ass. Fresh out of a place called Brown University, the kid did not know shit. Lucas chuckled to himself, recalling his amusement at the irony that brown-nosing the brass was all that snot-nosed Lt. Roberts was good at. So, after Lucas and a buddy had rolled a grenade into Roberts's tent one night shortly before the fall of Saigon, and blamed his death on a raid by the Gooks, they rationalized that it had only been a matter of time before the Viet Cong would have captured and tortured him anyway, and that they had actually done him a favor by sparing him from that ordeal.

Today was going to be the beginning of payback time for Pete Miller, Lucas assured himself with relish, as the inspection party accompanying Inspector Dyer formed in the bathhouse, fully equipped and dressed in their dark blue overalls with vertical reflective stripes of silvery tape running up and down them to maximize their visibility in the darkened coal mine passages where they were headed. Upon Radomsky's arrival, they joined the Day Shift crew as they settled into the 10-person diesel mantrip to begin their descent into the mine.

15

DYER TRAVELS UNDERGROUND
WITH PETE'S CREW

The trip to the working coal face where the crew would man their mining machines and commence the mining cycle normally took about 30 minutes in the diesel mantrip. Unlike some coal mines, especially those in the Appalachian coal fields, where coal seams might only run two to four feet thick, so that the excavated tunnels which were their entries required miners to crawl or crouch as they worked, the Copper Canyon Coal Seam was anywhere from six to ten feet thick. Accordingly, rather than needing to travel while stretched out flat on their backs on a conveyor belt or in vehicles following a white line painted on the mine roof, or crouched down in specially-made low profile mantrips or electric trolley cars, the miners at Copper Canyon and most coal mines in the Western United States were thankful for the thick seams that allowed them sit up straight for the drive into the mine, and walk around upright during their working shift on the section or elsewhere in the rest of already excavated underground workings.

Curiously enough, the primary vehicle for travel around the Copper Canyon Coal Mine was a modified diesel-powered Isuzu pickup truck, and the steel-gray 10-person mantrip was an extra-long-bedded version of one, with two benches in the truck bed where the miners sat facing each other, four on one side of the truck bed and four on the other, with the driver and a passenger in the cab at the front.

It was always a snug fit at shift change, with a full crew equipped with an extra ten SCSRs in specialized racks running down the middle of the truck bed between the seated miners along the sides or beneath their seats. Still it was so much more comfortable than many of those low-coal operations back East, where in some mines the miners needed to wear knee-pads and elbow-pads to crawl around when they got onto the working section. Today, however, with the Day Shift Crew also having been outfitted with bulky dust pumps on their belts for the MSHA-required bimonthly sampling to measure their respirable coal dust exposure during the entire shift from the time they boarded the mantrip until they returned back to the bathhouse at the end of the shift, it was an uncomfortably tight squeeze.

Today, all were quiet in the mantrip, immersed in their own private thoughts, as they set forth from the underground bathhouse just inside the main mine portal cut into the side of the mountain, traveling through the darkness on the downslope on their way into the depths of the mine, along the entry road created by the previous excavations of the coal seam. With the only sound the loud rattling of the pickup truck's diesel engine, they traveled through an environment eerily white from the sprayed-on powdered limestone rock dust coating all four surfaces of the entry – roof, floor, and the two ribs forming the side walls of the 20-foot wide entry – illuminated only by the headlights of the mantrip and the miners' cap lamps, penetrating the darkness with their beams. It was a ghostly descent.

Pete and Ralph sat in the cab of the pickup, discussing Ralph's plan for his frequently postponed but hopefully coming up soon family vacation, beginning with camping and fishing in the nearby Copper Creek State Recreation Area just downstream from the mine. Inspector Dyer rode in the back with Lucas and the crew. Probably not such a good idea, Ralph realized not too far into the trip along the North Mains leading to the 3rd Right Section where the working face was currently located. They couldn't hear what Lucas or the other miners might be telling the MSHA inspector, which made Ralph a little uneasy.

There was actually little conversation going on for the first part of their journey. Lucas was busy plotting his next move and studying the passing mine roof overhead trying to find the place he recalled seeing on a previous trip down the North Mains last week, a place they should be reaching soon. Dyer was looking around constantly, observing the passing conditions in the entry, though he was not expecting to identify any violations in an area mined long ago and travelled by so many in the past, including previous MSHA inspectors, not to mention Copper Canyon's hourly and supervisory personnel who passed through it every single day on their way into and then out of the mine for each working shift. Dyer was also contemplating this dark brooding bear of a man sitting next to him, wondering whether he was in fact the Lucas who owned the porn shop he'd seen on his way to the mine that morning.

Suddenly, Lucas grabbed Dyer's nearest forearm and shouted, "look up there, in the mine roof, that's hazardous loose roof!"

Dyer pounded on the back window of the pickup's cab to get Pete's attention. "Stop right here!" Dyer commanded.

For a millisecond, Pete recalled that he did not have a legal obligation to obey Dyer's command because, as a technical matter, unless and until they formally issued one of the orders in their Mine Act quiver, MSHA inspectors did not have the power to tell him what to do, much less interrupt normal company mining operations. But that was another fight he had no appetite for today, if ever, especially with a new inspector with whom he wanted to establish a good working relationship. He mashed on the brakes and brought the pickup to a sudden stop, jumping out of the cab to ask why Dyer had ordered him to stop suddenly in the middle of the trip. Didn't he know that Pete's crew needed to get onto the section to relieve the Night Shift crew that had been working since 11:00 p.m. Sunday?

"Is everyone okay back here?" he asked, quickly glancing at the seated but surprised crew. The urgent shout identifying a hazard while the crew was en route into the mine to start work was unusual, to say the least. The other miners looked warily at Lucas, but said nothing.

Lucas took charge, getting out of the truck and pointing back up the entry through which they had just traveled. "There's bad roof back there," he explained, as Dyer, Miller, and Radomsky all followed him as he walked back up the entry a short way. It was hard to figure out exactly what Lucas was referring to. The North Mains had been mined many decades earlier, and the roof fully bolted at the time. The mine's MSHA-approved roof control plan had initially required five-foot bolts installed on five-foot centers (in other words, roof bolts drilled into the mine roof in a close pattern so that there was never an area in the roof of the entry that was not within five feet of another bolt in every direction, east, west, north and south) with each five-foot long bolt driven into the roof and holding fast against the roof surface a five-inch square bearing plate between the bolt head and the roof (like a large washer around a screw head), fastening the immediate mine roof to an anchorage in stronger rock strata higher up above the exposed mine roof surface. Subsequently, as the years passed and the mine roof was exposed to the ventilating air currents of the mine atmosphere, tending to crack and flake off as it dried out with age, and as new technologies were developed to provide greater roof support, and MSHA standards became more stringently protective, the mine's roof control plan had been revised to require that additional roof supports be added in this area. Accordingly, steel mats, steel straps across the entry, and wire mesh to catch any loose coal that might flake off between the roof bolts and their bearing plates, had all been added, as roof conditions were deemed to require.

The area to which Lucas was taking them showed the conscientious application of all these subsequent roof-support technologies. Though caked with layers of rock dust from countless applications over the years, the miners' cap lamps revealed a sea of roof bolts, bearing plates, straps and wire mesh layered over each other and onto the roof. Everything looked in order. But, as Lucas pointed out, studying the roof closely one could see that there was one area where, in fact, there were several roof bolts around which a few inches of coal beneath the bearing plates had fragmented and fallen out and into the wire mesh, leaving those bolted plates no longer flush against the mine roof, as required. Dyer took out his notepad and tape measure, noting exactly how many bolts were loose, and the dimensions of the affected area, as well as sketching and describing the apparent violation in as much detail as possible.

"A clear violation of your roof control plan, Mr. Miller," Dyer announced. "C'mon, look at all that roof support, Inspector! You can't tell me you really think that roof is not adequately controlled," Pete protested.

Though Dyer was not, in fact, particularly concerned that the roof was hazardous, this technical violation presented an opportunity to put the fear into a young and still impressionable foreman. A "teachable moment" like this, Dyer was thinking, could make a lasting impression that could pay safety benefits for miners under Miller's supervision for decades to come: you do not take chances with safety and strict compliance with the rules is the only way to ensure it. No exceptions.

"Who knows exactly what is going on up there inside the roof, Miller; maybe it's solid and stable, but maybe not, and we cannot take chances. You can see a few places where the wire mesh is sagging down a few inches from the weight of the pieces of coal and shale rock that have come loose from the solid roof and fallen into it, causing the mesh to bag down. If this process were allowed to continue unchecked, the sagging bags of coal and rock could create a hazard to miners passing through this area and hitting their heads on it. Or, if the cab of pickup truck were to impact the coal-filled mesh bag or the growing weight of the coal and shale by itself caused the wire mesh to rip loose from the roof, either event could possibly bring down the whole roof with it. But, in any case, whatever the probabilities, Mr. Miller, the law does not leave it to you to weigh the possible hazards and make your own cost/benefit decision as to whether the problem is worth correcting. Regardless of what you in your *vast* youthful experience and Colorado School of Mines wisdom may believe, the law has already determined that even if you are right and you do not actually have an unlawful loose roof hazard here, you are in any case unlawfully not following the roof control plan since you have allowed those roof bolt bearing plates to become loose and no longer tight against the roof, as required."

"What concerns me more right now," Dyer continued, "is how long you have allowed this violation to continue unabated. How long has this hazard existed?"

Dyer turned back to the crew that had been silently observing their section foreman's dressing down, and asked how long the roof had been like that in this area, but, like Pete, no one admitted to ever noticing it before, with one exception: Lucas Jones, who stepped forward, informing the inspector that the condition had been like that for at least a week: "I noticed it last week, and it has been worrying me ever since, but I was afraid to tell the bosses, because I figured they already knew about it, and would ignore it but retaliate against me if I mentioned it. That kind of thing has happened to me before."

That was all the encouragement Dyer needed. He jotted down Lucas's statement in his notes as an admission by the company that the condition had been in existence and unabated for at least a week, adding in the key fact that "company supervisors pass through this area multiple times every day; the operator knew or should have known."

Dyer directed a sharp admonitory gaze at Miller, and warned him that he had two new problems to worry about. First, because he was issuing an unwarrantable failure citation, the mine was being placed on a mandatory 90-day probationary period. If MSHA found another unwarrantable violation of any type anywhere in the mine during the next 90 days, then MSHA would be issuing not merely a citation but a closure order, requiring all miners to be withdrawn from the area affected, even if that happened to include the entire mine. Dyer's warning continued, as Pete was still trying to digest the implications of the threatened closure order, given the mine's fragile economics and pending supply contract renewal.

"Second, this unwarrantable failure citation you have earned will likely trigger a special investigation to determine whether you and perhaps other supervisors should be prosecuted personally, for an individual civil penalty, in addition to the civil penalty the company will have to pay for the violation to begin with, or even a criminal penalty, including possible jail time for a knowing violation of the Mine Act."

His brother's warnings were ringing in his ears as Pete made a note to have a repair crew fix those loose bolts. As he slid back into the cab of the mantrip to drive the rest of the way to the working section to belatedly begin the day's coal production assignments, he complained to Ralph, angrily and perhaps too loudly, that Lucas had set him up but that Lucas was going to pay for it: Lucas had just revealed, before a large number of witnesses, that he had known of a safety violation for a week and had neither fixed it himself nor reported it to management so it could be corrected immediately. Either way, they had Lucas flat-footed in a serious violation of one of the Copper Canyon Coal Company safety rules set forth in the employee handbook which Lucas had signed, acknowledging that he had received it, read it and would comply with it. The rule was explicitly spelled out in the handbook and the miners had all received training to reinforce the point that it was the duty of every member of the Copper Canyon Coal Mine community to protect the safety of every other member, among other things, by either promptly correcting or at least reporting any hazards or safety violations so they could be promptly corrected. Pete relished the thought of Lucas's upcoming disciplinary proceedings, knowing that Lucas was already on Step Three of the Progressive Discipline Policy and that Step Four would result in termination.

Forcibly turning his mind back to the day's work ahead, Pete glanced at his watch with anxiety. That unplanned stop for the issuance of the unwarrantable failure citation had delayed them at least 20 minutes. He realized that his crew's lost time would not adversely affect the mine's coal tonnage for the day because they were "hot-seating," which meant that the crew from the previous shift would keep working right up to the time that the next shift arrived on the section to take their places on the mining equipment, while their seats were still "hot." But the weary Night Shift miners who had been held over awaiting the Day Shift crew to relieve them would have started their shift at 11:00 the night before, and Pete was feeling guilty about prolonging their work as the mantrip pulled into the section to park in the crosscut that ran over to the adjacent entry near where the belt feeder stood and the shuttle cars dumped their loads of coal to be fed onto the conveyor belt for transit off the section and out of the mine where it would in turn be dumped onto the enormous raw coal stockpile in the canyon below.

As Pete's crew began to exchange places with the Night Shift crew on the equipment, Pete talked with Benny Alvarez, the outgoing section foreman, about what they had accomplished during the "Hoot Owl Shift," the mining conditions, equipment issues, and anything else that could affect the Day Shift's operations. Although Pete tried to introduce Benny to Inspector Dyer, Dyer was already busy checking the roof, rib and floor conditions for compliance.

16

DAY SHIFT ON 3ᴿᴰ RIGHT

Third Right was a typical three-entry continuous miner section at the Copper Canyon Coal Mine. When the Day Shift crew finally arrived at 3ʳᵈ Right, they drove onto the section via the Number 1 entry, which was also the same entry where the Night Shift had been cutting the coal face at the time. The Number 1 entry, which was the intake entry, was the left-most entry into the section when traveling or facing "inby" (toward the coal face and away from the surface) and the one that carried fresh, uncontaminated "intake air" to ventilate the section, until it was coursed into the return entry, becoming "return air," to exit the mine. The Number 2 entry, the middle entry of the three, was the belt entry, where the coal conveyor belt was located, running down the middle of that entry between the surface and the working section up until just outby the third open crosscut outby the face, where the belt feeder was located, and it was on neutral air, neither intake or return, for reasons of safety and health. The Number 3 entry, to the far right facing inby, was the return entry through which the "used air" was exhausted.

The air that went into the return entry had already swept across the working section, ventilating the coal faces where the miners and their equipment were working in each of the three entries, and in the process becoming contaminated with coal dust, methane emissions, carbon dioxide and any other gaseous and particulate waste products generated by the miners and the mining equipment during the mining cycle before exiting the area and flowing out the return entry to be exhausted from the mine by fans on the surface. An elaborate ventilation system had been engineered to protect the miners, requiring the operation of powerful fans, curtains, concrete block or aluminum walls called "stoppings," and overcasts, undercasts, man-doors and "regulator" devices which worked together to isolate intake, return and neutral air currents from one another.

Under the current mining plan at Copper Canyon, each working section employed one high-voltage continuous mining machine to cut the coal, two electric shuttle cars which took turns carrying the coal from the continuous miner to the belt feeder, one single-head roof-bolter (which could drill into the mine roof and install roof bolts at the precise depth required by the roof control plan), and a diesel scoop to clean up loose coal and transport supplies such as timbers, tools, and 50-pound bags of rock dust. There was also an unmanned feather duster that operated in the return entry to continually distribute extra rock dust into the return entry because some of the coal dust being transported away from working section would invariably begin falling out of suspension and be deposited in the return along its way out of the mine.

The crew itself consisted of eight miners, including the foreman: the continuous mining machine operator and a helper, the bolter operator and a helper, two shuttle car drivers, and the scoop operator who also served as a general laborer as needed. Before the steel mill closure and the bankruptcy and the subsequent downsizing brought the mine to the current "lean staffing" model, each production crew had had the luxury of its own mechanic and full-time general laborer, but now had to request a floating mechanic when needed or to schedule maintenance work in advance. Plans that had been in the works to install a longwall mining system had to be shelved. It was a frustrating dilemma for the company because longwall mining (where the coal is sheared off a single coal face that is hundreds of feet long by a spinning shear that operates like an automatic baloney-slicer in a delicatessen, with the coal face as the loaf of baloney, causing the cut coal to fall onto a metal-chain conveyor that in turn automatically and swiftly loads it onto the mine's belt conveyor system to be transported out of the mine) is vastly more productive and efficient. It reduces both the number of miners needed and increases their safety since they work at all times under a sturdy steel canopy with virtually no risk of injury from falling roof, nor any need to otherwise take the time away from cutting coal by needing to stop to rock-dust or bolt the freshly cut area (because miners never needed to go into the freshly cut area, which caves in and is abandoned as the longwall moves on into virgin territory). But installation of a longwall requires a substantial up-front capital investment; as they say, "it takes money to make money," and Copper Canyon no longer had that kind of capital.

So, they stayed with room-and-pillar mining, using the continuous mining system that they had switched to decades ago, when continuous mining methods themselves were a vast improvement over older "conventional mining" methods, which involved a dangerous and painfully slow routine of manually loading explosives into the coal seam, blasting it apart, manually loading the coal that had been blasted loose from the solid coal face onto conveyor belts, railcars, or other conveyances (once upon a time, goats and mules pulled the loaded coal wagons out of the mine), and then starting the cycle again with more explosives and more blasting. The current mining cycle used at Copper Canyon, unlike the still more advanced longwall mining systems, was structured around the use of a continuous mining machine which was propelled ("trammed") directly into the coal face, with its extended rotating ripper head – a 36-inch diameter steel drum studded with rugged tungsten-carbide teeth – tearing into the face of the uncut coal seam, dropping the cut coal onto an 18-foot wide gathering pan (like a dust pan for a broom) with flipper-like gathering arms to sweep up the falling pieces of coal to be automatically lifted up onto a three-foot wide rubberized chain conveyor running down the spine of the continuous miner that then carried the cut coal all the way to the tail of the machine where its rear jib section could be raised or lowered as necessary to deposit the coal into a waiting shuttle car for transport to the mine belt conveyor.

Each such cut in each mining cycle could not extend any farther than a maximum distance of 20 feet forward into the coal seam because that was the limit that the MSHA regulations permitted, to ensure that the seated miner operator was always himself positioned beneath supported roof, even at the machine's farthest advance. Mines that had remote-controlled continuous miners could sometimes get MSHA approval to take "extended cuts" of up to 40 feet at a time before having to stop to bolt the roof, the second step in the mining cycle.

Though buying a remote-control continuous miner did not require anything like the multi-million dollar investment to install a longwall system, it was still more than struggling Copper Canyon could currently manage. Not only would remote-control mining improve productivity, but Ralph had urged the company to budget for remote-control for its safety benefits, because it enabled the continuous miner operator to stand far away from the coal face while cutting into that coal face, positioning himself instead alongside the rear corner of the machine. The coal face is typically the most dangerous place in a coal mine, for at least three reasons: because of the risk of roof fall cave-ins there; because respirable coal dust concentrations are greatest there as the coal cut from the face is partially pulverized by the cutting process (despite the requirements of the regulations, as well as all MSHA-approved roof control plans, that water sprinklers mounted on the front of the continuous miner constantly spray prescribed amounts of water into the air and onto the coal as it is being cut to suppress the coal dust generated by cutting operations); and also because methane gas ignitions are most likely there as methane is commonly liberated from the coal seam as it is being cut.

Although a step forward, remote-control mining was not an unmixed safety blessing; it came with safety hazards of its own. A surprising number of miners have been killed by remote-controlled continuous mining machines since they were first introduced into American mines. Most commonly, those fatalities occurred when the remote-control miner operator had not seen a fellow miner who was working in the area or simply walking by on the other side of the machine where he was hidden from the miner operator's view and was run over or crushed between the machine and the coal rib on its other side. More unexpected were those instances where the remote-control miner operator himself was run over or crushed between the machine and the near-side rib because he accidently pressed the wrong button on his hand-held control device. A few bizarre accidents occurred when the miner operator, to avoid thumb pain or fatigue from keeping the power or gear lever pressed as required to operate the machine, had taped the lever into position and was unable to disengage it in time when it fatally veered toward him.

As a result of these and other accidents, MSHA had recently promulgated regulations requiring all new continuous mining machines, not just the remote-controlled ones, to be equipped with proximity detectors which would automatically bring them to a stop when they sensed a person venturing too close to one of these massive mining machines or vice versa.

Copper Canyon's old but reconditioned continuous miner was due for replacement with a newer model equipped with the most recently required health and safety systems, including a proximity detection system, since it was only "grandfathered" by the regulations for use until the next spring. Ralph was also trying to persuade Laine that the next model should be equipped with a "scrubber," which would help filter out respirable coal dust from the air as the machine's cutting operations generated it.

Their continuous miner weighed over 100,000 pounds and had already been retrofitted with a wider ripper head which could cut the full 20-foot width of an entry on a single pass, speeding production considerably. Before the retrofit, the mining machine could only cut 10-foot widths each time it was advanced so that, whether it was cutting an entry or a crosscut, it would have to make a cut of one side of each 20-foot place, then back out, be repositioned to the other side, and then advanced again to cut the other 10-foot wide half of that place, to complete the 20-foot advance of the 20-foot wide entry, prior to the commencement of the second stage of the mining cycle which was roof-bolting.

The continuous miner was an imposing sight, 28 feet long and 11 feet wide, standing six feet tall, with a ripper head that could be raised over 10 feet in height where seam height allowed. It crawled ponderously forward or backward on steel-plated treads like a military tank or bulldozer. The first time Pete had seen one in action, he literally felt chills of vulnerability, it seemed so massively, monstrously, powerful. It was easy to see how fragile creatures of human flesh and bone could be in perilous jeopardy in the unforgiving presence of these enormous metal beasts. Painted a bold, bright orange for ease of visibility, the continuous miner reigned as sovereign of the section in any room-and-pillar coal mine.

The two shuttle cars were its dutiful attendants. Smaller, swifter, and more nimble, these rubber-tire mounted drones existed solely to serve the continuous miner, and were teamed together to enable its maximum productivity by never keeping it waiting to divest itself of the coal tonnages it was producing, one car racing off to the belt feeder to dump its load and return, as the other car took its place to receive its own fill of the black-treasure offering from the master machine. Copper Canyon's shuttle cars, affectionately called "buggies" by the miners, were about 10 feet wide, 30 feet long, four feet high, and weighed 55 tons each before being loaded up to their 15-ton capacity. Like long, low, motorized barges, the shuttle cars were designed solely to efficiently transport the maximum possible load of coal, with only a tiny corner seat reserved in the front for the driver, positioned beneath the protective steel canopy required by MSHA's regulations.

When the mining machine finishes its 20-foot cut, it is then backed out of that freshly-cut place, and either begins cutting a lateral crosscut over to the next entry, or if that crosscut has already been cut, travels through the crosscut and turns inby to begin the cuts that will advance that next entry deeper into the coal seam. Meanwhile, the roof-bolter trams its way into the place just vacated by the continuous miner and commences its phase of the mining cycle, bolting the roof of the freshly cut entry place. In 3rd Right, the mine's roof control plan called for six-foot long, fully-grouted resin bolts, on four-foot centers. No longer cutting-edge technology, fully-grouted resin bolts had once been a major advance in roof control. Not only do they provide the same physical anchorage as standard roof bolts, but when the resin capsule bursts at the top of the newly drilled hole when the bolt has been fully inserted, it releases a strong adhesive that glues the bolt and the roof strata together for added roof support.

In agreeing to MSHA's demand that its plan be amended to require not only bolts longer than the five-foot bolts that had been used when the older areas like the North Main entries had been mined years earlier, but also fully-grouted resin bolts, Copper Canyon recognized that it was not only advancing deeper into the mountain but also was also now mining under deeper cover, as the mountain rose higher above 3rd Right than in previously mined sections. Simple physics, much less geo-physics, meant that the greater amount of weight bearing down on the mine workings would result in greater vertical stresses on the mine roof as the underlying support was mined out from beneath it. Unless such stronger roof support measures were applied in 3rd Right, as the roof control plan now required, the danger of a roof fall collapsing onto the miners and their machines would have become too great to allow. Laine and Ralph, who had negotiated the final terms of the current roof control plan with MSHA, had had enough deep mining experience not to resist MSHA's demands for greater roof support measures in the plan covering the current working section when MSHA showed them the technical projections of the computer simulations developed by its Technical Support brain trust back in Pittsburgh. What Laine and Ralph lacked in advanced software and computing capacity, they made up for in anguished memories leavened with good judgment and hard-won safety smarts.

Once the freshly cut entry was fully bolted in accordance with the specifications of the roof control plan, the bolter would be moved out of the freshly bolted area, following the path taken by the continuous miner, to bolt the next place that the miner had been cutting while the bolter had been busy bolting in the first entry. Today that next area that the miner had just cut on the Night Shift was the beginning of a crosscut between the Number 1 and Number 2 Entries which, when fully excavated would extend for 60 feet before it reached the location where the miner would then turn left to begin cutting into the coal seam to advance the Number 2 entry (the current roof control plan for Copper Canyon required it to leave standing coal pillars that each were 80 feet long and 60 feet wide, a size designed to be sufficient to support the overburden and allow for safe mining, assuming that the required roof supports were installed and the widths of the openings around the pillars on all four sides did not exceed 20 feet).

Once the bolter had secured the roof and moved on to its next place, the third phase of the mining cycle would begin with the scoop operator following the path taken by the bolter, entering each freshly bolted and vacated place, to clean up any loose coal not collected by the continuous miner initially or which had been spilled during the loading of the shuttle car, as well as gleaning any additional loose coal that had fallen from the roof or ribs during the roof-bolting operation. Once the scoop's bucket was full, it would follow the same route the shuttle cars had travelled, dumping its loose coal harvest at the feeder for loading onto the belt and out of the mine. The scoop operator would then drive back to the area he had just cleaned to spread rock dust all over the newly exposed coal roof, ribs and floor to reduce their combustibility. MSHA's current, recently strengthened regulations required that all coal surfaces and all loose coal dust be maintained at no less than 80 percent incombustible content, which required extensive and repetitive applications of rock dust. When he had finished dusting, the scoop operator, having completed the mining cycle in the Number 1 entry, would follow the same route travelled by the bolter and by the miner preceding it, and each mining cycle would begin again with the cutting of each fresh place.

Pete proudly watched as his crew threw themselves into their tasks. It was a finely choreographed ballet of men and machines in pursuit of productivity and safety, optimizing each.

Inspector Dyer watched, too, but with a more critical eye, looking for hazards or other violations. He was especially watchful for corner-cutting and sloppy practices that might occur in the crew's haste to make up for the time lost during the drive in because of the roof control violation he had cited. As he measured the width of the entries to make sure that they hadn't been cut too wide or subsequently widened by the rib sloughage that was typical of this coal seam, especially at these depths, Dyer was pleased to note that Pete was not doing what too many foremen do, involving themselves in actual coal production tasks in order to increase productivity, rather than focusing on supervising his crew and ensuring that they were working safely, a foreman's proper job. MSHA had issued a report a few years back decrying that practice and its prevalence and tallying the disturbing number of accidents that had occurred while foremen themselves were operating continuous miners, bolters, scoops, tractors and other equipment, rather than overseeing those operations. That study posited several contributing factors behind the phenomenon, including the fact that foremen had not received recent training on how to do those jobs safely, and the likelihood that foremen tended to rush the process in their haste to produce more coal faster to try to meet production quotas and thereby earn or enhance production bonuses. MSHA inspectors had been advised to watch out for such practices and to cite foremen for violations of the mandatory training regulations whenever they were caught doing any job for which they could not document that they had received current task-training in the safety aspects of, like roof-bolting or operating the continuous mining machine, which supervisors seemed to be incapable of not helping out with from time to time, for example when one of the hourly miners needed a break or went home early or was briefly distracted by other tasks. That was one of the perils of lean staffing, but it was illegal since MSHA reinterpreted its regulations to no longer exempt supervisors from the task-training regulations. Dyer was pleased to see that Pete seemed genuinely focused on supervising his crew and maintaining a safe workplace; in spite of his initial grudge against him, he felt cautiously optimistic that Pete's crew might be in good hands.

Pete at that moment appeared to be staring off into the distance, though, an exercise which would have been fruitless in the dark confines of the mine, but he was instead focusing inward, trying to remind himself that all that mattered was the job at hand. Lucas's conscription of the federal mine inspector to ambush him with the previously undisclosed roof control violation that Lucas had obviously been carrying in his hip pocket, awaiting the right opportunity to strike back at Pete, had left him frazzled, frustrated, and somewhat disheartened. His eyes stung and watered, a familiar sensation he had learned to recognize as symptoms of stress. Christy had been after him to see an ophthalmologist, but he doubted the ability of any doctor to help, least of all any eye doctor. He just needed to do what he had to do, an internal imperative that was becoming his mantra.

Uncharacteristically, however, Pete was momentarily distracted by his thoughts, reflecting on whether his mantra was the best mantra or even a proper mantra for navigating the fleeting miracle gift of life. It was a novel sensation for Pete; he was questioning what he was doing with his life for the very first time in his life. Though a counselor or therapist might applaud that as a sign or stage of growth, it felt only like confusion and pain to Pete. Human consciousness, cognition, creativity and imagination, enriched by wondrous, potentially delightful sensory capacities – it was all so precious, so much to be thankful for, but was he squandering the little bit of time he had been rationed, betraying the opportunity of human existence with which his parents had endowed him?

Maybe the problem was not so much with his mantra "to do what he had to do," but with his working hypothesis that *what he had to do* was to spend his days in darkness supervising a crew of coal miners almost 2000 feet below the splendid surface of the glorious mountain above him. He was frittering away his precious energy and talents, investing them in the waning days of a dying industry. But, on the other hand, he reflected, there *was* nobility in his job. Creating energy for people to heat and cool their homes, offices, and factories, power their trains and charge the batteries in those new "clean-powered" electric automobiles, and on and on, as he struggled to sort through and balance out his melancholy musings. And using his prodigious abilities to make sure his crew could get their jobs done safely and make it home to their families each day was hardly a waste of anyone's time, he knew. Not to mention treating everyone, on the job and off, with kindness and respect, and protecting the weaker members of the crew from the likes of Lucas.

Despite his doubts, Pete really was proud of what he did for a living, but it was starting to gnaw at him that he could be doing so much more for society and for himself. What an achievement it could have been, and what enhanced prosperity could be achieved for all mankind if Pete had only been able to complete his research into how to inexpensively unleash the magic of rare earth minerals, scarce in nature yet more plentiful in some coals, a bountiful treasure chest currently virtually locked away and inaccessible.

Wise mantra or not, suddenly conscious of Dyer's gaze, Pete snapped back into focus. As long as he had this job to do, he was going to do it and do it well. Taking a deep breath, and squinting the pain away, Pete pulled out his anemometer to take ventilation readings (measuring the velocity and volume of air coursing through the area – the approved ventilation plan specified the required minimums of each at every different location in the mine).

Continuing to take slow, steady breaths, Pete also used his multi-gas detector to check for methane, particularly near the roof since methane is lighter than air and tends to migrate toward and collect near the roof, and at the face which often releases methane as the coal is cut, as well as checking for other gases, all as part of the required on-shift examination. The regulations wisely recognized that, though people tend to take for granted that the air they are breathing is "air" and always contains sufficient oxygen, maintaining the necessary oxygen levels for a healthful respiratory atmosphere in an underground mine environment can be a challenge and must be continually monitored. For example, the air the miners breathe may not necessarily contain the typical 20 percent oxygen which we unthinkingly assume all air contains, since oxygen levels can be gradually depleted by the oxidation of coal, wood, or other organic materials, by combustion in the engines of diesel equipment like the scoop and the Isuzu pickups, or by displacement by other gases, including the carbon monoxide, nitrogen oxides, and carbon dioxide produced by those engines, and the last of them even by the sometimes heavy breathing of the laboring miners themselves. The regulations required that oxygen levels not fall below 19.5 percent, to prevent miners from the consequent risk of adverse physiological effects; notably, oxygen levels of less than 16 percent can be life-threatening.

Similarly, carbon monoxide not only can displace oxygen but also, though tasteless, odorless and colorless, is itself toxic, and must be constantly monitored. It also needs to be monitored because when a fire is just in its incipiency, carbon monoxide is produced before any smoke is visible, making it a valuable early-warning indicator of an otherwise undetectable fire that was just getting started somewhere, ideally in time to locate and extinguish the fire before it has the opportunity to spread. As a result, today's underground coal mines rely on systems of carbon monoxide sensors, especially those placed along belt conveyors where fires have often started, which set off visible and audible alarms when carbon monoxide is detected.

Carefully recording in his pocket notebook all the readings he was taking, Pete also checked for compliance with all the other regulatory restrictions on harmful gas levels in the mine atmosphere, including prohibitions on accumulations of more than 2.5 percent carbon monoxide and 0.80 percent hydrogen or hydrogen sulfide. Watching Pete as he worked, Dyer was impressed by his vigilance and calm demeanor; Pete evidenced none of the negativity and agitation that affected some foremen when they knew they were under an inspector's critical scrutiny. Pete's steady hand and positive attitude seemed to affect the whole crew, as the team worked smoothly together with focused care and efficiency. Only Lucas appeared impatient and frustrated as he searched the area in vain for additional hazardous conditions and practices to call to Inspector Dyer's attention.

Dyer then squatted down to take a few "grab samples" of dust from places on the mine floor and on the ribs that looked too dark to his naked eye. If the dust appeared to be too dark, that often meant that insufficient rock dust had been applied to achieve the 80 percent incombustible content required by the regulations. That was the minimum level MSHA had set to ensure that coal dust could not be ignited and propagate an explosion in the event that the dust were somehow exposed to an ignition source. Of course, as a prime example of MSHA's conservative regulatory strategy of requiring redundant layers of protection against accidents, the regulations also radically restricted the presence of any possible ignition sources, for example by prohibiting non-permissible equipment from being taken inby the last open crosscut near the coal face, where methane and dust levels were inherently the most problematic.

Dyer contemplated whether he should also take band samples of the coal dust, a more accurate and comprehensive measure of compliance with the combustibility restrictions, a procedure which entailed scraping off the top inch of dust from the entire perimeter of systematically selected spots along an entry – roof, ribs, and floor – in a continuous band several inches wide. He decided to wait until the results of his grab samples came back from the MSHA lab to which he would send them once he got back to his office in Trinidad. Sometimes the darkness of the coal dust could be misleading, commonly if the dust were damp. The lab test would reveal the actual percentage of incombustible content, regardless of the moisture content or the color of the samples. If those grab samples suggested a broader problem, he would take band samples when he was next at the mine, or enlist an MSHA dust survey crew to do it for him on a mine-wide basis.

While watching Dyer take those grab samples and making his own notes on the precise locations and conditions where Dyer was taking his samples, Pete contemplated taking his own "mirror" samples from the same locations. Many mine operators did that as a check against MSHA error or enforcement abuse, or would ask the inspector, as a matter of course, to prepare split samples, sharing half of each sample with the operator, which the operator would then send off to private labs for testing as a check on MSHA's enforcement sampling. If MSHA's samples led to citations for inadequate rock-dusting, the operator would be able to verify the validity of the MSHA samples or at least have the ammunition to legally contest the citations if their own samples showed that their mine was actually in compliance. Better not, Pete decided, not at this early stage in their relationship. He did not want to give Dyer the idea that he did not trust him or questioned his competence.

Pete was still hoping to make a good impression on the new inspector, knowing that it could make a huge difference in determining the tenor of Dyer's inspections. It was no secret in the industry that a distrustful or hostile inspector could seriously and adversely affect a mine's bottom line. An inspector's enforcement discretion was extremely broad, as a legal matter and, even more so, as a practical matter. Smart mine operators worked hard to build a positive relationship with MSHA inspectors, and aired their grievances judiciously and with the utmost diplomacy.

So, while Dyer was finishing the labeling of his samples and packing them up, Pete busied himself with an examination of the newly exposed mine roof in the area last cut. He was examining the area for any anomalies or irregularities that could suggest the need for enhanced roof support measures to supplement the roof bolts which were being installed as Pete watched. He had already run into a couple of kettle bottoms elsewhere in the mine, places where a petrified root mass from an ancient tree posed a high risk of a causing a roof fall between and unrestrained by roof bolts installed in the prescribed pattern which, of course, could not take account of random anomalies in the roof, such as a problematic kettle bottom. What he had not seen yet at Copper Canyon were fossilized dinosaur tracks in the mine roof or floor. He had studied them in his geology classes at the School of Mines in Golden and longed to see one for himself. Must be the kid in me, Pete self-consciously reflected. Still crazy about dinosaurs.

The rest of the shift flew by without any major incident. One of the shuttle cars kept shorting-out, and Pete was able to prevail upon Lucas to take a few moments out from his walkaround assignment to perform the needed repair (albeit with ill grace) before any notable loss of production occurred. Dyer did issue one additional citation, but it was only a routine low-negligence citation alleging a violation of the regulation prohibiting accumulations of loose coal, the most frequently cited safety standard every year across the whole industry, for coal accumulations along the Number 2 entry inby the feeder. Ralph and Pete tried unsuccessfully to persuade the inspector not to cite it, explaining that the mine had as a matter of policy, allowed a little coal to accumulate at the base of the ribs where it had spalled, crumbled, or sloughed off the ribs over time, because the engineers believed that it provided extra roof/rib support as it accumulated and wedged itself against the rib where it intersected with the mine floor. Though other MSHA inspectors had previously agreed that the benefit of the added rib and roof support more than outweighed any minor coal accumulation hazard, as long as it was kept out of the travelway and heavily rock-dusted, Dyer was intransigent, entirely unmoved by the mine's cost-benefit balancing, and strictly enforced the rule's literal prohibition against allowing coal accumulations. Although Pete had to admit that Dyer had a point when he advised Pete that if the mine wanted to leave coal accumulations for rib/roof support, it needed to put that in their roof control plan, and get the District Manager's approval, Ralph had already advised Pete that, in his experience, the District Manager would pass the buck and tell the company that they needed first to seek approval of a petition for modification of the coal accumulation regulation from MSHA Headquarters as required by the Act before a waiver could be granted by the District Manager. Although that process, if successful, could allow them to leave those accumulations at the base of the ribs, they would first have to persuade MSHA's experts that it would be just as safe as, or safer than, compliance with the existing prohibition on leaving coal accumulations anywhere, which was always a long, cumbersome, and impractical process, and often ultimately disappointing. In any case, thankfully, Pete thought, unlike the roof control citation Dyer had issued in the North Mains at the start of the inspection, this one was not written as an unwarrantable failure to comply or with a finding of high negligence, and Dyer had marked it as not significant and substantial, so Pete figured that they could live with it.

When George Delinsky's mantrip pulled into the section at about 3:30 p.m. with the Afternoon Shift ready to take over from Pete's crew, Dyer decided that he had seen enough for one day, and he rode out in the mantrip with Pete's crew. This time, however, Ralph, who had spent much of the shift distracted from his duties as management's walkaround representative, monitoring and assisting the MSHA inspector, and had instead been preoccupied by his competing obligations attending to the regularly scheduled required respirable dust sampling using the respirable dust pumps and personal dust monitors, made a point of trading seats with Luis Rodriquez so he could sit in the back of the pickup where he would be able to hear whatever Lucas and Pete's crew might be discussing with Dyer.

As it turned out, he was glad he had. Dyer was full of questions for Lucas and the crew. Were there any other hazards that they were concerned about, or any violations he had failed to detect? How long had that roof control plan violation he had cited existed in the North Mains Number 1 Entry? Had they complained about it to management? Were there any other supervisors who were aware of it but did nothing to abate it?

When no one had any further information to offer on these subjects, other than Lucas pointing out what Dyer already knew, which was that Lucas unsurprisingly thought the other two section bosses, Delinsky and Alvarez, should have seen it, too, since just like Pete each passed through there at least twice a day, Dyer moved on to an entirely different subject. Was anyone else present when David Anderson had his heart attack last week, besides Pete Miller?

Did it actually occur in the bathhouse after Anderson's shift, as the company had reported? Was it really a heart attack while he was taking off his work boots, as reported? Dyer was suspicious that the heart attack may have actually begun while Anderson was still working, before he got to the bathhouse at the end of the shift, perhaps as a result of an electric shock from the mining equipment he was using or while lifting heavy equipment or supplies. MSHA studies revealed that heart attacks were not uncommon among older miners performing such job duties. Had Anderson been complaining of chest pains during his shift?

Dyer was also contemplating issuing a citation for the company's failure to report the fatal event within 15 minutes as required by law: "Death of an individual at the mine" was one of several types of "accidents" that Congress had required operators to report to MSHA by telephone within 15 minutes, ever since the legislative reforms following the Sago Mine explosion in West Virginia in 2006.

There, mine personnel had spent over an hour attempting on their own to rescue a group of miners trapped underground after a lightning strike had freakishly caused a methane ignition deep underground, before alerting MSHA so that it could sent its own mine emergency response specialists and investigation personnel. Twelve miners, who MSHA believed might have been rescued with its assistance had immediate notification been made, suffocated to death, while another survived with brain damage. The Draconian 15-minute rule was intended to prevent anything like that tragedy from happening again.

No one on the mantrip had any relevant information for Dyer's investigation into Anderson's death. If there had been work-related causes and perhaps early warning signals or other red flags indicating that Anderson was ill and needed to be taken out of the mine during the shift and sent to the hospital for treatment, and management had ignored them, that would increase the level of severity of the citation he was going to issue and increase the resulting civil penalty assessed against the company for the reporting violation or lead to issuance of additional citations for other violations that may have caused the heart attack. Perhaps there was electrical equipment that wasn't properly insulated or grounded in violation of other regulations? Those conditions had caused miners' fatal heart attacks before. Frankly, Dyer had not been expecting much from Pete's crew. They seemed unusually tight-knit, even for coal miners. Plus, who was going to spill the beans with Radomsky present? But when even Lucas had nothing helpful to offer, Dyer began to think there was nothing that the crew was keeping from him, after all.

Ralph, as Safety Director, did speak up, however. Accident reporting and record-keeping were his responsibilities and he simply could not believe what he considered to be the short-sighted stupidity of the 15-minute reporting rule. "Know-nothing politicians micro-managing mine safety," he had complained to anyone listening ever since the law was passed. "Now I know why someone once said, 'The law is an ass!'" Ralph's frustration with a law that made absolutely no sense to him plainly colored his tone as he addressed Dyer: "Look, Pete Miller was the only person still left in the bathhouse with Anderson when he cried out in pain and crumpled to the floor. Wasn't it exactly the right thing to do to run to him to start providing CPR? Wasn't it the right thing for Pete to call 911 while grabbing the defibrillator off the wall and begin trying to revive the poor bastard? Should he not have tried to save him during those crucial first few minutes after a heart attack?"

"Delaying emergency first aid like CPR and AED to call MSHA could only have further jeopardized Anderson's life," Radomsky almost shouted, before he caught himself and tempered his tone. "That would have been totally contrary to the first aid training our supervisors all receive. If anyone else had been around, then sure, telling them to call MSHA would have been smart. But there was no one else. Pete did everything right!"

Dyer listened patiently but dismissed Ralph's protestations. "Not my call, Ralph. Tell your Congressman who, by the way, voted along with every other member of Congress to overwhelmingly approve the 15-minute reporting requirement in the immediate aftermath of the Sago Mine disaster."

In any case, Dyer advised Ralph not to get too exercised over the matter. Though he was going to issue a citation for the failure to timely notify MSHA of the accident, he was going to mark the violation as "low negligence" under the circumstances, and to write it up so that the company would likely be assessed no more than the statutory minimum $5,000 penalty for untimely accident reporting. Pete would not be subject to any further investigation or civil penalty himself, and Dyer confided to Ralph that he would probably have done the same thing if he had been in Pete's shoes. Of course, who wouldn't, Ralph thought to himself.

Relieved and somewhat mollified by Dyer's assurances, Ralph had one additional issue he wanted to run by Dyer, though he was pretty sure he knew exactly what Dyer's answer had to be.

"So, Inspector Dyer," Ralph asked, turning to a related concern, "what about my having to submit a 7000-1 on Anderson's heart attack?" referring to the MSHA form that was required to be submitted to MSHA within 10 working days of any occupational injury, occupational illness, or accident at the mine. Unlike the 15-minute rule, submitting the 7000-1 had been a requirement since the Mine Act was first enacted. It had always struck Ralph as a pretty reasonable requirement, allowing some time for investigation of the facts and possible causes, information which the form expressly required. The data obtained from the 7000-1, as the agency had explained when it promulgated the regulation requiring its submission, enabled MSHA to identify the types of occupational hazards that MSHA might need to address by revising existing regulations or issuing new ones to better protect miner safety and health, and also to identify mines with inordinately high rates of certain types of accidents, so that those mines could be targeted for further investigation and heightened enforcement attention.

"I haven't sent one in yet," Ralph explained, "and I don't think I should have to, but the 10-day deadline runs out in a couple of days." He went on making his case to Dyer: "The guy died of natural causes at age 69. The coroner says he had a heart condition and that this had not been his first heart attack, just his last. He was not engaged in mining work at the time and his shift was over. He was done with work and putting on his boots to go home. His death was not work-related, so it shouldn't be considered an 'occupational injury.' It happened on mine property only coincidentally, and could easily have occurred in Anderson's kitchen when he got home. It doesn't make any sense that we should have to report it," Ralph said, in a tone of voice that was two-thirds certainty and one-third entreaty.

Dyer again replied with patience and a touch of empathy: "I don't make the rules, Ralph. I know that it doesn't seem to make a whole lot of sense, but this is an issue no longer open for debate, unless you want to take it to the Supreme Court, which, incidentally, I wouldn't recommend. The federal court of appeals in Washington, D.C., has already ruled on it, and dismissed the industry's argument that only work-related accidents and injuries should have to be reported under the Mine Act. As the court noted, just because an employer regulated by OSHA does not have to report accidents and injuries that are not work-related, even though they occur in the workplace, that doesn't mean that MSHA cannot require the reporting of *all* injuries and deaths occurring on mine property, regardless of their cause. In that particular court case, a miner had finished his shift, gotten into his car and started to head for home when his brakes failed on a curve in the mine access road; he lost control of his car, and crashed into a ditch, sustaining a broken ankle. Because the crash occurred on property owned by the mine, and therefore was subject to MSHA jurisdiction, the court upheld the citation MSHA issued to the mine operator for not reporting the accident. MSHA could reasonably conclude, the court opined, that it needed to have such accidents reported so it could determine whether the mine road was hazardous, too sharply curved or too steep and needed guardrails or asphalt paving to prevent other miners from being injured coming to or going home from work.

On one level Ralph knew that it was reasonable, but it nevertheless seemed so unfair to him. There was nothing that the mine could do to ensure that miners properly maintain the brakes on their personal motor vehicles, much less drive to and from work safely, without texting or taking calls on their cell phones. It just stuck in his craw that he had to report David Anderson's death as a Copper Canyon Coal Mine fatality. As if he could make his coal miners eat a low-fat or low-carb diet, take statins, or otherwise better manage their private lives. If Anderson had waited 10 more minutes to have his heart attack, he would have been off mine property, and not caused a stain on the mine's accident record and on Ralph Radomsky's record as a mine safe professional. It would also adversely affect the company's bottom line, because the mine's insurers inevitably raised their premiums with each additional reported accident.

Nothing more was said. When the mantrip reached the bathhouse, Pete and Ralph headed to their respective offices (Pete's being the foremen's desk in the bathhouse) to do their post-shift paperwork. The sight of Lucas leaving to accompany Dyer to his Bronco in the parking lot reminded Ralph of the incident early in the shift when Lucas had pointed out to Dyer what he claimed to be a roof control hazard, thereby demonstrating Lucas's clear violation of the company's safety rules by not fixing or reporting it at the time he had first seen it. Ralph immediately set about to report Lucas's violation to HR.

As Dyer walked to the Bronco, he only half-listened as Lucas lauded him for a great inspection. Although Dyer was proud of his work protecting the health and safety of coal miners, he could not help but recognize Lucas's effusive praise for the self-serving sycophancy it really was. But since Lucas was serving as a miners' representative, Dyer reflected, their purposes were aligned and they could help each other out. Nonetheless, he was a little taken aback and put off by Lucas's fawning, hurriedly driving off without further comment after Lucas reached into Dyer's driver-side window to hand him a business card with the hours and address of "Lucas's Lingerie and Adult Video Shop," on which he had hand-written "10 percent government employee discount!"

17

HEAVENLY

The sky was blue over Heavenly, a brilliant, dazzling cerulean blue. The air was faultlessly and unimaginably fresh and clean, with a sparkling, soul-soothing clarity. Life in Heavenly, Colorado was eponymous, relatively speaking. Magnificently framed by the Spanish Peaks to the east and highest of the Sangre de Christo's peaks to the west, with over 300 days of sunshine every year, life in Heavenly was a blessing cherished by most everyone who lived there, including the Millers.

Pete Miller's father, Walter, was not only a shining symbol of the good life in Heavenly, but he also frequently extolled its benefits, both God-given and man-made, to anyone who would listen. In Walter's frontier philosophy, although we were all nothing without God's grace, it was nonetheless up to us each to make something of ourselves from the resources He gave us, both internal and external blessings. That was how the West was won, to Walter's way of thinking: with God's gift of abundant natural resources, He also gave us the opportunity to enrich ourselves and our communities through wise stewardship and hard work.

His frontier-faith had inspired him to become a lay deacon in his church after his retirement from the mine, and he preached there and elsewhere a common man's theology, one in which God giveth but He also taketh away from those who do not follow His commandments. Yes, God's bounty was great, and those who feared His wrath and obeyed His laws would prosper, both in this world and the one beyond. But there was none of that "unconditional love" that the younger generations seemed to think was their birth right. On the contrary, this notion of unconditional love, Walter had come to believe, was a perversion of the New Testament's teaching that God's love was universal and boundless.

To Walter's way of thinking, the Church had sown the seeds of its own gradual demise with that kind of over-promising. If God were going to love and care for you no matter how wretchedly you behaved, where was the incentive to obey His commandments? The disappearance of God was only a matter of time once people found that they could disobey Him with impunity – to lie, cheat, covet, and steal, yet suffer no greater consequences, no more pain and suffering than those who observed His commandments themselves endured. At least in this life, which science maintained was the only one to be had. Yes, we are entitled, the younger generations had declared, certain that they deserved whatever they could seize for themselves. There was no God to take it away from them or to even care what they took. Other people cared, yes, but they were only out for themselves, and maybe out to get us, too, if we didn't remain defensively vigilant and fiercely fend for ourselves. Experience had proved to them that either God never existed or that He had checked out in disgust and left us to navigate the rest of the way on our own.

Unlike the Godless youth who were inheriting the world, Walter's life was a testament to God's bountiful but conditional love. Walter's hard work in the mines had rewarded him with a wonderful life – a loving, God-fearing wife who bore him two fine sons, a nice home in the magnificence of the Southern Rockies, two federal grazing leases offering a summer and a winter range for his sheep, Social Security benefits, health care benefits (though he had lost his pension in the AC&CCC bankruptcy), and a tax-free monthly Black Lung Benefits check. The great thing was that, unlike many victims of Coal Workers' Pneumoconiosis ("CWP" they called it, or "Black Lung"), he generally felt fine though, shortly before his retirement, he had been getting a little winded when loading those 50-pound bags of rock dust into a pickup or scoop at the mine.

When a federal Health and Human Services clinic brought a trailer to Heavenly offering free chest X-rays for coal miners, and parked it conveniently in the center of town next to its prized ten-foot tall statue honoring the canary that saved so many coal miners lives, Walter figured that four decades of breathing coal dust, even at the reduced levels of dust mandated by Congress following passage of the 1969 Coal Mine Health and Safety Act, the 1977 Mine Act's predecessor, might entitle him to some medical or financial benefits. Like everyone else who worked underground at Copper Canyon, Walter could not blow his nose without blackening his handkerchief until he had been out of the mine for a few hours. After he had gotten the results of his X-ray from the government screening clinic, he was sent to a doctor for further evaluation and a pulmonary function test. While all that was going on and as he went through the claims process at the Department of Labor, the X-ray reading alone was enough to get him a what they called a "Part 90 letter" from MSHA which required the company to transfer him to a less dusty place to work at the mine, with no loss of pay from the normally higher paying job he had performed on the working section. So, while he waited for his Black Lung Benefits to be granted and his retirement to go through, for his last few months at the mine Walter got to work "outside" the mine, managing inventory control in the mine warehouse, doing reclamation work, and taking the required water-quality samples in the creeks that drained from the mine's permit area. Although it was a welcome respite from his lifelong underground toil, he missed the camaraderie of the section crew in the mine and the tangible satisfaction of a shift's worth of coal produced from his labors every day.

These days Walter contentedly tended his sheep, his four grandchildren (Pete's boy and girl and Jason's two girls), and a shrinking but still faithful flock loyal to the priest he assisted at the Holy Shepherd Roman Catholic Church in town.

Walter's wife Margaret was herself fully and happily engaged in caring for her grandchildren. That, of course, had been one of the driving factors in Pete and Christy's decision to move to Heavenly. Christy was able to devote herself to her teaching career with complete confidence that Richie and Kristen were being given all the loving attention she would have given them herself if she were not working, while Margaret got to fulfill what she had long-envisioned as her manifest maternal destiny.

Jason's girls were also in her charge, when they weren't in school. The eight-year old twins, Heidi and Heather, were a few years older than Pete's children. Margaret had "inherited" the twins several years earlier when their mother Rita had suddenly left town, presumably headed to Las Vegas, for all anyone knew. If Jason knew where Rita was, he was not telling. The whole subject was off limits when Jason was around. He had barely spoken of her since she left. Pride or pain, probably both, had silenced him. Rita was a local girl, but one of the few who never appreciated Heavenly for its abundant offerings. Married in high school when she got pregnant, they were just not suited for making a life together – at least not in Heavenly, Rita had soon concluded.

A marginal student but a flashy majorette given to jewelry, tattoos, and piercings, Rita seemed a caricature of the small-town girl who dreams of a glamorous life in the big city. Her oft-expressed contempt for the Heavenly way of life was mirrored in her rarely expressed but fast-growing contempt for her accidental husband. Jason's appeal pretty much began and ended for her with his high school football career. Her hope for an escape from Heavenly suffered an enormous setback when Jason settled for a job at the Copper Canyon Coal Mine where his father worked, rejecting her alternative plan for them to make a new life in Denver, if not Vegas or Houston, when they graduated Heavenly High. With their relationship already on life support, Jason's subsequent rejection of Copper Canyon's early offer of a promotion to section foreman effectively unplugged the ventilator.

One night when Jason was deep underground at the mine, and the girls were having a sleepover at Grandma's, Rita left sleepy Heavenly behind. She took their car, left a note apologizing to Jason, and was last seen heading west. As far as Margaret knew, she had not been heard from since.

Jason was a good father and had made as much of a home for the girls as he could. He dropped them off at their grandparents' house on his way to the mine and picked them up on the way home. The whole painful family tragedy was the only thing in Walter's life that didn't seem to fit with the rest of it, the only thing that had cast a shadow over his sunny view of life in Heavenly. But in time the wound scabbed over (at least for everyone but Jason), and everyone assured themselves and each other that Jason and the girls were better off without Rita's corrosively toxic negativity. The girls, of course, worshipped their dad, loved the great outdoors with which Heavenly was so well-endowed, and loved helping Grandpa tend to his sheep.

Getting to ride Grandpa's horses in the process was the icing on their consolation cake. Christy helped Jason with the twins, as well, and they in turn helped out a little with cousins Richie (almost five) and Kristen (still four). Pete and Christy would take all four kids camping, though at their ages that necessarily limited any hiking to the trek from the campground parking lot along a very short trail to a wooded or creek-side camp site nearby. The State Recreation area alongside Copper Creek was a family favorite, close to home and just a few miles downstream from the mine, but heavily wooded, with any sounds of civilization totally extinguished by the gentle roar of the rushing water in the rocky creek bed echoing off the canyon walls as it churned its way down the valley into Heavenly on its way to Trinidad.

Everyone loved fishing, even Kristen who spent more time watching the trout and other creatures in the Creek's side pools and eddies than actually tending to a line in the water. The whole family was endlessly fascinated to watch the magical spot where free-flowing Copper Creek suddenly disappeared altogether, fish and all, tunneling its way beneath a sandstone ledge, only to energetically burst forth into view again 120 feet down the canyon beneath a cluster of red Indian paintbrush flowers amid a batch of ponderosa pine seedlings struggling to take hold in the canyon wall's crevices.

Richie had made the initial discovery of the tiny colored beads around the ant hills he played around in the dirt at the campsite. Drab and dirty, they looked old and unlike the shiny beads at the costume jewelry shop down in Trinidad. Everyone's puzzlement and curiosity had spurred Christy, ever the educator, to research the mystery. Her study inspired a hypothesis she later confirmed with some of the old-timers in the community: the Recreation Area was adjacent to and apparently overlapped an Indian burial ground, and the industrious ants that also made their home there would occasionally bring up beads from the clothing and jewelry of those former Copper Canyon inhabitants long ago buried there, along with the soil they removed in their excavations.

Christy had made a discovery of her own on a recent visit to the campsite. A few hundred feet up the creek, hidden in an adjacent dense, thorny thicket, she had located a few dried-out old timbers that could have been the remains of an early settler's cabin. Inspired to pursue where that clue might lead, exploring the dry sandy soil beneath those almost petrified timbers, she first felt its contours and then extracted a small book, about three inches by four. Though fragile, the ancient-seeming hard cardboard cover and interior pages had apparently been preserved from further decay by the dry Western climate. Inside its weathered covers, her cautious manual exploration revealed a pioneer's arithmetic primer, partially converted into a recipe book with several pages of recipes cut out from yellowed newspapers and pasted over the underlying arithmetic problems. She delighted the elders of Heavenly when she donated this frontier relic to the town museum, inspiring a cooking contest requiring dishes made with molasses, as called for by many of the recipes in the pioneer's home-made cook book.

Although Christy was from back East, born and raised near Charleston, South Carolina, she instantly fit comfortably into life in Heavenly. Despite being conditioned to the swampiness of the humid Carolina Lowcountry where her love of nature first took root, she had chosen to attend the University of Colorado to experience the ruggedness of the Rocky Mountains that had early beguiled her in the books and movies that endlessly romanticized them. While she missed the Lowcountry's lushness, the sheer grandeur of the Western mountains – that magical blend of environments where evergreen forests cohabited intimately with quaking aspen groves punctuated and framed by both granite peaks and ochre and sandstone-castled canyons – had wooed her and won her, no doubt with an assist from the crisp dryness of the air that married together the high desert plain, the alpine tundra, and the flowered meadows between. Not to mention the rapture Christy felt when she climbed her first 14,000 foot peak – it was love at first height, she later confessed to Pete.

Speaking of love, it would be gross understatement to say that she loved children. It was clearly her inner goodness that drew Christy to teaching little children, an inborn empathy you might call it, which – combined with a charming Carolina kindness – drew people to her and she to them. From her first day in Heavenly, she bonded with the community. It was only slightly hyperbolic to say that everyone there loved her, and she felt as if she had not met a soul in Heavenly that she didn't like. Of course, she hadn't yet met everyone in Heavenly.

Her contributions to the community went beyond Canyon Creek Elementary where she taught and had immediately established herself as a favorite both with students and fellow teachers. She volunteered at the town's public library, but its limited resources coupled with Christy's sense of mission inspired her to form a book club, more precisely "The Children's Book Club." Although parents would sometimes bring their children with them to the meetings of The Children's Book Club, it really wasn't a club for children directly. The word "Children" in the name modified its second word, "Book," not its last. In other words, it was a club focused on children's books, not children per se. Children's books were such a powerful, life-changing resource, whether read to or by children, that Christy threw herself into spreading the reach of good children's books across Heavenly.

At each weekly meeting of the Club, parents were encouraged to share with each other any books that they had discovered that had appealed to their own children or others they knew. Mostly, however, the meetings wound up being centered around Christy's suggestions of books she believed the parents might want to share with their children, and the meetings were often highlighted by her readings of excerpts aimed specifically at the kids who had been brought along by their parents. It was mostly a meeting of mothers, with only an occasional father in attendance.

In addition to the public library in Heavenly and the larger library down in Trinidad, another good source of children's books was, oddly enough, the Walmart in the suburbs just outside of Trinidad. Sometimes, when her shopping or other errands brought her into the area, Christy would hang out in that aisle toward the back of the store where children's books were on display, taking stock of Walmart's stock, as well as observing which books children seemed to find most appealing. Those shoppers who had found their way through the store's vast expanses of merchandise, past the canary cages, crackers, and credenzas, to that quiet book alcove might, if they were lucky, be treated to Christy's kindness as she freely offered advice, while she lingered lovingly amidst those precious pathways to children's souls.

Though not all the books on offer met with Christy's approval, she had achieved some success, invoking her professional expertise and employing her charm, in persuading the store's manager to stock a number of the titles she strongly recommended. It was not only a thoughtful accommodation but also a sound commercial move, as Christy would make it her business to gently steer to them potential purchasers, those who seemed curious, open-minded, or simply at a loss to know what to buy, whether as a birthday party gift for a child's friend or a hoped-for lifeline to the mind of a struggling child of their own. Though the store manager never found out, she also steered some mothers – those who seemed daunted by the prospective purchase price of one of Christy's strongly recommended titles – to the public library. Well-acquainted with the children's department collections at the local libraries, Christy probably cost the Walmart several hundred dollars a year in those lost sales, but those losses were more than offset, she assured herself, by the volume of purchases she encouraged.

That was where Christy met Denny Dyer's wife Donna. As they chatted amiably about children's books, which naturally led to a conversation about their own children, they also discovered their husbands' coal mining connection. Donna had never heard of Pete Miller from her husband, but Christy had certainly heard about Inspector Denny Dyer from hers. The night when Pete came home from work after Dyer's initial inspection at Copper Canyon, he had told Christy in some detail about the day's unsettling encounter with the zealous new MSHA inspector. Pete had assured her that he had done nothing wrong but expressed concern that the new inspector seemed suspicious and distrustful of coal mine operators generally, biased against Copper Canyon in particular, and maybe a little drunk with his power as an MSHA inspector.

Though he hoped to win him over, Pete was anxious about Dyer's clearly suspicious nature, his apparent dislike for Pete, and his heavy-handed enforcement style. As determined as Pete was to convince Dyer that Copper Canyon and he personally were fully committed to mine safety and health as the only pedestal on which coal mining profits could be mounted, Pete nonetheless could not shake an uneasy sense of foreboding, given the fragility of the mine's economics and Pioneer Mesa's professed zero tolerance for contractual non-compliance in this critical lead-up period to the upcoming supply contract renewal decision.

In her chance encounter with Donna, Christy saw an opportunity to forge a relationship that might benefit Pete and the whole community that depended so heavily on Copper Canyon Coal Company's viability. Her genuine interest in helping Donna by assisting her in finding books that would help her children's growth and academic progress might also lead to a friendship through which Christy could impress upon Donna, and through her Denny, that the Millers were good people. Through Donna, it struck Christy, she could dispel Inspector Dyer's institutional distrust of Pete, if not the rest of Copper Canyon's management. There was no harm in giving it a try, she quickly decided.

The Dyers had only recently moved to the area, Christy learned, with Denny's transfer to MSHA's Trinidad Field Office from his prior posting in Pennsylvania. They had known no one in the area and Donna's only acquaintances to date were the wives of other MSHA inspectors. It was, in any case, a nice, neighborly thing to do, and Christy was pleased to be able to reach out to her, offer her a place in The Children's Book Club, and try to forge a friendship. Christy did enjoy talking with Donna, who made a genuinely positive impression on her, though that was no doubt heavily colored by Christy's admiration for Donna's palpable dedication to her children's education and adaptation to their new home. The two women were similarly dressed in jeans and tee shirts, the mufti of the mining community; but where Christy's shirt was an over-sized reject of Pete's, Donna's was fitted and chic. Where Christy's jeans were just a little baggy, Donna's were sleek, snug, and stylish. Christy self-consciously fingered the broad blue rubber band that held her ponytail in place, noting Donna's sleek chin-length hair, either a fortunate blend of natural shades of brown and gold or the work of a skillful stylist. A veteran of Southern class distinctions, Christy was aware of the difference and wondered how much that difference made to Donna.

At any rate, Donna seemed interested in getting to know Christy, too, and welcomed her immediate offer of an assortment of recommended books that she could borrow for little Randy and Abby Dyer as the next step in their developing relationship. The two women agreed that Donna would let Christy know when Denny was going to be going up to Copper Canyon so that Pete could then bring the books to the mine for Denny to take home with him to Donna for them to read with the kids.

18

LUCAS'S TERMINATION

Ralph's report to HR (which meant directly to VP Laine Allred, since the downsizing) regarding Lucas's safety violation triggered swift disciplinary action. A failure to report to management a safety violation or to fix it oneself was one of the most egregious forms of misconduct identified in the Copper Canyon Coal Company Employee Handbook, a Class A offense right up there with insubordination, fighting, or negligently causing an accident resulting in injury or death to a fellow employee or more than $5,000 in damage to mine property. Although it could technically be sufficient in itself to justify the employee's termination, such a violation typically landed the employee on Step Three of the disciplinary policy, with a one-day suspension, followed by termination in the event of another violation of any type within the following year.

When, as in Lucas's case, the employee was already on Step Three, automatic termination was presumptively mandatory.

When queried by Laine as to whether there was any reason that the Progressive Discipline Policy ought not to be applied to Lucas in accordance with company policy, Ralph and Pete both recommended application of the policy without hesitation, mindful also of the methane monitor incident involving the continuous miner and their belief that

Lucas had eluded the discipline he deserved when he disabled that safety device and thereby jeopardized the safety of every person at the mine, not to mention intentionally violating a federal safety regulation.

Laine and Ralph met with Lucas first thing Tuesday morning, the day after the incident, to inform him of his termination for violating company safety rules, in accordance with the Progressive Discipline Policy, and then had him escorted off the property and ordered never to return. On his way out, Lucas was allowed to empty his locker in the bathhouse and retrieve his personal tools, and then he stopped at the Mine Bulletin Board and, pointing to the list of miners' representatives, in an enigmatically threatening tone loudly declared for everyone around to hear that his turn to be the walkaround representative was coming up soon, as if it still mattered, since he was being terminated and would not be working at Copper Canyon anymore.

If Lucas knew anything, he knew his Mine Act rights to the letter. After being escorted off mine property by Security, he drove straight to the MSHA Field Office in Trinidad and filed a formal written complaint of discrimination and interference with his Mine Act rights. In his written statement in support of his complaint, which was taken with the assistance of Field Office Supervisor Richard Boylen, Lucas chronicled how he had just been unlawfully terminated in retaliation for:

1. exercising his Mine Act right to serve as a miners' representative to accompany MSHA Inspector Dyer during his inspection of the mine the day before;
2. alerting Inspector Dyer to a violation of the roof control plan that resulted in the operator being issued an unwarrantable failure citation, in violation of Lucas's right as a miner and miners' representative to make safety complaints to MSHA; and
3. frequently making safety complaints to mine management and MSHA on prior occasions.

Lucas demanded immediate temporary reinstatement, to be followed by permanent reinstatement after that, reimbursement for back pay for every day he would be out of work until reinstatement, plus any lost benefits during that time, and money damages for his resulting emotional distress, which he explained with great feeling was considerable. Though Boylen expressed skepticism whether anyone could recover an award of such damages under the Mine Act, he acknowledged that the rest of Lucas's complaint, if true, fell squarely within the scope of Mine Act discrimination law, so Lucas could well be entitled to the relief he sought.

Boylen promptly dispatched by mail and fax identical letters to Laine Allred as the Mine Superintendent and to both Ralph Radomsky and Pete Miller, the latter two as individuals whom Lucas had named, both personally and as agents of Copper Canyon Coal, as persons who had discriminated against him because of the exercise of his Mine Act rights. Boylen's letter informed them of Lucas's complaint, enclosing a copy, and notified them that they would soon be contacted by an MSHA Special Investigator regarding the matter. Boylen also enclosed a copy of the Rules of the Federal Mine Safety and Health Review Commission, the administrative tribunal which heard and decided the validity of miners' discrimination complaints and was authorized to order any relief to which miners might be entitled.

Boylen then called into his office Inspector Dyer who happened to be in the office that day, catching up on paperwork, including writing up his notes from the inspection he had conducted at Copper Canyon the day before and completing the "Possible Willful/Knowing Violation Review Form" which inspectors were required to complete whenever an unwarrantable failure citation or order had been issued. The two primary questions the Form required inspectors to address were, first, whether the cited violation created the presence of a "high degree of risk to the health or safety of miners," and, second, whether the operator or its agent had "actual knowledge, or reason to know, of the facts or conditions constituting the violation." If both questions were answered in the affirmative, the Form went to the inspector's superiors to determine whether to launch a Special Investigation to determine whether civil or criminal charges should be brought against any individual or the mine operator, in addition to the mandatory civil penalty required to be imposed on the operator for every violation cited.

Dyer was struggling with the Form because he believed that although Pete and other foremen at least should have known of the loose roof bolts by virtue of their daily passage through the area, he was not so sure that the violation created a high degree of risk to the miners. On the one hand, there were a number of additional supporting measures that had been superimposed on that stretch of roof, likely more than offsetting any loss of roof support from the several loose bolts; but, on the other hand, roof falls were among the leading causes of injury and death to underground coal miners and the mine's roof control plan required such supplemental control measures in this area, as needed, though admittedly the cited roadway was not in the deeper reaches of the mine where roof stresses were greatest. Dyer was absorbed in weighing the pros and cons of recommending a Special Investigation when he got Boylen's summons. He welcomed the temporary reprieve.

Boylen did not want to wait for Dyer's inspection notes or the completed Willful Violation Review Form. He wanted an immediate gut-check on Lucas's discrimination complaint. Rarely did he have the luxury of having an MSHA inspector whom the complaining miner alleged to have actually witnessed the alleged acts of discrimination. He went over the facts alleged by Lucas in his complaint and asked Dyer if that is what had actually occurred.

Dyer was largely able to verify Lucas's account of the events in question, though he had not witnessed the operator's subsequent disciplinary action terminating Lucas. He told Boylen that he had personal knowledge that Lucas had in fact engaged in what the Mine Act calls "protected activity," both in serving as a miners' representative, accompanying an MSHA inspector as the miners' walkaround representative, and in complaining to him of a safety violation. Though Dyer did not have direct knowledge to corroborate Lucas's claim that he also had made safety complaints to MSHA on prior occasions, he could confirm from his recent review of MSHA's file on Copper Canyon, that the file documented hazard complaints, and several prior discrimination complaints, including the one relating to Lucas's initial designation of himself as a miners' representative.

Boylen would ordinarily have assigned a Special Investigator to go out to the mine to interview both management and hourly witnesses, but temporary reinstatement proceedings are, by statute and policy, fast-tracked ("within 15 days"), and there were simply no Special Investigators available who could meet the required deadlines. As he listened to Dyer confirming the key facts alleged in Lucas's complaint, he recalled that

Dyer did have prior experience as a Special Investigator. Though that experience was brief, it seemed that it ought to be enough under the exigencies of the current situation to justify assigning him to investigate and make a recommendation on temporary reinstatement. Dyer, in turn, saw the wisdom in Boylen's calculus, appreciated the show of confidence that it represented, and so – despite the extra work it would require – readily accepted the assignment.

He resolved to begin the Special Investigation the next day, but first, wanted to refresh his knowledge of the legal standards governing Mine Act unlawful discrimination cases, and temporary reinstatement, in particular. His initial move would be to interview Lucas, since he could assist also by identifying other potential witnesses to be interviewed, though the testimony of supporting witnesses would be more important for the investigation of the discrimination case itself which would come next, after the application for temporary reinstatement was decided. It wasn't clear whether Boylen would assign that subsequent investigation to him as well, but there was no urgency about that, unlike Lucas's request for temporary reinstatement. By contrast, there was no hard deadline by which they would need to make the subsequent determination of whether to prosecute the underlying discrimination complaint itself, since the statutory 90-day deadline had been ruled non-binding by the courts and MSHA customarily ignored it, allowing those investigations often to stretch out for many months. In each case, however, MSHA would be required to apply to the Review Commission on Lucas's behalf to request it to make the ultimate decision whether to grant MSHA's application for relief against the mine operator. The Review Commission's rules required that before granting MSHA's request the mine operator must be afforded an opportunity to request a hearing to oppose MSHA's complaint and requested relief.

For the next several days, Dyer was fully consumed by the investigation into Lucas's complaint and application for temporary reinstatement. Protecting a whistleblower from retaliation was just the kind of assignment that Dyer most enjoyed. And, based on his own personal knowledge of the facts, Dyer was already at least 90 percent certain that Lucas's case was a righteous one. First, to establish a prima facie discrimination case under the Act, a miner or miners' representative must have engaged in "protected activity," which means that he had exercised one of his safety rights under the Mine Act. There was no question about that here: Dyer had witnessed that for himself. Second, the complainant must have suffered some kind of adverse action on account of his protected activity. That seemed pretty clear here, too.

The facts were stark. Lucas had been fired one day – less than 24 hours! – after he had exercised both his right to accompany an MSHA inspector as a miners' representative and his right to complain to MSHA about his safety concerns. The coincidence presented compelling, if not conclusive, evidence of discrimination. Of course, he needed to hear Copper Canyon's side of the story before he could be certain that unlawful discrimination had occurred, but Lucas's entitlement to temporary reinstatement in the meantime ought to be an open-and-shut slam-dunk.

For temporary reinstatement, all that was needed to establish Lucas's entitlement was *evidence* that Lucas's claim was not "frivolous," and the courts had long held that this was an easy standard to satisfy. Even if the operator denied terminating a miner on account of protected activity and offered countervailing evidence that there was no protected activity or that he had been terminated for other, unprotected activities (like *inactivity*, such as excessive absenteeism, goofing off, or sleeping on the job), those were issues that would only be legally relevant later, after the miner had been temporarily reinstated and the merits of the underlying discrimination complaint itself could be fully investigated and litigated. As long as there was evidence the miner's claims could possibly be true, his case was deemed not "frivolous" and temporary reinstatement had to be ordered as a matter of law.

Dyer's research revealed that you could count on one hand the cases in which an MSHA application to the Review Commission for an Order of Temporary Reinstatement had been denied. Once temporary reinstatement had been denied to a miner where the operator was able to prove that the miner had not, in fact, actually been at work on the day he claimed to have engaged in protected activity. It had also been denied to miners who claimed that they had been terminated because of their age or race because, even if true, that does not implicate protected activity, and it had been denied to miners whose allegations of discriminatory termination were patently, demonstrably false.

Dyer set about to gathering the necessary evidence to confirm the material details of Lucas's claims. His interview with Lucas took place at Lucas's Lingerie, where Dyer couldn't help but observe among the customers one of his fellow MSHA inspectors and also Copper Canyon Coal's Afternoon Shift foreman George Delinsky. Delinsky was still there, Dyer noted, when he left almost two hours later, and seemed to be hanging out in the shop acting more like an employee than a customer, as he assisted a strikingly handsome young African-American boy behind the counter.

The interview with Lucas went well. Dyer was struck by his apparent candor as he gave a straightforward and dispassionate account of the disciplinary meeting with Laine and Ralph. Though they had told Lucas he was being terminated for committing a Class A offense under Copper Canyon Coal Company's Progressive Discipline Policy, and because he was already on Disciplinary Step Three at the time, which dictated termination upon commission of another offense, that was all pretextual, Lucas assured Dyer. Though they had claimed he had jeopardized the safety of his fellow miners by not reporting a hazardous roof condition for over a week, Lucas knew that they both knew that there was very little risk of a roof fall there, given the limited number of loose bolts and all the additional types of roof support that had been installed, and the unlikelihood that anyone would be beneath it in the unlikely event that it fell. The truth was that the company had long been out to get him for making safety complaints and serving as a miners' representative, as evidenced by the fact that, as Dyer knew, the company had claimed that his original miners' rep designation was not valid and had refused to honor it until forced to by MSHA. They, and recently Pete Miller especially, had been trying to build a case against him because of his safety rights activism, and they finally had hit on what they thought would be a good excuse, affording them seemingly non-discriminatory cover.

In concluding his own interview, Lucas furnished the names and contact information of several other miners he recommended that Dyer interview, who could, and subsequently did when Dyer met with them, confirm Lucas's account of his frequent complaints about safety problems at the mine. They also corroborated Lucas's contention that those complaints were met with visible irritation by the bosses, angering Pete Miller in particular. Subsequently, Dyer contacted Ralph Radomsky and Pete Miller to arrange to interview them, as well. Though he interviewed them separately, their stories were remarkably consistent. So much so that Dyer was led to wonder whether they had rehearsed the "company line," something he had been trained to listen for when he was in training to become a Special Investigator. Tellingly, it did not occur to him that their stories might be the same because they each were simply telling the truth about what had happened.

During their interviews, Radomsky and Miller each explained to Dyer how the Progressive Discipline Policy worked, how Lucas's prior violations of company rules had already landed him on Step Three, prior to his recent Class A offense of failing to report or correct a safety hazard, which by itself would have been enough to justify termination. They each vigorously denied that Lucas's protected activities had played any role whatsoever in the termination decision. Both of them emphatically stressed to Inspector Dyer their overarching, bottom line concern that Lucas was an unsafe miner who could have been and probably should have been terminated for that reason alone.

Each also mentioned the methane monitor incident and their belief that Lucas had intentionally disabled that safety device, but neither had a good explanation for why Lucas – as a miners' representative and outspoken safety advocate – would have done such a thing. Their credibility on this point was also undermined, in Dyer's view, by the fact that there was no mention of the methane monitor incident or any resulting discipline against Lucas for such egregious alleged misconduct in Lucas's personnel file, a copy of which Radomsky had provided, including a copy of the Employee Handbook which included Lucas's signed acknowledgement that he had read it and promised to comply with all company safety rules.

As it had turned out, though Ralph had been too busy to conduct a full investigation of the methane monitor incident, Pete had learned from the rumor mill that George Delinsky was implicated in that incident, having solicited Lucas's mechanical assistance in disabling the device to avoid the interruption of coal production on his shift. But Pete had not formally pursued the matter, not wanting to blow the whistle on his fellow section foreman Delinsky. After all, the guy had been a section foreman for close to forever and was nearing retirement. So, Pete had chosen instead to caution Delinsky about the dangers inherent in such unlawful shortcuts, diplomatically but emphatically reminding him of his duties to safeguard the health and wellbeing of his crew and all fellow miners, if not to comply with the law and company safety policies, and sternly warning him that he would not tolerate such reckless misconduct in the future.

At the time, Pete had opted not to inform Ralph about what he had learned. He did not want to make an enemy of Delinsky, nor to further burden the beleaguered safety director with such a safety scandal. And Pete was not about to tell Dyer about it now. But their joint failure to explain how such an allegedly egregious safety violation went unpunished and totally unmentioned in Lucas's personnel file strongly suggested to Dyer that their story was concocted to further portray Lucas's termination as a non-discriminatory, legitimate and reasonable business decision.

In any case, resolving that troubling issue was beyond the scope of his immediate investigation. It would, of course, be an issue for consideration in the full-blown discrimination investigation, and perhaps a matter for a law judge to decide after a hearing. For now, Dyer had all the ammunition he needed to support a recommendation for temporary reinstatement.

As Dyer concluded his interview with Radomsky and was leaving the Safety Department office at the mine, he paused, turned back to half-face Radomsky, and asked one last question on his way out the door. In the manner of Inspector Columbo, one of Dyer's TV law enforcement heroes, he said "One last thing . . . ."

As his words hung in the air, Dyer studied the Safety Director's face, both searchingly and knowingly, as he asked "Just between us, what do you think Mr. Miller meant when he told you during my inspection the other day that 'Lucas will pay for this?'" Ralph vividly recalled Pete's heated words as he had climbed back into the driver's seat of the mantrip after Dyer had served him with the first unwarrantable failure citation he had ever received, and was now dumbstruck that someone else had overheard Pete's intemperate aside. He could only muster a sheepish shrug as Dyer turned again and left his office.

19

MSHA SEEKS TEMPORARY
REINSTATEMENT

Boylen and his superiors in the Denver District Office and back at MSHA Headquarters in Arlington all concurred with Dyer's recommendation. The case was assigned to the Solicitor's Office for the filing and prosecution of an application for temporary reinstatement at the Review Commission. Linda Chavez in the Regional Solicitor's office in Denver, a woman in her early sixties and one of the most experienced and most respected trial attorneys in that office, was the attorney assigned the case. Working with Dyer by telephone and email, she drafted a supporting affidavit for him to sign. He swore under oath to its truth, to the best of his knowledge, information and belief, reciting the pivotal facts constituting the alleged discrimination, and summarizing his conclusions that Lucas had engaged in multiple acts of protected activity and had been terminated because of it. He recited his determination that Lucas's complaint was not frivolous, and that Lucas was legally entitled to temporary reinstatement to his job at the Copper Canyon Coal Mine while the merits of his complaint of discrimination were fully investigated and, assuming that the investigation would find that a violation of his Mine Act rights had in fact occurred, while the merits of the discrimination case itself were litigated to a final decision at the Review Commission.

Chavez then drafted the formal Application for Temporary Reinstatement, captioned "Secretary of Labor, Mine Safety and Health Administration, on behalf of Lucas Jones, v. Copper Canyon Coal Company," reciting the same facts contained in Dyer's affidavit as support for the Secretary of Labor's finding that Lucas's complaint was not frivolous. The Application sought a Commission order requiring that Copper Canyon temporarily reinstate Lucas to his former job immediately at his regular rate of pay, pending the anticipated filing and prosecution of the Secretary's complaint of discrimination, after a complete investigation, where the burden of proof on the government would then be to actually prove discrimination by a preponderance of the evidence.

One week after Lucas's meeting with Field Office Supervisor Boylen, on that Tuesday Chavez filed the Application for Temporary Reinstatement with the Review Commission's Office of Administrative Law Judges and served it on Copper Canyon by overnight express mail service and by fax, with Dyer's affidavit attached as Exhibit A. In accordance with Commission rules and as recited in her transmittal letter to the company, Copper Canyon was given ten days to advise the Chief ALJ whether it wanted to exercise its legal right to a hearing to contest the Application. If no hearing were requested within that time frame, the ALJ assigned to the case would review the Application to see if, on its face, it met the criteria for temporary reinstatement. If it appeared to the ALJ that the miner's complaint was not frivolous, the rules required the ALJ to issue a written Order of Temporary Reinstatement.

If, however, the mine operator instead did request a hearing within that initial ten-day period from the time it was served with the Application, then a full adjudicatory hearing was required to be held within ten calendar days. The rule made clear, however, that, though the operator was entitled to a full hearing, with the right to call witnesses, submit documentary evidence, and cross-examine MSHA's witnesses, the scope of the hearing would be limited to a determination of whether the miner's complaint was frivolously brought.

At the mine, Laine, Ralph, and Pete reviewed the faxed copy of the Application for Temporary Reinstatement in astonished disbelief. They were almost speechless after reading Dyer's affidavit because it seemed to tell only Lucas's side of the story. They could not believe that MSHA wanted them to reinstate an unsafe unproductive miner who regularly broke company safety rules and could have killed everybody at the mine – much less that there was a judge who had the power to order them to put such a dangerous person back underground. Since they were given only ten days to request a hearing to stop that from happening, Laine picked up the phone and dialed the number of the Chief ALJ, who was in Washington, D.C., but who had gone home for the day by the time Laine placed his call at 3:30 p.m. Mountain Daylight Time.

When Laine called back the next morning he spoke to the law clerk who worked for the Chief, telling her that Copper Canyon opposed the Application for Temporary Relief, and trying to explain why it would be a terrible mistake to reinstate Lucas, but the law clerk cut him off abruptly. She explained that the conversation Laine was trying to have with her would be an improper *ex parte* contact, a forbidden communication by one side of the case without counsel for the other side on the phone to hear the argument and have the opportunity to rebut it. Laine's obvious unfamiliarity with the concept and with the nature of Commission proceedings generally prompted her to give Laine one very valuable piece of advice: "You really should contact your lawyer, sir, to help you through this."

The mine had not had a company lawyer available to advise it since Copper Canyon Coal was spun off from AC&CCC in the bankruptcy two years earlier. Since then, Ralph had been handling all MSHA matters himself, and the company had used Archie Montoya, a lawyer at a small law firm in Trinidad, to help with the occasional tax, real estate, environmental, workers' compensation and other miscellaneous local legal issues that had arisen since. Montoya, a general practitioner in his early fifties, was a lifelong local guy, affable and well-connected in the community, and, though not the most sophisticated or talented lawyer in town, he seemed capable of handling the mine's modest legal needs at a reasonable cost, if any lawyer's legal fees could be described as "reasonable." So, as soon as Laine got off the phone with the law clerk at the Review Commission, he called Montoya, who readily agreed to handle the mine's new MSHA matter.

Although he had never handled an MSHA matter before, he hated to turn away business, especially from an existing client. Since Montoya had heard of the MSHA before, having driven past the MSHA Field Office on West Grandview Avenue more than once, and had a little experience dealing with MSHA's sister agency OSHA, he informed Laine he would be able to adequately represent Copper Canyon's interests in this new case, especially since Laine had assured him that Lucas's case was, in fact, totally frivolous, a conclusion Montoya also reached for himself as Laine outlined the principal facts. Montoya and Laine reassured each other that MSHA's filing was little more than a knee-jerk bureaucratic reflex that would be summarily thrown out of court once any self-respecting judge heard the facts: since when can an employer not fire a lazy, unproductive, disruptive, and unsafe employee who violated company safety policies he had promised in writing to obey? If anything, MSHA should be commending Copper Canyon with a safety award for purging the mine of a walking health and safety hazard like Lucas Jones, Laine and Montoya agreed. Besides, it was not as if Lucas were protected by some kind of a union contract that prohibited such a termination of employment. Montoya knew enough labor and employment law to know that Lucas was an "employee at will" who could lawfully be fired at any time for any reason.

After he got off the phone with Laine, Montoya briefly reflected on the negotiating strategy he would use with MSHA's lawyer. Today was Wednesday, and Laine's telephone conversation with the law clerk requesting a hearing had taken place just that morning. He would do a little research and then call this Chavez woman on Friday to persuade her that she should drop the case immediately before she embarrassed herself by going any further with such a groundless complaint. But the next day, he heard from Laine again. Laine had just received a faxed notice from Administrative Law Judge Virgil Carlson in Denver setting the case for hearing the following week, on Wednesday at 9:00 a.m., in a National Labor Relations Board hearing room in Pueblo, Colorado. Next week? That astonished Montoya; that must be a mistake, he mused hopefully. How could this all be happening so fast? And, he wondered, what in the world was the NLRB doing in this case? Do I have to fight them, too? But, he quickly recalled from law school and took comfort in the fact that though the NLRB had the power to aggressively pursue employees' rights against management, even the NLRB respected an employer's right to terminate an at-will employee like Lucas Jones, especially where there was no issue of collective action by employees.

In any case, however, with the hearing apparently scheduled for next Wednesday, Montoya decided that he no longer had the luxury of waiting another day to contact his opposing counsel. He called the telephone number at the top of her letter to Copper Canyon transmitting the Application for Temporary Reinstatement, noticing as he did so an email address listed there as well. After leaving a message on her voicemail, introducing himself as counsel for Copper Canyon in the Lucas Jones case, and asking her to call him so that they "could get this ridiculous case straightened out without any need to appear at a hearing before the ALJ on Wednesday," he resolved to send her a follow-up email on Friday if he hadn't heard from her by then. Though time was running short before the scheduled hearing, Montoya had always felt that he was at his most effective when talking with people, as opposed to communicating by letters or emails.

Written communications were too flat, atonal, and inflexible, even under the best of circumstances. His charm and personal magnetism, especially in dealing with women, just did not come across in such cold written communications.

Meanwhile, as he waited for a return call, he realized he was more than a little unsettled by the notice of hearing. This whole matter was on a much faster track than what he was accustomed to. Cases in Trinidad did not proceed nearly so rapidly as this one seemed to be going. When Chavez had not returned his call by Friday morning, he emailed her explaining further his reason for having called and expressing confidence that they could clear this whole matter up with a telephone call. He attached to the email a copy of the Copper Canyon Employee Handbook, with Lucas's signature acknowledging that he had read and agreed to comply with all company safety rules, highlighting in yellow the safety rule regarding each miner's duty to alert management to or correct safety hazards and violations, as well as attaching copies of the documents from Lucas's personnel file documenting the three recent rule violations which had landed him on Step Three of the Disciplinary policy even before the latest violation, and a copy of the Progressive Discipline Policy itself. He was optimistic that a review of those documents would convince Chavez that Copper Canyon had acted reasonably and within its rights in terminating Lucas, unaware that Safety Director Ralph Radomsky had already provided all these documents to Inspector Dyer to facilitate his investigation. Montoya felt a mix of frustration, disappointment, and anger when he received an "out of office" reply auto-generated by her computer, indicating that she was away on vacation until Monday and would not be checking her email until her return, an unanticipated turn of events which could undermine his planned strategy.

Since Monday was now the earliest that he would be able to talk sense into this lady lawyer in Denver, Montoya faced the realization that a hearing on Wednesday might be inescapable as a practical matter, and that he had better start to prepare for it just in case. He read through the Review Commission's procedural rules, and realized incidentally that his predicament was the result of Laine's misguidedly premature call to the Commission's Chief ALJ to request a hearing. By requesting a hearing nine days before the ten-day deadline for requesting a hearing, Laine had further fast-tracked an already structurally fast-track temporary reinstatement process, and put possible reinstatement for Lucas on that fast track as a result, not to mention radically restricting Montoya's hearing preparation time and settlement negotiation window. If only Laine had called Montoya first, rather than running off half-cocked, they could have waited until the last day to request a hearing, increasing their chances of avoiding one altogether or at least of being better prepared to prevail if there had to be a hearing. As well-intentioned as he was, Laine could be a bit of a bull in a china shop, Montoya grumbled to himself as he continued to plow through the Commission's hearing rules and contemplated a schedule for his looming hearing preparation tasks.

He contacted the mine and arranged for Laine, Ralph and Pete to meet with him in his office on Tuesday morning and to keep Wednesday free to testify in case Montoya could not persuade the MSHA attorney to drop the case or at least postpone the hearing.

Montoya next downloaded a copy of the Mine Act and its legislative history as well as the key court cases, as identified by a Google search, that were most frequently cited in Mine Act discrimination cases generally, and in temporary reinstatement proceedings particularly.

Although there were literally hundreds of such cases, most of them ALJ decisions which were not binding precedent, though they could be instructive and potentially persuasive authority, there were substantially fewer of the more authoritative, precedential Review Commission decisions reviewing those ALJ decisions, and finally only a relative handful of decisions from the ultimately authoritative federal courts of appeals reviewing those Commission decisions. Two Review Commission decisions jumped out as the ones most commonly relied upon as establishing the governing principles of Mine Act discrimination law in general, though they had been decided almost 40 years ago. Before he left the office for the weekend, he stuffed his briefcase with copies of those decisions and other materials he had printed from the Internet, including an article on Miners' Rights and MSHA Discrimination Law published by the Energy and Mineral Law Foundation and the seminal federal court of appeals decision on temporary reinstatement, to take along in his boat and study while doing some fishing in the Pioneer Mesa Reservoir.

He was reluctant to put too much time into preparation for the hearing because he well knew the thin margins and budgetary constraints Copper Canyon was operating under, and that Laine would not appreciate a hefty bill for a case that was likely to be summarily dismissed, even if that was not until the lawyers were standing on the courthouse steps just prior to the hearing.

It was so annoying that he had not been able to reach Chavez before the weekend – surely once he was able to explain the situation, lawyer-to-lawyer, and cut through the apparent anti-industry ideological bias of the MSHA bureaucrats distorting the facts they were feeding her, she would see the wrong-headedness of the agency's attempt to force the company to reinstate an unsafe miner, not to mention an insubordinate malingerer. But, you never know, especially with a government lawyer, he reasoned, and he had been around the legal track enough times to recognize the unfortunate reality that he could not dare take the chance and that she might not agree with his analysis and instead stubbornly dig in her heels, refusing to settle before the hearing, so he had no choice but to put in the billable hours it would take to at least minimally prepare for the possibility of a hearing, and Copper Canyon was just going to have to find the money for his legal fees.

Just before Montoya left his office, it occurred to him that the company might be able to come up with some additional evidence to support its case before the hearing. He emailed Laine and Ralph and asked them to scour their files for further evidence of what a bad employee Lucas was and, by contrast, what a safe, law-abiding mine operator Copper Canyon was, including any safety awards they had won.

As Montoya drove home for the weekend, Ralph was still at work, and would have to come in on Saturday, as well. The news that a hearing was scheduled for Wednesday was the last straw for any hope of taking the already too-often-postponed vacation he had again rescheduled, this time for the following week. One more postponement would not be too much of a shock for his long-suffering wife. Happily, their kids were grown and gone off on their own; otherwise he'd have had no choice – he had disappointed them so often when they were little that he had resolved that he would not let it happen again. He would rather disappoint his boss or foist his work off on colleagues than crush those angelic, eager spirits one more time. Besides, he desperately needed a vacation after such a long uninterrupted stretch without respite; but now with the kids gone, and coal industry jobs becoming frightening scarce, he realized that he needed to continue to suck it up and soldier on through. With a profound resignation born of experience, Ralph had come to realize that real life is what it is, a steady cavalcade of disappointments, and you just have to lower your expectations and harden your hide to endure it all.

Before he finally called it a day and went home Friday night, Radomsky had identified a couple of documents of the type that Archie Montoya had said he might be able to use. Copper Canyon had won the National Mine Rescue contest in its category (small underground coal mines) last year. Three years earlier, when it was still owned and operated by AC&CCC, the mine had won a Sentinels of Safety Award for its excellent safety record, having had the fewest occupational injuries per ton of coal mined of any underground mine in the country. He emailed copies of those records to Montoya, though he was not particularly optimistic that they would be of much value at the hearing. Though proud of both honors, he knew enough mine safety law to be somewhat skeptical both of their relevance and of Montoya's suitability to be handling the Copper Canyon's defense in a Mine Act discrimination case. If he were an attorney, Ralph believed that he himself could do a better job because of his familiarity with the whole Mine Safety Act milieu, and what he had picked up over the years from the trade press and industry meetings about Mine Act discrimination cases.

He'd have to defer his search for more damning evidence on Lucas until Monday. Montoya seemed to think that Lucas's running a porn shop on the side was something that would help their case, though again Ralph did not see its relevance. But, Montoya was the lawyer, right? So, what do I know? he asked himself rhetorically. But, Ralph had annual miner refresher training to conduct on Saturday, and he had no intention of working on Sunday if he wasn't even going to get to take his vacation next week. In any case, the documents he would need to get for Montoya were county government records and the courthouse was closed until Monday.

He was glad to have to switch gears away from Lucas and to focus on refresher training on Saturday. One of the Mine Safety Act's singular distinctions was its commitment to thorough training as the foundation of improved occupational safety and health in the nation's mines. The findings of a National Academy of Sciences-National Research Council study of underground coal mining, completed just before the Mine Act was passed showed that better safety training could save dozens of lives a year, and Congress really took those findings to heart in the new law it enacted. No other occupational safety regulatory scheme, federal, state, or local, Ralph believed, required a full 40-hour week of training in the safety and health aspects of a job before an employee could begin work. The Mine Act also required special task-training, so that the miners had to receive additional training in the safety and health aspects of any new job they were going to be assigned at the mine before they could legally perform that work, even on a temporary basis. And, because Congress realized that we all tend to forget what we have been taught, it required that every miner must receive eight hours of refresher training within every 12-month period on the job. It was to the latter chore, salutary but enormously disruptive of the mine's operations, to which Ralph turned on Saturday.

Aside from the pressure to find a time to get the annual refresher training done promptly, since it had last been conducted in late July the year before, and was about to expire, Ralph got enormous satisfaction from conducting the training. He was, after all, a safety professional, certified by MSHA as a qualified health and safety trainer, as well as a privately certified mine safety professional, and a distinguished founder and officer of the International Society of Mine Safety Professionals. He'd specialized in mine safety and health nearly his whole adult life and he felt freshly fulfilled every time he taught a class of miners how to work safely.

It was also good to connect with his miners, away from the daily pressures of actual coal production. On Saturday, over the course of the morning session of four hours in the classroom, followed by a hot spaghetti, meatballs, and green salad lunch served up by the Heavenly Hearth Catering Company, and then another four hours of training in the afternoon, Ralph sensed that the miners were in unusually good spirits.

Word of Lucas's termination had spread fast. The old canard, that "there are no secrets in a coal mine," was proving true, as usual. Though George Delinsky and a couple of the hourlies seemed sorry to see him go, the vast majority of miners felt as if a burden had been lifted from their shoulders, and a palpable sense of relief, though exactly from what Ralph could not determine, beyond the simple relief one feels when a bully moves away. The Hispanic miners, including the whole Rodriquez family, seemed especially buoyed by the news of Lucas's termination. No one was willing to tell Ralph exactly why the miners were so glad that Lucas had been fired, but he got a partial insight when Rosie Rodriquez quipped, within his hearing, that she had wasted all that time learning karate which now she wouldn't need with Lucas gone. Her comment was not intended for his ears, so Ralph said nothing, but he wanted to tell her that if she was learning karate to fight off Lucas, she was in for an unpleasant surprise. Ralph was aware that before Lucas had opened his porn shop, he had run a martial arts studio in town. Wall-size blown up photographs of a fearsome Lucas Jones wearing his 5th degree black-belt uniform had hung on three of the four walls of the studio, and that looming, menacing image seemed manifest in the influence Lucas appeared to have over many of his fellow miners.

Ralph was sure that there was more to the story than even he knew or maybe would ever know. He was aware that Lucas had sometimes bullied and even persecuted selected fellow miners with "practical jokes." His intimidation of his weaker colleagues amounted to a selective reign of terror which had continued largely unchecked over the years, because everyone was too afraid to blow the whistle on him or "didn't want to get involved," as he took advantage of the weaker and more vulnerable miners. Unless caught in the act, as he had been by Pete when he was rat-towel-whipping young Carlos in the showers, Lucas menaced miners with impunity.

Ralph had to admit that he, too, was relieved to have Lucas gone. Though his position in management insulated him from direct, overt victimization by Lucas, Ralph was nonetheless afraid of him, both personally and on behalf of his miners. Ralph was convinced that Lucas was an unsafe miner whose very presence in the mine posed a safety hazard, but Ralph could not deny that his relief after Lucas's dismissal was also influenced in some small but cognizable way by knowing that he wouldn't have Lucas around making his life more difficult by his annoyingly frequent safety complaints – to the section foremen, to him and, most disturbingly, to MSHA – most of them frivolous and pretextual. By law, those hazard complaints to MSHA were supposed to be anonymous, unlike discrimination complaints, and MSHA was scrupulous about not revealing the name of the complainant to the mine operator, even though it was required by law to provide the operator with a copy of the substance of the complaint. But it was such common knowledge around the mine (remember the adage about secrets in a coal mine) that Lucas was a regular hotline complaint caller that the miners joked that they could simply ask Lucas for the number if they wanted to call MSHA since he surely had it memorized. The irony was not lost on the miners that a person whose behavior showed so little regard for mine safety was both a Mine Act miners' representative and the most frequent hotline caller; it did make sense, though, because both his service as a miners' rep and his calls to MSHA were motivated primarily, if not purely, by his desire for leverage, revenge, and his own desire for personal power, not safety.

In any case, no more refresher training for Lucas, Ralph thought to himself as he refocused on the afternoon's training program. He was gone and life at the mine was better for it. The rest of the day's refresher training went smoothly and Ralph was gratified by the miners' attention, attitudes, and demonstrated aptitudes, as well as their commitment to mine safety and the mine's success. Everyone's spirits were high when the training was wrapped up and the miners headed home Saturday evening, leaving Ralph is his office to complete the 42 copies of the MSHA Form 5000-23 required to document that each miner had timely received his annual refresher training.

20

THE TEMPORARY REINSTATEMENT
HEARING LOOMS

M onday morning, when Linda Chavez returned to her office in Denver after a long weekend vacation in San Francisco, rested and ready to litigate, she had several calls to make. First, she wanted to arrange to meet jointly with Inspector Dyer and the complainant, Lucas Jones, to prepare them for their testimony at the hearing set for Wednesday morning. The drive to Trinidad from her office in the Denver Federal Center out in the Lakewood area just west of Denver would take over three hours and she needed to get on the road soon so that she could have most of the afternoon and then Tuesday if necessary to prepare her witnesses. She arranged for the use of a conference room at the MSHA Field Office in Trinidad and then called Dyer to line him up first. She didn't think she'd actually need to put Lucas on the witness stand as part of her direct case since Dyer was not only the investigator but also himself an eyewitness to most of the events in the case. For the limited purpose of a Temporary Reinstatement Proceeding, his testimony alone would be sufficient to establish a prima facie case. However, she did want to prepare Lucas for likely cross-examination by the mine operator's attorney, and as a back-up direct or rebuttal witness in the event the case did not play out as she expected that it would. Whether it was a civil, criminal, or administrative hearing like this one, Chavez knew from a long career in litigation that the only thing you can count on from your witnesses and opposing counsel is that neither can be counted on to do what you would reasonably expect them to do. A good trial attorney took nothing for granted, instead preparing for every conceivable eventuality.

Unfortunately, Dyer informed her that he couldn't be available until Tuesday morning. He wanted to conduct an inspection at Copper Canyon on the Monday Afternoon Shift. Having already done the Day Shift the week before, and having seen how Pete Miller ran his operations, Dyer wanted now to observe how veteran Section Foreman George Delinsky conducted his. It was also in Dyer's mind that mine operators get too complacent that they are unlikely to face an inspection late in the MSHA-workday, on an afternoon or overnight shift, and he wanted to dispel that assumption, so that all foremen would always feel the need to be on their compliance toes all day long. After his planned Monday Afternoon Shift inspection, he would try to make it a priority to schedule one soon for the overnight Graveyard Shift.

On the plus side, Dyer's unavailability on Monday afternoon gave her more time in the office before she needed to leave for Trinidad. So, after arranging with Dyer for their prep session to take place on Tuesday morning, she rescheduled her conference room arrangements with the Field Office staff, and then called Lucas Jones. She explained to him the purpose of the meeting, and that she had planned to get him prepared that afternoon, but that it was impossible because Dyer had a conflicting inspection obligation. Lucas was quick to take note of Dyer's schedule, while agreeing to meet them both at the MSHA Field Office at 9:00 on Tuesday.

Only then did she return Archie Montoya's call from the previous Thursday. She had listened to his voice mail message and read his email and had been struck by his apparent unfamiliarity with the Mine Act and the Review Commission, much less Mine Act discrimination law and Temporary Reinstatement Proceedings. Dyer had already provided her with the company documents which Montoya had appended to his email in which he had strongly implied that, once she had taken a look at them, she would see that Copper Canyon was fully justified, if not deserving commendation, in terminating such a poor employee, an unsafe worker who was a danger to his fellow miners.

An experienced trial attorney and pretty fair judge of opposing counsel, she had quickly concluded that replying immediately to the email from this Montoya character would be a tedious waste of her precious hearing preparation time, and so she just returned his call instead. Montoya's caller-id showed the call coming from the U.S. Department of Labor, but he chose not to answer so that it would rollover to his secretary's line. He didn't want the government lawyer to think that he was so unimportant that he had to answer his own phone, or that he didn't have many more-weighty legal matters to attend to than this rinky-dink, baseless discrimination claim. After his secretary answered the phone and buzzed him on the intercom that a Ms. Linda Chavez was holding on his line, he purposefully did not pick up the phone for several minutes that he counted out while staring at his watch.

Finally, he answered, trying to make his voice and manner convey the impression that he was in the midst of other, vastly more important matters and was way too busy to waste his time on such a petty matter as her call. But when Chavez ignored his apparent annoyance at being disturbed, and politely introduced herself in a friendly, business-like manner, Montoya decided to dispense with the bigshot act and instead turned on his practiced charm. He quickly delivered his standard negotiating opening approach, explaining that he was certain this was all a big misunderstanding, that he was sure she was way too swamped with more important government business than to have had the time to delve into the facts of this case, and that once he had summarized the facts for her, he was confident that she would see that this was just a mistake and agree to dismiss the case. As reasonable people and skilled attorneys, surely they could make short work of the whole affair and move on to the more pressing matters on their professional dockets, right? Montoya's self-confidence and ingratiating "people skills," as he termed it, had long been his strong suit, he believed, but knowledge of the law, not so much. Here, the blatant mismatch between his self-confidence and what Chavez perceived to be the weakness of his command of the actually relevant facts and governing legal principles proved fatal to his planned strategy. Between Montoya's glib opening telephone gambit and the clueless email he had sent her, Chavez saw instantly that the only misunderstanding was his.

As soon as she could break in, she politely interrupted his spiel to inform him, in a matter-of-fact, dispassionate tone, that his client had no leg to stand on, at least not in the temporary reinstatement phase of the discrimination case. However, she offered that if he would agree immediately to withdraw the company's request for a hearing and accept an Order of Temporary Reinstatement without wasting any more of his time and his client's money and sparing her the need to prepare for and travel to Trinidad to defend her Application for Temporary Reinstatement at that hearing, she would be willing to speed up MSHA's investigation and to expedite the subsequent litigation of the merits of Lucas's discrimination case so that Lucas's temporary reinstatement would not have to last any longer than the very briefest possible period. She explained that if Montoya were right about his contention that there was no unlawful discrimination, then MSHA would quickly confirm that in its investigation and, she assured Montoya, it would decline to pursue the case on the merits and move to have the Temporary Reinstatement Order dissolved. If, instead, the investigation did show that Copper Canyon had unlawfully retaliated against Lucas for exercising his Mine Act rights, then she would see to it that MSHA would file its discrimination complaint promptly and expeditiously litigate the matter, so that Montoya could have an early opportunity to make his case to the ALJ who, if Montoya was right in his assessment of the merits of Lucas's case, could vacate the Temporary Reinstatement Order and dismiss MSHA's complaint. But, Chavez insisted, just as a matter of practical necessity, Montoya needed to act fast if he were interested in settling the temporary reinstatement case on this basis, before she had to get in her car and leave for Trinidad that afternoon to prepare her witnesses there on Tuesday morning. Frankly, it was a settlement offer that seasoned Mine Safety Act practitioners law themselves had proposed to her in the past on behalf of their mine operator clients in temporary reinstatement cases, given the overwhelming odds in the government's favor in such cases because of its *de minimis* burden of proof, and an offer she had usually accepted.

Montoya was not at all prepared for such an offer. His time-tested, self-confident posturing summarily rebuffed, he was at a loss. He did not recognize what most Mine Safety Act lawyers would have, that Chavez had made him a reasonable offer that would have saved his client the legal fees, lost-time costs, and burdens of contesting an MSHA Application for Temporary Reinstatement, and offered the prospect of ultimately getting rid of Lucas much sooner, assuming the company could prove it had not retaliated against him for protected activities. Given that, at this early stage of the proceeding, MSHA only had to show that Lucas's complaint was not frivolously brought, not that it was actually meritorious, winning an Order of Temporary Reinstatement was a foregone conclusion. Once temporary reinstatement had been ordered and the miner was back on the job, the government customarily took its own sweet time – often many months – to complete its investigation and file a complaint with the ALJ seeking *permanent* reinstatement, a civil penalty from the mine operator, and other forms of relief to make the miner whole and prevent future discrimination. Then, after the government finally filed a formal discrimination complaint with the Review Commission, pre-hearing discovery would begin, including often protracted series of written interrogatories, requests for admissions and document production, and ultimately depositions. An evidentiary hearing would be scheduled and, after that hearing was eventually held, the ALJ could and frequently did take many more months to issue a written decision on the issue whether the miner had been unlawfully discriminated against for exercising his protected Mine Act rights. Even if the ALJ ruled in favor of the mine operator, MSHA could and often did appeal such a decision to the full Review Commission, which, after briefing and argument, rarely ruled in less than one year from the time the appeal was brought. And then, even if the Review Commission upheld the ruling of the ALJ – and it often did not, finding that the miner had in fact been discriminated against or sending the case back to the ALJ for further proceedings – during all this time the Order of Temporary Reinstatement would have remained in effect.

Despite all of that, however, because he did not know enough about temporary reinstatement litigation to realize that Chavez's offer was more than reasonable and in his client's best interests, and because he felt personally offended by it, Montoya reflexively and gruffly rejected it (even without first consulting with his client, in violation of his professional responsibilities), barking back that "he'd see her in court." His pride wounded by her summary dismissal of his arguments and her certainty that she would "clean his clock" if they went to hearing, Montoya threw himself into preparing to do battle with her on Wednesday.

Meanwhile, back at the mine, Pete was immersed in supervising coal production by his Day Shift crew and Ralph was participating in an MSHA webinar providing guidance on its newest respirable dust control regulations, including a number of nettlesome issues regarding the recently mandated use of those new devices called Personal Dust Monitors. After the recent promulgation of those regulations requiring all underground coal mine operators to purchase, and each miner to wear, these advanced new PDM devices that provided instant digital readouts of the respirable dust levels to which each miner was being exposed, without any need to send dust samples off to a lab to be measured, enabling (and requiring) real-time corrective measures to reduce dust levels where excessive exposures were being indicated by the PDMs, defects had been discovered in the devices. Because there was only a single company that manufactured the costly PDMs, and because every coal mine had purchased them, as required, MSHA had promised to explain by webinar what it was going to require mine operators to do to remain technically in compliance until all the devices could be recalled and repaired by the manufacturer. Though he had a number of pressing projects that demanded his attention, attending this webinar was an urgent priority. He would have to defer further records research for Montoya. Laine could not help either because he was tied up in crucial last-minute preparations for preliminary contract-extension negotiations with the power plant.

When Dyer showed up at the mine gate at 2:15 that afternoon to conduct his inspection, Lucas Jones – having been denied entry by the guards – was there waiting for him. Dyer was astonished to see Lucas there. Hadn't Lucas been fired and wasn't Dyer set to meet with him and MSHA's lawyer the next morning to prepare for the temporary reinstatement hearing? Lucas quickly explained that, despite his termination as a Copper Canyon employee, he was still officially a miners' representative; that it was his turn to be the walkaround representative for the next MSHA inspection; and that he fully intended to exercise that right. Lucas assured a still-puzzled Dyer that he was legally entitled to exercise the walkaround right even though he was not currently employed at the mine. Lucas was armed with legal citations to supporting court precedents, including one at a big surface mine up in Wyoming that Dyer vaguely recalled hearing about.

In those cases, a non-union mine had tried to keep union officials off mine property when they sought to walkaround with MSHA inspectors after a few of the miners there who were supporters of unionization had designated them as non-employee miners' representatives. In each such case, the mine operators had vigorously contested as a matter of federal labor law the union's claim to be able to represent a minority of employees at a non-union mine, and asserted their state law private property right to keep union representatives from entering their non-union mine property without consent, but, in each case, MSHA had backed the union, issued citations to the mine operators, and followed up with withdrawal orders threatening to shut the mine and to assess thousands of dollars per day in civil penalties until the operators agreed to allow the union to participate as miners' walkaround representatives accompanying MSHA inspectors on their examinations of those non-union mines. Hundreds of thousands of dollars in daily civil penalties had accrued by the time the cases were finally decided in MSHA's favor many months later; the courts of appeals had ultimately ruled, affirming Review Commission decisions in those cases, that nothing in the Mine Safety Act said that there could not be multiple miners' representatives at a mine, including non-employee representatives, or that a union could not be a Mine Act miners' representative at a non-union mine.

Unsure how to proceed, Dyer called his supervisor at the MSHA Field Office for guidance. Boylen in turn contacted his supervisor, District Manager Gonzalez, who had been involved in the case leading to that federal court decision involving the Wyoming mine that Lucas had cited to Dyer. Gonzales advised that Lucas was correct and that under those case precedents he had the right to accompany Dyer on his inspection, even though he no longer worked at the mine. If the mine operator balks, Gonzales directed and Boylen relayed to Dyer, reference the Wyoming mine decision and issue a citation charging a violation of Lucas's Mine Act rights as a miners' representative. "Give them 30 minutes to abate the violation by agreeing to allow Lucas to accompany Dyer or face a failure-to-abate withdrawal order and the accrual of daily civil penalties until they comply," Gonzales directed.

When ordered by Dyer to let Lucas onto mine property to accompany him on his inspection, the guards at the mine gate called Radomsky. Ralph, who was in the midst of packing up the defective PDMs to ship back to the vendor and to arrange to get the documentation that MSHA in the webinar had explained mine operators would be required to show to inspectors to demonstrate that their mines were in compliance with the approved remedy to avoid a citation for not actually having the required PDMs on hand, told the guards to bring Dyer and Lucas to his office. It occurred to no one at the mine at that time to question how it had happened that Lucas knew that Dyer was coming so as to be able to position himself at the gate to meet him, despite the statutory prohibition on anyone giving advance notice of an MSHA inspection.

Ralph was familiar with the case involving the Wyoming mine, too, and several others along similar lines following that precedent, but he also knew that none of those cases had addressed the specific issue of whether a mine operator must admit onto mine property a former employee it had terminated for violating company safety rules, even if to accompany an MSHA inspector as a miners' representative. Ralph was not a lawyer but, when confronted by Dyer and Lucas, he declined to allow Lucas to enter mine property to accompany Dyer because he believed as a matter of common sense and logic that just because the courts had said that a miners' representative could legally be a non-employee did not mean that a person who had been fired for being an unsafe miner had to be allowed back on mine property, at least not without a court order specifically mandating it. As Dyer, following Boylen's instructions, issued the citation to Ralph for violating Lucas's rights as a miners' representative, Ralph called Laine to advise him of the situation and seek his direction.

Laine, in turn, called Archie Montoya who advised him that the nonunion mine had an absolute property right under Colorado state law to deny entry to Lucas, which was not overridden by the National Labor Relations Act. But when Laine questioned him about the applicability of the Mine Act and that Wyoming mine case precedent, it became clear that Montoya was unfamiliar with that decision and the rest of the Mine Act case law governing the rights of miners' representatives. Montoya promised to read that case and research the legal issues and get back to Laine the following day, leaving Laine uncertain how to proceed in the meantime.

He tried to assess the relative risks of standing his ground, to keep a bad apple out of the barrel for the day pending more authoritative legal advice, balanced against the cost of a possible mine closure order and mounting daily civil penalties. Though he recoiled at the idea of allowing an unsafe employee back into his mine, especially one embittered by his recent termination, and feared sabotage, he had to wonder whether that risk was worth litigating to contest the MSHA citation and expected closure order, with the attendant risk of losing the litigation, the assessment of potentially crippling daily civil penalties, and the certainty of costly legal fees, win or lose. As he was acutely aware from his preparation for the supply contract negotiations, the imposition of thousands, potentially accumulating to hundreds of thousands of dollars in civil penalties before the case was eventually decided by the courts, would almost certainly put the cost of Copper Canyon's coal beyond competitiveness and scuttle the contract's renewal.

Laine asked Dyer if he would keep his eyes on Lucas at all times that he was on mine property and received that assurance. Under the circumstances, the calculus seemed clear, to abate the citation and avoid the withdrawal order and the litigation it would trigger by allowing Lucas to accompany Dyer during his inspection that afternoon in order to keep the mine in contention for renewal of the power plant supply contract. Laine directed Ralph also to keep his eye on Lucas and to report to Dyer any acts of sabotage or other mischief. Ralph understood Laine's reasoning and concurred with the plan but was nonetheless troubled by the looks on the faces of George Delinsky's crew assembled in the bathhouse for their shift and awaiting the resolution of this contretemps, especially the Hispanic miners – somewhere between disbelieving and terrified. But once they understood that the ghost of Lucas had not been rehired but was merely a temporary companion for the MSHA inspector, they seemed to relax and they settled down to go to work.

Their section boss was the least perturbed of the lot. His initial surprise quickly passed, and he and Lucas exchanged private smiles and winks. Certainly, Lucas gave him no cause for concern, other than almost causing a fight when George's mantrip arrived at the working section and Lucas gave Pete Miller the finger as Pete's crew was switched out for George's. Not only did Lucas not point out any violations to Dyer, but he even spoke supportively of Delinsky's compliance record and responsiveness to miners' hazard concerns. As it happened, Lucas probably helped spare the mine a citation for a leaky fire hose along the beltline: there was water pooling on the mine floor beneath the coiled fire hose, but Lucas assured Dyer that the water had not come from a leaking hose, but was symptomatic of a perennially "wet bottom" condition in the area.

When Dyer and Lucas left the mine after 11:00 that night when the Afternoon Shift was over, Laine and Ralph left, too, exhausted but relieved that the inspection had been uneventful.

But, Lucas's parting taunts as he left the bathhouse – "See you in court!" and "I'll be back!" – did not contribute to a good night's sleep for either Laine or Ralph. They were already anxious about the days ahead; neither had ever been to court before, and Lucas's threats only unsettled them further.

Ralph, Laine and Pete spent the next morning in Archie Montoya's office preparing for the temporary reinstatement hearing. Pete left his miner operator Luis Rodriquez in charge of his Day Shift crew as "step-up foreman" so the mine didn't have to idle the section during his unavoidable absence. Luis had his foreman's papers (a certification from the State of Colorado Department of Mines attesting to his familiarity with basic coal mining safety and health requirements) and all the experience needed to run the section. It was rumored that Luis was the top candidate to replace George Delinsky when he retired, so this would be a good opportunity for Luis to further demonstrate his competence and readiness for that prospective promotion.

Meanwhile, Montoya had emailed the ALJ with his Entry of Appearance as counsel for Copper Canyon in the Lucas Jones case. He and Linda Chavez had also received a Prehearing Order from the ALJ requiring them to file with him and exchange with each other prehearing statements by Tuesday at noon, identifying their witnesses and proposed exhibits, as well as any factual stipulations to which they could agree. After several exchanges of emails, Chavez and Montoya had reached agreement on five pro forma stipulations and electronically filed their respective Prehearing Statements with the ALJ. They had stipulated as follows:

1. Copper Canyon Coal Mine was engaged in interstate commerce and was therefore subject to the Federal Mine Safety and Health Act of 1977.
2. The Review Commission and its ALJ had jurisdiction over the Application for Temporary Reinstatement filed by the Secretary of Labor on behalf of Lucas Jones.
3. Lucas Jones had worked at the Copper Canyon Coal Mine and had recently been terminated by the Company.
4. MSHA Citation 975804 was issued by Inspector Denny Dyer with reasonable promptness and physically delivered to Copper Canyon Section Foreman Pete Miller alleging a violation of the mine's MSHA-approved roof control plan on the day before the Company terminated the employment of Lucas Jones.
5. The parties' respective exhibits were not subject to challenge as to authenticity, but all other objections to admissibility were reserved.

21

THE TEMPORARY REINSTATEMENT
HEARING BEGINS

Montoya drove the 85 miles up Interstate 25 from his home in Trinidad and, as arranged, met Laine, Ralph, and Pete on the front steps of the Federal Building in Pueblo at 8:45 on Wednesday morning. It was an imposing structure, about ten stories tall, constructed of sandy-colored concrete in the popular architectural style of the late 1960s and early '70s, described by its many detractors as "Brutalist." Exemplified by the FBI's fortress-like J. Edgar Hoover Building in Washington, these raw, unfinished concrete structures intentionally sent a message of impregnable government power and durability to all those with business within and to the surrounding community, though the latter sometimes took other presumably unintended messages from it as well, including impassivity, intransigence and cruel inaccessibility. The building housed the regional offices or outposts of over a dozen otherwise unrelated federal agencies, including the FBI, Agriculture, the Federal Highway Administration, the Food and Drug Administration, the National Labor Relations Board, and the Veterans Administration, among others.

The Copper Canyon contingent were in the "business casual" attire of shirts and slacks, including Pete in his signature plaid shirt, Laine in a classic Western shirt, and Ralph in a dark wool sweater with the monogram of the International Society of Mine Safety Professionals, as Montoya, himself in a rumpled dark suit, had instructed. By the time they had cleared building security, passed through the metal detectors, and located NLRB Hearing Room #2 on the Fifth Floor, it was exactly 9:00 a.m. As they entered the hearing room together, they saw a thin and wizened white-haired little man in a business suit, obviously the administrative law judge, sitting behind a raised desk on a platform at the far end of the room facing the doorway. On the wall above his head loomed a large, portrait-style framed color photograph of the President of the United States, and below that off to the left were similar, though slightly smaller, framed photographs of the Chairman and the General Counsel of the NLRB. To the ALJ's left was a chair that served as a witness stand, but no jury box since only administrative hearings were conducted there. Two four-foot long counsel tables were set up some 15 feet in front of the elevated platform that served as the ALJ's "bench," one toward each side of the room, with several chairs behind each, facing the bench. Behind the counsel tables, also facing the ALJ, were four rows of chairs, three on each side of the center aisle that divided them, for waiting witnesses and spectators.

Seated at the right end of the counsel table to the left of the aisle and facing the ALJ sat a short, slightly stocky, woman with short-cropped, gray-streaked black hair in a spare and functionally cut, very dark gray pant suit with a severe high collar. She was looking down at an assortment of files spread out on the table in front of her. Inspector Dyer was seated to her immediate left, with Lucas Jones to his left. As the Judge loudly exclaimed in a somewhat sarcastic tone, "So glad you could join us counsel, we were beginning to worry!," Montoya took a seat at the left end of the empty counsel table on the right side of the room, directly across the aisle from Chavez, then motioned for Laine and Ralph to join him on his right, and for Pete to sit in the first row of chairs behind them.

When Pete surveyed the small hearing room, roughly two-thirds the size of Christy's second-grade classroom at Canyon Creek Elementary, he noticed a very short-haired Black woman sitting at a small desk to the left of the Judge but down below the bench and a few feet away, with a tape recorder, earphones, and what looked like an adding machine but must have been some type of transcription device all arranged on the desk in front of her. Her bright red dress was about the only colorful touch in a drab room filled with drably dressed people surrounded by drably painted beige walls and lit by occasionally flickering overhead fluorescent lights casting a harsh yellowish-white light on the clean but dingy off-white linoleum tile flooring and hard plastic furniture. The one window, set high toward the back of the room on the side Pete was sitting, was so dirty that the light of the bright sunny day outside could barely penetrate into the room. It was a grim, oddly austere setting.

Though Pete was nervous, he couldn't help smiling to himself about the murky state of the windows, wondering if the Federal Building had contracted with the same window-washing company that had the contract with Canyon Creek Elementary. It had been the subject of local outrage and amusement in Heavenly when it was discovered that the agreement they had signed with the window-washing contractor obligated it to clean the school's windows twice a year, without specifying when that had to be done; as a result, the contractor, to reduce its costs and maximize its profit, undertook to wash the windows during one week each summer, and then, once all the windows had been cleaned, and while its personnel were still on site with all their equipment, promptly began the next day to wash them for the second time required by the contract.

Pete's amusement evaporated when he noticed that there was another person attending the hearing, sitting nearby in the room's spectator seats behind where Dyer was sitting at the counsel table with Chavez and Jones. He recognized this bearded, bespeckled character as the reporter for the *Trinidad Times* who covered the news from Heavenly as part of his beat. No friend to Copper Canyon Coal Company or the business community in general, there was no way he would be attending a Review Commission hearing in an NLRB hearing room in Pueblo, or even be aware of it, unless he'd been invited by Lucas to publicize his case and embarrass the company. Pete leaned forward and whispered this news to Montoya as Montoya was still unpacking his briefcase and organizing his papers in preparation for the commencement of the hearing.

At that moment, Judge Carlson, appearing impatient and every bit of his 70-plus years, called the hearing to order and asked the parties to identify themselves for the record, as the court reporter in the welcome brightness of her very red dress put on her earphones and went furiously to work. Chavez, as the attorney for the Applicant for Temporary Reinstatement, spoke first, introducing herself and her two companions at counsel table. Montoya followed, introducing himself, Laine Allred as his client representative and witnesses Ralph Radomsky at counsel table and Pete Miller behind him in the gallery. Montoya then continued, raising a point of order, objecting to the presence of a journalist, gesturing toward and identifying the reporter from the *Trinidad Times*.

Judge Carlson replied that Review Commission proceedings are open to the public absent special circumstances requiring confidentiality, asking Montoya if there were any such circumstances present here. Montoya responded that there were sensitive personnel matters at issue in the case, meriting an order to exclude the public, including the press.

"Does Counsel for the Secretary of Labor and the individual Applicant for Temporary Reinstatement join in the mine operator's objection to the presence of the press?", Carlson asked.

Chavez, though she already knew precisely how she should posture the Government's response, asked for a moment to consult with Dyer and Jones and then, following a very brief whispered colloquy, addressed the Court:

"There are several potentially competing interests here, Your Honor, aside from the interests of the mine operator: the interests of the public, the interests of the Government, and the interests of the Applicant for Temporary Reinstatement. In this case, I am pleased to advise the Court that the Government's interest is the same as the public interest in transparency and in publicizing such proceedings in protection of the rights of miners and miners' representatives. The Secretary also believes that mine safety and health will best be served by widely publicizing the prosecution of mine operators who retaliate against miners who blow the whistle on safety violations at their mines."

"The other potentially conflicting interest," she went on, "is the individual Applicant's interest in keeping private his former employer's allegations and disciplinary actions against him, to avoid public embarrassment and potentially adverse consequences for his future employment prospects. Here, however, there is no such conflicting interest because the Applicant Lucas Jones waives any such objection and states that he welcomes public scrutiny of his conduct and that he wants the public to know how Copper Canyon Coal Company harshly retaliated against him when he alerted MSHA to safety hazards at the mine."

After confirming with Lucas that Chavez had correctly represented his position on the matter to the Court, the Judge turned back to Montoya and announced his intent to deny the request unless there was any further objection, since the balance of interests weighed strongly in favor of maintaining an open hearing, and therefore allowing the journalist to remain.

Montoya was not ready to concede. He invoked the mine operator's interest in keeping confidential its personnel matters and protecting its reputation from the harm that would come from publicizing the unfounded, scurrilous charges that Lucas and MSHA had levelled against it. But the Judge could hardly contain himself to wait for Montoya to finish explaining his objection before rejecting it as unfounded, lecturing Montoya that it is Black Letter Law that there is no right to keep such matters confidential but, on the contrary, there is a pronounced public interest in airing government charges of business misconduct, whether regulatory, civil or criminal. After a moment's reflection, Montoya concluded that the ALJ's ruling was likely correct and he protested no further. He hunched his shoulders in resignation. The hearing had not even begun but the atmosphere already seemed somewhat hostile.

The Judge asked if the parties had reached any additional stipulations since the parties had filed their Prehearing Statements and whether there were any additional exhibits or witnesses beyond those referenced in them. Chavez indicated that she had one additional exhibit she planned to use. Rising from counsel table and walking forward, she asked perfunctorily "May I approach the bench?", not waiting for an answer, before reaching up to hand a copy of the exhibit to the Judge on the bench, as he nodded his assent, then putting a copy in front of Montoya seated at counsel table, as she returned to her chair. It was a copy of the MSHA citation that Dyer had issued two days earlier at Copper Canyon, charging the company with a violation of both the Mine Act provision affording walkaround rights to miners' representatives as well as the regulations governing the miners' right to designate their own representatives when it initially refused to allow Lucas to accompany Dyer as the miners' representative for walkaround purposes, until after Dyer threatened to issue a failure-to-abate order of withdrawal and seek daily civil penalties.

Asked whether Copper Canyon had any objection to the new Government exhibit, Montoya consulted with Laine and Ralph, angry that they had allowed him to be blindsided by failing to tell him about the new citation. Then he did object, both because the citation had not been identified by Chavez in her prehearing statement and because, as the citation showed on its face, it involved conduct that had taken place about one week *after* the allegedly discriminatory termination of Lucas's employment, rendering it per se and facially irrelevant to the case at bar, Montoya believed.

Chavez ably defended her right to use the new exhibit. First as to her failure to identify it in her Prehearing Statement, she explained that the citation had just been issued a day and a half earlier and had only been brought to her attention the night before the hearing, after her Prehearing Statement was already filed. And, second, as to its relevance, she argued that the citation was further evidence of Copper Canyon's animus toward Lucas for his service as a miners' representative and other protected activities.

Carlson forgave her failure to update her Prehearing Statement with the new exhibit given both the late notice of it she herself had received and the fact that the document could hardly have been a surprise to the company since they had had it in their possession since Monday afternoon. As to relevance, however, the Judge said he would reserve his ruling until later in the hearing after he had heard the rest of the evidence.

Montoya then himself offered two additional proposed exhibits, a six-page summary of Lucas's entire disciplinary record from the time he was first hired some ten years earlier up until the four recent disciplinary actions that were the basis for his termination (those four separately documented in one of the exhibits already identified in his prehearing statement); the second newly proposed exhibit was a certified copy of a public record from the County Treasurer's Office showing that, in the latest tax-year, Lucas's Lingerie and Adult Video Shop had remitted sales taxes on $143,000 in merchandise sold.

When both proposed exhibits were challenged by Chavez on the same grounds that her newly proposed exhibit had been challenged by

Montoya, lack of notice in the prehearing statement and relevance, the Judge gave Montoya an opportunity to defend their admissibility. Rising to his feet and looking up at Judge Carlson on the bench, Montoya explained that the late notice should be excused because he had just learned the day before, when he met with his witnesses, turning an exasperated look over toward them, about Lucas's extensive prior disciplinary history and the fact that Lucas was not economically dependent on his job at the mine, and that then it had taken the rest of the day to obtain a certified copy of the supporting sales tax record from the County as evidence to document that. He paused a moment rubbing his chubby hands together nervously before addressing the Government's second objection. As Montoya collected his thoughts, the ALJ stated that, as with Montoya's late-notice objection to Chavez's proposed exhibit, he would deny Chavez's late-notice objection to Montoya's new exhibits, given the typically fast track of a Temporary Reinstatement Proceeding, though he did note that there really was no good reason that Montoya could not have obtained this information earlier and given timely notice in his Prehearing Statement. But, Carlson added, it might not matter one way or the other given her relevance objection. What made these two proposed company exhibits relevant?, he wanted to know.

Montoya was ready with answers. "First, Your Honor, the breathtaking scope of Lucas's full disciplinary history further supports the Copper Canyon's good faith, reasonable belief that Lucas Jones was a perennial problem employee and unsafe worker to whom the company had given one chance after another but should have fired long ago. That goes to rebutting the Secretary's claim that Lucas was instead fired because of his protected activity in serving as a miners' rep during Dyer's initial inspection and alerting the inspector to the hazard of the roof control plan violation. Second, the sales tax record shows that Lucas has a successful business as a merchant and thus would not suffer serious economic hardship if he had to go without the income from his job at the mine during the MSHA investigation of the merits of his discrimination complaint and any subsequent litigation of that complaint. Collectively, the proposed exhibits clearly show not only that the extraordinary relief of a Temporary Reinstatement Order is not necessary in this case, but also that it would be inappropriate because of the hazard it would present to the rest of the miners if such a demonstrably unsafe worker were returned to the mine."

Chavez pounced to her feet, her brows arching upward with the force of her indignation: "Your Honor, the Government's exhibits and witness testimony will show that the mine operator's subsequent invocation of a long disciplinary history from many years past is nothing more than a post hoc rationalization designed to conceal the truth that Jones was fired because he asserted his rights and blew the whistle on the company's on-going roof control plan violation which was itself endangering his fellow miners. And this attempt to introduce the sales tax record is a thinly disguised attempt to prejudice the Court against the Applicant by impugning his character, portraying him as a low-life smut peddler. In any case, whether or not Jones has other sources of income is per se irrelevant. The law says he is entitled to temporary reinstatement to the job he lost on account of his protected safety activities, period. *Nothing* in the statute, the legislative history, or decades of case precedents interpreting it recognizes the existence of other sources of income or even a second job as a bar to temporary reinstatement."

"There are additional policy reasons for excluding such evidence as irrelevant that I can provide to the Court if there is any doubt in the Court's mind, but I don't want to unnecessarily belabor the point . . .."

"Thank you, Ms. Chavez. I am inclined to agree with you as to both exhibits, but I want to reserve my ruling until later in the hearing when the exhibits are offered by Mr. Montoya, when I can rule with a more complete evidentiary foundation. For now, I will rule only that the exhibits previously identified in the parties' prehearing statements are presumptively admissible and will be accepted into evidence when formally offered by the parties during the course of these proceedings."

"So, let's proceed with the hearing, counsel," he declared in a loud voice reflecting an eagerness to hear the parties' evidence and arguments despite his private expectation that, given the one-sided weight of the law governing temporary reinstatement, it was likely to be an open-and-shut case for the Government. "At the outset, let me ask counsel whether either party wishes to invoke the Rule on Witnesses," referring to Federal Rule of Evidence 615, which provides generally for the exclusion of all other witnesses from the courtroom when the court is hearing the testimony of a witness, if requested by either party. The purpose of the Rule was a salutary one in an appropriate case, where lots of facts are disputed and one or both parties want to prevent witnesses waiting in the courtroom from "going to school" on the testimony they hear from those testifying earlier, out of concern that a witness might alter his testimony in light of what he has heard or not heard in the testimony of prior witnesses. However, several types of witnesses are exempted from such prophylactic exclusion, including a person designated by counsel as the official representative of a party that is not a natural person, such as a governmental agency or company. Another exempted category is a natural person who is a party to the case. Upon quick reflection, Montoya wisely concluded that invoking the Rule would give him no advantage. He recognized that both Inspector Dyer and Lucas Jones fell within the exclusions and would therefore be exempted and allowed to remain in the courtroom for the duration even if the Rule were invoked. Accordingly, Montoya advised the ALJ that Copper Canyon did not see any need to invoke the Rule.

Although Chavez often invoked the Rule in a big case with lots of witnesses, especially where she did not trust the mine operator or its counsel, this was a simple case, likely to be quickly concluded without complex facts or lengthy testimony. There were only three witnesses identified by Montoya, and one of them, Laine Allred, would likely be designated as Copper Canyon's representative and allowed to stay under any circumstances. Both of the other two had been interviewed by Dyer and had signed statements on penalty of perjury summarizing the facts as they knew them, so if they tried to change their stories on the witness stand based on prior testimony, she would be able to impeach their credibility. Given that protection, and the fact that the invoking the Rule usually resulted in more protracted hearings because when it was time for one of the excluded witnesses to be called to the witness stand, they had to be located and returned to the courtroom to testify. Plus, as a seasoned trial attorney, Chavez sometimes worried that invoking the Rule somehow suggested a lack of complete confidence in one's case. So, she too decided against invoking the Rule, and so advised the Judge.

"In that case, let's get started," Judge Carlson said. "Ms. Chavez, since you are counsel for the Secretary of Labor and the Applicant Lucas Jones, and you bear both the burden of going forward as well as the burden of proof, as minimal as that is in a Temporary Reinstatement

Proceeding, let us hear your case first. But let me ask whether counsel wish to present opening statements before I hear the Government's case-in-chief."

"Yes, Your Honor," Chavez said, as she self-confidently rose to address the Judge, already radiating her command of the courtroom. "Let me take the opportunity to make a very brief opening statement. The Secretary's case is a simple one. The evidence is overwhelming that the Applicant for Temporary Reinstatement has a long history of protected activities and that less than two weeks ago he engaged in one last act of protected activity before it got him fired. In the presence of multiple witnesses, including two Copper Canyon supervisors, he pointed out to MSHA Inspector Denny Dyer the existence of a hazardous violation of the mine's approved roof control plan. He was fired first thing the following morning, in what the company claimed was the standard application of its Progressive Discipline Policy in failing to alert the company to a safety hazard or fix it himself, which the company only coincidentally learned of when Jones subsequently alerted the MSHA inspector to the hazard."

"That 'coincidence' alone would be sufficient to entitle Mr. Jones to temporary reinstatement under Commission precedent. As this Court well knows, claims by a mine operator that an employee who has engaged in protected activity was actually terminated not because of it but because of the employee's misconduct or for other legitimate business reasons are beyond the scope of a temporary reinstatement hearing. Whether the employer contends that the miner was fired solely for reasons other than his protected activity or that its motives were mixed but that it would in any case have fired the miner for his unprotected activity alone, those are issues not to be considered until later when adjudicating the miner's complaint of discrimination on the merits. In fact, we believe that in such subsequent proceedings, when all the evidence is before you, you will find that the operator's defense is pretextual and that Mr. Jones was, in fact, terminated on account of his protected activities and that he will be entitled to permanent reinstatement, and you will find the company guilty of unlawful discrimination against a courageous whistleblower and assess a substantial civil penalty as a result to deter it from further acts of discrimination against Mr. Jones and other miners."

"But, again, that's not a matter we should be distracted by here today," she continued confidently, having deftly made her point by mentioning it nonetheless, "where before the Court is simply a case for temporary reinstatement which could hardly be more blatant and compelling. It is uncontroverted that one day Mr. Jones engaged in protected activity and the next day he was terminated. The proximity in time here, literally uninterrupted by any other events, between the protected activity and the termination demonstrates that Mr. Jones's complaint is not frivolous and that he is entitled to an Order of Temporary Reinstatement pending further proceedings."

The ALJ then turned to Archie Montoya and asked if he would like to make an opening statement then or to wait until the conclusion of the Government's case-in-chief and the beginning of Copper Canyon's. Montoya hesitated briefly, wrestling with whether to defer his opening until right before presenting his own evidence, giving the ALJ a road map to show him where the testimony of his witnesses would be heading, so that the themes of his case would be most clearly in the mind of the ALJ as he heard the testimony of his witnesses. But the seeming strength of the Government's case, as summarized by Chavez in her opening statement, concerned him. He did not want the ALJ to hear the Government's evidence without having first heard from Montoya as to the reasons why he should not give it credence. Because he concluded that getting Copper Canyon's side of the story into the Judge's mind as a filter through which the Government's evidence should be viewed was the priority concern, he opted to go ahead and present his opening statement without delay. The ALJ needed to know as soon as possible that Jones was not the saint the Government portrayed him to be but rather a lazy, no-good scoundrel who constituted a clear and present danger to the miners of Copper Canyon and who should have been fired long ago.

"May it please the Court," Montoya began, "the only thing simple about the Secretary's case is that one would have to be a simpleton to believe it. Although the Mine Safety Act has done a lot to empower miners to help promote mine safety, surely it cannot and was not intended to strip a mine operator of the power to terminate an unsafe and unproductive loser like Lucas Jones just because he makes a safety complaint from time to time. Yet that is exactly what the Secretary simple-mindedly is asking the Court to do here."

"The evidence will show that Copper Canyon Coal Company is a safety-conscious mine operator dedicated to the well-being of its employees. It has a good compliance record and has won awards for mine safety. It earned those honors by building a team of employees who are as committed to safety as they are to coal production, because you cannot have one without the other. And it earned its excellent record by requiring each miner to be responsible for both coal production and the safety of every other miner, enforcing this ethos through its company safety policies and disciplinary measures. That is the key to survival in the coal industry and there is no room for employees who are not committed to both safety and coal production."

"As you will hear, Lucas is a person committed to neither safety nor productivity, and he deserved to lose his job, after years of sleeping on the job, years of breaking safety rules, years of brutalizing and intimidating his fellow miners. If Copper Canyon is guilty of anything, it is guilty of giving Lucas too many second chances and not terminating him sooner because of the dual threats he posed to coal mine safety and coal mine productivity. Coal mines have had to close all over the country, including here in Southern Colorado. Copper Canyon Coal Mine is one of the very last coal mines in the state, offering the best wages of any other employer in or around Heavenly. If forced to rehire a bullying, malingering, rule-breaking mine-disaster-in-waiting like Lucas Jones, it could spell the end of this company and the whole Heavenly community that depends on it for its livelihood, directly or indirectly. MSHA should be giving Copper Canyon a medal for terminating Jones before he effectively terminated everyone else who worked there by his reckless and selfish ways."

As Montoya took his seat, he knew he had been rambling but he was hopeful he had gotten his point across, that Copper Canyon had done the right thing and that the last thing in the world a low-life like Lucas deserved was to get his job back.

Pete noticed that Judge Carlson and Chavez had exchanged a look, perhaps of impatience, as they had waited for Montoya to finish. They had known each other for years, as she was a longtime trial attorney in the Regional Solicitor of Labor's office in Denver, litigating coal mine safety cases from all states west of the Mississippi, and Carlson was one of just three ALJs handling that same docket. Whatever that look meant, Pete took it as a bad sign for the company's prospects for success in that courtroom .

When it was clear that Montoya had completed his opening statement, Carlson asked Chavez to call the Government's first witness.

Chavez called Inspector Dyer to the witness stand, waited for him to be sworn and, after briefly leading him through a recitation of his experience and credentials, began walking him through his direct testimony, which consisted largely of restating the facts that had already been summarized in the allegations of his Affidavit which had been attached as Exhibit A to the Application for Temporary Reinstatement and was also the Government's trial Exhibit 1.

Dyer confidently recounted both the events he had witnessed during his inspection the day Lucas alerted him to the roof control plan violation, and then the results of his investigation of Lucas's termination, highlighting his interviews with the several hourly miners identified for him by Lucas, as well as with Lucas, Laine, Ralph, and Pete.

There was relatively little disagreement, Dyer explained to the Court, in the facts he had observed and the facts as recounted to him by the witnesses he interviewed, as to what had occurred, with one salient exception: like two observers of a glass of water, one describing it as half-full and the other as half-empty, Lucas was adamant that he was fired for what he *did* in pointing out the safety violation to MSHA, while the company witnesses all agreed that Lucas was terminated for what he did *not do* – abate the hazard he had discovered the week before or alert management so that the hazard could be corrected before anyone else was exposed to it.

Chavez stopped the inspector at this point in his narrative to ask him whether it affected his conclusions that the Copper Canyon supervisors had told him under oath in their sworn interview statements, that Lucas was not terminated for blowing the whistle on the company by calling Dyer's attention to the violation, but instead on account of his violation of the company safety policy.

"Not at all, counselor," he replied. "The conflict between Jones's belief that the company's motive for his termination was retaliation and the company's contention that it was for a legitimate business reason – application of the company's Progressive Discipline Policy – is irrelevant to whether the discrimination complaint was frivolously brought. The fact that Jones made his safety complaint that Monday and was fired the next morning was all the information needed, and all that is necessary for us to prove here, to establish that his complaint was not frivolous, entitling him to temporary reinstatement under Commission precedents."

"Whether it could ultimately be proved, after a full investigation and litigation on the merits of his complaint that his protected activity got him fired, is solely a matter for future proceedings. Regardless, the information I confirmed through my investigation to date, showing that Lucas made his safety complaint to me and was fired the next day is sufficient under those precedents to entitle Jones to get his job back at least temporarily, while we conduct a full investigation."

Dyer paused and then emphatically added that, although technically unnecessary to his findings and recommendation of temporary reinstatement, his confidence that Jones's discrimination complaint was legitimate and temporary reinstatement appropriate was greatly bolstered by other facts he learned during his investigation.

First, he explained, the company clearly had "animus" toward Jones because of his service as a miners' representative, which was another protected activity under the Mine Act. He recounted how the company had objected when Jones first filed his petition documenting his designation by the requisite "two or more miners" as their miners' rep, and that it only recognized that designation when MSHA threatened to issue a citation for violating the Act if it failed to do so.

And, on the very day of Dyer's first inspection at the mine, Section Foreman Pete Miller had questioned Jones's right to serve as the miners' walkaround representative during Dyer's inspection. "Perhaps Miller anticipated that Jones would alert me to that roof control plan violation that I cited the mine for later that day," Dyer suggested, as Montoya leapt to his feet, shouting,

"Objection, speculation!"

"Sustained," intoned Judge Carlson, without waiting to hear from Chavez. "The Reporter is directed to strike the witness's last statement from the record. You may proceed, Ms. Chavez."

"Was there any other evidence of Copper Canyon's animus toward Jones for his protected activities that you learned from your investigation, Inspector?" Chavez continued.

"Yes, there was," Dyer continued. "Just two days ago, the Mine refused to allow Jones to accompany me on my inspection during the Afternoon Shift."

"Do you recognize this document which I have marked for identification as Government Exhibit 4?" Chavez asked, handing Dyer a copy of the citation he had just issued on Monday alleging a violation of Lucas's walkaround rights as a miners' representative.

Montoya was on his feet again. "Objection! Your Honor, this is the proposed exhibit to which I objected earlier today. As I explained, this citation and this testimony about it are inadmissible because there is no way this post hoc event could be probative of a retaliatory motive for a personnel action that took place a full week earlier, before the citation was issued. The rules of evidence and simple logic render this document and this testimony inadmissible and bar the evidence from being heard."

"Ms. Chavez?" the Judge asked.

"Thank you, Your Honor" Chavez replied calmly, not looking at Montoya. "It is our position that the citation is relevant because it is further evidence of the longstanding hostility of the mine operator to the exercise of Mr. Jones's rights as a miners' representative, supporting our contention that the operator's defense that it terminated Jones for violating company policy by not reporting a safety hazard is purely pretextual."

The ALJ pondered the issue for a few minutes and then announced that he was going to overrule the objection, admit the citation into evidence, and allow the witness to testify about it, but would afford it very little weight because of its post hoc character.

Chavez then resumed her questioning of Dyer about the circumstances surrounding the issuance of the citation, and asking whether his investigation had disclosed any other evidence of relevance to the issues before the Court.

"Yes, I learned two additional facts that further confirm the non-frivolous nature of the Applicant's complaint. First, several miners I interviewed told me that Jones had made many safety complaints to his supervisors and to MSHA over the years and . . . "

Before Dyer could finish his sentence, Montoya interrupted with a shout, "Objection, hearsay, Your Honor. The witnesses is testifying about what others told him out of court, ostensibly to prove the truth of the substance of what he claims that they told him. Those persons are not here for Copper Canyon to cross-examine and thus this testimony is textbook hearsay. I move to strike the witness's last statement."

As Chavez rose to oppose the objection on several grounds, Judge Carlson cut her off and motioned her to stay in her seat.

"Never mind, Ms. Chavez. Mr. Montoya, speaking of Black Letter Law, let me educate you on a key fundamental." As Laine and Pete exchanged an anguished look, the Judge went on: "it is textbook Administrative Law and well-established under the Mine Act that hearsay *is* admissible in administrative proceedings like Review Commission hearings. However, because it is hearsay, I will take that into account and weigh it for what it is worth. Meanwhile, you will be permitted to cross-examine the Inspector as to exactly what he was told, by whom, and why he thinks we should believe it."

Chavez again resumed her examination of her witness, asking him to please tell the Court about the second thing he said that he had learned of relevance during his investigation.

"Yes," Dyer continued, "there was one other thing I learned that further supports the discrimination complaint that Jones filed with MSHA. During my witness interviews, one of the hourly miners on Mr. Miller's Day Shift crew told me that he had heard Mr. Miller tell Mr. Radomsky that he would make Mr. Jones pay for having 'set him up' by pointing out to me during my inspection the roof control plan violation which I then cited."

Once more, Montoya jumped to his feet exclaiming his objection to Inspector Dyer's testimony. He needed to object, he knew, because this could be a very damning piece of evidence, and he was angry at being blindsided again by surprise evidence his client had failed to alert him to anticipate. But, other than its being damaging hearsay, he could not think of colorable legal basis for an objection. There was too long a pause between Montoya's exclamation of his objection and his assertion of a basis for that objection, as his brain hurriedly combed through his mental checklist of potential testimonial objections trying to find something that might fit the situation.

"Hearsay, again, Mr. Montoya?" the Judge asked. "Agreed, but as I explained before, hearsay is admissible under the Commission's rules of procedure. I encourage you, however, to explore the issue during cross-examination and in the meantime I will allow the testimony into evidence for whatever it may be worth."

"Anything further for this witness, Ms. Chavez?"

"Just as a matter of housekeeping, Your Honor, let me have the witness identify the remaining Government exhibits, so I can move for their admission."

Chavez then had Dyer identify Exhibit G-2 as the citation he had issued for the roof control plan violation, and G-3 as Lucas's Copper Canyon personnel file record of his termination pursuant to the application of the Progressive Discipline Policy, a copy of which was attached to it, for violating company safety rules while already being on Disciplinary Step Three. Then, she moved for the admission of all four Government Exhibits, including G-1 (the Application for Temporary Reinstatement with the Dyer Affidavit appended as Exhibit A) and G-4, the recent walkaround rights violation citation which the Judge had just ruled as admissible. Hearing no further objections from Montoya, the Judge ruled them all admitted into evidence.

Chavez then turned to Montoya and said "Your witness," tendering Inspector Dyer for cross-examination.

Dyer, already siting erect on the witness stand, stiffened and shifted in his seat uncomfortably as Montoya rose from his chair at counsel table and took a few steps toward him to commence his cross-examination, exuding combativeness. Pete, watching from the gallery where he was seated right behind Montoya, was struck by the contrast between Dyer and Montoya, as they prepared for the joust. Dyer was in his late thirties to early forties, extremely fit, trim and well-muscled, but not overly so. A little on the short side with a ruddy, tanned complexion, closely cropped black hair, Dyer was wearing a nicely-pressed pale blue Oxford shirt emblazoned with the MSHA-logo on his left breast and similarly pressed khaki-colored chino slacks held up by a wide burgundy-colored belt with a gold buckle framing what looked like a turquoise inlay.

In contrast, Montoya was noticeably overweight, soft-fleshed and paunchy. His suit was rumpled and at least one size too small. His light brown skin barely showed the flush in his cheeks and his unruly black hair had grown a bit too long to be held in place, even by its thick coating of glossy hair cream. Frankly, Pete thought Montoya looked uncomfortable both in his own skin and in the courtroom . But he went right after Dyer, dispensing with any introductory pleasantries or warm-up questions, as if Dyer's jugular was the only place for him to go.

"Let's get something on the table right away, shall we? Isn't it true, Inspector Dyer that you once worked at the Copper Canyon Coal Mine?" Montoya began.

"Yes," Dyer replied. "Back when it was under prior ownership. It was my first job after high school."

"But, you didn't last very long at Copper Canyon, did you?" Montoya asked, his tone implying that Dyer had failed to succeed as a coal miner.

"I wouldn't say that," Dyer parried. "I 'lasted' as long as I wanted to work there. After several years at Copper Canyon, and seeing all the safety and health hazards in the coal mine, I decided I did not want to risk my own health and safety by spending my life working in a coal mine but would rather work for MSHA where I could devote myself to improving the working conditions of coal miners."

"Well, now, Inspector Dyer, let's be honest here. Isn't it true that you were fired by Copper Canyon and it was only then that you 'decided' you didn't want to work in a coal mine any longer?"

This time it was Chavez who had been blindsided. She had no clue that Dyer had worked for Copper Canyon, much less that he'd been fired by the company, and who knows what else was about to come out. "Objection!" she blurted out tactically before Dyer could answer, buying a few moments to mentally scramble to try to come up with a basis to support her objection so that she could cut off this line of questioning, so potentially damaging to her primary witness's credibility.

"May I have a brief recess to consult with my witness, Your Honor?" she begged, mentally cursing Dyer for not having warned her about this damaging fact so that she could have herself elicited it on direct examination to blunt its impact and avoid the harsh sting of this admission of anti-operator bias that had to be extracted from him by opposing counsel on cross-examination, while simultaneously cursing herself for having failed to adequately prepare the witness to testify by asking about his employment history before joining MSHA. That's witness prep 101, which she had unfortunately blown right past because she was so confident about the strength of her case that she had not been paying attention to fundamentals.

Without waiting for Montoya to respond, the Judge rejected her request. "You know better than that, Ms. Chavez," he chided. "That's not how we do cross-examination. Being surprised by the testimony of your own witness when he is cross-examined is not a recognized basis for an objection. You may have a recess to consult with your witness *after* Mr. Montoya has completed his cross-examination, and you can examine him further on redirect to rehabilitate his testimony if you think necessary. In the meantime, Inspector Dyer, you are directed to answer the question."

After shooting a helpless and semi-apologetic look at his counsel, Dyer answered: "Yes, I was fired by Copper Canyon for filing a safety complaint with MSHA, but those records were supposed to be expunged or sealed or something and, as part of the settlement of my discrimination suit against Copper Canyon, the company agreed to give me a good reference to prospective employers without mentioning that I was fired. That's because I was unlawfully fired for exercising my Mine Act safety rights and I had filed a discrimination complaint against the company with MSHA, and a union grievance, and the union also filed an unfair labor practice charge with the National Labor Relations Board as a result. And . . .."

"Let me stop you there, Inspector," Montoya interrupted. He let a few moments elapse before asking his next question because he wanted Dyer's last admission to hang in the air and etch itself into the ALJ's consciousness, to ensure that he would not overlook the revelation of the additional factual basis for questioning Dyer's objectivity in his investigation, findings, and testimony: not only had Dyer, like Lucas, been fired by Copper Canyon, but it had also been, in Dyer's mind at least, in retaliation for his filing a safety complaint with MSHA, rather than for the misconduct on which the company said it had predicated his termination, and then he had brought litigation against the company. It was clear that Dyer was anything but an objective, disinterested witness.

Then, allowing all that to sink in, Montoya resumed his cross-examination, his voice dripping with contempt: "Isn't it true, Inspector Dyer, that you were fired for sleeping on the job and endangering your fellow miners by not completing the preshift examination you were assigned to do before you decided you'd rather take a nap instead?"

"That's what the company claimed, but, as I reported in my discrimination complaint to MSHA and in my union grievance, I tried to explain to my supervisor that I felt very tired as a result of being over-worked by the company and that if I didn't take a short nap to refresh myself, I would have been unable to do a careful preshift examination, and *that* would really have endangered my fellow miners. I intended only a quick catnap before resuming my preshift examination but my supervisor discovered me before I could do that. I complained that it was only because they were overworking me and that a brief nap was necessary for safety but the company fired me anyway. The union supported me and we grieved the issue, and that was still pending, along with the union's unfair labor practice charge, when the company agreed to settle my discrimination complaint and Application for Temporary Reinstatement by agreeing to the expungement or sealing of my disciplinary record and to give me a favorable recommendation to prospective employers. I was tired of coal mining and had been worried about my health and safety if I stayed at that coal mine, so I accepted the company's settlement offer and MSHA and the NLRB went along with that and agreed to drop the matter."

"Isn't it also true, Inspector Dyer, that Lucas Jones had also been disciplined by Copper Canyon for sleeping on the job. And isn't it true that sleeping on the job was one of the three recent disciplinary violations that had caused him to be already on Step Three of the Progressive Discipline Policy the day you conducted your inspection, when Jones revealed to you the existence of a safety violation he had previously failed to report to management in violation of company safety rules, resulting in his termination?"

"I did see in his personnel file that he had recently been disciplined for sleeping on the job, but, unlike me, the company gave *him* a second chance, at least until he exercised his right to make that safety complaint to me."

"Well, to your way of thinking, you and Lucas Jones had both been discriminated against by Copper Canyon, hadn't you? When you were assigned to investigate his discrimination complaint and Application for Temporary Reinstatement, you must have thought about how Copper Canyon treated you the same way, right? You must have been struck by the fact that in your view you had both been mistreated by Copper Canyon for trying to protect the safety and health of other miners, weren't you?" Montoya asked.

"That's true," Dyer acknowledged, "but it did not affect my investigation, if that is what you are driving at."

"I am not driving at anything, Inspector, just trying to get all the facts out so the Judge can make his own decision. It just seems a bit unorthodox and imprudent, if not highly inappropriate, that someone with a grudge against the company would be assigned to investigate a discrimination complaint against the company. But, I wanted to ask you about how it was that you got assigned the matter in the first place. Isn't it true that MSHA standard procedures require that section 105(c) cases be investigated by an MSHA Special Investigator?"

"Yes, I believe so," Dyer answered.

"But, you are not an MSHA Special Investigator, are you, Inspector? Montoya asked.

Dyer admitted that he was not, after a moment's hesitation as he pondered whether it would be helpful to explain that he had training and experience as a Special Investigator or whether that would do more harm than good by opening the door to having to explain how he had lost his job as a Special Investigator. Better not, he thought to himself, reasoning that the Government's attorney could ask him about it if she thought it best when she had the opportunity to examine him on re-direct, after Montoya was done.

"So, is the Court to understand that before this case, you had never before investigated a section 105(c) complaint, much less an Application for Temporary Reinstatement?" Montoya bore in.

"That is true," Dyer admitted, because during his brief time a Special Investigator back in Pennsylvania, he had only investigated knowing and willful violation cases under section 110(c).

Montoya took several steps closer to Dyer as he moved in for the cross-examination kill, sneering exultantly as he asked, "So, Inspector Dyer, you're expecting Judge Carlson to order Temporary Reinstatement based on the recommendation of an admittedly biased and totally inexperienced investigator?"

At that, Chavez, who had been holding her objection to the relevancy of Montoya's line of questioning, could stay quiet no longer. She objected with exaggerated disdain that Montoya was grossly mischaracterizing Dyer's testimony, that he was merely describing the results of his investigation and not asking the Court to do anything. It was the Secretary of Labor that was asking for Temporary Reinstatement based on the facts summarized in Dyer's affidavit and the expert analysis of the MSHA Field Office Supervisor, the District Manager, and the MSHA Technical Compliance and Investigations Office (TCIO) at MSHA Headquarters.

"Sustained," ruled the Judge without elaboration.

Confident that he had thoroughly impeached Dyer's credibility with evidence of his apparent bias against the company, Montoya was nonetheless not quite ready to drop the point yet. He shifted his attack slightly and asked: "Could it be your inexperience or animus against Copper Canyon that has caused you to recommend requiring the reinstatement of a totally unsafe miner?"

The ALJ shot a quick look at Chavez even before she could get to her feet, again objecting loudly, this time her voice dripping with outraged disbelief: "Objection, argumentative, assuming facts not in evidence, and completely mischaracterizing the witness's testimony. There is no evidence that the Applicant is an unsafe coal miner and Inspector Dyer has never suggested that he is."

"Sustained. Mr. Montoya, if it is Copper Canyon's contention that Mr. Jones is an unsafe miner, you can ask the witness questions designed to try to demonstrate that, or you can try to prove it through your own witnesses during Copper Canyon's case-in-chief, though the relevancy of that at the Temporary Reinstatement phase of the case may be subject to question.

But, in any case, do not put words in Inspector Dyer's mouth."

Unchastened, Montoya stood silent for a moment and then turned to face Dyer again. "Inspector, wouldn't you have to admit that Copper Canyon would be within its rights to fire a miner whose conduct threatened the safety of his fellow miners?"

"Objection," called out Chavez with a theatrically feigned weariness in her voice, without bothering to get out of her chair. "Hypothetical, speculative, and assumes facts not in evidence."

"Sustained, "the ALJ announced with genuine weariness and annoyance. *"Move on, Mr.Montoya."*

Montoya was not going to abandon the issue, but he wisely began a more oblique, lawyerly line of inquiry to pursue it.

"Showing you Exhibit marked CC-1 for identification, Inspector," he began, handing Dyer a copy of the document from Lucas's personnel file to which Chavez had previously objected. It was the document that chronicled his extensive disciplinary history prior to the four most recent violations that were the company's express grounds for terminating him.

"Have you seen this document before, Inspector?" Chavez rose to her feet again, objecting that for all the reasons she had outlined at the commencement of the hearing, the document was inadmissible, but the Judge waved her off, explaining that he wanted to hear more before ruling on the issue:

"You may answer Mr. Montoya's question, Inspector."

"No, not really, not until this morning when you brought it to our attention as an exhibit you wanted to use."

"*Not really?*" Montoya mimicked Dyer's answer in a sarcastic and disbelieving tone. "What does that mean? Didn't you review the entire Lucas Jones personnel file when you were at the mine investigating his complaint? Are you denying it was in there?"

"No," Dyer countered, " I am not denying that, but I said 'not really' because I paid no attention to it because the company had told me that it had terminated Jones pursuant to its Progressive Discipline Policy and that Policy expressly provides for termination based solely on violations within the preceding 12-month period; they had showed me the record of his termination which was based on three violations within the preceding 12 months which placed him on Step Three of the Policy, which was then capped off, they said, by the incident where he complained to me about the bad top in the Main Entry which was a roof control plan violation."

"All of the incidents listed in your proposed Exhibit CC-1 were in Jones's prior history and were not mentioned by company personnel when they terminated him or when I interviewed them about why they had terminated him. They were irrelevant so I paid no attention to them."

"Then I take it, Inspector, that you did not notice in the file and were not aware that, in addition to sleeping on the job, Jones had been disciplined eight times before for jeopardizing the safety of his fellow miners by not correcting or alerting management to a hazardous condition he had discovered?" Montoya asked, evidencing some frustration at his inability to get Dyer to help him establish that Jones was in fact an unsafe miner.

"I did not notice anything of the kind, though I did note that the MSHA Uniform Mine File on Copper Canyon does indicate multiple instances over the years when MSHA had received hazard complaints and several of those had ultimately resulted in Mine Act discrimination complaints filed by Mr. Jones in which he claimed to have been retaliated against for making safety complaints to MSHA. Those complaints were investigated and led to the company having to pay civil penalties for violating his Mine Act rights and to remove any reference to the disciplinary actions from Mr. Jones's personnel file. Those should not still have been in his personnel file, however."

Unsure whether he was helping or hurting his case with this line of questions, Montoya abruptly pivoted: "So, isn't it true, Inspector, that Jones might have been terminated years ago for his reckless violations of company safety policy endangering his colleagues if MSHA had not intervened and made the company purge those violations from Jones's disciplinary record?"

Dyer looked quickly over to Chavez for rescue. Her angry objection was still echoing through the hearing room when Montoya turned his back on the witness and stated "Withdrawn," as he returned to counsel table, confident that he had gotten his point across to the Judge.

"Anything further for this witness?" Carlson asked. Montoya requested a five-minute recess to consult with his client. Specifically, he asked Laine and Ralph about Dyer's testimony regarding the other miners who had told him that Lucas had made frequent safety complaints and about Pete having told Ralph that Lucas was going to pay for setting him up for the bad top roof control plan violation. The consensus was that, because both assertions were true, and there was likely nothing Montoya could get Dyer to say that would meaningfully diminish the damage from that testimony, it was better to rely on the company's witnesses for any rehabilitation of its case, for example by getting into evidence the fact that only Laine and Ralph had participated in the actual decision to terminate Lucas, not Pete, so the company could argue that any animus Pete may have had against Lucas did not improperly taint its otherwise legitimate business reason for terminating him.

When the ALJ called them back on the record after the brief recess, Montoya announced that he had no further questions for Inspector Dyer.

"Unless you have any redirect for the Inspector, Ms. Chavez, you may step down, Inspector Dyer. Otherwise, please call your next witness, Ms. Chavez."

Chavez exchanged brief looks with both Lucas and Dyer, and then, with an air of self-confidence, announced, "The Applicant rests," as Lucas turned and smirked at Montoya and the entire Copper Canyon contingent.

22

COPPER CANYON PUTS ON ITS CASE AGAINST TEMPORARY REINSTATEMENT

Montoya was, in fact, as Chavez had intended, caught off guard by her failure to call Lucas as a witness in her case-in-chief though, with a moment's reflection, he concluded that she must have been worried that Lucas would not make a positive impression on the Court, and she was probably afraid of what he might say if Montoya had a chance to cross-examine him. Montoya had, in fact, been planning a withering cross-examination that he believed would leave the Government's case in tatters.

There was only one thing for Montoya to do.

"Your Honor, Copper Canyon did not list Lucas Jones as a witness because he was already on the Government's list. Since the Government has decided that it had better not put him on the witness stand, it falls to Copper Canyon to now add Jones to our list of witnesses, but we will be calling him as an adverse witness, of course."

Without hearing any objection from Chavez (except to object to Montoya's characterization of the Government's motive in not calling Lucas and to explain that it was unnecessary for her to call him because she had been able to get her case into evidence through Inspector Dyer), the Judge acknowledged the revision to Copper Canyon's witness list as permissible under the circumstances and moved on.

"Please call your first witness, Mr. Montoya."

Montoya first called Laine Allred, then Ralph Radomsky. He had each of them explain the substance and the operation of the company's Progressive Discipline Policy and each of them was emphatic that it was the application of the Policy that had dictated Lucas's termination, not any protected activity. Between them, with some overlap, they recounted in their own words the three violations of company policy and safety rules and the resulting disciplinary actions that had landed Lucas precariously on Step Three of the Policy before his fourth and final violation which had unfortunately not been discovered until the time Lucas alerted Dyer to the bad top which Lucas had previously and purposefully failed either to immediately correct or report to a supervisor, which then led Dyer to cite the company for not having corrected it. In various ways and from their own perspectives, they described Lucas as a talented mechanic but one with no work ethic whatsoever, someone who was always trying to game the system to get out of work, and who often bullied and intimidated other miners. They each made it clear that he was considered an unsafe miner for a variety of reasons, exemplified by his long history of failing to inform supervisors of hazards but instead calling MSHA to report them.

Ralph also brought up another example, the incident where the methane monitor on the continuous miner was discovered to be out of order, and Ralph and Pete's belief that it had been intentionally disabled by Lucas.

When invited by Montoya to explain why Lucas had not been fired earlier, given this negative employment history, both witnesses attributed it to two related phenomena: first, that Lucas had regularly filed discrimination complaints with MSHA, claiming he was being disciplined for alerting MSHA to safety hazards rather than for not reporting them to the company for correction, and that MSHA had invariably resolved those complaints by requiring the company (at a minimum) to remove any record of the discipline from Lucas's personnel record, which had precluded Lucas from "progressing" along the disciplinary steps leading to termination; and, second, because Lucas had regularly made additional safety complaints, not always to MSHA, but also some only to his supervisors. Although nearly all of his safety complaints were baseless, Ralph and Laine explained that the company was afraid that if it were to terminate Lucas based on his terrible work record, MSHA would nonetheless accuse it of retaliation for Lucas's exercise of his Mine Act rights which, they had learned from painful enforcement experience, included the right to make totally frivolous safety complaints. They knew that if they terminated him for any reason, MSHA would order him to be reinstated, with back pay and benefits, and hit the company with a big civil penalty for violating the Mine Act. They also explained how Lucas exploited the protections of the Act by making it a practice to have always recently lodged a safety complaint with someone so as to be protected by "miners' employment insurance," and that had effectively tied their hands. Though embarrassed to admit it, that was a confession they had to make because it was important to their credibility for the Court to understand why they had not fired Lucas sooner, if they honestly believed that he was such an unsafe and unproductive miner.

On cross-examination, Chavez zeroed in on the fact that under the Progressive Discipline Policy, termination was not absolutely mandatory and that Laine did retain discretion not to have terminated Lucas for that fourth and final violation. She also confronted them with an apparent contradiction in their testimony: they claimed they couldn't fire Lucas because of his "miners' employment insurance," but then they had done exactly that, firing him right after his safety complaint to Inspector Dyer.

"Is it your contention that it was because this particular roof control plan violation posed such an extreme hazard, that was the difference?" she asked, without waiting for an answer before asking her follow-up question: "But, isn't it true that the company urged Inspector Dyer not to write the citation as "significant and substantial," because the danger was very slight, given all the other forms of roof support holding up that top?"

She had them there. They could hardly argue otherwise.

"Isn't the real reason that you had finally had enough of Mr. Jones's frequent safety complaints and alleged lack of productivity by so often walking around with MSHA inspectors as the miners' representative," she asked largely rhetorically, their emphatic, heartfelt denials still not sufficient to fully counter the seeming reasonableness of her premises.

When it was Ralph who was on the stand trying to explain away that apparent contradiction in his testimony and answer her question about the "real reason" the company terminated Lucas, Chavez had an additional arrow in her cross-examination quiver. Her immediate follow-up question was whether or not he had heard Pete Miller say that Lucas would pay for having set him up that way. Though Ralph tried to blunt the impact of his answer by protesting that he could not recall the exact words Pete had used, his admission was enough to leave the strong impression that the Court had heard the real explanation of what had made the dispositive difference between that terminal disciplinary violation and all Lucas's prior infractions.

Chavez also scored points when she asked Ralph about his reliance on the incident involving the continuous miner's methane monitor as additional evidence that Lucas should be terminated as an unsafe miner. Not only did she get Ralph to admit that he had not actually investigated that incident, despite Pete's reporting it to him, along with his suspicion of Lucas, but he also had to admit that he had never discovered any clear evidence that Lucas had disabled the sensor. She also got Ralph to admit that inexplicably there was no disciplinary action taken nor even any mention of the incident added to Lucas's personnel file to suggest that he had any responsibility for the methane monitor safety violation.

The final kill-shot in her cross-examination of both Ralph and Laine was eliciting from each the awkward admission that, despite their testimony that Lucas was fired because of his long disciplinary history establishing that he was an unsafe miner, they had not told Lucas that his termination was based on his being an unsafe miner, his disabling the methane monitor on the miner, or any other reason beyond his failure to report the loose roof bolts in the main entry when he was already on Step Three of the Progressive Discipline Policy, which was also the only reason for the termination documented in Lucas's file.

"So," she then asked each of them in turn, "if you did not include in your official company personnel records what you have told the Court was the real reason for terminating Mr. Jones, why should we believe your testimony here today that the real reason was not his protected activity that coincidentally had just occurred less than 24 hours before he was terminated?"

Chavez returned to counsel table and sat down without waiting for an answer to her question, her tone of voice still heavy with cynicism and disbelief as she informed the Court that she had no further questions for these witnesses. She had given both Dyer and Jones a triumphant little smile, almost a smirk, as she took her seat each time she returned to counsel table at the conclusion of her cross-examinations, first of Laine and then of Ralph.

Following a break for lunch, the hearing resumed in the afternoon with Montoya calling Pete Miller to the witness stand. After eliciting from Pete information about his background and education (coming from a family of coal miners who had worked at this mine for decades, a local sports hero, who had studied at arguably the finest mining engineering school in the West, if not in the country, a family man, etc.), Montoya asked Pete a series of questions through which Pete was able to, with modesty yet pride, laud the strong safety culture built by the miners of Copper Canyon, with only a few exceptions, the most egregious of which was Lucas Jones. He described Lucas as someone his father had warned him about when Pete had first come to work at the mine, someone whom the other miners feared, who was lazy and shirked work, who did unsafe things, and abused his safety rights under the Act, for example finagling a designation as a miners' representative only as a vehicle to avoid work and get the company in trouble with MSHA, to practically ensure de facto immunization against disciplinary measures to the point that he might as well have had a job for life, if he wanted it. His father's warnings were soon borne out by Pete's own observations.

Though Pete had also been warned that Lucas would make his life miserable if he tried to rein him in, Pete, in his idealism and unable to fully grasp the way Lucas seemed to break the rules with impunity, had nonetheless finally resolved, after a year at the mine getting grounded in his new job, to ensure that as long as Pete was a Copper Canyon supervisor, Lucas was going to have to follow company safety rules and do his share of the work at the mine. And he testified to how, sure enough, Lucas had victimized him by calling MSHA with hazard complaints that brought surprise MSHA inspections and investigations that regularly had disrupted production during Pete's shift and thereby hurt his performance evaluations and reduced his bonuses, though few of Lucas's safety complaints had ever proved legitimate, except when the hazards were either created by Lucas or kept from Pete's knowledge by

Lucas so he could spring the MSHA trap on him. Pete also testified that another way Lucas was able to get away with so much was that he had intimidated the other miners, creating a climate of fear so that no one would ever inform on him.

Montoya had intended to ask Pete about the incident when Lucas had disabled the methane monitor on the continuous miner, but Pete had urged him not to since that would have required Pete to have to explain that he had not reported Lucas to HR to be disciplined for the violation only because that would very likely have cost Delinsky his job, and would even now. Montoya grudgingly steered clear of the matter.

But Montoya did feel that he needed to address the elephant in the courtroom – Dyer's unrebutted testimony that Pete had threatened retaliation against Lucas for alerting Dyer to that roof control violation, an action that resulted in MSHA issuing Pete his first and only unwarrantable failure citation. Although he believed that Dyer's testimony was based on a misinterpretation of Pete's frustrated outburst, if not corrected or clarified, it threatened to badly undermine at best and flatly contradict at worst the otherwise strong and consistent trajectory of the company's defense.

"Mr. Miller," Montoya began, "you were in the courtroom this morning when Inspector Dyer testified, were you not?"

Pete nodded his head affirmatively, causing the ALJ to gently admonish him to speak up and to answer aloud with words rather than simply nodding or shaking his head because that might not show up in the transcript of the hearing.

"Sorry, sir," Pete apologized to the ALJ. Turning back to Montoya, Pete answered, "Yes, I was in the courtroom this morning," Pete replied obligingly.

"And did you hear the Inspector testify about something someone allegedly told him that you had said to Safety Director Radomsky after the Inspector had issued you that unwarrantable failure citation because of some allegedly bad top Mr. Jones had pointed out to him?"

"Yes, I did hear that testimony but I want to clarify that it was not actually bad top, but merely a technical violation of the roof control plan. And, more importantly," – Pete was straining to infuse sincerity in his tone of voice in an attempt to explain away or at least blunt the impact of what Dyer's testimony had effectively but misleadingly portrayed as a plan to retaliate against Lucas because he had engaged in protected activity – "Because of his bias against the company, Inspector Dyer has mischaracterized what I said at the time. But to give him the benefit of the doubt, that is not surprising and probably not intentional because Inspector Dyer did not hear it himself, but only got a report of it later, second hand from someone who is not here in the courtroom to testify as to exactly what I had actually said or to be questioned about it by Mr. Montoya or Judge Carlson. The truth is that I did not mean to suggest that I was going to retaliate against Lucas for alerting the Inspector to a safety hazard, but only that I had expected, and was admittedly glad, that Lucas's having failed to report or correct it was going to result in his being deservedly disciplined, which would have been a good thing for the safety of the mine. I was not retaliating or suggesting retaliation for Lucas's reporting the hazard to MSHA and I know from talking with Laine and Ralph that it was not for *reporting* the hazard to MSHA that Lucas was terminated. On the contrary, it was *for not reporting the hazard sooner*. But, like I said, I was glad that Lucas was finally going to be disciplined for his reckless misconduct and, though I did not know for sure that Lucas would be terminated as a result, I certainly welcomed the fact that the mine would be a safer, more productive, place to work with Lucas gone."

"Your witness," Montoya said, half-turning toward Chavez with a satisfied smirk of his own as he strode back to his seat at counsel table, then flashing a self-satisfied grin at Laine.

Chavez paused to consider her best strategy. "May I have a moment, Your Honor?"

Judge Carlson nodded assent, as Chavez and Dyer exchanged whispers. Chavez had been contemplating several questions to ask Miller to try to undercut the "boy scout" image he had projected. Particularly, she thought she could effectively strip away Miller's cloak of virtue by exploring with him the reasons why he had failed to follow up on his suspicions regarding the disabled methane monitor on the continuous miner. But she worried that that she might inadvertently enable Miller to do greater damage to her case by further implicating Lucas in the act of intentionally disabling an MSHA-mandated safety device. Given the fact that all of this – though it could be a critical issue in the discrimination case itself in which MSHA would have to prove retaliatory motivation by a preponderance of the evidence – was unnecessary for temporary reinstatement, which she was confident she already had "in the bag," she concluded the possible benefit of further questioning of Miller about the methane monitor incident did not justify the risk that it could backfire on her. There was one other point she was tempted to make by cross-examining Miller, though. He had effectively admitted, in recounting how all of Lucas's hazard complaints to MSHA, even though he had dismissed them as baseless, had damaged him by causing disruptive MSHA inspections and adversely affecting his performance evaluations and bonuses, that he had a strong personal motive for retaliating against Lucas. Since each of those hazard complaints was an instance of protected activity, even if the complaints were groundless, Miller had – though this was no doubt unrecognized by Montoya – effectively admitted to violating the Mine Act's anti-discrimination provisions. But, with Dyer's concurrence, she decided to forgo that line of cross-examination because she already had Miller's inculpatory testimony on the record, and asking him about it any further could risk affording him an opportunity to wiggle out of his admission of having a personal motive for wanting Lucas fired. Best to rest with what they had, she and Dyer agreed; plus, she felt that there was sometimes a powerful psychological message signaled to the Court that an opposing witness's testimony did no material harm to your case, by dismissively declining to cross-examine him altogether.

She was just about to advise the Court that she had no questions for Miller when there was a commotion at the back of the room. The door to the hearing room had swung open with a loud bang. An old man and a boy burst noisily into the room.

"*Master!*" shouted the child, a sinewy, short boy about 12-13 years old, in a long, flowing exotically designed and richly embroidered white robe that emphasized his jet-black skin, his eyes glistening with unalloyed joy as he rushed toward Lucas, who rose from counsel table to greet and warmly embrace him.

"May we have order in the courtroom , please?" the puzzled ALJ almost shouted as he banged his gavel on the bench.

Lucas motioned the child to take a seat in the row of chairs behind where he had been sitting at counsel table, near the newspaper reporter. The old man, whom all the Copper Canyon witnesses recognized to be

Afternoon Shift Section Foreman George Delinsky, took a seat next to the child.

"The Government has no questions for this witness," Chavez declared.

The Judge turned toward Montoya and asked if he had any additional witnesses, mindful of Montoya's pledge at the close of the Government's case that he would call Jones as an adverse witness. Momentarily thrown off by the strange scene that had just unfolded, with the child hugging Lucas, and by Chavez's decision not to conduct any cross-examination of Pete Miller at all, Montoya stood up silently, gazing over at Lucas absently, and finally announced that Copper Canyon would call Lucas Jones to the witness stand.

Though Montoya had been generally unimpressive in the courtroom and his lack of familiarity with the Mine Safety Act and Review Commission litigation painfully apparent, he was about to demonstrate a few litigation tricks he had learned over the years. One of those tricks was the value of conducting "opposition research" before the start of a trial. It was often fruitless, but sometimes the rewards were gloriously justified.

As he was sworn in as a witness, promising to tell the whole truth, Lucas smiled down at the child affectionately, winked at Delinsky, and then turned to glare at Laine and the rest of the Copper Canyon team.

"We don't know much about you, Mr. Jones, since your attorney thought it best not to call you as her witness. Did you serve in the military?"

Lucas was momentarily stunned by the question, but managed to grunt his affirmance. "Is that because you were drafted, Mr. Jones?"

"Yes," Lucas answered hesitantly, puzzled and concerned about where Montoya was headed.

"How long did you serve? Montoya asked. "About one year, I guess," Jones answered warily.

"Isn't it true, Mr. Jones, that you only served a year because you were court-martialed and dishonorably discharged?" Montoya powered forward.

"Objection," Chavez cried out. "Counsel is leading the witness."

"Overruled," the Judge declared without waiting for Montoya to defend his questions against the objection. "Mr. Jones is an adverse witness, so Counsel is entitled to ask leading questions, especially on introductory matters relating to the witness's background and experience."

Chavez persisted. "Then I object to the question as irrelevant and prejudicial."

"I will allow it, Ms. Chavez. The education and military experience of a witness are always useful information for a finder of fact in assessing the testimony of a witness, especially a complaining witness like Mr. Jones. Besides, I want to hear his answer." Then, looking down at Lucas on the witness stand, the Judge directed him to answer the question.

"Yes, but I was framed and railroaded," Lucas protested, evidencing no shame or embarrassment in having been dishonorably discharged. If ever he had felt any, it was long gone.

"Would you care to tell the Court why you were court-martialed and dishonorably discharged?" Montoya asked.

"I would not," Lucas said flatly, with only a hint of defiance in his voice. "It was a long, long time ago, when I was only 18 years old, and it would be an unwarranted invasion of my privacy to have to answer. Besides, I have grown up and am a different person today."

"Will the Court please direct the witness to answer?" Montoya requested.

"The Court will not," the Judge announced with some reluctance. "I believe that, absent some showing by the company of some nexus between whatever happened decades ago and the issues pending before me today, the witness may keep private the specifics of these events so long past. Unless you can show how this is relevant, I will not force the witnesses to reveal what appear to be wholly extraneous and ancient matters."

Montoya pondered his next move. He could speculate as to various reasons for the court-martial that might be considered relevant by the Court, but that would get him nowhere. His hurried prehearing research had revealed only the fact of the court-martial and dishonorable discharge, but not the reasons for it. He could probably get the transcript of the court-martial hearing and other records of the proceedings with a Freedom of Information Act request, but that would likely take a number of months. At least he should be able to get the records by the time of the hearing on the merits of the discrimination case. For now, he believed that he'd done all he could, which was to cast a dark shadow over Lucas's character, and with that shadow hovering over everything Lucas said thereafter, he could leave it at that for this hearing. He decided to move on to expose Lucas's shameful record of safety violations and misconduct at the mine.

"Mr. Jones, isn't it true that you have been disciplined for misconduct dozens of times during your ten-year career working at the Copper Canyon Coal Mine?"

"I don't keep count, and I am not on trial here," Lucas snarled.

"Let me show you a document that has been marked for identification as Exhibit CC-1 and ask if you recognize it to be the record of your disciplinary history at the mine prior to the series of recent violations for which you were recently terminated," stated Montoya as he handed Lucas the proposed exhibit.

Jones gave only a perfunctory glance at the proffered document and handed it back to Montoya with a dismissive snort.

"Having had the opportunity to review your disciplinary history record, Mr. Jones, can you now admit that you have been disciplined dozens of times?"

Lucas again snarled his answer: "I reviewed it but I didn't count the charges, because they are all bullshit."

"Objection to this line of questioning, Your Honor," Chavez finally interjected, and then continued: "The operator is wasting everyone's time here. The document speaks for itself, as a record of the company's allegations of misconduct by Mr. Jones, without the need for him to have to go through it to tell us what it says. We can stipulate to its admissibility as just that and not to the truth of those allegations, and then move on."

"Ms. Chavez is right and makes a reasonable offer, don't you think, Mr. Montoya?" the Judge responded. "Can you agree to that?"

"Alright, Your Honor. With the Exhibit CC-1 now admitted into evidence to document the dozens of times that the company disciplined Mr. Jones for misconduct over the years, I will move on."

"Mr. Jones, how can you expect the Court to believe that you were fired for making a safety complaint to Inspector Dyer when you have repeatedly demonstrated your disregard for safety by your history of dangerous misconduct at the mine?"

"Like I said, this exhibit is bullshit. Those charges were made up to punish me for exercising my Mine Act rights to call MSHA when I saw a safety issue. And, when I complained to MSHA, it found that the operator had committed discriminatory actions or had interfered with the exercise of my Mine Act rights when it disciplined me and MSHA ordered that those so-called infractions be expunged from my file."

"And," Montoya went on, ignoring Lucas's rebuttal, "isn't it true that several times you yourself created the alleged hazard in order to get the mine shut down by MSHA so you could get some paid time off?"

"Those were nothing but allegations," Lucas parried. "No miners would ever corroborate those allegations. They were never proved."

"Because you intimidated all the witnesses so they were afraid to testify against you, right?"

Chavez had had enough. "Objection. Argumentative, unsubstantiated, and unfairly prejudicial, Your Honor."

"Do you have any evidence to support your implicit allegations of witness intimidation, Mr. Montoya?" the ALJ asked.

"No, Your Honor, I do not, but only because Mr. Jones has made everyone at the mine too afraid to go on record about his misconduct and bullying. That's why I want him to be truthful with this court and admit it himself."

"Well, let's just cut this short," the Judge said. Turning to Jones, he asked, "are you willing to admit that you intimidated the other miners so that they would not report or testify about hazards you created?"

"Absolutely not!" Lucas exclaimed.

"Thank you, Mr. Jones," the Judge said, quickly turning back to Montoya to caution that unless he had other evidence to back up his allegations, he was not to waste the Court's time asking Jones any other questions about them.

Montoya dropped that line of inquiry, wrapping up with one more question designed to make a point rather than to elicit information:

"How do you expect us to believe that you were just exercising your Mine Act rights each time you were caught sleeping on the job, leaving work early, stealing company tools, and bullying other miners, Mr. Jones? Are those examples of the so-called infractions you are referring to?"

"Objection," Chavez called out again. "Counsel is testifying, not cross-examining the witness."

Judge Carlson paused a moment to consider the matter, and then ruled: "It is a close call, Ms. Chavez, but I will allow it. Mr. Montoya has framed what is in fact technically a question and I will allow the witness an opportunity to answer it."

"Those were all bogus charges," Lucas then replied. "I did nothing that other miners weren't also doing, but I was the only one who got punished for that stuff, which was because it was a pretext for punishing me for serving as a miners' rep and complaining to MSHA about safety hazards."

Montoya then switched gears and began asking Lucas about his porn shop.

Chavez again objected, as she had when Montoya had first identified the County sales tax record as a proposed exhibit: "Irrelevant and unfairly prejudicial."

Carlson then turned toward him and asked, "Mr. Montoya?"

"As I started to explain this morning, Judge, we intend to show that there is no need for the emergency remedy of ordering Temporary Reinstatement while MSHA investigates and the Commission adjudicates whether Mr. Jones was terminated on account of his protected activities, as he claims. Unlike the typical miner that Congress was concerned might be afraid to blow the whistle on his employer's Mine Safety Act violations lest he be out of work for an extended period while his discrimination complaint is investigated, prosecuted, decided and appealed, and who thus needs the availability of Temporary Reinstatement to feel empowered to assert his Mine Act rights, Mr. Jones has a substantial source of income from his adult video store. So, there is no need to impose the extraordinary remedy of ordering his employer to put back into the mine an employee it has determined does not belong there because he posed a threat to the safety of his fellow miners."

When the Judge asked Montoya if he had any legal authority to back up his argument that Temporary Reinstatement is not mandatory where the complainant has other sources of income, he had to demur.

"Other than the highly authoritative legislative history of the Mine Act itself, which explains that Congress created the Temporary Reinstatement remedy because of its concern that miners' fears of economic hardship if they were fired for reporting safety hazards would chill them from exercising their right to do that. I have nothing further. In my research, I can find no case addressing the issue one way or another, most likely because it is uncommon that miners are wealthy or have adequate alternative sources of income. This is a case of first impression, and a compelling one, where the miner – who does not economically need to be put back to work before a full investigation and full hearing on whether he was lawfully terminated – constitutes a threat to the safety of everyone else at the mine."

The Judge seemed open to the argument, novel as it was, based upon the legislative history and the evidence, contested though it was, that Jones would pose a danger to miner safety if reinstated before a full investigation and hearing to address that concern.

"Counsel, I want to reserve my ruling on Exhibit CC-2. I will keep the record open to take further evidence on it for now, while I consider my decision on Mr. Montoya's novel argument. In the meantime, do you have any further questions for this witness or other witnesses you wish to call?"

"No sir. If the remainder of the exhibits identified in my prehearing statement have not yet been formally admitted, I would move their admission now."

"Ms. Chavez," the Judge asked, "you stipulated earlier to the admission of Exhibit CC-1 during Inspector Dyer's cross-examination, and I believe you stated this morning that the Government had no objection to the admission of CC-3, CC-4, CC-5 and CC-6, respectively the Copper Canyon Employee Handbook signed by Mr. Jones, including the Company Safety Policy and his agreement to comply with it, the Progressive Discipline Policy, the document reflecting Mr. Jones's termination for four violations of the Company Safety Policy within a 12-month period, culminating in his Class A offense in failing to report or correct a safety hazard, and the two awards Copper Canyon had received in previous years for its safety accomplishments."

"That is correct, Your Honor," she replied. The Judge then pronounced those exhibits all "Admitted," and asked the parties if they had closing arguments to present.

"You, first, Ms. Chavez, since you have the burden of proof here, minimal as it is in a Temporary Reinstatement case."

"Yes, sir, just very briefly. As the Government has advised you in our opening statement this morning, this is a simple case and we have now demonstrated that. Nothing you have heard here today in any way alters the facts, as shown by Inspector Dyer's sworn Affidavit and his sworn testimony in open court, that Lucas Jones, was terminated less than 24 hours after he exercised both his Mine Safety Act right to accompany an MSHA inspector as a miners' representative during an inspection of a mine and his right to make safety complaints to MSHA. Even the mine operator's own witnesses and exhibits confirm that. Although the parties disagree as to the company's exact motivation in terminating Jones, the extraordinary temporal proximity between Jones's protected activities and the adverse action he suffered in being terminated by itself establishes sufficient reason to believe that his protected activity was the motivation for the adverse action and establishes that his complaint of discrimination is not frivolous, and that he is entitled to Temporary Reinstatement. The Review Commission's recent decision in *Hopkins County Coal* makes clear that this is Black Letter Law."

"Although you have already heard substantial additional evidence showing that Mr. Jones has, in fact, been the victim of unlawful discrimination in retaliation for his many protected activities at the Copper Canyon Coal Mine, that determination and what remedies the Commission should order must be reserved for future proceedings on the merits of his discrimination complaint. For now, the Secretary of Labor asks that you order Copper Canyon to immediately reinstate Lucas Jones to his former job at the mine pending completion of the Secretary's investigation, the prosecution of his case on the merits, and the resulting ruling of the Commission. Thank you."

As Chavez took her seat, Montoya rose from his.

"Judge Carlson, I believe that you have presided over enough of these cases over the years to know that every case, no matter how simple it may superficially seem, needs to be considered on its own unique facts. And I am certain that you have also presided over more than enough cases to know that people are not always truthful, even under oath, and that some people may claim to be acting in pursuit of mine safety when actually they have an altogether different agenda, and are seeking to advance their own selfish objectives, whether they are mine operators, miners, and even MSHA inspectors holding a grudge."

"Finally, I believe we have all seen and heard enough here today to know that only a simpleton could conclude that a dangerous and disingenuous person like Lucas Jones should ever be allowed back in an underground coal mine where he poses a clear and present danger to the health and safety of every other person in the mine. Thank you."

23

THE JUDGE RENDERS HIS DECISION

"Alright, Counsel, thank you both. I am going to call a short recess so that I can reflect on the evidence and your arguments and then compose my decision, which I will announce from the bench when we reconvene. It should not take me longer than one hour, so please don't go too far away."

The ALJ then gathered his papers, sweeping up the exhibits, and disappeared through a door adjacent to the judge's bench on the left side of the hearing room, into an office that served as the judge's chambers for both the NLRB hearing officers and other visiting federal ALJs.

While they waited for Judge Carlson to return, the attorneys huddled with their clients and witnesses, checked their smart phones, returned emails, and made cell phone calls. Lucas went out for a smoke, taking the boy with him. Dyer joined them partly for a bit of fresh air and sunshine after the gloom of the hearing room, but primarily because he had been curious to learn more about the boy ever since he first saw him standing there in his robes the day he visited Lucas's store to interview Lucas at the beginning of the Special Investigation. Dyer felt uncommonly drawn to the doe-eyed child, a vague, fatherly-sort of concern for his wellbeing, and an interest in getting to know him.

Dyer was not the only one using the recess to satisfy his curiosity. Pete wandered over to his fellow section foreman George Delinsky, his own curiosity about the boy more than over-matched by his curiosity about Delinsky's presence at the hearing and his connection to the boy and to Lucas: "What in the world are you doing here today, George?" he began.

Though George looked uncomfortable, he shrugged, trying to act nonchalant and blasé, smiling at Pete and explaining that "Lucas just asked me to bring his son if things were quiet at the store."

More mystified than ever, Pete continued to stare expectantly, looking at George both inquiringly and intently, waiting for him to elaborate. After an awkward moment's silence, George offered a little more: "Isaac is Lucas's adopted son. Lucas told me that he adopted him from an orphanage in the Congo a year or two ago, when Isaac was 11." After another pause, George added, "Lucas home-schools him, and Isaac helps out, working in Lucas's video store, cleaning, cooking, that sort of thing, just like any son would do."

Another long pause followed as Pete continued to stare intently at Delinsky, both of them acutely aware that there was so much more to the story and that George would not be able to hold it all back: "I help out at the store, too, on a part-time basis, and I help keep an eye on Isaac when I can. He's a really good kid."

Though Pete waited expectantly, hoping for more, it soon became obvious that George had shared more than he had wanted to and all that he was going to. Pete stammered something, unable to mask either his astonishment or his disapproval of this bizarre news, not the least of which was the fact that his trusted colleague had a relationship of some sort outside of work with a man that Pete considered not only his arch enemy, but the arch enemy of all that was good and decent in the world! Was George Lucas's employee at the store or just his close friend in this newly revealed upside-down universe? Pete was brimming with questions that George clearly had no intention of answering.

The awkward silence was broken when Lucas returned from his smoke-break, along with Dyer and the boy who were engaged in an animated conversation. Dyer was studying the finely boned and high-browed boy, peering searchingly, almost affectionately, into the limpid black pools of his gentle, trusting eyes. The child carried himself with grace and seemed completely at ease with Lucas, looking fondly at him as they walked along. Lucas gave him a nod and then was headed over to discuss the day's proceedings with Chavez when he noticed Pete talking with Delinsky. He abruptly changed course in order to put a quick stop to that conversation. That was all it took because Pete saw him coming and, since he wasn't getting anything further out of Delinsky anyway, cut short his visit and himself turned back to rejoin his team around their counsel table, eager to relate to his curious colleagues what he had learned from George. "See you at the mine, George," Pete called out over his shoulder as he retreated from the enemy camp. As he did, he noticed the *Times* reporter joining the newly constituted group of Lucas, George, and Isaac.

The reporter, who had indeed been tipped off about the hearing by Lucas, as Pete had suspected, seemed intrigued by the human-interest story of Lucas's African son who called him "Master." Though Lucas was a bit wary, and recognized the need to keep the story closely cabined, lest the folks at the County Social Services Department get too nosy, he recognized an opportunity to use the situation to his further advantage. His original plan had been for the reporter to help burnish his image as a heroic, whistle-blowing crusader for mine safety and miners' rights, fighting to get his job back after the greedy coal bosses had retaliated against him for his noble efforts. Now it struck Lucas that sharing information about his adoption of the Congolese orphan would round out the story with a nice humanitarian spin. After he had answered a few of the reporter's questions, and was trying to politely bring the interview to a close, Judge Carlson conveniently returned to the bench from his hideaway chambers, causing everyone to rush back to their seats.

The Judge nodded to the Court Reporter, called the hearing to order again, and began to read aloud the decision he had just drafted:

"My decision was in most respects an easy one to reach. The case is, as the Government has argued, a simple one. The statute is clear on its face that Temporary Reinstatement can be denied to a miner who alleges that he has been terminated from his job on account of his protected activity *only* if that complaint of discrimination is 'frivolous,' and established, controlling judicial precedent tells us that 'frivolous' means that there isn't any reasonable possibility that it could be true. See the case of *Jim Walter Resources v. Federal Mine Safety and Health Review Commission*, decided by the 11ᵗʰ Circuit Court of Appeals decades ago and followed by every subsequent court to address the issue."

"And the law is also clear, as spelled out in the Review Commission's *Hopkins County Coal* decision cited by the Government is its closing argument: temporal proximity between the protected activity and the complaining miner's termination is sufficient to demonstrate that the complaint of discrimination is not, for purposes of Temporary Reinstatement, frivolous. The case law is full of examples of miners who were held to be entitled to Temporary Reinstatement based on evidence that they had been terminated within weeks, and even months, after engaging in protected activity. Here, less than 24 hours elapsed between complainant's protected activity and his termination. Precedent ties my hands and dictates that I must order immediate Temporary Reinstatement for Lucas Jones."

"However, I have heard and take seriously the evidence suggesting that Mr. Jones is, despite his mechanical talents, not a good worker, but rather an unproductive, uncooperative, and unsafe miner. Although I am not currently called upon to decide that matter, and actually precluded from doing so at the temporary reinstatement phase of the case, I believe that the operator has raised a substantial issue that ought to be a priority for the Secretary of Labor to investigate in the weeks ahead when determining whether the Government should proceed with Jones's discrimination complaint on the merits. Presumably, that issue will be both the focus of Copper Canyon's defense and its affirmative defense to any formal complaint of discrimination the Secretary may file with the Review Commission after she completes her investigation of the merits of Mr. Jones's complaint."

"Though it might try to rebut the Secretary's case and argue that it was in no way motivated in any part by Jones's long – and continuing until right before his termination – history of protected activities, I believe that there is sufficient evidence of the company's animus against Jones on account of his protected activities that it is unlikely to defeat the Secretary's likely argument that Copper Canyon had at least *mixed* motives for its decision to terminate Mr. Jones. And that could be enough for it to prevail."

"Nonetheless, as I have suggested, I have already seen enough evidence to believe that the company could possibly be successful with an affirmative defense that, notwithstanding any animus it may have borne over Jones's protected activities, it would have terminated him in any case for his poor disciplinary record under the application of its Progressive Discipline Policy and in particular and especially because of the safety risks it believed that he posed to the safety of other miners."

"So, before I enter my Order of Temporary Reinstatement, dictated by the clear mandate of existing, binding precedent regarding Mr. Jones's non-frivolous complaint, I want to express some misgivings regarding what the law requires me to do here. In candor, I am deeply troubled by having to order a coal mine operator to send a potentially unsafe miner back into the dangerous dynamic of the underground mine environment. I strongly suspect – actually, I am virtually certain – that Congress never anticipated such a scenario when it crafted the Mine Act's temporary reinstatement provisions and that it would have legislated differently if it had recognized the possibility that such a situation might present itself as it has here."

"Of course, our system of laws does not empower me to second-guess Congress, the 11th Circuit Court of Appeals, or the Review Commission precedents that have gotten us into this situation. Perhaps one of the federal courts of appeals might take it upon itself to do so in the future, or perhaps the full Review Commission itself might feel called upon to revisit its precedents, such as *Hopkins County Coal*. As a humble administrative law judge, however, I plainly have no such license. I am unquestionably bound to apply the controlling precedents I have referenced."

"There is one possible alternative course of action that is open to the parties, however, that could mitigate the potentially dangerous scenario that I have described and have no choice but to order. In many, perhaps even most, temporary reinstatement cases, the mine operator's intense desire to prevent a miner it has terminated from returning to its workforce and being allowed back onto its property, especially where the operator claims that the miner had been terminated for insubordination, fighting, or unsafe conduct, has led it to offer "economic reinstatement" instead. Under that alternative, the operator agrees to pay the Applicant for Temporary Reinstatement his regular wages, as if he had been restored to his job, but to stay off mine property and not actually return to work until the case on the merits is investigated and decided."

"As wise and prudent a solution that could be addressing such difficult and potentially fraught, contested labor-management powder kegs as these

Temporary Reinstatement cases can present, it has nonetheless been held that an ALJ does not have the legal authority to *order* temporary economic reinstatement in lieu of actual temporary reinstatement. Perhaps Congress would have so provided in the statute had it anticipated a situation like this, as the best way to balance the competing societal interests. In fact, I would encourage the Secretary of Labor and the mining industry together to bring this problem to the attention Congress and urge it to amend the Mine Act to empower an ALJ to order temporary economic reinstatement in a case like this one."

"In the meantime, I can only encourage the parties to discuss whether each would be willing to agree to temporary economic reinstatement. To allow for that discussion, I am going to call a 15-minute recess. If the parties agree to temporary economic reinstatement as a mutually acceptable alternative to actual temporary reinstatement, then when we go back on the record after the recess, I will revise my decision to reflect that agreement and order temporary economic reinstatement. We are now in recess," he concluded, heading back into the little office that served as his chambers.

Chavez turned to Montoya, open to such a discussion herself: "Well, what do you think?"

Montoya caucused with Laine and Ralph. Pete came up to counsel table to listen in and offer his views, if sought. Although it galled Laine to have to pay someone who would not be contributing to the bottom line, especially given the present marginal profitability of Copper Canyon, he recognized he had little choice but to agree. It would be more reckless to put Jones back to work, especially after terminating him. His dangerous proclivities might well be exacerbated by a desire for revenge and a sense of immunity, if not impunity, given his record of success in besting the company at every turn to date, with MSHA on his side and closely scrutinizing Copper Canyon for any sign of further retaliation against Lucas. God only knows, Lucas was capable of sabotaging the company's expensive continuous mining machine and other costly pieces of equipment. The opportunities for malicious mischief were abundant. Plus, management's authority would be undermined if the rest of the miners saw that Lucas could get away with his potentially ruinous shenanigans and still get his job back. Finally, he knew that the other miners would be unsettled, to say the least, if

Lucas reappeared at the mine. Ralph agreed heartily with Laine's calculus, and informed him that, from his perspective, the mine had been a much happier, safer, more productive enterprise in the brief period since Lucas's termination.

Laine advised Montoya that the company would agree to go along with economic reinstatement, so Montoya looked over to Chavez, caught her attention, and announced their decision: "Agreed."

Chavez then turned to Lucas to confirm his agreement, explaining to him how temporary economic reinstatement would work, expecting his ready assent. Although tempted by the prospect of getting paid his full wages without having to work at all, Jones nonetheless balked at the offer. By some reckoning comprehensible only to him, and which he had no intention of disclosing to anyone else, Lucas decided that he preferred to force Copper Canyon to have to take him back. He had personal reasons for returning to the mine, and the embarrassment and anxiety it would cause the company only supplied a deliciously supplemental incentive. He simply advised Chavez that it was his decision to reject the offer and insist on actual Temporary Reinstatement. She did not need to know how eager he was to resume his job at the mine.

Chavez was startled by his decision. In her experience, people rarely if ever turn down the opportunity to be paid to stay home and do nothing, or whatever they please.

Laine appeared stricken by the news. Managing Lucas had been a challenge in the best of times. Now, with the company under court order to take him back, and knowing that MSHA was going to be watching the company more closely than ever to make sure it did not attempt further retaliation, Laine began to envision a range of truly nightmarish scenarios ahead. Insubordination and insolence were certain to be the least of the problem. As Laine soberly contemplated the miseries that lay ahead, the ALJ returned to the bench.

"Have the parties reached agreement for economic reinstatement?" he asked hopefully, almost rhetorically, so confident was he in the expected answer. Though perplexed and disappointed herself by Lucas's rejection of that option, Chavez had no choice but to inform the Judge of his unwelcome, unfathomable decision. "No, Your Honor, I am sorry but the Applicant is not willing to accept economic reinstatement. He requests that you complete your decision with an express and formal Order of Temporary Reinstatement."

Carlson's face took a few seconds to register this news and then seemed to crumple; when he finally spoke, his voice betrayed the surprise and disappointment he felt. Frankly, it had never occurred to him that Jones would not accept the generous solution he had proposed in order to address the judicial dilemma he had found himself facing. But, there was nothing more he could do about it. He could only pray that the operator was exaggerating how dangerous it would be to put Jones back underground at Copper Canyon.

Carlson stared directly at Lucas a few moments before brusquely, in an eerily flat, deadened voice, announcing that he would go proceed to issue the requested order:

"I will issue my bench ruling in the form of an appealable written order tomorrow, which will trigger the five-day appeal window provided by the Commission's rules. The Order of Temporary Reinstatement will be effective upon receipt by email. Copper Canyon, please take note that the filing of an appeal does not automatically stay the effectiveness of the order, though you may apply to the Commission for a discretionary stay, if you do decide to appeal. If you want to order a copy of the transcript of today's hearing, you will need to make your own arrangements with the Court Reporter."

"Ms. Chavez, you are strongly advised to see to it that the Secretary of Labor expeditiously conducts the necessary investigation of the merits of Jones's discrimination complaint, and promptly files her complaint with the Review Commission seeking permanent reinstatement if it is deemed warranted, so as to afford the operator an early opportunity to mount its affirmative defense that it would have terminated Jones in any case because he was an unsafe and unproductive employee, in order to have the Order of Temporary Reinstatement dissolved at the earliest possible opportunity." With that, he declared in a voice heavy with both disappointment and resignation, "this hearing is concluded and we are adjourned."

As the attorneys gathered their papers and the parties prepared to leave the hearing room, Lucas walked over to Pete, stuck his finger in Pete's chest and said, "See you soon, Scoutmaster," sneering from ear-to-ear in an unmistakably menacing way.

Lucas then headed toward the doorway with his entourage, shouting exultantly, as if to no one in particular, but to the whole world: "Let the fun begin!"

Dispirited and still in a state of shock, the Copper Canyon contingent left the hearing room a few moments later, after chatting briefly with their attorney and allowing enough time to ensure that they would not have to share the elevator with Lucas and company on their way down, mulling whether an appeal made any sense given the apparently settled state of the law on Temporary Reinstatement and the added legal costs entailed in pursuing what would seem to be a lost cause. They agreed that Laine would decide and inform Montoya the next day.

In the car on the way home to Heavenly, Ralph and Laine agreed that one thing was certain: they needed to hire a lawyer who was a Mine Safety Act specialist to handle any further proceedings, especially the defense of the discrimination case on the merits. It probably would not have made a difference on Temporary Reinstatement, Ralph sought to comfort Laine, given what they were learning about the one-sided state of the law but, from the Judge's decision and Ralph's layman's understanding of the Act, it sounded like they had at least a fighting chance on the merits of the case. They dared not jeopardize that chance by sticking with Montoya.

Ralph told Laine that he would do some checking with his fellow mine safety professionals for recommendations. They would likely need to retain an attorney from Denver, Salt Lake City, or Washington, D.C., where the most highly regarded Mine Safety lawyers were located. Unfortunately, that meant that they were going to have to pay more than they were paying Montoya, Ralph warned. Laine was ready to acquiesce in spite of the company's dire fiscal straits, persuading himself that if ever there were a time not to be penny-wise and pound-foolish, this was it. Too much was at stake.

At the same moment, Chavez was in her car, headed back to Denver. Relieved to have the hearing behind her, her mind roamed idly over the events of the day. Like every successful litigator, she savored the victory she had won for her clients, and recalled with added pleasure the several tactical successes that had punctuated the day's hearing. Another job well done, another file she could close, at least until MSHA eventually completed its typically protracted investigation of the merits of Lucas's actual discrimination case and decided whether it wanted her to file a complaint on his behalf at the Review Commission.

But her satisfaction was not unalloyed. A couple of vaguely disquieting thoughts nagged at her. It probably did not matter ultimately, but she was annoyed with herself for making the rookie mistake of failing to have investigated the credibility of her witness and to prepare him to defuse the issue during his direct testimony. A seasoned litigator preliminarily *always* questions the credibility of her witnesses, even when they are the agents of her own client. Though the facts certainly seemed clear enough, it was discomfiting that she had overlooked Dyer's now-obvious bias against the mine operator that had fired him and had unquestioningly accepted from him an arguably, if not presumptively, skewed version of the facts of Lucas's case as a result. Also, something about Lucas Jones himself left her feeling unsettled about the whole case. She tried to convince herself that she had just done her job, and that Jones was entitled to that Temporary Reinstatement Order as a matter of law, no matter how distasteful a man he seemed to be. Even bad people deserve to have their legal rights vindicated. Still, she could not shake an amorphous sense of foreboding.

Perhaps channeling Judge Carlson's own obvious discomfort in doing what he felt the law required him to do, Chavez could not help but question whether, courtesy of Lucas Jones, they had just discovered a fatal flaw previously hidden in the Mine Act's safety scheme.

24

LUCAS RETURNS TO THE MINE

The ALJ's order was received by email the following afternoon. Laine asked Ralph to inform Lucas that they expected him back the next day, in time to work the Day Shift. Ralph reluctantly but dutifully placed the call, thankfully getting only Lucas's voice mailbox, allowing him to leave Laine's message without having to actually talk to Lucas.

Laine also instructed Ralph to post a notice on the mine bulletin board explaining that Lucas would be returning to work on a temporary basis on the order of a federal judge, along with a copy of Judge Carlson's order. At the same time, Laine and Ralph informally spread the word among the supervisors that, though they had to treat Lucas the same as any other employee, they should try to keep an extra watchful eye on him and immediately alert Laine of any misconduct or suspicious behavior.

In the meantime, the mine was abuzz with the news of the hearing. Some were saying that Lucas had showed them that he, not Laine, was the real boss at Copper Canyon. Lucas was regarded as some sort of vampire that couldn't be killed. Lucas had a Black child who called him "Master." In fact, Lucas's stature at the mine had, ironically, been enhanced by his termination and occupational resurrection. Those who feared him – and they were legion – now feared him more than ever, since it seemed that he could do and literally get away with whatever his dark heart wanted. He could operate by his own rules, openly, wickedly, and with impunity.

Pete's wife Christy was especially surprised by the news that Lucas had a Black son. There were only a few Black kids in the Heavenly school system, and Isaac was not among them, to her knowledge. A little checking confirmed that, leaving her to wonder if Isaac were actually being home-schooled as Delinsky had claimed or if he had somehow slipped through the grid of bureaucratic protections supposedly built into the local educational system.

The story in the *Trinidad Times* later that week seemed to answer that question, in its glowing portrayal of the crusading mine safety advocate who had stood up to the mine bosses and prevailed, enhanced by a laudatory account of how Lucas lovingly home-schooled his adopted Congolese son. Still, Christy remained suspicious despite the published assurances, wondering how Lucas had any time to home-school the child, given his dual engagements as full-time coal mine mechanic and adult video shop proprietor. Her suspicions increased when she could not locate any record of Lucas's adoption of Isaac or any registration of Isaac on the on-line roster of home-schooled children maintained by the Colorado State Department of Education. Though it was entirely possible, she realized, that her Internet research skills were not up to the challenge or that the adoption and school registration records had not been recently updated, she remained uneasy and resolved to investigate further.

Meanwhile, Lucas returned to Copper Canyon. Surprisingly, there was, at least initially, less disruption than anticipated. After the awkward tensions of the first few days, things returned to semi-normalcy. The rhythms of three daily shifts, the miners flowing in and ebbing out of the mine, had a way of propelling the hours, days, and weeks along, each shift with its own internal routines of cutting, bolting, cleaning, and dusting again, on and on, anon, and on and on, anon.

There was comfort in its unchanging pattern, regardless of Lucas, who, of course, actually worked less than ever before, entirely skipping work some days, without reprisal, and generally going more unsupervised than ever, as ill-advised as that was. It was just human nature to stay out of his way, to get along by going along with whatever Lucas wanted to do. He had the ability to intimidate with just a glance, now more than ever.

After a few weeks of this relative peace, however, someone started anonymously calling in hazard complaints on the MSHA hotline again. None were ever called in about conditions or practices during the Afternoon Shift, and none were called in regarding the Night Shift. Only conditions and practices occurring during the Day Shift appeared to be triggering miners' hazard concerns. The actions of the Day Shift section foreman came in for particular attention, arousing the anonymous caller's purported fears.

MSHA inspectors dutifully trekked out to the mine after each call, investigated, and, most days, reported back to the Field Office Supervisor that no hazard had been found. Occasionally, a technical "non-S&S" violation–deemed not significant and substantial–was identified and cited. Dyer, Gustafson, and several other inspectors made regular appearances to investigate the alleged hazards, in addition to conducting their regular inspections of the mine. The disruptions of coal production that each hazard investigation inevitably engendered did somewhat diminish over time as the responding MSHA inspectors inevitably became less intrusive and somewhat perfunctory in their hazard investigations, to some degree desensitized to the expectation of finding any actual hazards.

At the same time, Pete Miller's rapport with the MSHA inspectorate increased over the course of this blizzard of hazard complaints, as the inspectors came to respect him as a highly professional and conscientious, safety-minded supervisor, who endured with as much grace as one could possibly imagine the apparent persecution campaign that someone was clearly determined to wage against him, wielding the Mine Safety Act as their cudgel.

Ironically, the volume and severity of MSHA citations steadily diminished over the several months that had passed since the hazard complaint campaign had been unleashed. The MSHA inspectors themselves felt embarrassed and annoyed that they were being exploited as an instrument in what had soon become apparent as a personal vendetta by someone against Pete Miller. They had no choice but to come and investigate, because the Mine Act allowed for no exceptions for nuisance calls, boys crying wolf, or other abuses, but the inspectors came to view Pete and, by association, the other Copper Canyon supervisors, in a more positive light, so that some conditions and practices in the mine which might have been seized upon as potentially violative were given the benefit of the doubt. Sometimes during an inspection, whether an electrical inspection, a methane spot inspection, a health technical inspection, a roof control technical inspection, an accident investigation, or dust survey, close calls seemed to go the company's way and the MSHA inspectors would even cut the company a break by merely warning them about a condition they could have been cited for, instead saying something like "I don't want to see this pile of loose coal when I come back through here in 30 minutes" or "I could cite those combustible empty rock dust bags as a violation if I didn't think you were already just about to gather them up and dispose of them." Historically, inspectors had not cut them any slack in those kinds of circumstances because they were trained not to, based on the express mandate of the Act that they "shall . . . issue a citation" whenever they see a violation.

Copper Canyon's supervisors, in turn, knew and appreciated that the MSHA inspectors were going out on a limb, doing them a favor whenever they allowed them to correct a possible violation without issuing a citation, with its attendant mandatory assessment of civil penalties. They did not need to be warned twice before promptly correcting whatever it was that the inspectors questioned. Consequently, those supervisors developed a much greater respect for the inspectors who demonstrated their flexibility and a focus on achieving safety and health as opposed to rigid and punitive enforcement, and they worked doubly hard at maintaining compliance to avoid putting the inspectors in such awkward situations to the extent possible.

Perhaps it was their imagination or a case of wishful thinking, but it certainly seemed as if the marked improvement in Copper Canyon's overall accident and injury rates that occurred that fall and winter was correlated with this phenomenon of steady, baseless hazard complaints and the enforcement "era of good feelings" it had ultimately engendered. It was a storybook kind of development: mutual commitment to a cooperative safety culture rather than the cops-and-outlaws, "us-them" enforcement siege mentality into which so much of the mine safety regulatory regimen had devolved. Out of a cruel attempt to misuse the Mine Act for evil purposes, good emerged triumphant nonetheless.

Predictably, though, Lucas Jones was disgruntled. Though MSHA was apparently in no hurry to complete its investigation of his pending discrimination complaint, and his tour of reemployment courtesy of temporary reinstatement had no end in sight, Lucas's campaign to make life miserable for the boy scout was being frustrated. Accordingly, Lucas decided that more aggressive action was warranted. Since he had continued disabling the methane monitor on the continuous miner periodically at George Delinsky's request, it occurred to Lucas that it could provide an ideal scenario for setting Miller up for the retribution that was, in Lucas's own twisted world, so richly deserved.

The next anonymous hazard complaint to the MSHA Hotline was very specific: "Day Shift Section Foreman Pete Miller at the Copper Canyon Coal Mine in Heavenly, Colorado, has disabled the sniffer on the continuous miner to avoid methane-triggered shutdowns so Miller could increase coal production to qualify for a bigger bonus, putting coal miners in imminent danger."

Dyer came out the next day and went right to the continuous mining machine, tested the sniffer with a known quantity of methane gas, and sure enough the alarm failed to sound and the mining machine continued to run. Because the methane monitor was inoperative, he issued an imminent danger order shutting down the machine and an unwarrantable failure citation for the violation of the sniffer standard which had created the imminent danger. Dyer asked Pete what he knew about the problem and how long it had existed, but Pete professed bewilderment. He called for a mechanic to fix the device and Lucas appeared within minutes, as if he had been waiting nearby, expecting the call. As Dyer watched suspiciously, Lucas opened up the device and showed everyone how the wires connecting the sensor to the machine's electric power network had been intentionally "jumped out," rendering the monitor inoperable.

That afternoon Dyer completed the Willful Violation Review Form for the methane monitor violation and he strongly recommended a Special Investigation, given the compelling evidence that the violation was the result of an intentional act. Indicating that Section Foreman Pete Miller ought to be a primary focus of the investigation, he attached a copy of the transcript of the hazard complaint call from the day before, privately regretting his relative nonchalance in responding to it, and blaming himself for assuming that it had been just another bogus report and for relying on Pete's apparent safety conscientiousness.

Within a matter of weeks, District 9 Special Investigator, Ned Thomas, had been assigned to investigate whether the violation was knowingly or willfully committed and whether any supervisors should be individually prosecuted for it. He immediately began contacting hourly miners at their homes, at the Pick and Shovel Diner, the Lucky Strike Bar and Grill, and other miner hangouts in Heavenly. Among the miners that the Special Investigator interviewed, very few had known that the sniffer wasn't working, which was unsurprising since the mine was not very gassy, particularly at the depths they were currently mining. Only three miners admitted to knowing that the sniffer had been disabled: Lucas Jones, George Delinsky, and an hourly miner on George Delinsky's crew, Rosie Rodriquez's brother Ricardo. They all voluntarily gave sworn statements to Ned Thomas when asked, though he suspected that they did not know that they had the right not to, and that he had no ability to compel them to meet with him, much less give a sworn statement, and he was not about to enlighten them.

Lucas had told Thomas that Pete had asked him, as a mechanic, to show him how to disable the sniffer and to reconnect it to put it back into service, if he ever needed to do that for some reason. Lucas also reported to Thomas that when he had been conducting his regular permissibility checks on the machine after it had been used by the Day Shift, he had on several occasions found that the device had been jumped out in precisely the way he had demonstrated to Pete.

Following the script that Lucas had coached him on, George Delinsky in turn told Thomas that he had been surprised when Pete had offered to show him how it could be done to avoid the risk of production disruptions when they were hitting small pockets of methane, and that Lucas had also told him that Pete had asked to be shown how to disable it, but that he, George, had never tried it himself. Delinsky also volunteered to Thomas that he did not think it was a big deal, one way or another, since they rarely encountered more than nuisance levels of methane, so the monitor was more of a pain in the neck than meaningful safety device.

Ricardo Rodriquez was one of several miners the Special Investigator had needed a translator to help him interview, bringing in a trustworthy local contractor that the Trinidad Field Office customarily engaged for assistance with Spanish-speaking miners. All Ricardo could tell him was that Lucas and George had both confided in him about Pete's practice of sometimes disabling the sniffer and that it made him nervous, but he had feared that he'd be fired if he complained to anyone else about it, so he kept his concern to himself.

Thomas next contacted Ralph and asked to interview him and for him, as the company's Safety Director, also to arrange interviews with Laine, Pete, and Graveyard Shift Foreman Benny Alvarez. Ralph was puzzled that there was no one else Thomas wanted to interview, not knowing that he had already conducted interviews of Lucas, George, and Ricardo, among others. All the requested witnesses agreed to be interviewed, perhaps not realizing that they had any choice in the matter. In any case, it was Copper Canyon company policy to cooperate with any and all government investigations and individual participation in MSHA interviews was strongly encouraged.

The Special Investigator found his interviews with Laine and Benny entirely uninformative. They knew nothing about the disabling of the methane monitor, so the substantive portion of their interview lasted for less time than it took for him to obtain the preliminary information needed to fill out the individual background information section of the standard MSHA witness statement form for each of them (name, address, phone, job duties, experience and length of employment at the mine, and whether they had the authority to direct the workforce), explain that he would keep their statements confidential unless required to produce them in a court proceeding or by other legal process, and to inform them that their signatures at the end of the witness statement form would constitute their affirmation as to the truth of their answers to his questions being made under penalty of perjury.

Pete's and Ralph's interviews each took much longer. Each was asked to explain about that previous incident, also on Pete's shift, when Inspector Gustafson had cited the company for the same type of violation, when Gustafson discovered that the methane monitor on the continuous miner was inoperative, and how it had been determined at the time to have been inadvertent, with the sensor believed to have become clogged with coal dust and rock dust. They each admitted their subsequent suspicion of Lucas, and Ralph also told Thomas about his meeting with the mechanics in the Maintenance Department to caution them about the importance of these safety devices and warning them not to mess with them. Ralph also admitted to the Special Investigator that Pete had later told him about the wink from the mechanic who abated the violation and his conversation with Delinsky in which Delinsky confessed that Lucas had done it at his request, which became one of the reasons they had terminated Lucas.

Pete's interview was similar, except that Pete, not knowing what Ralph had told Thomas, still hesitated to inform on Delinsky. Just as he had not reported the incident to HR originally because George was nearing retirement and Pete did not want to jeopardize that for his fellow section foreman, he was reluctant to implicate George now. He assumed that George and Lucas were responsible for the current violation, too, and he hated to give evidence that George had previously been involved in the same sort of violation. But when Thomas pressed Pete and seemed to know about George's prior involvement (because Ralph had told him all about it during his interview), and reminded Pete that his statement was being taken under penalty of perjury, Pete broke down and admitted that George had confessed to him about his practice of having Lucas disable the sensor for him.

Ned Thomas's whole investigation in Heavenly took only a few days. He then returned to his office in Denver to prepare his report. After District Manager Gonzalez signed off on it, the report was sent to TCIO and to the Associate Solicitor's Office in Arlington, where the case was reviewed for possible initiation of individual civil penalty proceedings against Pete for willfully and knowingly disabling the methane monitor, and for possible referral to the Justice Department for criminal prosecution. In addition to criminal prosecution for the intentional violation of the methane monitor standard itself, they needed to decide whether Pete should also be prosecuted for the additional charges of obstructing justice, lying to a federal investigator when he told Dyer he knew nothing about the violation, and perjury for lying in his interview with Thomas and in his sworn statement, by denying that he had disabled the methane monitor and trying to blame his colleague Delinsky for it instead.

All the while, no one at the mine, least of all Pete, had any idea that Pete was under investigation, much less a potential target for civil and criminal prosecution. Pete, Laine, and Ralph, though they were concerned that George Delinsky might be facing further consequences, fervently hoped that Lucas would be. Laine decided that he would await the results of MSHA's investigation before he himself disciplined Delinsky. But, no one heard anything else about the matter after the Special Investigator left town. Within a few weeks after that, everyone at the mine except Pete pretty much forgot all about the whole incident and life went on as before.

25

PETE'S DREAM

P ete slept fitfully, if at all, that night. His mind was wandering, back and forth, around, under and over variants of the same scenarios in a dreamy semi-wakefulness. It was one of those increasingly frequent nights when he was often uncertain whether he was subconsciously worrying in his dreams or just consciously but obsessively ruminating about what worried him during the daytime and what he should be doing to minimize the risks that were haunting him. Lots of things worried him, like whether Lucas would get someone killed at the mine through his malevolence; whether MSHA was going to prosecute him for simply trying to keep his crew safe from Lucas, with his recklessness and abusive bullying; and whether the mine was going to lose the power plant supply contract and go out of business, impoverishing him, his brother, and the whole town of Heavenly. Looking around his bedroom, he observed that it was populated by a combination of shadows and reflections created by the hall light just outside his door and the streetlamp across the street from his house. As a child, he had seen ghostly movements in their interplay. At least no ghosts haunted him in adulthood, even in the darkness of the coal mine where he spent way too much of his life, where there was so much else to fear.

He pondered the difference between shadows and reflections. They made up more of his experiential environment than he had ever noticed before. Though each of them owed its existence to light, the essence of each was radically different. Reflections thrived on the light, literally lived in the light, blossomed in the light, echoed and thereby enhanced and reinforced the light. The shadows lived to steal back the darkness from the light, and defined themselves by the degree of their success in suppressing, if not extinguishing, it. Tonight, the shadows were winning, Pete observed, aided by the dark night which reveled in each shadow as another victory in its battle against the light, reclaiming some of its dark territory. And yet, the brighter the light, the darker the shadow and the sharper the reflection.

Thinking about the black darkness of the mine and the dark blackness of the coal, he wondered whether there was that much difference between them? Of course there was, but how much of a difference was there really? What was the true nature of that difference? The coal was denser than the darkness, but perhaps that was merely because it had been so compressed by the enormous weight of the overburden pressing down on the primordial vegetation that gave it birth over the course of millennia. By contrast, the darkness in the mine was diffuse and airy, though it was inhabited by coal dust and particles of other types of solid matter afloat, undetectable in the dark, at least visually. Actually, there might be something to that, he reasoned, since the dark air in the mine was composed of the same chemicals as the coal, pretty much. If you didn't count the myriad trace elements, like the rare earth metals he had studied at the School of Mines, coal was primarily composed of carbon, hydrogen, oxygen, nitrogen, and sulfur, while the dark mine atmosphere was composed of the same things (with some of the hydrogen combined with oxygen in the form of water vapor, and the carbon combined with oxygen in the form of carbon dioxide). It occurred to him that they were elementally the same, but for the sulfur in the coal – though there was sulfur in the traces of sulfur dioxide that also was found in air. Along with traces of other elements, air had argon and helium in it, too, but they were inert gases so they didn't really count, he mused.

The more he thought about it, the more intrigued he became. Was the darkness of the mine just the absence of light or was there more to it than that? Why are people afraid of the dark if it is merely the absence of light? Could it be its blackness, since black is the color of both mystery and evil? But coal is jet-black and people – at least people who are not environmentalists – are not afraid of coal. Could that be because coal contains light within itself? Most people don't think about it, but coal owes its very existence to light. As everyone learned in high school science class, it was the energy of the sunlight that was harnessed by plants through photosynthesis to grow and create the living tissue of plants which in their subsequent death and decay were buried beneath sedimentary layers which protected them from oxidation so they could become the raw material that was transformed into coal over time. Not only was coal thus born of light, but when heated in the presence of air, even dark air, coal burst forth with firelight, the resurrection of its primordial birth-light. Does that mean that coal is actually more closely related to light than to darkness, Pete wondered? Like light, God created coal, right? Unlike darkness which always was, and was all there was before God created light and coal and everything else, right?

How odd is that, Pete asked himself for a millisecond, before he bemusedly asked himself how very odd *he himself* was to be mulling such abstractions in the middle of the night.

It was ruminations like those that had made him such a promising metallurgical student at the School of Mines, he knew. Thinking at the juncture of physics, chemistry and philosophy was the key to exploring the frontiers of each. Pete had felt like a modern-day alchemist as he sought with his professors to discover a way to extract precious rare earth minerals in commercial quantities from the endangered coal mine that had supported his family, his community, and so many others for so many years. Even now, despite having had to drop out before graduation, still yearning for an opportunity someday to return to Golden to complete his research and his degree, he had continued with the relatively primitive tools in his father's workshop in Heavenly to probe imaginative experimental technologies through which he might strike the figurative gold.

Then Pete was suddenly, blurrily seeing himself in his old School of Mines Lab with Professor Marsden as they ecstatically, tearfully, exultantly embraced, jumping up and down like kids, incredulous with frantic disbelieving delight. That was it, the missing puzzle piece they had been searching for, the elusive catalyst, for harvesting the yttrium, cerium, neodymium, gadolinium, and other precious metals! "Reciprocating electro-magnetic fields!," they shouted to each other almost in unison. "You load 16 tons, and what do you get?" . . . , his smartphone alarm was electronically inquiring over and over tunefully before Pete sufficiently emerged from his deepest sleep of the night to realize it. Time to get up and go to work!

26

THE WHEELS OF JUSTICE GRIND ON

Lucas had been granted Temporary Reinstatement back in August. It was not until the following spring that MSHA and the Solicitor's Office finally completed their investigation of his discrimination case and filed a formal complaint at the Review Commission seeking permanent reinstatement, a $60,000 civil penalty from the company, and an order requiring the mine to purge from its files any reference to Lucas's termination or instances of past misconduct so that he could start fresh with a clean slate under its Progressive Discipline Policy.

Based on Ralph's research, Copper Canyon dismissed Montoya from the case and hired Tommy Menzies, an experienced mine safety attorney from Washington, D.C., to defend against the Secretary's discrimination complaint. By mid-summer, prehearing discovery proceedings were well underway. Responses to written interrogatories and requests for production of documents were due by July 3 and witness depositions were scheduled for August, 12 months after Lucas had won temporary reinstatement. Menzies, the newly retained counsel for the company, had tried to get the case expedited so they could move forward with proving that Lucas had not been terminated on account of his protected activities and thus get the Temporary Reinstatement Order dissolved as soon as possible, but Government counsel was in no hurry.

Chavez was disinclined to do the company any favors by moving the case any faster than she had to, recalling with some bitterness that Montoya had put her through the extra burden and all the unnecessary work of travelling down to Trinidad and Pueblo to prepare and put on her slam-dunk Temporary Reinstatement case, by turning down her generous settlement offer to expedite MSHA's investigation and the litigation. If he had only agreed to temporary reinstatement without putting the Government through the time and trouble of going to hearing to get it, the whole case might even have been already litigated and resolved, but expedited treatment was no longer on offer. Besides, it had been many months since Lucas had been reinstated and there was no indication that he was causing any trouble, much less endangering anyone. Accordingly, she did not intend to inconvenience herself or her witnesses now by accommodating Copper Canyon's desperate desire for expedited proceedings to try to rid itself of Lucas Jones. Montoya's combative courtroom conduct had only further soured Chavez on his client. In fact, Chavez was already making noises about needing to postpone the depositions until September because one of her key witnesses was going to be on vacation in August. It was unfortunate, but she was within her rights and Menzies could only push so hard. So much of success in litigation depends on the professionalism, civility, and mutual accommodation of opposing counsel working constructively together in their respective clients' best interests. Unfortunately, Montoya's arrogant intransigence had so irritated Chavez that her whole perception of Copper Canyon and its defense against Lucas's claim was tainted; it would be a while, if ever, before Menzies would be able to repair the relationship.

Fortunately for Copper Canyon, the coal supply contract renewal decision had been deferred and the original contract extended for another 12 months to allow time for further evaluation of Copper Canyon's viability as a reliable source of coal for Pioneer Mesa. The steam coal market was in a great state of flux and the power plant was struggling with its own regulatory demons, so deferring the decision on a long-term coal supply contract made economic good sense for everyone.

It had already been an unusually hot summer though it was not quite yet August, and the region's high demand for air-conditioning had the power plant running close to peak capacity. It was frankly all the mine could do to supply enough coal to keep the plant's stockpiles from being dangerously depleted. Laine was even talking about possibly reactivating the previously planned longwall development project which had been mothballed at the time of the bankruptcy. Longwall mining, to which all the big underground coal companies had increasingly converted during the last few decades, allowed for recovery of much more of the coal resource since it did not require leaving pillars of coal to support the roof, and it vastly increased coal production over room-and-pillar mining using continuous mining machines, with lower costs per ton and greater safety, since miners on a longwall section were always working under a protective a canopy of rugged steel shields that held up the roof without the need for roof-bolting, almost entirely eliminating the risk of injury and production disruption from roof falls. The only problem was that the purchase and installation of longwall mining systems required an enormous up-front capital investment, and Laine knew it would be fiscally reckless (even potentially ruinous) to invest in a longwall mining system prior to reaching a long-term supply contract with the power plant.

Instead, for now, without any capital investment, he could and did add a Sunday night graveyard coal production shift, to hot-seat right into the regular Monday Day Shift, and he also began running the numbers on the projected cost of equipping and operating a second continuous miner production section on the East side of the North Mains, opposite where they were currently mining.

Christy's Children's Book Club was as popular as ever. Donna Dyer even started to attend occasionally, though it was a longer drive for her to Heavenly than she cared to make very often. In late July, however, Donna called Christy to tell her that she and her husband were going on vacation with the kids for the better part of August and she was hoping that she could follow up on Christy's earlier offer, back during their first meeting at the Walmart, to lend her a few books she would recommend for them to read with the kids while they were away. As they had discussed then, to spare herself the drive to Heavenly, she asked Christy if it would be okay if Denny could pick up the books from Pete the next time Denny was going to be at the mine. Excited about the opportunity for some high-impact, quality educational playtime with her children, Donna reported to Christy that Denny was planning to be at Copper Canyon later that week, on the last Friday in July, and that he would be thrilled to pick up anything she recommended then, if that would not be rushing her too much.

"Perfect," Christy assured her, delighted that she could finally make good on her long-pending offer. After some rumination, she winnowed down to a more manageable number of titles the initially overlong list of candidates she wanted Donna and her family to experience together: *Good Night Moon, Charlotte's Web, Where the Sidewalk Ends, Winnie the Pooh,* and a primer on dinosaurs that she thought would be both engaging and educational. She felt renewed in her vocation, anticipating the joyful experience the Dyer family would soon be sharing, as she bundled up her five precious selections and instructed Pete to take them to work with him to give to Dyer when he visited the mine that coming Friday. "Glad to help out," Pete agreed, unthinkingly.

Feeling empowered by her good deed and with a proud sense of her own virtue, Christy turned back to another "project" she had been meaning to follow up on. That was the matter of Lucas's mysterious son. No one in town seemed to know anything about him, where he came from or when he had arrived, much less how a man like Lucas could have qualified as a suitable adoptive parent. Christy knew that adoption laws had been greatly liberalized in recent years, and that single parenthood was no longer a disqualifier, but a home study to ensure a supportive and sustainable, nurturing environment in which to raise a child was still a prerequisite. What kind of suitable home could Lucas provide, she wondered dubiously. Not only did he have a full-time job at the mine, but in his off-hours he ran a pornographic video store, and lived in an apartment in the basement below it.

All of those things, plus her continuing inability to locate any records of an adoption led her to contact the Division of Child Welfare in the County Department of Social Services.

Perhaps George Delinsky and the *Trinidad Times* were wrong and Isaac was actually just a foster child in a temporary placement with Lucas while a suitable home was sought or an adoption arranged? But the DCW had no record of any such foster-care placement, much less of Isaac at all.

Though the under-staffed and over-worked DCW social workers tried to brush off Christy's inquiries, and continued to focus on their more pressing duties protecting children from drug-addicted, alcoholic, and physically and emotionally abusive parents or so-called "caretakers" unworthy of the name, Christy was unrelenting. Politely but plainly and persistently, she let the beleaguered social workers know that, without further information, she was not about to abandon the cause of this child to whatever adversity she could only imagine he was suffering, and that potentially embarrassing calls to police and press would be her next move if they continued to put her off.

Government officials, even more than most other people, must be highly motivated by fear of public embarrassment, Christy theorized, and so it happened that a case was opened and Henry Flanders, an investigative social worker, was assigned to it. Flanders was just two years out of graduate school, with his Master of Social Work degree from Colorado State in Fort Collins. Though tall and slightly stooped, he still looked more like a student than a government investigator. His pale skin and wispy blond hair added to his somewhat soft and unformed physical features. His undercover visit to Lucas's place did not by any means put the matter to rest. Isaac himself waited on Investigator Flanders, who was pretending to sort through the materials on offer in the shop. "We have a wide assortment of adult selections for every taste, sir," Isaac helpfully explained. "Men, women, boys, girls, and every combination you could ever imagine. Perhaps even some you haven't yet imagined," Isaac continued the sales spiel Lucas had taught him. "I've been told that we have the finest collection in all of Southern Colorado, and for the true connoisseur, we can sometimes offer unique, in-house creations and fulfill special orders," Isaac concluded with a practiced wink surprisingly and disturbingly lascivious for a child his age.

Playing along, the investigator asked about the store's "Man-Boy Love" selections, and Isaac eagerly escorted him to several racks of videos and magazines. After perusing them and selecting one for purchase, he asked Isaac if they handled special orders in this department, too. Isaac's accommodating assurances and continued winking led the investigator to ask if it were possible that Isaac himself could help in fulfilling a custom order, speaking pointedly in plainly transparent euphemisms, doing his best to project a hungry leer toward the boy as he asked.

"Yes, sir, under the right circumstances, we can arrange to meet most customers' specifications," Isaac guardedly and conspiratorially replied.

"How do I place an order and what is your price range?" Investigator Flanders asked. "You'll have to talk with the owner, but I'm afraid he won't be in until this evening."

"If that's not convenient, he's here most evenings. No telephone, email, or on-line transactions are permitted, as I'm sure you can understand. The owner will want to meet you in person to evaluate your needs and prepare an appropriate customized price package," Isaac explained. "But not tonight," Isaac cautioned. "He takes me to mass at Holy Shephard Wednesday evenings. We just started going and it's really important to me," he confessed to the stranger, apologetic that his own personal needs might get in the way of the customer's and interfere with Lucas's commercial interests.

After paying for one video and one magazine, the investigator left, promising to come back some other evening to explore with the owner a possible custom-ordered purchase. Although it was by no means clear to him what Isaac's role in all this was, it did appear to Flanders that not being in school with other children his age was not the least of Isaac's problems. A child should not be exposed to such raunchy materials, he thought to himself, much less be selling them and God only knows what else. Thank goodness for Christy Miller's suspicions and persistence, he reflected as he pulled away from the porn shop. He faintly recalled that she had mentioned that her father-in-law served as a deacon at that church, and resolved to enlist her to learn more about Isaac's attendance at services there.

Investigator Flanders also resolved to learn more about Lucas Jones before he returned to the store to meet with him. He found on-line the record of the dishonorable discharge from the Army and the court-martial, and then submitted a FOIA request for the detailed records pertaining to them, asking for expedited treatment due to a strong public interest. A review of County records revealed that Jones had purchased the building where his store and apartment were located almost ten years earlier. The mortgage had been paid off early, after only six years, but he had assigned a security interest in the property almost two years ago, around the time that Isaac had been adopted, according to the story in the *Times*.

The security interest, for $25,000, had been recorded in the name of MBL Leasing, Inc., a Congolese company located in Kinshasa. Flanders was unable to learn much about MBL Leasing, Inc., on the Internet except that it was described on its own website as being in the human resources business, touting itself for its ability "to deliver manpower services and staffing solutions to meet every need." Other than finding a similarly opaque advertisement in an on-line publication called "*Modern Mercenary Monthly*," a copy of which he recalled seeing on display at Lucas's shop, his initial research efforts came to a dead end.

But, because he believed there was a real likelihood that something criminal was going on in that store and that Isaac was somehow at risk, other investigative resources became available to him. He contacted the Colorado Bureau of Investigation and asked them to find out everything they could about Lucas and MBL Leasing, Inc. The CBI, in turn, had access to FBI and Interpol databases that might prove more fertile territory for further investigation. Since he had decided to postpone his next visit to Lucas's porn shop until after he had learned more about the man, and since he had set in motion the law enforcement investigative research that would take some time to complete, there was nothing else to be done until then.

Putting aside Isaac's case for the time being, Flanders returned to his regular beat, looking into more traditionally neglectful and abusive local parents. With nearly all the mines and mills of Southern Colorado shuttered, causing rampant unemployment and drug addiction, there were more than enough family tragedies on his caseload docket to absorb all of his time and attention. So, while he waited for more information about Lucas Jones, he shifted gears and put Isaac's situation out of his mind to concentrate on the other, more immediately pressing cases that were overwhelming him, but only after first extending Christy Miller the courtesy of an update, of sorts. Without disclosing any details, he assured her that he was following up on her inquiry, was conducting an investigation into Isaac's circumstances, and would keep her posted. She must, he cautioned, be circumspect, saying nothing to anyone else about her suspicions or his investigation, lest the word get out and get back to Lucas; otherwise, Lucas might get spooked and cover up his tracks before they could be followed.

Christy, too, found it surprisingly easy to put aside the whole matter, as other distracting problems soon arose to absorb her attention. Among other things, a new contretemps had arisen at the mine involving Pete, and she recognized that it was her fault, at least in part.

With customary good grace and husbandly obedience, without further thought, Pete had taken the children's books with him to the mine for the Dyers that next Friday, as Christy requested. Since Inspector Dyer had not shown up at the mine by the time Pete's Day Shift crew was ready to head underground, Pete took the books to the guard shack at the mine gate. He handed them to the guards and explained that they should give them to Dyer when he showed up sometime later that day. The guards, having been trained by Delinsky to let him know when an MSHA inspector arrived on the property, took the opportunity to give George more of an advance notice than they usually could. They knew he would appreciate an early heads-up, giving him extra time to scramble to bring his section into compliance, tightening ventilation curtains, cleaning up coal accumulations along the ribs, laying down extra rock dust and getting Lucas to rewire the methane monitor on the continuous miner to restore it to service. When Lucas asked George why, and learned that Pete Miller had told the guards that Inspector Dyer would be conducting an inspection sometime that day, Lucas felt as if his prayers had been answered – not that Lucas ever prayed, of course. Even the most cynical and hardened person may thank the fates that bring an unexpected opportunity.

Lucas had been wondering what was taking the Government so long to file charges against Pete in connection with the unwarrantable failure order and imminent danger order for disabling the methane sniffer after Lucas had set all that in motion several months earlier with his hotline complaint to MSHA. Whatever was holding up the filing of charges, Lucas could not comprehend, but he knew that the crime of giving advance notice of an MSHA inspection had become a high enforcement priority for MSHA, ever since they claimed to have discovered it to be a widespread practice around the time of the April 5, 2010 Upper Big Branch Mine explosion that killed almost thirty miners in West Virginia, a tragedy which MSHA partially attributed to a culture of advance notice endemic to that mine. Though the crime of giving advance notice was usually hard to prove, here was a real opportunity to destroy Pete. With testimony from the guards, Delinsky, and Lucas, and with Pete himself surely having admit to it if asked, the Government would likely move quickly and decisively with fresh charges against Pete. And, Lucas calculated, the initiation of advance notice proceedings against Pete would likely jump-start the already pending investigation and proceedings against him for disabling the methane monitor out of whatever stage in the bureaucratic process it had gotten stalled. Lucas guessed that MSHA Headquarters was struggling with whether to press the Justice Department to bring *criminal* charges against Pete as well as the individual civil penalty case that MSHA was ready to bring itself. This egregious new advance notice violation ought to tip the balance toward criminal charges in the methane monitor case, too. Lucas was salivating at the thought. The fates of malevolence were all aligned and engaged.

Lucas turned out to be right. When Lucas told Dyer that Pete had given the whole mine advance notice of Dyer's impending inspection, Dyer never stopped to consider that there had been no intent to break the law or to alert the foremen so they could scramble to hide or eliminate evidence of non-compliance with MSHA's safety standards. Nor did it occur to Dyer that his own wife had initiated the whole episode and was technically about as guilty of giving advance notice as Pete was. All Dyer could think of was the rumor he had heard when he first started at the Trinidad Field Office that the guards at Copper Canyon were suspected of tipping off one of the section foremen when MSHA inspectors arrived at the gate – it was true, Dyer thought to himself, and Pete Miller was that section foreman.

Filled with a rage of enforcement zeal magnified by his disappointment in Pete Miller, and in himself at having ever been deceived into thinking that Miller was different from other section foremen, perhaps a symbol of a new generation of safety-conscious mine foremen, Dyer was glad he could write an unwarrantable failure order for the violation of the advance notice prohibitions of the Mine Act, rather than just a citation, because it fell just within the statutory 90-day probationary period which had been triggered by the issuance of the unwarrantable failure citation he had written for the methane monitor violation; and it shut down the entire mine for the rest of the day because he determined that Pete's giving of advance notice affected the entire mine. Everyone who was working underground at the mine had to be sent home for the rest of the shift; through other provisions of the Act, the company would be required to pay them their normal wages anyway.

Laine was extremely upset, not only because of the loss of so much coal production while still having to pay the miners their wages without any coal production to fund those wages, but also because this violation guaranteed that there would be substantial civil and perhaps criminal penalties assessed against the mine as well as against Pete personally. Of course, on top of that there would be burdensome legal fees necessary to try to defend against or minimize the enforcement consequences – those were the kinds of unanticipated costs that could totally sabotage his precariously balanced budget. He was also furious with Pete. He had expected more from his promising young foreman, whom he had even contemplated as his possible successor as Mine Superintendent before too many more years had passed. In the heat of the unfolding crisis, it did not occur to Laine to step back and question the validity of the accusation. There was just too much corroboration, including from Ricardo Rodriquez, by all indications an honest and reliable coal miner from a family of Copper Canyon stalwarts.

Though Pete vigorously proclaimed his innocence – while conceding that he may have technically and inadvertently given advance notice of an MSHA inspection, insisting that he had no intent to do so, much less to break the law or impair or impede the efficacy of an MSHA inspection – Laine could not help feeling deeply disappointed in his protégé. Laine also felt the need to signal to MSHA that the company should not bear any responsibility for encouraging or condoning advance notice of an MSHA inspection, and he acted decisively to establish that defense, suspending Pete for a week without pay. Luis Rodriquez had done well serving as Step-up Foreman when Pete had had to be away in Trinidad and Pueblo for the Temporary Reinstatement proceedings so Laine felt comfortable entrusting the Day Shift to him during Pete's suspension. Laine's action in disciplining Pete was promptly recognized and rewarded, as MSHA took note of Laine's responsiveness in ordering Pete's suspension and it terminated the unwarrantable failure order so the mine could reopen and coal production could resume the next day.

Lucas was exultant. Once more he had won the day. The fates continued to favor him. Once more he had brought the company to its knees. He was riding high, feeling omnipotent and invulnerable, savoring a sense of empowerment unlike any he had felt since fragging his 2nd lieutenant back in 'Nam, or perhaps since his days fighting as a mercenary in the Congo, Rwanda, and Uganda in the late '90s. Africa was where he had become his own boss in an existential sense, if not economically, learning that there are winners and losers in life and that you can choose which you want to be. It was there he had come to realize that a man who wants to be a winner will just take what he wants, and that man – if he does not give a damn about anyone else (and why should he?) – can live like a king.

It had literally been a life-or-death struggle to survive in the African jungle, but surviving that struggle made Lucas the man that he had become: self-reliant, self-indulgent, exploiting everyone and trusting no one. It was also how he became a mechanic. Though Lucas had been good at fixing up junk cars and hot rods to race when he was young, surviving in the jungle during a vicious civil war meant learning how to repair your own trucks, water pumps, generators, machine guns, grenade launchers, tanks, and every other type of machine that had to be made to work if you and your fellow mercenaries were to survive, often going days, and sometimes weeks without fresh supplies or reinforcements.

When peace-keeping teams from the United Nations and investigators from the International Criminal Court at the Hague started closing in, however, Lucas realized that it was finally time for him to cash out of there and flee. He took the spoils he had looted, combined them with the substantial cash bonuses he had earned over almost two decades of mercenary service, and worked his way back to America. After honing the mechanical skills he had acquired in Africa at several stateside jobs, including a few years in the unionized automotive assembly plants in Ohio and Michigan as a member of the United Auto Workers, followed by underground coal mining jobs in Appalachia where he joined the United Mine Workers of America, while studying mine mechanics part-time at Grundy Technical Academy in Virginia, Lucas had reached Southern Colorado before the coal boom went bust. After initially making his home in the coal fields outside Trinidad, he moved up to Heavenly when he hired on with AC&CCC, drawn by the substantial wages and benefits earned by mechanics under the UMWA contract.

Using the lessons he had learned as a mercenary soldier, he had built up a personal power base in and through the Union, relying on his imposing physical stature and uncanny ability to assert some sort of psychological mastery over people, grounded in intimidation – Lucas called it psycho-social jujitsu – as well as the physical martial arts expertise he had developed ever since he picked karate up in Vietnam, his fearlessness, enormous ego, and sociopathic disregard for the feelings of any other creature, human or animal. Though disappointed with the loss in leverage over management that had followed the AC&CCC bankruptcy which voided the UMWA contract, his situation in Heavenly was so good that he opted to stay on at the mine when the new Copper Canyon Coal Company was launched. His porn shop generated substantial income, not to mention the fodder for potentially embarrassing blackmail that he had banked there (but rarely needed to actually draw upon to get his way at the mine and around town). He had the goods on more than a few local officials, MSHA inspectors, and fellow coal miners, including at least one member of mine management, Section Foreman George Delinsky. Lucas's life stood as stark confirmation of his philosophy that real power comes only from others' fear.

The acquisition of Isaac had been one of his more satisfying and cost-effective moves, a true coup, even though the long-term lease of the child, with trade-in options after five years, had to be financed through MBL, Inc., which had insisted that Lucas grant it a security interest in the porn shop in the event of default. It made Lucas uncomfortable but that was the only way MBL Leasing would do the deal. The transaction had worked out beautifully, even better than he could have imagined, giving him a submissive full-time, off-the-books and uncompensated assistant who not only worked in the shop but effectively constituted part of its stock. As MBL Leasing had promised, Isaac was so appreciative of being rescued from the horrors of the Rwandan orphanage, where he had previously been held after his parents were slaughtered during the civil wars, that his positive attitude, affection, and appreciation for Lucas's relative kindness were almost unbounded. The child was a gem, a delight to Lucas in every way, as servant, companion, lover, and income stream.

Speaking of children and income streams, Lucas was now in such a position of strength at the mine that he was ready to move forward with another project, an idea that he had been incubating for some time, perhaps since Rosie Rodriquez had come to work at Copper Canyon. Barely more than a girl, the more he saw her, the more convinced he became that she would be the perfect candidate to be featured in the initial offering of a new product he'd been contemplating offering at the shop. If the product rolled out successfully, Lucas was considering offering it on-line, maybe in connection with the launch of a website for the shop, something he had shied away from up to now. He had already come up with a tentative brand name for this nascent cross-fertilization of his dual occupations as local coal miner and porn purveyor: "Heavenly *Sin*ergies."

With Pete now out on suspension, and not around to look out for young Rosie, there was one fewer constraint for Lucas to contend with, at least for a week. If MSHA would only do its job and get Pete sent to jail for the crime of advance notice, then the sky would be the limit for Lucas. But, he could not wait for that, he knew, as the wheels of "justice" move too slowly, he chuckled to himself as he scoped-out his next move.

As for Pete, he was actually going to enjoy his suspension. A great believer in the "make lemonade" philosophy of life, Pete planned to use his time off to work on a metallurgy project he had brought home with him when he left the School of Mines and that he had been nursing along here and there whenever he had a little free time he could steal away from Christy and the kids, or helping Dad with the sheep, when he was not too exhausted from the coal mine to be able to think creatively. It was by no means an idle self-indulgence that engaged him: concerned about the security of his job at the mine when the day came that the power plant was finally forced to yield to the growing chorus of opponents to coal-fired electric power, from environmentalists to regulators lulled into believing that currently abundant natural gas would always be inexpensive, and that wind and solar energy could replace coal, Pete had been thinking of how to create other uses and markets for coal.

His favorite courses at the School of Mines had been metallurgical chemistry and metallurgical physics. He had developed a good relationship with the professor, who had been singularly impressed by Pete's analytical abilities and his intellectual curiosity. Pete had stayed in touch with Professor Marsden and the two exchanged emails periodically regarding Pete's fantasy that coal – or at least some types of coal, because coals varied widely from mine to mine, seam to seam, and region to region – could become a commercially viable source of rare earth metals. The demand for rare earth metals had grown enormously, outstripping available supplies, as their utility in various high-tech industrial applications and products became more widely recognized. Indeed, "indispensability" was a better word for it than "utility." From the Silicon Valley to Austin and Boston, the growing need for rare earth metals in manufacturing high-performance magnets and a rapidly expanding number of high-tech products, especially in communications, electronics, military and space technologies, was running up against the politics of China's controlling role as the leading supplier of rare earths, giving that country an economic and strategic leverage that troubled not only the markets but also the U.S. Department of Defense and the National Security Administration.

Rare earth metals had been found in coal ash, but it seemed to Pete that having to burn the coal in order to extract them defeated the whole purpose of rescuing the coal industry from the increasing burden of its crushing environmental baggage. By contrast, Pete's novel theory avoided coal combustion entirely, instead involving the use of magnetic fields and ultra-high frequency sound waves at high temperatures in highly halogenated atmospheres in the presence of just the right combination of chemical catalysts to economically extract the rare earth metals known to be present in some types of coal. But Pete had gone as far as he could during random moments of free time with his laptop and the equipment in his Dad's home workshop. He needed access and time to experiment in Professor Marsden's lab back in Golden and to run simulations on the School's powerful computers. His sacrificial suspension by Laine gave him the time, Professor Marsden agreed to give him access to the lab, and Pete was off to Golden the next day.

He had no idea that by the time he returned home there would be a certified letter from MSHA waiting for him, announcing that MSHA would be seeking two $70,000 civil penalties against him personally under the individual liability provisions of the Mine Act because of the two allegedly "knowing" violations of the Act, for which he had been cited in the methane monitor citation and the recent unwarrantable failure order for giving advance notice of an MSHA inspection. Nor could he have imagined that George Delinsky, Ricardo Rodriquez, Lucas Jones and Denny Dyer had been subpoenaed to testify before a federal Grand Jury sitting in Colorado Springs the last week in August to consider whether Pete should be charged criminally under the Mine Act for knowingly and willfully violating both the mandatory standard requiring that methane monitors be maintained in permissible condition and the Act's prohibition on any person giving advance notice of an MSHA inspection.

27

LUCAS MAKES HIS MOVE

Rosie Rodriquez had been hired as a full-time junior mine-maintenance specialist after her internship had been successfully completed. She loved coal mining and was fast-becoming fully invested in the coal miners' "brotherhood." Rosie especially appreciated Pete Miller's mentorship. Although he had helped her get the internship originally as a favor to her brother Luis, Miller had come not only to like her but also to genuinely respect her abilities, and was, she believed, grooming her for promotion. She was an easy sell for promotion because of her friendly and engaging personality. No one put it into words but there was an irresistibly warm glow in her magnetic eyes that drew everyone unconsciously toward her and made her instantly and especially likable. A quick study, she had already learned a great deal, especially from Lucas who had gone out of his way to teach her the fundamentals of maintaining and repairing the mining machinery used at Copper Canyon. Though something about Lucas still made her cringe, and she continued to be apprehensive around him, she much appreciated the training he provided and the attention he paid to her professional development.

Several times recently, however, Lucas had commented that she ought to get out of mining and go into modeling instead. Once she caught him staring at her rear end as she bent over a shuttle car to give it a lube job. She shot him an accusing look, but he was unapologetic, merely parrying her look with a professedly innocent protest that he could not help admiring her and that he could use her as a model in his business. Rosie brushed off those comments and went on with her work, but she once again congratulated herself on the wisdom of her decision to study karate. Though Lucas had never come on to her or actually made a pass, never sought her favors or touched her inappropriately, she had wondered whether behind those recent comments about her appearance and the leering looks there lurked a looming danger, and was glad she had trained to be able to defend herself if he ever tried to get physical with her.

That was also a passing thought that late July weekend when Lucas told her that he needed her to work the idle maintenance shift with him on Sunday morning. The mine would be pretty deserted then, she knew, which, in fairness to Lucas, was the ideal time to catch up on equipment maintenance without disrupting production operations. But when the two of them got into the Maintenance Department's pickup truck and Lucas told her to drive to the "point of furthest penetration," when he could have simply said "to the face of the current working section," she wondered whether there wasn't a suggestion of double entendre. Just to be on the safe side, she decided during their drive down into the mine to let Lucas know, through seemingly innocent banter, that she was really enjoying her training at the Mexican-American Martial Arts Studio and becoming rather accomplished at karate.

Lucas's response came as a total shock. She was horrified when he appeared to be delighted with the news, told her that he had been doing karate for many years himself, and suggested that they spar together sometime. Her confidence that she could defend herself if Lucas got out of line evaporated when he then told her that after he had gotten his 5th degree black belt he had opened his own studio, and though he no longer ran a studio, he would love to take her on as his student without charge, if she wanted to save a little money on her martial arts training.

Becoming more and more apprehensive the deeper they drove into the mine, she unconsciously fell into one of her life-long habits of mindlessly chattering when she felt socially uncomfortable. She prattled on about whatever innocent odds and ends popped into her head, from the rock collection she was starting, to what her brothers liked to do on their days off, and how she was thinking about learning to play the guitar. Her brother Ricardo had promised to teach her how to play, but she probably wouldn't be any good at it, she nervously giggled.

Lucas picked up on her reference to Ricardo and asked her whether in exchange for the guitar lessons, she would teach him to speak English. That might help him to better avoid detection, Lucas commented ominously. Lucas's comment tapped into a deep current of anxiety she shared with her whole family. Lucas must know, she suddenly realized, that Ricardo was in the country illegally.

There was a long silence. As they neared their destination where the equipment had been left when the Graveyard Shift went home earlier that morning, Lucas feigned concern for Ricardo, suggesting that Ricardo's illegal immigration status gave other people dangerous leverage over him. Unscrupulous people could take advantage of him.

"Myself, for example, Rosie. Because I know he is illegal, I have him under my control. And, I am afraid, my sweet Rosie, that means I have you under my control, too," Lucas stated matter-of-factly.

Lucas's menacing words hung portentously in the deserted mine air. Neither of them uttered another word as the pickup pulled onto the working section and they parked in the Number 1 entry adjacent to where the belt feeder had been left in Number 2. She began gathering her tools from the truck bed absently, her mind racing while still hoping that Lucas had been just trying to make a playful joke. Maybe if I just ignore it, it will all go away, she thought to herself as she finished selecting the tools needed for maintenance work on the mining equipment parked just inby the last open crosscut, with the continuous miner left closest to the coal face.

"That's okay, Rosie," Lucas stated, "you won't need those today,' indicating her tools. "Just come with me," he directed.

As they walked together over to the parked mining machines, Rosie was chilled by the depths of the darkness and quiet surrounding them. The sounds of each footstep reverberated loudly, and those reverberations echoed in her growing terror.

Lucas broke the silence by launching into an enthusiastic description of the new product line he was preparing to offer at his shop. It was going to be a series of cardboard cards, like baseball cards. They would be sold in small packs, three or four cards per pack, perhaps packaged with a square of bubblegum or chewing tobacco. The customer could choose which chew he wanted. But each pack of cards would cost a lot more than a pack of baseball cards, perhaps $25 dollars. That was where he had tentatively priced them, but he might go higher if the demand were strong enough. Similarly, if they were popular enough, he might sell them on line, perhaps later expanding into companion videos.

This all seems harmless enough, Rosie was thinking as they reached the roof bolter. She could not help but ask Lucas what he was going to put onto the cards to justify the high cost, trying to steer him to continue to focus on his new product line and away from her.

"Why, you of course, my dear, at least to start!" His tone was more mirthfully matter-of-fact than threatening.

"The cards will feature beautiful, sexy women at work in a coal mine, starting with you, and perhaps later branching out to guys, for those of us who are more into that sort of thing. Of course, part of the fun will be that, though they are depicted in their work environment, they won't be dressed in their overalls. In fact, they will hardly be dressed at all, and will be posed enticingly, alluringly, suggestively, as if taking a mischief break from their underground mining duties. You can see that I have given this enterprise a great deal of thought."

"I am thinking of calling the first series 'Lucas's Coal Kuntry Kuties' or 'Working Girls Go Down Underground,' what do you think?" he asked, not expecting an answer. My lawyer in Trinidad is ready to file the trademark registration application once I decide which one would be better."

"Today's first shot will be of you right here, by the roof bolter, Rosie. We'll take two shots here. First let me use the fire hose to wet the mine floor around the bolter. You'll need to take off your overalls while I do that. Your panties and bra will need to come off, too, but leave on your steel-toed work boots."

"After you get your clothes off, face the bolter, lean against it, spreading your legs a little, and use both hands to spread your butt-cheeks a bit. This first card will be called: 'Slippery, wet bottom hazard.'"

Rosie could not believe what she was hearing. She stood transfixed, frozen for the longest time, completely immobile and unable to speak, staring blankly back at Lucas. Then, she gathered her wits about her and told him that he must be kidding. She managed a fake little laugh, praying in vain that he would join in. Then, she exclaimed in protest, "No way!" again trying to muster a dismissive little laugh of disbelief following that, as if to let him know that she knew he wasn't serious, and just testing her.

Several further attempts at treating Lucas's "proposal" as, if not an actual joke, then a ridiculous idea, that he couldn't really be serious about, and then, finally, after he just stood there, towering over her with his arms folded across his chest, having to reach the stage of flatly, unequivocally, absolutely, and somewhat angrily, rejecting the proposition that she could scarcely believe she had actually heard him broach.

Rosie then pivoted away from him and started to walk back to the truck to leave. But Lucas's thundering voice stopped her in her tracks: "You are not going anywhere, Rodriquez, unless you want your brother sent back to Mexico!"

Her mind still raced, digesting Lucas's threat, and evaluating her options. Would they really send Ricardo back to Mexico? He'd been in this country for several years, been a hard worker, paying taxes, ... But, she recalled the stories she had heard and even seen on the television news, about illegals who had been in the country for even longer, for a decade or more, had married, raised families, become respected members of churches, and their communities, and yet been ripped away from it all and summarily deported. As she weighed the risks, Lucas broke into her thoughts, crushing any thread of hope she was trying to tease out of the facts on which her dilemma was grounded.

"I'm afraid your brother is not only in this country illegally, my sweet, but he has committed felony crimes while he was here."

Before Rosie could protest and defend her brother against such nonsensical, ridiculous allegations, Lucas finished delivering his bombshell:

"I'm sorry to have to tell you this, but Ricardo has lied under oath to federal agents. Because he was afraid I would report him to ICE, your noble brother lied to MSHA investigators on three separate occasions. First, to back up my story about your friend Pete Miller's jumping out the methane sniffer on the continuous miner, second about his giving advance notice of Dyer's inspection, and third, about Miller's intent to retaliate against me because of my protected safety activities. To top it off, Ricardo has been defrauding his employer by collecting pay for overtime work he never performed. In fact, both Ricardo and his friend Carlos Ramirez are both doing it again on this very day because, with their permission, I have logged them both in as working on the maintenance detail with us here today. They will happily split their paycheck for this overtime work with me, as they always have."

"So, you see, Rosie, Ricardo has no chance in hell of avoiding deportation if I blow the whistle on him. In fact, he will likely have to serve prison time here before he gets deported."

Rosie felt an overwhelmingly crushing despair. There was no way out. Darker than the mine tunnel where she stood, she felt trapped in a blind canyon from which there could be no escape. Starting to sob, while desperately trying to recall the names of celebrities who had to start out their careers doing nude modeling – even performing nude scenes in popular movies, and being acclaimed for it – Rosie was in a frantic process of rationalizing and reconciling herself to her fate, as she turned back and headed over to the roof bolter where Lucas had created the surrounding wet bottom conditions with the fire hose.

Wordlessly, and staring vacantly into the engulfing darkness of the mine, she began removing her clothes, wishing she had not worn a pink bra and lacey pink panties that day. It occurred to her suddenly that cameras are not "permissible equipment" and so are not allowed inby the last open crosscut, except for MSHA-approved cameras that had been specially certified as "intrinsically-safe," meaning that it was physically impossible for them to create a spark that could ignite any methane gas that might be in the mine atmosphere. Perhaps, she wondered hopefully, this was only an elaborate ruse of some sort. Lucas was well aware, she knew, of the safety rules and possible dangers of noncompliance. Perhaps he only intended to ogle her as part of some demented workplace fantasy he had been imagining. Her initial fears of rape had largely been eased by Lucas's comment about creating cards with pictures of naked men – what was it he said,? she tried to recall – "for those of us who go in for that sort of thing?" It was something like that.

When her eyes were able to refocus through the tears and terror, she saw Lucas pulling out a smartphone from a pocket in his overalls, and she mustered a warning to him that smartphones are not approved as permissible electrical devices, could be dangerous, and could not be used in that part of the mine. Hearing herself, she was already realizing how foolish she sounded when Lucas began laughing and mockingly protested, "*Oh, no*, I should have thought of that! What are we *ever* going to do now?"

Though Lucas clearly had no compunction about breaking anybody's rules, whether Copper Canyon's or MSHA's, it was true that Copper Canyon was not a particularly gassy mine, reducing the risk that the use of the smartphone could ignite a methane explosion. That was why Lucas had little hesitation in accommodating George Delinsky's request that he disable the methane sniffer on the miner periodically. There were occasionally localized pockets of methane briefly encountered, but usually just enough to be a nuisance, setting off the alarm on the miner so that it would have to be de-energized, the crew evacuated, and ventilation controls adjusted in order to dilute and carry off into the returns enough methane to satisfy MSHA's seeming regulatory overkill, before resuming coal production again. The risk of an explosion was always there but relatively low, and the danger that taking a few pictures of Rosie with his smartphone was going to ignite methane and blow up the mine was the least of the risks on Lucas's mind at the time.

Once her clothes were off, Lucas positioned her slightly bent over, propped against the bolter, backside to the camera, standing on the wet bottom, with her hands slightly spreading her butt cheeks apart, then stepped back and took a couple of photos, illuminated by his cap lamp and the camera flash.

Next, he had her turn around, facing the camera so that now her breasts were featured, her legs spread wide with palms pressed against her upper thighs, adjacent to her vagina, with the roof bolter at her left side, and snapped a few more photos that same way: "No need to drill a hole for your bolt today," he announced as the title for Card #2.

For the next photos, they moved to the nearest shuttle car. He had Rosie lean back against the front of the car, almost sitting on it with her legs widely parted and her arms outstretched toward the camera as if she were beckoning the viewer to come toward her. Pleased with the pictures, he orally captioned Card #3: "Equipment in need of servicing."

Rosie obeyed Lucas's commands as if in a trance.

When she was standing next to the bucket at the front of the diesel scoop, with a pouty, naughty look on her face, naked except with her panties around her ankles, and holding her bra dangling from one hand, he took the pictures for the card that would be captioned: "Isn't this a *strip* mine?"

Finally, he assured her, they needed just one more scene to photograph and then could call it a day. He led her over to the continuous miner, which had been left in the unfinished last cut when the prior shift ended, the area not having been roof-bolted, cleaned up, or rock-dusted before the crew had left. The ripper head on the miner had been lowered to the mine floor when the Graveyard Shift left the section idle to await the restorative ministrations of the Sunday morning maintenance crew. For this shot, Lucas told her he would need the ripper head elevated, spinning, trammed forward into the unbolted area, and starting to cut into the coal face.

Lucas directed Rosie to start up the miner, raise up the ripper head and tram forward, starting to cut coal as the machine reached the face. After a few minutes of cutting coal, with the ripper head still raised and coal dust swirling in the air, he had her get down from her seat in the operator's compartment and stand next to the machine, facing herself toward the coal face as Lucas, ignoring the hanging hazard sign warning that he was going beyond the last row of roof bolts, walked out under the unsupported top and right up to the face itself. Turning and standing with his back against the face, looking back toward Rosie where she stood next to the miner just under the last row of roof bolts, he told her to extend her left arm and point with her left hand toward the mine roof near where the ripper head was positioned above his head, in order to raise her breasts to their optimally appealing trajectory. "Perfect!" he declared, "Unsupported Top Never Looked So Good," as he quickly snapped off a few photos for Card #5.

At that moment, Lucas's smartphone exploded in his hands, an undetectable internal spark having ignited a pocket of methane released from the freshly cut coal face, triggering a deafening roar, a wall of flame, and ground-jarring shock wave. Lucas was instantly and violently thrown toward the continuous mining machine, his enormous body totally engulfed in flames. At the same instant, Rosie instinctually screamed and dove for cover toward the back of the machine, as swirling smoke and coal dust filled the air, reducing visibility to almost zero. Her eardrums were ruptured and she could not hear Lucas's agonized screams or see him writhing on the mine floor to try to extinguish the flames consuming both his clothing and flesh.

After a few minutes, Rosie began to partially comprehend the situation. She began to crawl away, heading back toward the pickup truck, where they had left it parked. Sometimes crawling, sometimes slithering on her belly, trying to stay as low to the ground as possible to stay below the smoke, she felt her way along the rib line where the mine rib met the floor. Her mind was narrowly focused on getting her clothes, and getting the fire extinguisher from the feeder or the pickup. As she crawled through the puddle where the "wet bottom" picture was taken, she wallowed in it briefly to cool her singed skin from the roasting heat of the exploded mine atmosphere, and then retrieved her clothes where they lay several hundred feet outby the face, where there was already much less smoke and dust. She could stand and see a few feet in each direction, except inby toward the face, but all she could hear was continued roaring in her ears as she hastily dressed herself.

She struggled to don the SCSR which she got from the back of the pickup, actuated it to start the oxygen flowing and, armed with a fire extinguisher and dragging the fire hose, she began to head back to toward the face from which she had just fled, wondering with every painful step whether she should continue or reverse course and race out of the mine as fast as possible. Slowed by the pain, she noticed that her overalls were wet, and she realized that she was bleeding both from her ears and from her right calf. A piece of shrapnel from Lucas's exploding phone had torn into her calf muscle, and she was starting to really feel the pain as she continued her rescue mission. Although there was a mine phone back near the feeder, she felt that it was more critical to get to Lucas before she called for additional help.

As she made her way back toward the face area, hunching lower and lower as the smoke thickened with her every step as she continued heading inby, she encouraged herself on, reasoning that although Lucas's phone must have ignited a pocket of methane, which may have also ignited some coal dust from the un-rock-dusted face area, there must be little or no additional methane present or the explosion would have kept propagating itself outby from the immediate face area, which it seemed not to have done.

The explosion had stayed localized, otherwise the rest of the equipment, including the pickup truck would have been damaged, too.

When she approached the back of the continuous miner, she began to crawl on her hands and knees again, spraying water into the air ahead of her with the hose, which helped to quell the smoke and dust in the air and clear a path forward for her. Her ears were still aching and ringing loudly, but her hearing might have been partially returning as she inched forward, thinking that, through all the blackness, she might be distinguishing the sound of moaning coming from Lucas's blackened, still-smoldering body, twitching on the mine floor in the spray of water. He could still be alive, she thought to herself, as she trained the fire hose on his body. Though she detested and feared him more than ever, coal miners take care of coal miners, it's just what we do, she was telling herself when she was pierced by a sudden terror. She felt the floor heaving up beneath her and thought that she was hearing, through her bloodied ears, the telltale, terrifying sound coal miners recognize as the sound of the top "working." When she sprayed the hose up toward the roof to better clear the smoke and dust cloaking it, she could see cracks forming and rapidly spreading across not only the unbolted roof, but also extending back also to the bolted area where she was. She felt a deep rumbling that seemed to be coming not only from the roof but from all around her, and followed by a stream of small of coal and rock fragments pouring down all around her from the roof.

That was it. The roof was definitely working and there was no more time to try to save Lucas, if there were still a living Lucas there to save. She cast aside the fire hose, abandoned the fire extinguisher, turned and ran as fast as she could, hobbled by her injured right leg. As larger slabs of coal and rock fell behind her, she thought she might have heard Lucas scream though it was impossible to tell in the crescendo of sound in the growing din. If he were still alive, the only way she could save him was to get out of there and get help.

Already in agony by the time she got back to where the pickup truck was parked, she pulled herself into the driver's seat using all the upper-body strength she could summon. Without risking the time it would delay her escape to turn the truck around she put it in reverse and floored it, backing further away from the face as fast as she could, awkwardly using her left leg for both gas and brake pedals, to navigate the narrow entry. After she had gotten another 100 feet outby from the immediate danger zone, she figured she could afford the extra 30 seconds to do a three-point 180 degree turn, and began to steer herself forward toward the surface. As she went by a mine phone mounted on the rib, she decided that it would be safe enough there to stop and make a quick call to the dispatcher to report the accident and get help for Lucas before she continued her escape. Though the mine was idle that Sunday morning, a dispatcher was always sitting at her computer monitor in the Control Room next to the bathhouse just inby from the mine portal.

28

AN EMERGENCY MINE
RESCUE IS LAUNCHED

In the control room, the dispatcher was alerted to a problem by mine-wide monitoring system alarms which indicated that sensors on the working section had detected carbon monoxide concentrations in excess of the 11 parts per million setting which triggered both auditory and visual alarms. An alarm was also activated by a sudden drop in operating pressure at the fan shaft, suggesting that there had been damage to ventilation controls on the working section. Her computer readout also displayed atmospheric measurements from the main mine exhaust fan, indicating excessive dust, combustion byproducts, and overheated air beginning at 11:15 a.m. She was puzzling over the data, and wondering whether there might be a fire underground. That seemed highly unlikely since the mine was idle. Perhaps her computer network was malfunctioning or had been hacked, she wondered. She looked at the access log and saw that there were four miners checked in for a maintenance shift in 3rd Right off the North Mains.

Because the mine was idle, the belt was not running so its more elaborate CO monitoring system and fire suppression systems had not been activated. But, if there had been a fire on the section, surely someone on Lucas's maintenance crew would have called it in to her over the mine phone, she reasoned. As she deliberated over whether she should contact Laine, MSHA or both, she heard a distant rumble and felt a brief vibration shake the control room. Alarmed, the dispatcher deliberated no longer. She called 911, then MSHA, the Mine's expert mine rescue team, and Laine in that order. A medevac helicopter was put on standby for dispatch from the hospital in Trinidad, just in case, and Copper Canyon's mine rescue team activated its telephone tree arranging to convene at the mine rescue office at the mine where the team's special breathing apparatus and other mine rescue devices were always maintained in a state of readiness. As luck would have it, the captain of the mine rescue team, Ralph Radomsky, was enjoying a weekend campout with his wife and grandkids not far away, in the state recreation area just downstream from the mine along Copper Creek. Though his cell phone reception was poor, he could hear enough to know that he needed to get to the mine immediately. Leaving his family at the campsite, he jumped into his truck and raced up Copper Canyon Road to the mine.

Moments later, after the dispatcher had made all the necessary emergency notifications, her phone rang, indicating a call from a mine phone outby the working section in 3rd Right. She answered the phone but there was no one there. "Hello, hello, . . ., hello, who's there?" she kept repeating but all she could hear was what sounded like the alarm that rings when a car door is opened while the engine is still running, and perhaps the sound of a pickup truck engine idling.

It later was learned that Rosie had managed to get out of her truck and lurch forward, grabbing the mine phone to call for help, but had then collapsed into unconsciousness from loss of blood and shock before she could utter a word. She lay there on the mine floor beneath the phone, oblivious to the dispatcher's anxious inquiries.

Within 40 minutes of Rosie's call, the mine rescue team was nearly assembled at the mine, ready to don special mine rescue breathing apparatus and head on into the mine. As they loaded backboards, drinking water, first aid supplies, and extra SCSRs into two pickup trucks for the team to travel into the apparently affected section, the outside telephone line rang simultaneously in the control room, the bathhouse and the mine rescue team office. The dispatcher and Ralph each answered at the same time to hear the voice of MSHA's Field Office Supervisor Richard Boylen, who was in his car, on his way to the mine from his home near Trinidad. Inspectors Dyer and Gustafson were both also on their way, he informed them.

Gustafson lived in Heavenly, so he'll probably be the first to reach the mine, Boylen predicted. Dyer had been at the farmers' market outside Trinidad shopping for the first green chiles of the season, the "secret ingredient" in his highly regarded version of that regional pork and vegetable specialty stew, and he headed to Heavenly directly from there, his hardhat, safety boots, and MSHA overalls always in the car trunk in case of emergencies.

In the meantime, Boylen announced that he was issuing the mine an oral accident control order under the only section of the Act that allowed an order to be issued by telephone even when no MSHA official was physically present at a mine. He explained that whichever MSHA inspector arrived at the mine first would immediately issue the type of legally preferred written accident control order provided for under the Act that would stay in effect until the mine emergency was over, superseding his oral telephonic order. "Pursuant to my authority under the Mine Act to take control of mine accident sites," Boylen directed, "I hereby order that *no one* may enter the Copper Canyon Coal Mine for any purpose whatsoever without prior express written approval from MSHA."

Boylen was well aware that these MSHA accident control orders would slow mine rescue efforts, but his training and experience told him that he had no choice. Not only was that the mandatory MSHA protocol, but that policy was born of a painful tragic history. He could hear the anguish in Ralph's voice over the phone, protesting that he likely had injured miners who not only urgently needed medical help, but also needed to be extracted from exposure to further peril, that there was no time to lose, and that he and his team had been trained for just such emergencies and did not need to wait for MSHA's help. Boylen had steeled himself to reject all such pleas, recalling prior mine accidents where miners, as well as MSHA rescuers, had been killed as they raced precipitously to rescue their trapped or injured brethren.

The worst of those accidents that he had personally lived through took place when he had been in Birmingham, Alabama, the day dozens of Jim

Walter Resources miners had rushed into their underground coal mine in nearby Tuscaloosa County to rescue several fellow miners who had been injured in a small explosion caused by methane released by a roof fall that had also damaged a battery-charging station which then ignited the methane. But none of them knew as they poured into the mine that the small explosion had in turn damaged ventilation controls which then resulted in another, more massive build-up of methane that was then somehow ignited and that burning methane in turn also instantly ignited the clouds of coal dust thrown into suspension by the forces unleashed by the methane explosion. The horrific result was a combined cascading methane/coal dust explosion of extraordinary magnitude and ferocity, killing 12 of the would-be rescuers plus one of the miners who had been injured and trapped by the initial explosion.

Those 13 deaths haunted Boylen, as he listened to Ralph's impassioned pleas and assurances that he and his team had assumed the risk of injury to themselves as part of their commitment to the mine rescue team. He knew Ralph was right that the missing miners could be suffering and that their survival could be further jeopardized while he delayed the rescue operation with this accident control order. Boylen's experience told him that those miners could be desperate for emergency medical attention and help in escaping the mine before further calamities befell them – flames, floods, falling rocks, any number of life-threatening consequences. He also knew that Ralph was right that their health could be failing, that the miners might be using up whatever oxygen was trapped in an air pocket with them, or they might need to be extricated from beneath fallen timbers, rocks or pieces of overturned equipment, and that any hope of saving them might be foreclosed altogether by deteriorating mine conditions. Boylen knew all of that.

"This is the way it has to be, Ralph. You know my hands are tied. It's not only binding MSHA protocol but it is simply a matter of safety," Boylen barked, trying to cut off any further argument. "Please don't play hero on me or I will send you to prison for violating an MSHA order. You know as well as I do that disobeying any kind of MSHA order is a criminal violation of the Act. And you know that the law gives us, not you, the power to run this mine rescue operation, despite your good intentions. I'm hanging up now, Ralph," Boylen said, and then that is just what he did.

The Copper Canyon mine rescue team was outraged. They had four of their brotherhood missing underground. According to the pre-shift examination record and mine access log that Lucas had filled out, and confirmed by the dog tags missing from the four empty hooks on the mine check-in/check-out tracking board, Lucas was accompanied by Rosie, her brother Ricardo, and Carlos Ramirez.

Moments after Boylen hung up on him, as Ralph wrestled with the decision whether to forge ahead despite the threat of criminal liability, Inspector Gustafson arrived. As promised by Boylen, the first thing Gustafson did after getting out of his car, where he was met by Ralph and half the impatiently eager mine rescue team, was to hand Ralph (Laine was still on his way to the mine) a written accident control order that spelled out what Boylen had directed in the oral order over the phone: no one would be permitted to enter the mine or do anything in the mine without the prior written approval of MSHA. As directed by Gustafson, a copy of the new order, officially issued at 12:30 p.m., was posted on the mine bulletin board in the bathhouse, and everyone stood around reading it in frustrated disbelief.

Shortly thereafter, Laine, who did not get the dispatcher's call right away because he was conducting Sunday services at the Mormon meetinghouse with his phone turned off, arrived, followed within the next hour by Boylen and Dyer. All were briefed on what little was known at the time. The dispatcher distributed copies of printouts from the CO monitoring system and the mine fans. There was also an email from the U.S. Geological Survey reporting that its seismographic monitoring stations had indicated unusual earth tremors from the Copper Canyon area at 11:30 a.m., about 15 minutes after the elevated mine fan readings and the elevated CO monitoring data. The preshift examination report Lucas had prepared before the maintenance shift began indicated that the four miners had been planning to do maintenance work on the mining equipment left on the section by the Hoot Owl crew when they exited the mine early Sunday morning. And they presumed that one of those four had tried to call out from the mine phone closest to the face in the Number 1 entry, shortly after the incident – whatever it was – that generated the various abnormal readings and reports.

The MSHA team set up a temporary command center in the conference room outside Laine's office and had the underground mine phone-line routed to a speakerphone in the conference room, just in case there were any more calls from the victims underground. The dispatcher was directed to provide MSHA additional data printouts from the CO monitoring system and the mine fans every 30 minutes until further notice. The MSHA Mobile Emergency Command Center vehicle was reportedly en route from Denver (thankfully, they now had a second such vehicle and no longer had to wait for the one stationed in West Virginia to be driven or airlifted out when an accident occurred west of the Mississippi). The "Blue Goose," as they had nicknamed it, would become the command center once it arrived, equipped with state-of-the-art communications and computing capabilities.

District Manager Gonzales, who had been on the 12th hole of the Foothills Golf Course southwest of Denver when he got Boylen's call, was also on his way to the mine, as were the members MSHA's Mine Emergency Operations ("MEO") team of ventilation, roof control, fire, and explosion specialists deployed from locations across the Eastern U.S. to lead the actual mine rescue and recovery efforts, in coordination with Copper Canyon's mine rescue team.

While waiting for the arrival of the District Manager, the six-man MEO team, and the Blue Goose, the MSHA team already on site studied the mine map data, including the last updated information showing the location of the active workings and mine phones, and they consulted with Copper Canyon mine management about a rescue strategy. The mine's back-up mine rescue team had also assembled, prepared to relieve or supplement the efforts of the company's lead mine rescue team, which stood by trying not to boil over in fury at being restrained by MSHA, impatiently awaiting the go-ahead. Teams from a couple of Western Slope mines were also en route in case they could be of assistance, although it would take them hours more to make the trip all the way to Heavenly. When it got to be 2:00 p.m., and no rescuers had yet been permitted to enter the mine, Ralph's team was reaching the end of its patience.

Thank the Lord that MSHA was not in charge of deciding when to load Noah's Ark or none of the animals would have survived, they seethed, as they listened to the MSHA officials explaining to them the need to proceed carefully and to wait for at least one more 30-minute data set from the dispatcher showing that underground mine conditions had normalized with no explosive or toxic gases detected and for one more report from USGS confirming the absence of any current problematic seismic activity. Until MSHA was confident that mine conditions were stabilized and safe, the rescue effort could not begin. As far as the still-tethered Copper Canyon mine rescue team was concerned, those indicators had been giving them the green light for over an hour, and it was nothing but government bureaucratic paralysis and a pointless CYA charade with potentially lethal consequences that was preventing them from saving their four imperiled comrades.

But, MSHA's caution was by no means pointless, as Boylen attempted to assure Ralph and his impatient rescue team. "C'mon, Ralph! You know better than most folks around here the risks of rushing to the rescue." Boylen was right, Radomsky knew on some level, and it was not just because he had been a lifelong mine safety specialist. As Gonzalez had reminded Boylen over the phone as Gonzalez raced down from Denver, when Boylen had begged *him* for approval to go ahead and unleash the frustrated rescuers, Radomsky's brother had been among the rescuers killed at another deep-cover mine over in central Utah back in 2007 when a combined MSHA and mine operator team of rescuers fell victim to a secondary mine collapse while trying to dig their way through a collapsed mine entry to reach a group of six miners believed trapped below.

In the meantime, as word of the accident spread throughout the local community, the company designated Hoot Owl shift foreman Benny Alvarez, who was fluent in Spanish, as its Family Liaison representative. His first official duty was to contact the families of the four missing miners to give them the news of the accident and to offer to bring them to the mine so they could be close at hand and receive special private briefings on the status of the rescue effort.

At the Rodriquez household, which Benny understandably called first, there was horror, chaos and confusion. Luis knew that Rosie was at the mine on-shift that day, but Ricardo was supposed to be coaching a kids' soccer team practice and was expected home shortly. Next, Benny finally reached the household of Carlos Ramirez. No one had answered Benny's phone call but when Mrs. Ramirez came into the house from the backyard where she had been having lunch with her husband and listened with disbelief to Benny's anxious message on her voice mail, she called back and assured Benny that Carlos wasn't working that day, much less trapped underground. No one ever answered the phone at Lucas's place.

Luis Rodriquez, joined by Ricardo when he got home from soccer practice, hurried to the mine, as did other miners, their families, and members of the community when they heard the news of the accident. The media were also arriving at the mine in great profusion, choking the mine access road, and intrusively, insistently, and insensitively accosting everyone at the mine as well as everyone arriving to try to help. Fortunately, the County Sheriff arrived before long and took over crowd and access control, ejecting the media from the mine site, and setting up an access control checkpoint about a half-mile down the road, beyond which only mine employees, their families, and government officials were allowed to proceed.

As much as that helped, the Sheriff was still having trouble keeping the road open for emergency vehicles and authorized personnel, as curiosity-seekers and media satellite trucks clogged the road leading up to the access-control checkpoint. Impassively ignoring the reporters who were calling him a fascist pig, and far worse, the Sheriff then moved everyone farther back, relocating the checkpoint all the way down to the base of the access road where it turned off from Copper Canyon Road, though the Sheriff did try to ease tensions with the media by assisting them in setting aside a dedicated area there with a tent and open-canopied area for press briefings, where on-camera interviews could also be conducted and location shots taken.

The medevac helicopter had arrived and landed in the mine parking lot, but only after first blinding and painfully pelting the assembled throng of miners, families, and authorized emergency personnel waiting anxiously outside the main mine portal with the dirt, gravel, and debris whipped up by its dervish-like, furiously rotating blades. Also waiting there were several idling ambulances (dispatched long before Benny Alvarez had reported back to the Temporary Command Center that only two miners were unaccounted for and presumed missing underground). The throng of miners and their family members was growing unruly and seemed poised to storm the mine in frustration.

Realizing that they could not wait any longer for the Blue Goose, the MEO team, or the District Manager to take charge, and with all the data from the fans and sensors indicating no remaining atmospheric hazards in the mine and that normal mine ventilation had been restored, Boylen directed Inspectors Dyer and Gustafson to accompany Ralph and his mine rescue team, wearing special breathing apparatus just in case, and modified the accident control order to authorize them to enter the mine, initially on foot.

When the joint MSHA-Copper Canyon rescue team had travelled about half a mile in without discerning any sign of damage or disruption from the accident, and with their 5-gas detectors all confirming normal conditions, they radioed back to the Temporary Command Center requesting approval to dispense with the standard MSHA mine rescue protocol requiring the establishment of a "fresh air base," and for the Copper Canyon team's two pickup trucks to be brought in behind them to expedite the search and rescue effort. The Command Center agreed, since the dispatcher's data updates all indicted normal gas, dust, and temperature levels throughout the mine.

With confidence that any fires had burned themselves out and that there were no likely methane ignition hazards to fear, but repeatedly taking readings with their gas detectors, the joint rescue team drove on further in toward the working section, until they reached the Maintenance Department pickup truck which had been sitting in park by the mine phone with the engine running until it had run out of fuel, the engine still warm. There they found Rosie on the mine floor directly beneath the phone, the receiver still dangling on its wire above her unconscious body.

The rescue team quickly assessed her condition, cutting open the right leg of her overalls where the blood had soaked through from her shrapnel wound and darkly pooled on the floor. Applying pressure to the wound with high compression bandages and a tourniquet to her leg above the wound, they first placed her on a backboard for transport. Once she was secured onto the backboard, they wrapped her in blankets and lifted her into the back of one of the pickups where two members of the team cushioned their cargo with their own bodies for the drive out of the mine. They radioed back to the Command Center, reporting on the situation and requesting that a doctor be waiting at the bathhouse to initially evaluate her and accompany her to the hospital in the helicopter.

With three of the supposed missing miners now accounted for, the rest of the team forged ahead, more warily and more slowly now, on foot the rest of the way. Gas readings were normal: no methane, adequate oxygen, and only trace amounts of CO. The air had cooled, the dust had settled, and the visible smoke had disappeared from the air but the strikingly acrid smell of smoke remained. Though visibility was otherwise good, there was little remaining evidence that the section had been rock-dusted at all, and, remarkably, the blackness of the coal ribs, roof and floor, with the white rock dust scoured away by the forces of the explosion, appeared to have been even further blackened by the flames of the explosion and subsequent fire, if that were possible.

As they would later describe to the team in the Command Center and to friends, colleagues, and anyone else who would listen, they felt they had entered a surreal world of pure darkness, a darkness so intense that it seemed as if even the light from their cap lamps was being sucked into and extinguished by the profound blackness of the place.

But they had not progressed very far into the working section before they could see that the path ahead was blocked. A massive roof fall had substantially if not entirely filled the entry ahead of them, though their initial visual observations could not reveal whether it was blocked just at that point or all the way to the face. They went as far as they could and then listened for any sounds that might indicate the location of anyone alive, as well as whether the roof was still working. They called out Lucas's name repeatedly but received no answer.

After determining that the adjacent entries were also blocked, and before exploring further, they radioed out to the Command Center to update Boylen and Allred and get further instructions. Their report that there was evidence of floor heaving and that rib sloughage was still occurring was enough to cause the Command Center to order a halt to further investigation until they could get guidance and sign-off from the roof control specialists on the MEO team who were still in transit but due at the mine at any moment.

It could well be that Lucas was already dead, which to some seemed even probable, and they agreed that it would be reckless to put the rescue team in danger from a further roof collapse, at least until they had the experts' analysis of the situation. Before retreating to the surface to await the MEO team specialists' arrival, the joint rescue team set several rows of standing timber posts across each entry as supplemental roof support.

By the time they reached the surface, the two MEO team members who were roof control specialists had finally arrived, cursing the fact they had been delayed by outdated emergency contact information in the agency's database. They got right to work evaluating the latest seismographic reports from the U.S. Geological Survey (now supplemented by additional data from the Seismographic Center at the University of Utah) and studying mine maps. After being briefed by the joint rescue team, they went underground to examine the area themselves. Both for the supplemental roof support they would provide for the rescuers and for the measurements of roof stresses and convergence they would yield, the MEO experts ordered the installation of hydraulic jacks and rock props just outby the blocked entries. If the data they furnished should show that roof stresses were increasing or that the mine floor and roof were converging in that area, it would rule out any attempt to clear the blockage from the No. 1 entry to try to reach Lucas because the fallen roof material might be holding up the rest of the roof from further collapse.

That apparently had been the situation at the 2007 mine accident in Utah, where it was the excavation of the fallen material from a blocked entry by the would-be rescuers that was believed to have triggered the secondary mine collapse that had killed three of them, including Ralph's brother, and injured several others. On the other hand, if no convergence were detected and roof stresses seemed to be decreasing, then that would suggest that there might not be too much risk in clearing the fallen roof material from the entry, or at least cutting a narrow travelway through the blockage, to enable further exploration and, they hoped, locating and rescuing Lucas. At the same time, they installed powerful microphones against the mass of fallen coal and rock to listen for any signs of life on the other side – if there even *were* another side.

They monitored the hydraulic jacks and pressurized steel rock props for the next 12 hours. Roof stresses seemed alternately to be increasing or static, though no sounds had been detected by the microphones, other than the continuing creaking and groaning sounds of the mine roof straining and stretching against itself, as if in a struggle to equalize or at least accommodate shifting pressures in the overlying strata.

A review of some old mine maps, borehole data, and geophysical analyses done over the years, the latter having been most recently conducted at the time when the mine had been initially evaluating the feasibility of longwall mining, showed that the overlying strata were composed of layers of dolomite, sandstone, siltstone, and shale, as well as another, much thinner, coal seam. Though the overlying rock mass was frustratingly opaque, the technical clues and fragmentary data points previously gleaned from it suggested the possibility, if not the likelihood, that a series of faults and joints ran through the two hundred feet of overburden immediately overlying the mine workings.

Because of the current mining depth, with nearly 2000 feet of mountain sitting atop the current location of the 3rd Right section of the mine, there was considerable concern that excavating and extracting the fallen rock from the blocked entries could in fact further destabilize the mine roof. It was feared possible that the added stresses that could result from removing the support currently being provided by the fallen rock that had filled the Number 1 entry could trigger slippage on a joint or further propagation along one of the fault lines, such that a massive collapse of the entire mine might result. There was simply no way of knowing at this point.

Given the inherent risks, the collective decision was reached that additional information about Lucas's likely condition and location was needed before they could make a reasonably informed decision about how to proceed. But there was enormous public pressure building for action, or at least better explanations. With the media throngs, union activists seeing an organizing opportunity, and local politicians all impatiently clamoring for more, while decrying the company's heartless inaction while a miner lay abandoned beneath the earth, while even the federal agency that was supposed to protect the miners stood idly by, MSHA's daily press briefings offered no satisfaction, nothing but hemming and hawing about the need for additional information. An interview with Rosie at the hospital was the only option.

29

MSHA INTERVIEWS ROSIE IN THE HOSPITAL

On Tuesday morning, Laine, who had not left the property since he arrived on Sunday direct from church, sleeping on a cot in his office when he slept at all, went along to the hospital with Field Office Supervisor Boylen, whom District Manager Gonzalez had finally designated as the leader of the MSHA accident response team given his expertise (despite the possibility that some observers might think he had a conflict of interest, since he had jurisdiction over regulating the mine and thereby might bear some responsibility for not preventing whatever conditions or practices had caused the accident). They were joined by the more experienced of the two MEO team roof control specialists, Dan Zaluski, a tallish, bespeckled, and intense long-haired academic type. Zaluski had combined a background in teaching geology and rock mechanics with a career as a mining engineer before joining MSHA's Technical Support Branch.

Although the Medevac helicopter had been prepared to take Rosie to the big state hospital in Pueblo, the initial assessment was that, despite the seriousness of her injuries, Las Animas County Community Hospital in Trinidad was fully capable of meeting her treatment needs, and its greater proximity to Heavenly allowed for easier family access, which could prove to have substantial therapeutic value, under the circumstances. Equipped with both critical care and rehabilitation units, the modern brick and glass structure offered a more relaxed setting than the somewhat imposing state hospital in Pueblo, and was locally considered preferable for patients and family members alike, at least in those cases where more advanced medical facilities were not necessary.

Rosie had just been moved out of intensive care earlier that morning before the interview team arrived, under Laine's escort. She was still under sedation for the pain, still hearing-impaired, and still severely traumatized by her experience in the mine. Laine introduced the two MSHA officials, expressed concern for her well-being and, wishing her a speedy recovery, apologized for the necessity of the intrusion: "We will be brief," he assured her, "and wouldn't be bothering you at all while you are still in such a fragile state," he explained, "but time is of the essence. If Lucas is still alive, we have precious little time left to rescue him."

As Rosie looked up at them, struggling to keep her eyes open, Laine explained to her the dilemma the rescuers were confronting and the relative hazard assessment they were conducting. They needed to know everything that had happened before the roof fall, what Rosie believed may have started it, where it began, whether there had been one big fall or a series of smaller ones, where Lucas was when the roof fall or falls occurred, whether he had been hurt by the roof fall, or just trapped by it, how and where he was when she last saw him. Had she heard sounds of the roof working before the fall or falls? Had she noticed any unusual rib sloughage or floor heaves before the roof fall or falls? Had there been a fire or explosion and if so did it precede or follow the roof falls?

Through the gauzy haze of her medicated memory, Rosie did her best to explain what had happened. She was not about to reveal her victimization by Lucas, his threats to inform on Ricardo, his forcing her to strip, or the naked pictures he had taken, since none of that was relevant to their immediate rescue mission, but she did tell them that the use of Lucas's camera-phone seemed to have triggered an explosion, which in turn caused a roof fall.

How could that have been, was there an explosive mixture of methane present, they asked, surprised because of Copper Canyon's history of low methane emissions? Despite her befogged and muddled memory, she was able to recall Lucas's ordering her to raise the ripper head on the miner and to tram it into the face and start cutting coal. "Perhaps," she offered helpfully, "a big pocket of methane was liberated from the face and not diluted due to the reduced ventilation at the face during an idle shift?"

"But, then why wouldn't the sniffer on the miner have de-energized the machine since methane is not explosive unless it reaches a concentration of at least 5 percent? Wasn't there an alarm before that when it reached 1 percent?" Boylen asked.

Rosie was unaware that Lucas had often disabled the sniffer for Delinsky and that it often stayed that way until someone other than Lucas did a permissibility check on the miner to ensure its functionality, so she could not help the investigators solve that mystery. They next sought her help tackling another puzzling question her account of events had raised. What in the world was Lucas doing taking pictures with his smartphone's camera inby the last open crosscut where the use of non-permissible equipment is forbidden? they asked skeptically.

"Didn't he know that there is no smartphone that has been certified as intrinsically safe? Had he done this before?"

They were mystified. Rosie could manage only a little white lie, it seemed to her, suggesting that there was some problem with the miner's ripper head, how it had been configured, that Lucas believed he needed to capture photographically so he could send a picture to the manufacturer to get maintenance advice or to order a replacement part to make the repair.

The MSHA interviewers were also baffled by her account of how Lucas stood with his back against the coal face, standing under unsupported roof. There are very few legal prohibitions in underground coal mine safety more universally recognized than the rule against going out under unsupported top, and no place more obviously unsupported than a freshly cut place right at the coal face. And, in any case, why would he put himself in such physical jeopardy, they wondered. Besides, wasn't Lucas an ardent miners' representative? Wasn't he well-versed in Mine Safety Act requirements and an aggressive advocate for miners' safety, even regularly making safety complaints?

Frankly, Rosie's account of Lucas's conduct made so little sense to them that they doubted it, wondering whether it was the narcotic pain medication speaking. Perhaps this interview was premature, they were asking themselves when Laine broke in abruptly to advise them that Lucas, in fact, had such a long history of reckless and unsafe actions that, as Boylen well knew, he had been terminated for just that very reason.

Laine was looking directly at Boylen when he explained to Zaluski that the only reason Lucas was still working at the mine was because MSHA had taken the company to court and gotten an Order of Temporary Reinstatement which forced them to put him back to work at his old job. A simmering blend of suppressed outrage, offended honor, and bitter recrimination colored Laine's response, his face growing redder than Zaluski's long hair as he explained the likely accuracy of Rosie's account of the events leading up to the accident by exposing the fallacy underlying MSHA's skepticism. To Boylen and Zaluski, however, her anomalous account of Lucas's engaging in what they perceived to be uncharacteristically unsafe conduct was nonetheless still suspect. Cynically, they wondered if Rosie was playing them for some reason.

There were a few long moments of silence, while the MSHA officials tried to process Rosie's narrative through alternative analytic lenses and competing hypothetical perspectives, wondering:

- had they misjudged Lucas?
- was Rosie befuddled by the trauma, the painkillers, or both?
- had the explosion actually been the result of some more prosaic circumstance, such as the operator having unlawfully stored piles of mined coal underground which were ignited by spontaneous combustion which in turn ignited methane?
- were Rosie and Laine engaged in trying to cover up some other risky and outlawed mining practices at Copper Canyon?
- or could it have been all a fiendish plot to get rid of Lucas, since MSHA would not let him be fired, while making it appear to be MSHA's fault for putting a dangerously unsafe miner back to work?

When the MSHA investigators resumed questioning Rosie, skepticism was still unmistakably evident in their tone and demeanor.

Promising not to intrude upon her recuperation for very much longer, the investigators turned to probing the circumstances of the roof fall. Rosie explained how it was that after the explosion, she had gone to retrieve a fire extinguisher and the fire hose, recounting her attempts to extinguish the flames engulfing Lucas, hearing, feeling and seeing the signs that the roof was working, including the ribs sloughing, the floor heaving up beneath her, the roof cracking and beginning to come down, initially in pellets and pieces . . . . She recalled, and then told them, that she had realized that she needed to get herself out from under the crumbling roof to go get help for Lucas and that her last recollection of him was the sight of his blackened body twitching and her thinking that, despite the roaring in her damaged eardrums she might be distinguishing the sound of his agonized moaning from the noise of the crackling flames of everything around him burning, and then wondering whether she might have heard a cry of pain as large slabs of roof rock began to fall behind her as she made her escape. Her last recollection, before waking up in the hospital, was racing to the mine phone in the Maintenance Department's pickup truck to call for help.

The interviewers would have pressed more questions upon her had she not suddenly lapsed into unconsciousness. Alarmed, Laine rang the bell for the nurse, who checked her vital signs and reassured them that Rosie had simply exhausted herself and fallen asleep. They tiptoed out of her hospital room, but on the way out of the hospital ward they were met by the surgeon who had operated on her leg right after she was brought in by the medevac helicopter on Sunday afternoon. He handed to the MSHA officials a clear-plastic box containing a small piece of blackened shrapnel that had been removed from her right calf muscle before they surgically repaired her leg. The group then piled into the MSHA SUV for the trip back to Heavenly, each privately mulling what they had learned and its implications for the rescue mission or what was more likely becoming a recovery mission.

After briefing Gonzales and the entire MEO team, along with Dyer, Gustafson, and Ralph, on what they had learned from Rosie, it was concluded by the whole group that it was unlikely that Lucas was still alive. Even if he had actually survived the explosion and fire, they reasoned, the initial roof fall had probably finished him off. It was apparent from the completely blocked entry they had encountered that the fall had propagated outby for at least another 100 feet from the face. It was tentatively postulated that the shockwave from the methane explosion – possibly intensified by igniting coal dust raised into suspension in the atmosphere by the initial gas ignition – had triggered slippage on the jointing which the mine maps had indicated likely characterized the overlying rock strata, further fracturing the faulted sandstone formation, and bringing it all crashing down.

An examination of surface topographic measurements and aerial photographs ordered taken by the MEO team while Laine, Boylen, and Zaluski were off interviewing Rosie at the hospital, showed evidence that substantial subsidence had recently occurred on that portion of the mountainside directly above the working section. That evidence further reinforced their working hypothesis of a massive roof fall, as the displacement of thousands of tons of sandstone plummeting down to fill the cavity created by the mine workings would likely have cascaded upwards through the overburden above that faulted sandstone formation.

Looking also at the latest dynamic roof stress data from the hydraulic jacks and rock props, it was clear that the overburden pressures had not yet reached equilibrium, and thus that continuing geologic instability made still too risky any attempt to excavate the fallen roof rock from the entry or to even tunnel a small travelway through it to try to reach Lucas. The loss of those three brave rescuers crushed when tunneling through a roof fall to reach the six trapped miners in Utah weighed heavily on their minds as they concluded that there was no logic which could justify risking the safety of multiple rescuers in order to try to reach one other miner who was very likely already dead. Similarly, they resisted growing calls from the community and the media to try to drill down into the accident area from the top of the mountain above it in order to lower in a rescue cage like everyone had seen MSHA do on television in 2002 when the nine Quecreek miners in Pennsylvania had been successful rescued after 77 hours trapped in a flooded mine. The depths here were just too great, and the likelihood that there was anyone alive to be rescued too slim to justify such an extraordinary effort.

Rather than entirely give up on the rescue mission, however, or simply to wait for the overburden to stabilize before continuing the effort, they decided to take several intermediate measures by which they could, on the slim chance he were still alive, possibly improve Lucas's chances of survival in the meantime and to further investigate his location and possible condition without jeopardizing the rescuers' safety. First, they would drive several narrow exploratory boreholes through the blocked Number 1 entry toward the area where they projected that Lucas would likely be located. By driving these horizontal boreholes into the fallen roof mass at several different heights well above the floor, they would be able to get the mapping data they needed while still staying safely above Lucas's body if he were crumpled on the mine floor, whether pinned down by the roof fall or trapped in a gap within it or an open space behind it. That way, they could not only better map the vertical and horizontal extent of the fall and locate any cavities where air might be available for an injured miner to breathe, but also be able to then pump fresh air into any such cavities to replenish any oxygen that might have been depleted by a trapped miner breathing heavily.

Next, microphones could be snaked through those boreholes to detect any sounds of life inby the fall. Miners have for generations been trained that if they are trapped underground, they should tap rhythmically, ideally with a metal tool, against a rock or a piece of metal as a signal to alert potential rescuers to their continued survival and location. The microphones would also enhance the rescuers' ability to hear and assess any noises radiating from the mine roof as evidence whether the roof was still working. Thermal sensors could be inserted through another borehole, on the chance that they might detect the heat of a living human body somewhere in the mass of cold rock and ash. Finally, they would use ground-penetrating radar projected into the blocked entry to try to map the location of the stranded pieces of mining equipment, as well as of Lucas.

By Saturday morning the boreholes had been completed, though no signs of life had been detected since the microphones and sensors had been successfully inserted. Suddenly, around noon, an excitement of hope ignited the rescuers when they heard a noise, then another, while almost simultaneously the thermal sensors flashed red, indicating that a zone of heat was being detected. As it happened, they were on the phone with the Command Center on the surface reporting in on their continued failure to discern any signs of life at the very moment Ralph cried out joyfully that he was hearing noises, and Zaluski exclaimed that the thermal sensor he was monitoring was suddenly displaying a red zone of detected heat. Before the rescuers could say more or begin to interpret and evaluate, much less replicate and corroborate, these initial borehole emanations, Boylen and his team in the Command Center had overheard the excited exclamations from the rescuers below, and they could not help but loudly exult "We found him! He's alive!" The crowd hovering just outside the Command Center themselves overhead them, and like town criers, several miners raced across the mine yard, screaming "They found him, they found him! He's alive!" Cell phone signals filled the airwaves as the news was spread up and down the Canyon, relayed to the reporters camped out down the road, and on to Heavenly, and the rest of the world. The MSHA Press Officer was caught totally unawares, and more angry than joyful, to have been left out of the loop, she thought, as she apologized to the frantic media hordes that she had nothing for them yet.

But it was all a cruel mistake. The sound Ralph had heard had ceased, and the thermal sensor sensed nothing further. Whatever ephemeral signals they had thought they were discerning, nothing further followed. No rhythmic tapping was ever confirmed, no human thermal signature detected. Just the sounds of rock cracking, grinding and groaning, indicating continuing instability and rock masses under dynamic tension. It may have been the noise from those rocks grinding against each other that Ralph had heard, wishfully imagining a rhythmic pattern in it, and maybe it was simply friction from those rocks giving off the heat that was momentarily setting off the sensors that Zaluski had been eying so hopefully. Ebullience ebbed and then ended.

But, between the borehole data and the readings from the ground-penetrating radar, crude as it was at that distance and through so much rubble, they had at least succeeded in roughly mapping the entire zone from the outby end of the fall all the way inby, seemingly to the coal face itself. That was real progress, at least.

In that way, they were able to pinpoint the approximate location of the continuous miner, roof bolter, shuttle cars, and scoop, all buried by the fall. There was no sign of Lucas, probably because the boreholes were intentionally driven above where a body on the floor would be, and because he was likely to be, consistent with Rosie's rendition of events, too close to the face for the radar to penetrate far enough. No major cavities or air pockets were detected in the fallen mass, though around the pieces of buried mining machinery it seemed there might be random small spaces not entirely filled with fallen rock.

The unanimous judgment of the joint team of MSHA and Copper Canyon representatives was that the growing mass of evidence strongly suggested that Lucas likely had not survived the explosion, fire, and roof collapse. That, coupled with the passage of time since the accident and continuing indicators of unstable ground conditions, yielded a risk/benefit calculation that still precluded as too hazardous any attempt to remove the fallen rock mass from the entry. Further rescue and recovery efforts would have to remain on hold.

One thing not on hold was Rosie's recovery from her injuries. While the MSHA MEO and Copper Canyon team were conducting their further evaluation and monitoring activities at the mine, Rosie was focused on overcoming the physical and mental trauma of her ordeal.

Before leaving the hospital, she began a regimen of intense physical therapy and psychological counseling. Her healing was helped by her fitness, another benefit of her dedication to martial arts training. And because only the nerves and muscles in her calf had been torn up, leaving her bones intact, she was rapidly regaining full use of her damaged leg, notwithstanding some loss of sensation. That was probably a good thing, Rosie assured herself; if there had been a full return of sensation, she thought, it would certainly be the sensation of pain.

On the other hand, her psychological counseling needs would require longer term, outpatient care. The therapist who evaluated her and initiated counseling before she left the hospital helped her to recognize that the confusion and despair that were unsettling her were a normal emotional response to the kind of ordeal she had endured and that the post-traumatic mental anguish she was suffering would ease with time. Working with mental health professionals, she was assured, she would be able to come to better understand and come to terms with her currently generalized, unfocused anger.

That was true, to some degree. She knew she was furious with Lucas, but the poor bastard had been punished for what he did to her. She could not help but feel thankful, thankful that God had taken charge of the matter, when the institutions she counted on to protect her – MSHA, the police,

Copper Canyon Coal Company, even her family – had failed her. But at the same time, she was angry with herself and conflicted by having feelings she recognized as backward, driven by primitive superstitions, irrational fears, and emotional beliefs that modern society had left behind in history.

Rosie was also agitated by the secret she was keeping. She had told no one about what Lucas had made her do that day. No one else needed to know of her humiliation, her helpless degradation and the pathetic, shameful weakness she felt in having allowed herself to be so abused. It was nothing she intended to share with a therapist. To the extent she could even bring herself to think about the whole sordid incident, Rosie resolved to entirely suppress any memory of it.

In addition, she was struggling with growing feelings of anger at Copper Canyon Coal Company because it had not protected her from Lucas. It had passively agreed to put that monster back to work where he could and did prey on her and her brother Ricardo and who knows how many other victims. Pete Miller had told her it was only *temporary* reinstatement but it had been going on for months and months. Pete said that the company did not want to do it but MSHA and a federal judge had ordered them to put him back to work. But that made no sense to her; how did they expect her to believe that the government would order them to rehire such a dangerously evil man?

Even if that were somehow true, she reasoned, surely the company could have done more to resist that in order to protect the vulnerable miners who had no choice but to work with or near him. Pete had even admitted to her that he himself was frustrated that the company did not even bother to appeal. She had loved working for Copper Canyon, but could not help feeling that it had betrayed her. In her bitterness, she felt stupid for ever having loved the company and trusted Laine, Ralph and Pete to look out for her best interests. And she resolved to never again let herself be duped, to fall victim to such naiveté. She knew herself to be a smart, strong woman, or had thought so until now. Cognitive dissonance, confusion, anger, shame, resentment, embarrassment, disappointment, so many different painful feelings were now competing for ascendancy. She was barely able to recognize herself.

As she was packing up her things to get ready to sign herself out of the hospital, with Ricardo on his way to pick her up for the trip home, she studied the enormous floral arrangement, still surprisingly fresh after a week on the bedside table. Copper Canyon had sent it, and she had initially been touched by the gesture, appreciative and pleased. As she contemplated how to get the flowers home intact and undamaged, her anger suddenly rose to the surface and she hurled the bouquet, vase and all, into the trash can which was too small to contain it, strewing flowers and water across the floor. At that moment an unexpected visitor appeared at her door. A short, stocky Asian woman wearing oversized, thick glasses framed by low, flat black bangs tentatively stepped into the room.

The unfamiliar figure introduced herself: "Excuse me, Ms. Rodriquez, I am sorry to interrupt but I need a few moments of your time. I know you have been through a terrible ordeal but I believe I can be of great help to you. May I come in, please?"

A little startled and still staring at the mess she had made with the flowers on the floor of her room, Rosie said nothing and Susan Wu took that as an invitation to continue. "I am a mine safety legal assistant with the law firm of Rusty Justus Jones and Associates, and we want to represent you in recovering compensation for your injuries. Our preliminary analysis of the Copper Canyon Mine accident indicates that you have been victimized and may have strong legal claims against the company, MSHA, and perhaps others, and that, if you were to retain us to represent your interests in this matter, we could help you recover substantial damages. Your pain and suffering alone could easily support an award of hundreds of thousands of dollars, before we even begin to add in the millions in punitive damages we think a jury might award you and some of your colleagues."

30

SUSAN WU'S RETURN TO HEAVENLY

S usan Wu's graduation from the Academy in Beckley had launched her career as a coal mine inspector for MSHA. She had been a standout student at the Academy, demonstrating a talent and a commitment to mine safety and health unrivaled by any prior trainee that her instructors could recall. Calvin McCoy, who had learned of Susan's past work for AC&CCC and her dream of returning to Colorado, made it his business to help her achieve that objective. Such a talent was so rare that McCoy did not want to take any chances that MSHA could squander this precious resource through mismanagement or mere indifference, lest it lose her back to the private sector. She was a "bonus baby" to be coddled and even spoiled a little along the way if necessary to retain her. This was a person McCoy believed destined for the highest levels of leadership at the Agency, at least among the ranks of the nonpolitical, career service personnel, so long as she were properly nurtured and trained. With her permission, McCoy contacted the Administrator for Coal Mine Safety and Health in Arlington and the District Manager in Denver extolling her abilities to try to arrange for her to be given challenging assignments, and perhaps even getting her assigned to the Trinidad Field Office. It was an entreaty he would make again, regularly, repeatedly, thereafter.

But McCoy's efforts were for naught. And, for all of Susan's skills, neither navigating the bureaucracy nor sycophancy were among them. She was initially assigned to MSHA's sleepy Prideville Field Office where, inspecting the backwater anthracite coal mines of Eastern Pennsylvania, Susan soon became frustrated and miserable. If anthracite mining was not a dying industry, it was on artificial life support. Although her assignment offered some challenges, since the techniques of anthracite mining were entirely different from those employed in the rest of the modern underground coal mining industry, her time was spent mastering an unfamiliar technology, rather than bringing to bear her deep mining experience at AC&CCC and enhancing her expertise in the bituminous coal sector which is where the future of underground coal mining would lie, if indeed it were to have a future at all. It did not help, professionally or socially, and was in fact morale-crippling that, as she soon discovered, Prideville was the informal dumping ground for errant or underperforming MSHA officials who had failed at other assignments.

After over a year of enduring what she recognized to be a dead-end assignment in Prideville, Susan could no longer endure it. The entire area was a depressing metaphor for a dying coal industry, symbolized by the fate of the nearby town of Centralia which had become a virtual ghost town after efforts to extinguish a persistent underground coal fire of unknown origin proved unsuccessful and the entire town was condemned by the State of Pennsylvania and abandoned by all but a handful of diehard residents. Rather than getting a place out in the country, she had taken an apartment in the nearest "big" city, where she hoped to establish a social life, but she found Wilkes-Barre barren and stultifying, and the almost hour-long commute to her office too burdensome. Her job transfer requests yielded only one opportunity, but she took it, moving to a new duty station in the District 9 Field Office in Gillette, Wyoming, a place which was much closer geographically to Heavenly but which might as well have been a million miles away, so different was it from the Colorado community she had loved and the underground coal mining that was in her blood.

Though the Gillette office proved to be a step up, at least from anthracite to low BTU bituminous coal, and from Wilkes-Barre's despair, it inspected surface mines, which were not engaged in coal mining as she knew it, and Gillette itself, though its economy had until recently been buoyed by decades of demand for environmentally-preferred, low-sulfur coal, struck Susan as a soul-less city of transient oil and gas roughnecks and other fossil fuels profiteers. The area seemed sterile and lacking in any real sense of community, much less the coal miners' brotherhood as she had known it in Heavenly. Though the local ranchers and the resident pronghorn antelope and white-tailed deer loved its vast and almost treeless high plains tufted with drab greenish-gray sagebrush, where the sky went on forever, she missed the mountains of Heavenly and Morgantown, and even Prideville, though when she had been there she had noticed only the towering black coal refuse piles and slag heaps.

She also found her assignment to the Gillette Field Office professionally disappointing. As Susan soon discovered, mining doesn't get much easier than strip-mining Powder River Basin coal. There were relatively few workplace hazards in the surface coal mining business, especially as practiced in Wyoming and Montana, where the mines of the Powder River Basin seemed to her more like excavation factories, digging up coal in bulk by scraping off the relatively thin overburden of dirt and rock sitting on top of the 60 to 80 foot thick coal seams with bulldozers, giant electric shovels and draglines, then blasting it into pieces to be scooped up and hauled away across the plains on endless trains. It was like taking candy from a sleeping baby, the strip miners joked. And it was true, Susan thought. Compared to the challenges of deep mining where coal seams were buried hundreds of feet below the surface and commonly three to twelve feet thick, and even thinner, surface mining stuck Susan as artless and crude. Moreover, the engineering skills she had learned at WVU and sharpened at Copper Canyon were unneeded and played no role in her work there. The safety and health challenges were minimal, more like in an assembly-line factory or OSHA-regulated construction site. Susan thought about all the mining hazards she had learned to prevent or at least minimize, manage, and control, to protect against the dangers underground coal miners daily confronted: ventilation, not an issue; methane and toxic gases, not an issue; roof control, not an issue; no concern with spontaneous combustion or oxygen-deprived black damp atmospheres; fire prevention and suppression, no different than most industrial job sites. It seemed like child's play to Susan, like digging in a sandbox and it had no appeal. Most importantly, she felt that these miners did not need her and that her special skills and talents were being wasted.

Yet, as she had in Wilkes-Barre, she stuck it out in Gillette for over a year, winning the respect and admiration of both fellow inspectors and mine operators for her professionalism and fair-mindedness. But she stayed with it primarily because she believed it would afford her the opportunity to impress the District Manager down in Denver. She had a sunny, optimistic nature, and felt that her patience was going to be rewarded when the Field Office Supervisor in Gillette, who knew of her frustrations there and her yearning to get back to inspecting underground mines, had reported to her that he had taken Gonzales aside at a meeting over in Tucson on autonomous haulage truck safety to promote her candidacy to fill a vacancy that was going to be coming up in the Trinidad Field Office. He had informed Gonzales about her stellar performance evaluation, her experience with deep mining in Southern Colorado, and her impressive academic background in mining engineering, and was encouraged when Gonzales indicated that he was already familiar with her name, having been regularly pestered by Calvin McCoy at the Academy to hire her for the Trinidad office.

When the news came in that the job in Trinidad had nonetheless gone to a veteran coal mine inspector with a somewhat checkered reputation for playing hardball with coal mine operators, Susan was crushed. She was disgusted with MSHA and reacted bitterly and unreasonably. Without searching any further or shopping around for another, better field office assignment, another job in the Agency, or even in the private sector, she promptly tendered her resignation and moved back to Morgantown. Her father, though he shared her disappointment in MSHA, was delighted to have her home again and supported her as she went about setting up a mine safety consulting business based in their house. Susan also enrolled in a paralegal certificate program at the University, joined the International Society of Mine Safety Professionals, began attending coal industry meetings, and spreading the word of her expertise and availability, contacting former colleagues in the industry, at the Agency and at the University, as well as actively networking on social media.

Her consulting practice was slow to take off. A couple of referrals from her father and from Calvin McCoy, each of whom passed her name along when they were contacted by coal mine operators and lawyers, some suing and some defending coal companies, coal mine construction and service contractors, and manufacturers of mining equipment, some seeking mine safety and health experts, mine safety auditors, and other mine health and safety consulting services, helped get her started. But she never discovered how it came to be that she was summoned to a meeting in an airplane hangar at Morgantown Municipal Airport one August afternoon to meet with Rusty Justus Jones, the plaintiffs' lawyer nationally known for bringing high-profile cases in which employees had recovered substantial sums from their employers, among others, despite the fact that state workers' compensation laws generally immunize employers from tort liability to their employees in exchange for the employees' entitlement to no-fault compensation after suffering workplace injuries and illnesses. Before Jones's Gulfstream G550 jet left Morgantown that evening to return him to his summer home in Nantucket, he had retained Susan as a mine safety consulting legal assistant for his law firm and assigned her to her first matter for the firm.

Two days later, the plane returned to pick her up and they were on their way to Heavenly.

31

MSHA'S ACCIDENT INVESTIGATION BEGINS

lthough monitoring activities would be continued for the time being, active mine rescue operations were effectively over. Whether Lucas's body or Copper Canyon's mining equipment could ever be recovered was an open question. The Red Cross, which had been providing three meals a day plus snacks at all hours since the accident for everyone onsite who was in any way assisting in supporting the round-the-clock rescue effort, dismantled its mobile kitchen, loaded up its supply trucks, discharged all its local volunteers, and left town. The media had already packed up and driven off, taking their satellite trucks with them. Area motels, along with diners, bars, and cafes, one of the few segments of the community that had benefited from the disaster, returned to their usual plentiful levels of vacancy, interrupted only by the occasional occupancy of travelling sales representatives, tourists, and truckers. The Blue Goose, it was determined, would remain at the mine to facilitate the ongoing monitoring effort, though staffed only by a skeleton crew. By this time, no one actually expected to find Lucas alive, or find him at all.

The District Manger returned to Denver, and the Field Office Manager a day later to Trinidad, as most of the MSHA MEO team returned to their home bases. Several members of the MEO team were asked to stay on, however, to assist with the MSHA accident investigation. Dyer returned to his normal duties, though with the closing of Copper Canyon, he had some concern that he might be laid off in an MSHA reduction-in-force action. The Assistant Secretary of Labor for Mine Safety and Health issued a press release announcing the commencement of an investigation into the cause or causes of the accident, and the appointment of a panel of MSHA experts to serve as the Copper Canyon Coal Mine Accident Investigation Team. To chair the team, he appointed a district manager from a different coal district, consistent with longstanding agency policy to avoid any risk or appearance of a cover-up by the district manager whose regulatory oversight or lack thereof might possibly be implicated in causing the accident.

Steven Iglesias, District Manager from MSHA District 4 in Mt. Hope, West Virginia, was on a plane to Colorado the next day. A career MSHA employee with a strong background in deep mining and accident investigations, Iglesias named Zaluski as his vice-chair, given the likely prominence ground control issues would have in the investigation. The Accident Investigation Team set up an office within the Trinidad Field Office but arranged for the dedication of a conference room for their use in the Heavenly Town Council Building, where they could more conveniently conduct witness interviews and maintain a presence and local outpost closer to the mine.

Although MSHA was criticized by the Mayor of Heavenly and all three County Commissioners for commencing the accident investigation while there was still a miner potentially alive and trapped underground, the agency was undeterred. As MSHA's Press Liaison explained at a press briefing formally announcing the start of the investigation, there was no reasonable likelihood that Lucas could still be alive and it was urgent that MSHA discover whatever had triggered the catastrophe before anything like it could happen again. Until MSHA could identify the cause of the accident and take any necessary corrective actions, there was the possibility that similar accidents could occur. Also, she explained, the commencement of the investigation did not mean the complete end of the rescue and recovery operation. Although those efforts would be continuing, ensuring the safety of the rescuers required that they stay outby the fall zone until it was determined that the mountain had stabilized itself enough that the risk of further roof collapse had passed, especially since MSHA was convinced that there was no longer anyone alive to rescue, if ever there had been.

The Accident Investigation Team itself was anxious to get access to the site so it could conduct a thorough examination and collect evidence for analysis. Their inspection of the mine outby the fall zone was unilluminating regarding the nature and causes of the accident, but did reveal some useful information. For example, they were able to lift Rosie's fingerprints from the receiver of the mine phone, supporting her story that she had tried to call for help from there; further corroboration came from the phone records which revealed that the phone line was last opened when the receiver was taken off the hook at 11:42 a.m. Sunday morning during the Maintenance Shift. In light of the Control Room readouts from the mine fans and CO sensors showing elevated methane, excessive CO, and overheated air just after 11:15 a.m., as well as barometric pressure data from the National Oceanic and Atmospheric Administration documenting a sharply falling barometer in Heavenly that morning which would have increased the volume of methane gas seeping from the coal seams into the mine atmosphere, and the seismographic data showing mine-induced earth tremors at 11:30, the accident reconstruction timeline seemed to generally support aspects of Rosie's story. More precisely, the investigators noted, her account of what happened was at least not inconsistent with the timeline they had calculated from the technical data they were assembling. More compellingly, insofar as the validity of Rosie description of what had happened, the FBI forensic lab in Colorado Springs reported that the piece of shrapnel extracted from Rosie's leg was a metal fragment from an iPhone that had been subjected to explosive forces.

As the Accident Investigation Team was setting up confidential interviews with Copper Canyon's hourly miners, management, the local MSHA inspectors, and anyone else they suspected might be able to offer any relevant insights into the conditions and practices at the mine prior to the accident and any other conceivably relevant facts, they received word from the District Manager that they would be having company during those interviews. Gonzales informed them that a petition had been filed by two Copper Canyon miners designating a person named Susan Wu of Morgantown, West Virginia as their miners' representative and that Ms. Wu would be attending the Accident Investigation witness interviews on the miners' behalf.

Susan had arrived at the hospital at just the right time. She was able to explain to Rosie her rights resulting from the accident, her right to be represented during the Accident Investigation, and the potential liability of Copper Canyon and perhaps even MSHA and others. Susan helped Rosie see that her anger against the company and MSHA was entirely legitimate and that bringing a lawsuit against them would be a constructive way to harness that anger for the good of her family and other coal miners by setting a precedent to ensure that nothing like what had happened to her would ever happen to any other miners in the future. It would cost her nothing, Susan assured her, since Rusty Justus Jones and Associates would not charge her any fee unless she prevailed in the litigation, in which case they would be entitled to recoup their expenses and one-third of any monetary damages she was awarded. The only thing Rosie needed to do before she left the hospital was sign her name and get her brother Ricardo's signature on the MSHA miners' representative designation petition which Susan had brought with her so that she could file it that day with MSHA and serve it on the company in order to obtain authorization to attend all the confidential witness interviews that the MSHA Accident Investigation Team was about to commence. Though the investigative interviews were closed to the public, including media representatives, despite their efforts to persuade the federal district court in Denver to order MSHA to grant them emergency First Amendment access, Susan explained to Rosie, and then again to Ricardo when he arrived to pick up Rosie from the hospital a few minutes later, Susan would nonetheless be able to attend because it was longstanding MSHA policy not to exclude miners' representatives. By attending the witness interviews, Susan would get early access in unfiltered real time to all the investigative information that MSHA would be gathering for its analysis of the causes of the accident, and be privy to the issues that MSHA was focusing on, long before obtaining any discovery rights that Rusty Justus Jones and Associates would be entitled to after filing its lawsuit on the miners' behalf.

The company had objected to Susan being designated as a miners' representative on the grounds that, because the mine was already closed by the accident and by MSHA's accident control order, there were no longer any miners "working" at the mine which was a requirement for the designation of a new miners' representative under the express language of MSHA's regulations. That was, of course, true but the company's real objection was that the new miners' rep was there to spy on Copper Canyon and MSHA's accident investigation and dig dirt on them for litigation purposes, which meant that the designation was for pecuniary, not safety, purposes.

But the company's objections were rebuffed, as MSHA explained, because the very purpose of the miners' designation was in part retrospective for their new representative to participate in the investigation of what had happened at the mine to cause the accident, and because the two miners who had designated Ms. Wu as their representative had, in any case, both been working for the mine at the time of the accident. In addition, her insights could be useful to the agency in helping it determine the cause of the accident and how to prevent a recurrence.

Accordingly, the post-accident designation would be deemed to relate back to the time of the accident and be effective as of that date, and therefore valid. MSHA precedent was clear on the issue, as the mine operator of the Sago Mine had unsuccessfully asserted the same objection in federal court after that fatal West Virginia coal mine explosion in 2006 and a similar post-accident miners' rep designation of the UMWA had been deemed valid for purposes of its participation in the accident investigation at that non-union mine. However, MSHA advised Copper Canyon that it would be entitled to have its own representative attend the interviews, as well.

While a court reporter was being engaged to transcribe the witnesses' testimony, and the Accident Investigation Team was reviewing other facts, technical data, mine examination records (from the mandatory preshift, onshift, weekly, and permissibility inspections), miner training records, and equipment maintenance records, and other documents in preparation for those interviews, Laine and the mine's owners also had much on their minds. Because of the accident, the future viability of the mine had become at best doubtful. Other than for MSHA-supervised ground-control monitoring and accident investigation purposes, the mine was still closed by the original written MSHA accident control order, though that order had been extensively modified, now running 119 pages in length, as necessary to permit each of the various rescue, recovery and investigative efforts that had been conducted since its initial one-page issuance that Sunday afternoon at the beginning of August. The company's mining equipment remained entombed by the roof fall in 3rd Right and the company was understandably forbidden from attempting to retrieve it for use in other, unaffected areas of the mine.

Of course, even assuming the equipment could be retrieved at some point, no one knew if it would be salvageable for mining purposes or if it had been damaged beyond repair. Somehow, Laine had had the presence of mind to notify Copper Canyon's insurance carriers within 48 hours of the accident, as required by each of the different applicable insurance policies, so there was good reason for optimism that the company's losses would be covered. Laine was in negotiations to get expedited compensation under his business interruption insurance policy, but nothing had been settled yet.

Similarly, no immediate plans could be made for restarting the mine. The company could, presumably, lease another belt-feeder, continuous miner, bolter, scoop and two more shuttle cars, if the anticipated compensation under the business interruption insurance policy would only come through, or if the property insurance carrier would at least advance the funds in realistic anticipation of the buried mining equipment being declared a total loss due to the inability to retrieve it but, no matter what happened with the insurance, MSHA was not going to modify the accident control closure order to allow mining even in other sections of the mine. Even assuming that MSHA might ultimately conclude that further mining could safely proceed elsewhere in that mountain, that was not going to happen at least until the Accident Investigation Team issued its final report, and that likely would not be for quite a few months, based on MSHA's historical accident investigation track record. Meanwhile, the company retained a nationally recognized mining engineering firm as a consultant to conduct its own assessment of future mining prospects at Copper Canyon.

There were extensive virgin coal reserves available inside that mountain that might be safely and economically accessible under a different mine plan. Though Copper Canyon already owned a portion of those reserves, the bulk of them unfortunately were federally owned, under the administrative jurisdiction of the federal Bureau of Land Management in the Department of the Interior. While AC&CCC had previously obtained leases for some of those BLM coal reserves, and those leases had been transferred to Copper Canyon Coal Company when it was spun off as part of the bankruptcy, Copper Canyon had successfully gotten the leases suspended, to avoid having to comply with those leases' onerous diligent development obligations, because of the reduced size and fledgling nature of the new company. Though it could seek to reactivate those leases, bringing them into production would still be a longer-term proposition: everyone who had ever sought to obtain approval to mine leased federal coal reserves knew that it invariably took months to navigate the bureaucratic process at the BLM, and longer than that to get the necessary environmental approvals, including the required Clean Water Act permits and a Surface Mining Control and Reclamation Act permit approved by both the Interior Department's Office of Surface Mining Reclamation and Enforcement and the Colorado State Department of Natural Resources, even for an underground mine. An environmental assessment would have to be prepared, though thankfully not a full-blown environmental impact statement. There were also adjacent coal reserves owned by the State of Colorado, but accessing them would only be commercially feasible if they could be combined with the BLM reserves.

Though it had devastated Laine to have to do it, all of the Copper Canyon miners had been laid off with two week's severance pay. Because it had fewer than 50 employees, the company had no legal obligation to pay the miners the 60-days' pay otherwise required by federal law when workers are laid off without 60-days' prior notice and, in any case, the unforeseeable nature of the mine accident probably would also have exempted it. It was helpful that the Colorado Department of Labor and Employment had sent several unemployment specialists to Heavenly to process claims for unemployment insurance benefits and to assist the miners in searching for new jobs – though everyone hoped the layoffs would just be temporary, no one knew for sure or could predict how long even a temporary mine closure would last. That uncertainty was probably one of the factors contributing to the large number of workers' compensation claims filed against Copper Canyon right after the layoffs, asserting a variety of newly discovered occupational injuries and occupational diseases allegedly resulting from work at the mine.

Then, there was the problem of Copper Canyon's obligations under its supply contract with Pioneer Mesa to contend with. Laine had promptly notified the plant of the accident, of course, though it was not as if anyone in Southern Colorado could have been unaware of it given the barrage of media reports. Following the terms of the supply contract, Laine had alerted Pioneer Mesa that a "force majeure event" had occurred that – until further notice – would interrupt Copper Canyon's ability to supply the plant with any coal at all, after the three-day supply in the mine's stockpile was shipped. Though Laine was distraught over the situation, not the least of which was the problematic future of the economic relationship with the mine's sole customer, he believed that at least he did not have to worry about incurring any liability to Pioneer Mesa for breach of the supply contract, since he was confident that the accident qualified as an "Act of God," which was specifically enumerated in the contract as one of the force majeure events that would excuse performance without penalty.

However, Laine was determined to find a way to resurrect the mine. He had lived in Heavenly most of his life, knew every single soul in the community, it seemed, and feared – not without good reason – that Heavenly would not survive the loss of Copper Canyon Coal Company. It did not matter who owned it or even who operated it, though Laine was not particularly ready to retire, despite recently celebrating his 70th birthday. He was still strong and healthy, still hiking the canyons and mountains around town almost every free weekend day and during his annual holidays, when the operational demands of running the mine permitted him to actually take a vacation.

Laine was not particularly concerned about himself. He could afford a comfortable retirement. He would be fine, come what may. More time for hiking, camping, and studying the rocks, plant life, and birds he encountered during his outdoor explorations. It was all about Heavenly. Heavenly could not afford to retire. It was full of good people, "the salt of the earth," he liked to say. "Down to earth, too," he would add, with a twinkle in his eye, in case you didn't get his joke about a town built by and for its miners.

We just have to find a way to make it work, he resolved, comforted that the mine was well-insured. He had always made a special point of that. Once MSHA got out of the way, he was hopeful they could reopen the mine, whether that meant resuming operations according to the mine plan they had been following, or instead pillaring the old workings by carefully removing some of the many tons of coal left stranded in the supporting pillars as they cautiously retreated their way back out of the mine while a controlled progressive collapse of the roof occurred inby, or reactivating their federal leases, or obtaining adjacent reserves. There were a number of options available.

Laine was an optimist – always had been, all his life. It had gotten him through some difficult times over the years, and he saw no reason to suddenly start losing confidence in the future. Others might dwell on the whims of fate, one's inability to control the interplay of the myriad actors and events that shape our fortunes, and justifiably despair. Not Laine, who was smart, self-confident, determined, and resourceful. A longtime bishop in the Church of Jesus Christ of Latter-Day Saints, Laine's life outside the coal business had been devoted to looking after the poor and needy, making sure that food was distributed and financial assistance made available. If the mine were not to reopen, the needs of the community would be magnified at the very same time his ability to help would be substantially reduced.

In his faith, he knew that, working together, they could pioneer a pathway back to prosperity, and that God would help them to somehow resurrect the mine that had sustained Heavenly for decades upon decades. Through hard work, self-sacrifice, self-discipline, and faith in God and their fellow man, they would get through this.

Laine had to acknowledge, however, that the prospects were rather grim for that resurrection to be built on a resumption of the relationship that had been the mine's bread, butter and jam since Day One, the supply contract with Pioneer Mesa. Until Copper Canyon could be restarted, the plant was going to need to find substitute coal from someplace else. Assuming they could find a supply of reasonably priced coal that met the specifications of Pioneer Mesa's fussy boilers, and which could be transported to the plant without crippling freight charges, Laine feared that a new supplier might very well retain the plant's business even after he got Copper Canyon up and running again.

Another danger was that the power plant would not be able to find an adequate, affordable substitute coal supply and thus would finally yield to the persistent regulatory pressures of the Colorado Public Utilities Commission, which for years had been aggressively trying to force all electric utilities in the state to convert from coal-fired generation to either natural gas, wind, solar, or some combination of them. Competition from currently-cheap natural gas, political and regulatory policy pressures to use renewable energies like solar and wind power, and environmental concerns driving all of them separately and in tandem (as the environmental concerns drove regulatory changes which favored gas, wind and solar over coal) were squeezing the life out of the steam coal industry, causing one coal-fired power plant after another to convert or close down. Frankly, Laine could see little hope for the future of coal as an energy source.

And though metallurgical coal for steel-making was still in demand, and some of Copper Canyon's coal, if properly washed, could meet the high-BTU standards required for metallurgical coal, that had been a small domestic market to begin with, even before all the steel mills in Colorado and Utah had been shuttered, with no likely customers within competitive cost-effective transportation distance.

The real problem wasn't with Copper Canyon's coal, it struck Laine, but with the air pollution and greenhouse gases produced when burning it to generate electricity. There could still be a future for the coal, and therefore for Heavenly, if other uses could be found for that coal. Laine worked with the company's owners and their consultants to identify other potential customers for Copper Canyon's coal, including several companies that were interested in using coal as a chemical production feedstock, one of which was preparing to open a facility that would make high BTU gas from coal. Similar ventures, however, had previously failed as too costly, given low gas prices, and others that had seemed promising had never been able to get beyond the experimental or demonstration-project stage.

Research was being conducted on the viability of commercially producing graphene from coal, as well. Neither Laine nor the company owners had ever heard of it but their consultants advised them that it was a wonder-fiber, nearly-transparent, semi-metallic, flexible, a great conductor of heat and electricity, and the strongest material ever tested. With broad applications in a wide variety of industrial and consumer products, graphene showed particular promising uses in solar cells, light-emitting diodes (LEDs), touch screens and smartphone and computer applications. As encouraging as the prospect of a major coal market in the production of graphene was, that was probably still too far in the future for Copper Canyon to rely on for its survival.

The use of coal for rare earth metals production was more realistically promising, however, and Heavenly had an inside track on obtaining a share of that business, thanks to Pete Miller. His one-week suspension, which resulted from his inadvertently giving advance notice of an MSHA inspection, had totally changed the course of his life. He was not only a hometown boy with a love of and loyalty to Heavenly but, from his metallurgical background at the School of Mines, he also knew that the particular properties of Copper Canyon's coal gave it unusually rich potential as a commercially viable source of rare earth metals.

When the mine had been idled after the accident, Pete had no job to come home to in Heavenly, so he had extended his planned weeklong collaboration with Professor Marsden at the School of Mines. Before long, their joint research and testing program showed astonishing potential, and Pete was hired on as a Research Associate at the School of Mines. Indeed, in no time at all, Pete and Professor Marsden had incorporated a limited liability corporation to further develop, patent, license, and market their nascent coal-based rare earth metals production technology.

The new start-up, REM, LLC, also was attracting considerable interest from venture capital investors. Though it meant trading in his beloved plaid shirts for a suit-and-tie ensemble, at least while pitching to investors, Pete's excitement at what they had already accomplished and what lay ahead for them more than offset any discomfort in having to give up the outfit that had served his former identity. Besides, the conservative maroon-and-white plaid tie he paired with the sharp navy-blue suit he was able to purchase at the Colorado Mills Outlet Mall over in Lakewood sufficiently echoed his emblematic outfit to anchor that identity, at least for the brief periods when he had to subordinate it to the company's longer-term need, raising capital.

Flush with cash from their new investors, REM purchased from Copper Canyon Coal Company an exclusive right of first refusal to acquire all of the mine's coal production in its first year after the resumption of coal production, contingent upon that occurring within nine months of the deal. Boundless joy swept Heavenly when word of the venture leaked out; the community seemed quite oblivious to the dark shadow cast over the mine's contingent resurrection by the fact that MSHA was nowhere near completing its accident investigation, much less to giving its blessing to the mine's reopening. If MSHA's Copper Canyon Coal Mine Accident Investigation Report were not issued by Christmas, there was no way the company could get back into the mine and get ramped up in time to meet REM's nine-month deadline when it came due in mid-July.

Pete's new suit got additional use when he and Laine together met with the Governor to urge him to use his influence to persuade the Colorado Congressional Delegation in Washington to pressure MSHA to expedite its report. The Governor, and then the Delegation, were each an easy sell. Hanging in the balance was the prospect of a successful new, high-tech company for a whole new industry grounded on Colorado coal, not to mention the extension of an economic lifeline to Heavenly, if not the possibility of its very salvation.

The Governor, the Delegation, and every governmental official in Southern Colorado were all acutely aware of the bleakness of Southern Colorado's economy, already struggling before the Copper Canyon Coal Company had been forced to lay off its entire workforce.

Heavenly and nearby communities were hanging on as best they could, boosted slightly by "retraining" grants from the Labor Department, ostensibly aimed at retraining former coal miners for other jobs, though it was not at all apparent that those "other jobs" existed anywhere in Southern Colorado. To more insightful and cynical observers, it appeared that the grants were, in reality, a mere pretext for putting additional state and federal money into local pocketbooks to partially sustain Heavenly's economy and its unemployed miners.

The town of Heavenly also tried to generate jobs and tax revenue by encouraging mine disaster tourism, a ghoulish but desperate attempt to capitalize on the still-fresh news of the past summer's Copper Canyon tragedy. Playing up the haunting truth that one miner was still unaccounted for and presumed entombed in the mine (a special draw around Halloween), the Town advertised weeklong travel packages featuring the dual allures of visiting the town and the minesite area for three days, followed by four days of camping, hiking, and fishing in Copper Creek and its ruggedly beautiful surroundings. Tours were led by actual coal miners who had worked at the mine and shared with the tourists tales of their real life experiences working in that mine and assisting in the rescue and recovery efforts. Nuggets of licorice "coal candy" and small souvenir lumps of coal, shiny with the lacquer specially applied to keep them from crumbling into dust, filled the black cotton "goody-bags" that each tourist received as a parting gift.

32

THE ACCIDENT INVESTIGATION
REPORT AND ITS AFTERMATH

ortunately for Heavenly the political pressures exerted by the Governor and the whole Colorado contingent in Congress were successful in prodding MSHA to complete and issue its accident investigation report in record time. The good news was that MSHA had concluded that the roof collapse that the methane explosion triggered was a localized event, the result of geologic faulting and slippage on a system of joints that were limited to the rock strata directly overlying the 3rd Right Section off the North Mains. Therefore, resuming operations in other sections of the mine and moving into adjacent coal reserves already under Copper Canyon's control would not pose any particular safety hazards that could not be adequately addressed by a new, properly designed roof control plan.

The bad news was that it was deemed unsafe to try to excavate the area of the fall to extract the buried mining machinery because of the danger that it could cause further slippage in the localized faulted and jointed zone in the overlying sandstone formation. Lucas's body would have to remain entombed along with the equipment he had maintained for Copper Canyon for the past decade.

In later years, Lucas came to be known as "The Man in the Mine." Stories spread about claimed encounters with his ghost, a spectral presence that haunted the mine's dark tunnels, especially during the Graveyard Shift. Though some miners reported that the Man in the Mine had warned them away from unsafe areas, others who had known Lucas discounted those claims out of hand. Rosie, for example, explained to the uninitiated that if Lucas really walked the mine as a ghost, then everyone needed to be warned that he surely would not be one of those friendly ones.

The loss of the equipment and the stranded coal reserves in 3rd Right was hardly the only bad news in MSHA's Accident Investigation Report. On the contrary, the Report blamed the company for causing the accident by its misconduct and announced that it was citing Copper Canyon for a long list of regulatory violations, a number of which were expressly designated as contributory to the accident. Of particular concern were the unwarrantable failure orders (issued contemporaneously with the issuance of the accident report itself) charging Copper Canyon Coal Company with the following contributory offenses:

- violating the prohibition on using non-permissible electric equipment (Lucas's smartphone camera) inby the last open crosscut;
- failing to maintain in permissible condition the methane monitor on the continuous mining machine;
- violating the prohibition on travelling or working under unsupported roof;
- failing to adequately support the mine roof where persons work or travel to protect miners from roof fall hazards;
- failing to adequately ventilate the working face to dilute methane to harmless levels;
- failing to conduct an adequate preshift examination of the mine prior to the Sunday Maintenance Shift;
- falsifying the pre-shift examination book by recording that a pre-shift was conducted for the Sunday Maintenance Shift though no such examination was conducted;
- failing to conduct an adequate on-shift examination during the Sunday Maintenance Shift;

- failing to provide the required annual refresher training to Lucas Jones before he began working after he was temporarily reinstated; and,
- falsifying the mine access tracking log, by identifying Carlos Ramirez and Ricardo Rodriquez as being underground with Lucas and Rosie on Sunday morning.

MSHA assessed $1.12 million in civil penalties for those contributory unwarrantable failure violations, deeming several of them "flagrant violations" and therefore subject to much higher penalty assessments. A number of other lesser violations were cited simultaneously, the result of MSHA's post-accident fine-tooth comb inspection of the rest of the entire mine at the outset of its accident investigation, though none were deemed serious or in any way related to the accident. Notably, there was no mention in the accident report or the accompanying MSHA press release of the embarrassing fact that the violations deemed to have contributed to the cause of the accident had all been committed by a miner whom the mine operator had fired for safety violations but whom MSHA had ordered the company to put back to work underground.

Of course, the previously scheduled depositions and all other proceedings in the litigation related to the discrimination complaint that the Secretary of Labor had filed with the Review Commission seeking an order permanently reinstating Lucas and assessing a civil penalty against the company for violating the Mine Act when it terminated him had been temporarily stayed when the accident occurred. Shortly after the Accident Investigation Report was issued, Tommy Menzies, the lawyer Copper Canyon had hired to defend it in the Mine Act discrimination litigation, having first informally obtained back-channel buy-in from MSHA's discrimination experts, filed a motion to dismiss the case altogether. There were a few hawks in the Labor Solicitor's Office who wanted MSHA to oppose the motion to dismiss and to continue to pursue the civil penalty for the violation, even while acknowledging that Lucas's death had mooted the claim for permanent reinstatement; although they contended that Lucas's death did not alter the fact that MSHA had determined that Copper Canyon had violated the Act when it terminated him because of his protected safety activities, their argument was rejected. MSHA's top leadership recognized the risk that pursuing the discrimination violation case could easily expose the agency and the whole Labor Department to national embarrassment by publicizing MSHA's singular contributory role in causing the accident by restoring Lucas to the mine, and so the agency's aggressive trial attorneys were overruled and the mine operator's unopposed motion to dismiss the case was promptly granted by Judge Carlson.

Shortly thereafter, both MSHA and Justice Department investigations of Pete Miller were quietly closed with no further action. During his interview with the MSHA Accident Investigation Team, George Delinsky, under oath, had testified that it was likely that the methane monitor on the continuous miner did not sound its alarm or shut off the continuous miner when Rosie had, at Lucas's command, begun cutting into the coal face, presumably releasing methane at or above the explosive 5 percent concentration, because Lucas had disabled the methane monitor for him during an earlier production shift. Under intensive and skeptical questioning by the Accident Investigation Team, Delinsky had admitted that Lucas had done it for him many times before and that the monitor had always remained disabled until someone like Pete Miller discovered the problem and restored the monitor to functionality.

Delinsky also revealed that, in retaliation against Pete Miller for reporting Lucas's insubordination and violation of company safety rules to HR for disciplinary purposes, which had been the last straw leading to Lucas's termination, Lucas had reported to MSHA the subsequent methane monitor violation, a hazard that Lucas himself had created, falsely claiming that it was Pete Miller who had disabled the monitor. Delinsky admitted also that Lucas had forced him to give false testimony to MSHA by corroborating Lucas's allegations against Pete when MSHA had investigated Lucas's hazard complaint about the disabled methane monitor, and that he had only yielded to Lucas's demands because Lucas threatened to reveal to MSHA and to Laine that it was actually Delinsky himself who had requested the disabling of the methane monitor.

Delinsky accused Lucas of blackmailing him into giving that false testimony and also false testimony about Pete's giving advance notice of an MSHA inspection, as well as into helping out in Lucas's porn shop and with child care for Isaac by threatening to expose Delinsky's longstanding arrangement with the mine guards to alert him to the arrival of any MSHA inspectors before the Afternoon Shift so he would have some lead time to bring his section into compliance before any inspector made his way onto the section. When asked by the Accident Investigation Team whether that is what had happened the day Inspector Dyer was told by Lucas, George, and Ricardo Rodriquez that Pete Miller had given them advance notice of Dyer's inspection, Delinsky recounted for them the unusual sequence of events that occurred that day, explaining that on that one day, Pete had indirectly and unintentionally given advance notice by giving the guards at the gate the children's' books for them to pass along to Dyer whenever he arrived, and that it was the guards who improperly used that information to alert George to the fact that an inspection was imminent.

When Inspector Dyer had been interviewed by the MSHA Accident Investigation Team, after their interview with Delinsky, Dyer confirmed that the guards had given him the books for his children the moment he arrived to conduct his inspection that day, acknowledging to the Investigators and to himself for the first time that it must have been his wife who inadvertently gave the unlawful advance notice to Pete's wife.

Delinsky agreed to immediate retirement at Copper Canyon's insistence and the gate guards were terminated. Though the Government gave serious consideration to prosecuting Delinsky and the guards, no decision one way or another had yet been made. No more than brief, passing consideration was given to prosecuting Dyer for giving advance notice of his inspection to his wife or to prosecuting Donna Dyer for giving advance notice to Christy Miller, much less prosecuting Christy for giving advance notice to Pete, though under the literal language of the statute, all of them were technically guilty. But Dyer's reputation was nevertheless seriously tarnished by the entire episode. There were some in the agency who could not help but wonder if Dyer's personal bias against Copper Canyon Coal Company had caused him to misjudge Lucas's credibility and the legitimacy of Lucas's discrimination case, and to assume the worst of Pete Miller, ultimately causing the massive waste of agency resources by recommending both misguided investigations of Miller and thus indirectly contributing to a mine accident that better investigative work by at the outset might have forestalled. Of course, human nature being what it is, Dyer was oblivious to all that, his only regret being that he had not pursued his idea about trying to persuade

MSHA to install CCTV cameras in the mine – had Lucas been worried that he might be under video surveillance underground, Dyer was convinced that none of this would have happened.

After the issuance of the Accident Investigation Report, with its clearance for the resumption of mining at Copper Canyon, Laine had taken the insurance proceeds the company had finally recovered and gone ahead with the acquisition of a new continuous miner (equipped with remote controls and a scrubber to clean respirable dust from the air), a state-of-the-art twin-head roof bolting machine, two shuttle cars, and another diesel scoop, hedging his bets just a little with a lease/purchase contract. He also purchased a used belt feeder, additional belt structure and rollers and additional lengths of fireproof conveyor belt material.

With the new equipment, Laine succeeded in getting the mine back into production in plenty of time to satisfy the nine-month contingency in the new supply contract with REM LLC. By that time, however, new storm clouds were ominously gathering to threaten Laine's sunny outlook for the mine's resurrection. While Laine had been immersed in addressing the various practical hurdles that had to be overcome to get the mine back into production, teams of lawyers – for the insurance carriers, for the power plant, and for Rosie Rodriquez and the other miners – had also been hard at work studying the MSHA Accident Investigation report.

The lawyers for the mine's insurance carriers struck first. In their review of the MSHA Report, they found the inspiration to identify, and all the ammunition they needed to assert, a solid defense to their insurance coverage obligations. They notified Copper Canyon that MSHA's determination that the accident had been caused by the company's intentional acts in violation of federal safety regulations excluded the mine from eligibility for any insurance recovery for its consequent losses under the terms of the policies. Accordingly, they gave Copper Canyon 30 days to refund to the insurance company the full amount of the insurance proceeds it had received or be faced with a lawsuit alleging fraud and unjust enrichment and seeking to recover also punitive damages and attorneys' fees far in excess of the insurance proceeds that had been paid.

Pioneer Mesa was similarly inspired. It seized upon the news that MSHA had charged Copper Canyon with regulatory violations that had caused the accident and promptly advised Copper Canyon that it had directed its attorneys to initiate arbitration proceedings to recover damages for breach of the coal supply contract. By certified letter, the power plant advised Copper Canyon that, based on MSHA's findings, the "accident" which rendered Copper Canyon unable to meet its coal supply contract obligations was the result of the mine's own misconduct and not an "Act of God" as had been claimed; therefore, Copper Canyon's failure to perform as required was not excused under the force majeure clause of the contract. Accordingly, Copper Canyon owed damages to Pioneer Mesa for breach of contract. Although the power plant had, as required by the contract, succeeded in mitigating its damages from the breach by obtaining another supply of coal to cover the Copper Canyon shortfall, it alleged that the cover coal was $10 per ton more expensive than the Copper Canyon contract price, and that consequently Copper Canyon owed Pioneer Mesa $3,000,000, the difference in price for the 300,000 tons of coal Copper Canyon failed to deliver for the last year of the contract.

Rusty Justus Jones and Associates also were rewarded for their scrutiny of the lengthy MSHA report. Until the report was issued, the veteran plaintiffs' lawyers had feared that the Company might be largely, if not entirely, absolved from liability, based on what they had learned from Susan Wu's attendance at the Accident Investigation Team's witness interviews. They were well aware that overcoming the bar on employer tort liability under the Colorado Workers' Compensation statute would require evidence of reckless or intentional misconduct by Copper Canyon, and were thus highly concerned that the witness testimony reinforced the information that their clients, particularly Rosie Rodriquez, had confidentially shared with them, that all pointed to the misconduct of Lucas Jones as the cause of the accident, and the company's practical inability to have prevented it. While the evidence implicated MSHA also as potentially liable for the miners' damages, because of its role in forcing the company to temporarily reinstate Jones, tagging MSHA with legal liability would nonetheless be a longshot, especially if the Agency succeeded in claiming that its actions in pressing for temporary reinstatement had been compelled by the Mine Act. But the accident report banished all those concerns, making formal factual findings that the accident had instead been caused by Copper Canyon's violations of Mine Act safety and health regulatory standards. Its findings of the company's "flagrant" violations and "unwarrantable failures" to comply with the law were just the kind of evidence that Rusty Justus Jones had been hoping for as the ticket he needed to successfully end run the Workers' Compensation bar on employer liability. The law firm promptly filed its lawsuit on behalf of Rosie and a group of other miners who claimed to have suffered emotional distress from the accident or been injured in the rescue efforts, seeking $100 million dollars in compensatory and punitive damages from the company in state court in Trinidad, while also filing an administrative claim with the U.S. Department of Labor for damages under the Federal Tort Claims Act, a necessary predicate for a subsequent lawsuit against MSHA in federal court.

Between the fraud and unjustified enrichment claims asserted by its insurance carriers, the breach of contract claim brought by Pioneer Mesa, and the personal injury lawsuit brought by the miners, Copper Canyon Coal Company's resurrection and Heavenly's salvation were seemingly thrown into almost certain fatal jeopardy, just as the celebrations were beginning.

33

HOPE FOR HEAVENLY'S FUTURE

To try to defeat or at least seriously blunt those claims, Copper Canyon hired Tommy Menzies to contest the MSHA citations and orders at the Review Commission and to seek to get the findings of the Accident Investigation Report vacated as arbitrary and capricious, if not by the Review Commission itself then by a federal district court under the Administrative Procedure Act. Though Menzies did not come cheap, it was reluctantly determined that his fees were more than justified by the many millions of dollars in liabilities Copper Canyon was facing if MSHA's findings were not overturned.

Stricken with distress over these unanticipated new threats to the viability of the company and the community, Laine and Ralph met with Menzies in Laine's conference room at the mine to explain the facts from their perspective and then to try to map out a preliminary litigation strategy. Bringing decades of experience to their defense, Menzies, who was already familiar with much of the relevant background since he had been handling the company's defense in the Lucas Jones discrimination case, was able to inspire some desperately needed hope in Laine and Ralph. In contrast to Montoya, he was obviously a master of Mine Act law and practice, knew the judges and the MSHA attorneys from the trial attorneys on up to the Associate Solicitor himself, and, as they had already seen in the discrimination case, was smart and self-assured in a modest, extremely likeable way. Though an Ivy League graduate, he was thoroughly unpretentious, having been in his younger days a hippie and a housepainter, a social worker and itinerant manual laborer, having taught in ghetto schools and walked in many moccasins across America before going to law school. His slightly shaggy, brown hair now mostly gray as he approached his 70th birthday, his customary outfit of "dress" jeans and oxford shirts better reflected the man than the tailored suits he wore to court and to meetings with opposing counsel. Laine and Ralph had felt confidence in him from the very beginning of their relationship and, after the agonies and anxieties they had just endured with the mine accident and then fleetingly and joyfully thought they had left behind when they reached the deal with REM, LLC, they needed all the confidence they could muster now to survive the next round of battles that had suddenly appeared and loomed ominously ahead.

Menzies explained that Copper Canyon's legal contest of the MSHA citations and orders would likely take more than a year to litigate before they could obtain a decision from an ALJ, and then, after that, probably close to another year for a decision in the likely appeal to the Review Commission, whichever side prevailed before the ALJ. In fact, Menzies predicted, there were so many issues at play that it was likely both sides would wind up appealing different parts of the ALJ decision. Then, if either side, or both, appealed the Review Commission's decision to the federal court of appeals in Denver or the one in Washington, D.C., you could almost certainly tack on another year before a final decision on whether MSHA's citations and orders were valid and should become final.

That was fortunate because none of MSHA's $1.12 million in proposed civil penalty assessments could come legally due and payable before then, and the civil penalties for even those alleged violations that were upheld, if any, could themselves be contested by the company and perhaps much reduced in size as a result. Menzies explained that there were two reasons for that. First, he believed that many of the unwarrantable failure orders MSHA issued were "over-written," meaning that they were overly aggressive in their allegations against the company and therefore vulnerable to challenge. He pointed out that the company had very strong defenses to MSHA's findings: (1) that the violations, if valid at all, had contributed to causing the accident; (2) that any of the violations met the definition of a "flagrant violation;" and (3) that any of the violations were the result of the unwarrantable failure of the mine operator to comply with the mandatory regulatory standard allegedly violated.

Although mine operators were subject to strict Mine Act liability for any violations that occurred at their mines, regardless of whether they were unknown to the operator and not even the operator's fault, violations committed by an hourly miner on his own initiative generally could not be properly classified as "unwarrantable failures" or "flagrant violations" and subject to the enormously increased civil penalties that such violations entailed. Since the vast majority of the alleged unwarrantable failure and flagrant violations, including all of the alleged contributory violations, were committed by Lucas, Menzies was optimistic that those orders could be invalidated on that basis.

Second, Menzies explained, the size of the civil penalty for any citation or order that was upheld could well be reduced, because the Mine Act designates the Review Commission, not MSHA, as the entity that ultimately determines the appropriate size of a contested civil penalty. As with severity of the citations and orders themselves, Menzies believed that most of MSHA's civil penalty proposals were "over-assessed." According to the Mine Act, the criteria to be considered in assessing civil penalties for violations of the Act and MSHA's regulations included the mine operator's history of prior violations, the appropriateness of the civil penalty to the size of the mine operator's business, whether the operator was negligent, the effect of the civil penalty on the operator's ability to continue in business, and the gravity of the violation. Even if the Commission were to reject Copper Canyon's substantive challenges to the alleged violations, Menzies expressed optimism that the Commission would almost certainly have to conclude that many if not most of the statutory penalty criteria militated strongly in favor of lower penalties.

Worst case, he assured them, any obligation to pay any civil penalty, much less the full $1.12 million MSHA had proposed, was at least three years down the road. In the meantime, that would give Copper Canyon substantial breathing room and time to get back on its feet to expand production to meet what everyone was hoping would be the growing needs of its new customer, REM, and perhaps others.

Accordingly, they agreed that their next move should be to seek to persuade the insurance carrier, the power plant, and the miners' lawyers each to agree to a stay of their respective litigation and arbitration claims against Copper Canyon. Failing their agreement to do so, Menzies would file motions requesting the courts to stay the insurance coverage and personal injury litigation and another motion requesting the arbitrator to stay the breach of contract case pending the outcome of Copper Canyon's contest of the MSHA citations and orders. Since all three cases were entirely predicated on the validity of MSHA's Accident Investigation Report findings, Menzies radiated optimism that those proceedings would be stayed and that, in any event, any resulting liabilities would not accrue for more than three years off in the future. Similarly, the state court personal injury claims filed by Rusty Justus Jones and Associates, were also predicated entirely on MSHA's determination that the accident was caused by Copper Canyon's extreme misconduct, and so would have to be stayed as well, pending completion of the litigation challenging MSHA's findings.

Since the sky was no longer falling, and Menzies was buying them at least three years to operate before any such liability calamities could befall them, Laine was substantially relieved, but not satisfied. Even if Copper Canyon were completely successful in the end, after the three plus years of litigation that lay ahead, prevailing over MSHA, Rusty Justus Jones, Pioneer Mesa, and the insurance companies, Laine protested, the cost of all that litigation would be steep and there would be a cloud of potential liability hovering over the company for all those intervening years. Not only had Copper Canyon Coal Company been devastated by the accident and its aftermath, Laine lamented, but the entire community had been crippled and traumatized.

Laine's protest was well-founded. The months of unemployment, lost profits, lost income and health insurance coverage, the suffering of economic and attendant psychic anxiety and social stresses had scarred the company and all of its employees. The town of Heavenly had been badly damaged and shaken. When you factored in the spillover, collateral consequences which multiplied the misery across the entire town and beyond, it was undeniable: an enormously cruel human tragedy had occurred. Yet, none of it could be undone by overturning MSHA's charges and prevailing in litigation over the claimants who sought to capitalize on them.

But the tragedy weighed more heavily on Laine than on almost anyone else. Laine was not only a man whose life's work, nurturing that coal mining business and providing a livelihood for scores of men and women in Heavenly, directly and indirectly, had been shattered. He had also been further traumatized as the leader of the local LDS community in his inability to continue to meet either its spiritual or economic needs since the accident. Though evil had not yet finally triumphed, it seemed to have good on the run, if not yet down for the count. As strong and resilient a man as he had always been, the ordeal of the accident and its aftermath had so devastated Laine that it was taking every ounce of his prodigious faith and willpower to persevere.

As this tragedy weighed down on him, he looked with obvious anguish into Tommy Menzies's eyes as he sat across from him in the conference room long-vacated by the Temporary MSHA Command Center team. Laine's face clearly reflected the aching empathy and righteous anger consuming him. He rose to his feet, pounded his right fist on the conference table, and in violation of his Church's teachings, cried out, "God damn it, MSHA is responsible for this whole tragedy. If MSHA had not forced us to reinstate Lucas, none of this would have happened." He shouted out again with greater fury, "*None* of it!"

His voice, deep and commanding as always, but shaking with the intensity of his aggrieved hunger for justice, poured out the questions he needed answered: "Isn't there something we can do to expose them for the enormous tragedy they have inflicted on this community? Isn't there some way to expose their gross hypocrisy? Isn't there some way we can make them pay?"

Menzies was deeply moved. But he knew he did not have answers worthy of the questions. There was no answer that could do justice to Laine's cry for justice. The best he could offer was to assure Laine that he felt his pain, he shared his pain, and that he fully agreed that prevailing in the upcoming litigation against MSHA would not come anywhere close to delivering the justice that Laine and the whole community deserved. He promised Laine that he would look into the possibility of broader legal remedies.

What Menzies did know but did not tell Laine then was that many a mine operator had expressed similar frustrations to him over the years.

For all the extraordinary good that MSHA had done and was doing for miners, for the mining industry, and for society, and despite all the lives it had saved since its enactment, the Mine Act was in some ways a cruelly blunt instrument for achieving the safety and health goals Congress had set for it, leaving an unfortunate trail of collaterally shattered fortunes along the way. Parts of the Mine Act, like the temporary reinstatement provisions, cried out for reform, but its sanctity as a hard-won and precious victory for labor over management in the mining industry, putting miner safety above industry profits, had turned it into a sacred cow, politically shielded from even well-intentioned legislative improvements, which were at any rate always suspected of being disguised attempts to weaken its legitimate protections for mine workers.

The unintended adverse consequences of a well-intentioned but flawed statute were exacerbated by the insoluble problem that it could only be enforced by the flawed human characters who manned the agency assigned to administer it, the weakest link in the chain of protections in the Mine Act's health and safety net. Angels being unavailable for such earthly duties, the federal Office of Personnel Management had no choice but to recruit from a baser earthly pool to people MSHA's ranks. One could but hope that those who sought jobs devoted to the protection of miners' health and safety would be self-selected as well-meaning and dedicated more to the public interest than their own self-interest, and that OPM would screen out the worst of the rest. Sometimes blinded by the righteousness of their mission, and by the self-importance and arrogance which can accompany it, oblivious to their own shortcomings, misperceptions, and biases, the mistakes and, though rare, sometimes even intentional misdeeds of MSHA inspectors and their supervisors too often went undetected and uncorrected. The legal system too often insulated them from sanction or any other consequences for their actions, while denying their occasional victims any compensation or other redress.

As Menzies was acutely aware, the federal government and its agents are broadly protected from liability by the law of sovereign immunity, so it was extremely rare for a person to recover compensation for damages suffered as a result of the mistakes or misdeeds of federal agents in the exercise of regulatory powers. Many a mine operator had been forced to confront the harsh reality that, after suffering hundreds of thousands of dollars in lost revenues when MSHA mistakenly issued a withdrawal order that shut down its operations for alleged violations only later to see that order invalidated by the courts as unjustified, there is virtually no way to obtain a monetary recovery from the federal government for its regulatory mistakes. A claim against MSHA for an unconstitutional taking of property without just compensation sometimes seemed as if it might work but such claims have never succeeded. To circumvent the government's sovereign immunity in a case of great inequity, the courts had on rare occasion recognized the viability of what was called a *"Bivens"* claim against federal officials in their individual capacities for violating a person's constitutional rights, but this doctrine had gotten little traction in the courts in recent decades and had never been successfully asserted against MSHA personnel by a mine operator.

Other than the longshot political remedy of getting Congress to pass a "special bill" compensating the company and the community because of MSHA's role in causing the Copper Canyon calamity, there was only one possibility that Menzies could think of and would explore. In the Federal Tort Claims Act, Congress had opened a small window for the recovery of monetary damages with a limited waiver of the government's sovereign immunity. Perhaps he could put together such a case against MSHA, especially since he had heard that Rosie Rodriquez and the other miners represented by Rusty Justus Jones and Associates were already pursuing that option. A number of FTCA cases had been brought against MSHA over the years by the estates or surviving family members of miners killed in mine accidents, blaming MSHA for its negligence in failing to discover and prevent the underlying hazards. Though Menzies believed that none of those claims had ever ultimately been decided against MSHA, because, among other things, the FTCA contained a "discretionary function" exemption which MSHA was usually able to invoke to avoid liability, he recalled that several had gotten traction, survived MSHA's motions to dismiss, and advanced through various stages of litigation. He remembered one case in particular, the *Ayala* litigation which arose out of the 1981 disaster at Mid-Continent's Dutch Creek No. 1 Mine right here in Colorado, where the families of the deceased miners successfully appealed the initial dismissal of their claims based on the government's discretionary function defense. But they were ultimately unable to prevail because the court later determined *after 14 years of litigation* that MSHA owed no duty of care to the plaintiffs under Colorado law and so was not liable for its negligent inspection which had failed to discover that the lighting on the continuous miner was improperly installed, preventing the methane monitor from deenergizing it when methane flooded the area.

But it was entirely possible, Menzies reasoned, that there were some unpublished cases out there where MSHA had confidentially settled with the miners' families or other claimants to avoid risking a dangerously costly precedent which might otherwise lead to a flood of such claims. He would need to do his research on this, he knew, but the Copper Canyon accident was such an egregious case, where so much damage had been suffered by so many people as a result of MSHA's forcing Copper Canyon to reinstate a ticking human time-bomb, that perhaps such a compelling case could be made that they would be able to persuade MSHA to settle with them, if only to avoid the embarrassing public outcry that would result if the tragic consequences of its misguided actions became known. Alternatively, perhaps existing case law could be stretched just a little further, Menzies wondered, if necessary to compensate a grievously wounded community and to send a message to MSHA, a message that badly needed sending, that sometimes blind application of the law must give way to common sense flexibility, and that the interests of workplace safety can be better served by recognizing that there are miners who will try to manipulate the agency and exploit the protections of the law for their own selfish, even evil, purposes. Menzies resolved to at least try, lest relief for Heavenly remain "pie in the sky."

During the drive down the canyon after leaving his meetings with Laine and Ralph at the mine office, Menzies reflected on the tragic irony of Lucas's Temporary Reinstatement and was struck anew by the realization that "Zero Fatalities" would never be more than an aspirational fantasy. Between well-intended but flawed, sometimes counter-productive mine safety laws, their flawed enforcers, interpreters, and adjudicators, and the flawed, sometimes greedy but more often careless, members of the mining community, not to mention the few evil ones among them, the laudable goal of "Getting to Zero" was always going to be elusive. Menzies was despairing of man's fate: abandoned by God – or had we abandoned Him, as we chose to rely on science and technology as the more dependable route to salvation. So far, that was at best a work in progress.

At that moment, he drove past Lucas's Lingerie and Adult Video Shop. It was dark and shuttered, apparently abandoned. He had learned from Ralph, who had gotten the whole story from Christy Miller, who had, as a courtesy, gotten it from DCW Investigator Henry Flanders, all about the raid jointly conducted by the County Department of Social Services, the County Sheriff, and the CBI not long after the mine accident. When Flanders had heard about an accident at a mine operated by Copper Canyon Coal Company, it had reminded him that he still had an open case up there involving one of its employees. He had been patiently waiting for further information from the CBI about Lucas and his connection with MBL LLC before proceeding with his own investigation. Patience in such a matter, of course, comes more easily when you are totally preoccupied with other matters, and, frankly, more obviously urgent and immediate family tragedies had been consuming Flanders's time and attention, so he had not been pressing the CBI to get back to him. But news of the Copper Canyon Coal Mine accident had caught his attention and reminded him that his follow up on Isaac's case was long overdue.

It did not occur to Flanders that Lucas Jones might be a victim or that the accident had in any way affected Isaac's situation. Though he had read that one miner was unaccounted for and presumed trapped underground by the mine collapse, the media were not reporting the name of the victim at the time in order to protect his privacy and the interests of any family members until they could be notified.

With the case back on his radar screen, Flanders called his CBI contact in Colorado Springs for an update. Though the FBI and Interpol had not yet completed their investigations, they had alerted the CBI that the matter was quite active on their end and had been escalated at the Hague based on preliminary indications that MBL LLC was *very* dirty, a key player in a worldwide human trafficking operation.

That was enough to spur Flanders into action. He called Christy Miller before making his next move, the promised meeting with Lucas (with Flanders wearing a wire to document the transaction) to arrange for Isaac's services. As Flanders explained to Christy, he was just checking for any last-minute information about Lucas and Isaac that she might have picked up from Pete or around town. To his shock, she reported that Pete had shared with her the name of the missing miner. It had been a week since the accident, and Flanders was alarmed that Isaac may have been left alone, forgotten and abandoned at Lucas's place all that time.

Flanders had then driven straight to Heavenly and found Lucas's business dark. The neon sign was turned off, no one answered at the doors to either the store or Lucas's apartment. Both were locked, and the windows were shuttered. Flanders called the CBI for direction, whereupon they dispatched local agents and looped in the County Sheriff, who all then met Flanders in the porn shop's parking lot within the hour. Given the information that Lucas was trapped underground or perhaps even deceased, they agreed that a potential child welfare emergency justified a forcible warrantless entry and search of the premises.

Isaac did not answer as they kept calling out his name while they exhaustively searched the store and the residence. What they did find was eerie; the store and the residence were not just deserted, they were both *starkly* empty, suggesting not only that the occupants had moved out, but that the place had been systematically cleaned out, as well. The shelves that had been overflowing with videos, magazines, lingerie, and sex toys when Flanders had visited it were now stripped bare, and most of the shelving itself had been removed. No clothing was hanging in the closets, and nothing was in the dresser drawers because there were no dressers, no furniture at all. When the CBI began dusting for fingerprints, the agents were astonished to discover that every surface had been wiped clean to eliminate all fingerprints – from door knobs and built-in countertops to walls and window sills.

There was only one clue they could find in the whole building, but it was a gut-wrenching one: a business card was left on the counter where the cash register had been, with the name "Debt-Masters Recovery Services" printed on it. Below that, the subscript read: "A Unit of Congo Collections – New York, London, and Kinshasa."

Flanders and the law enforcement officials puzzled over the situation until it dawned on Flanders that MBL LLC had foreclosed on its lien on the property and everything, including Isaac, had been repossessed.

An Amber Alert was issued for Isaac and missing children's bureaus all across the country were asked to be on the lookout for him. Fortunately, they had that photograph of him that the reporter for the *Trinidad Times* had taken after the Temporary Reinstatement hearing for his profile piece on Lucas, and that was emailed to the authorities as well as the media.

Denny and Donna Dyer were crushed. Denny had been drawn to Isaac the day he met him at the hearing in Pueblo, looked into those trusting but needy dark eyes, and felt touched by that generous warm smile. When Lucas had been trapped and presumed dead after the accident and unsuccessful recovery efforts, it had occurred to Dyer that Isaac would be needing a new family to adopt him, and the huge-hearted Donna was game, though she wanted to meet him first to be sure. They contacted the County Department of Social Services to see if, after Lucas's death, Isaac would become available for re-adoption, eagerly volunteering themselves for that assignment. Though their efforts were rebuffed, they were not told what had happened. The County Adoption Services Coordinator merely informed them, too curtly but with a just-detectable note of compassion, that "Isaac is no longer under our jurisdiction."

As Menzies connected his smart phone to the rental car's sound system, and bluegrass gospel music began to fill the air, he had much to ponder. Amidst all the earthly pain and aching sense of loss, it was clear that neither technology nor regulatory resolve would be enough to fill the void, but at least there was still hope for justice and salvation, on this Earth and beyond.

LEGAL REFERENCES

Citations to "U.S.C." are to the United States Code. Citations to "C.F.R." are to the Code of Federal Regulations. Those citations, court and Commission case decisions, and any other legal references in the text and below can be obtained via internet search engines.

PROLOGUE

The Federal Mine Safety and Health Act of 1977, 30 U.S.C. § 801 et seq., created the Mine Safety and Health Administration ("MSHA") as an agency within the U.S. Department of Labor to regulate occupational safety and health at the Nation's mines.

CHAPTER 3

The quotation regarding the miner being America's "most precious resource" is from the Mine Act Section 2(a), 30 U.S.C. § 802(a).

CHAPTER 8

The elevator case anecdote regarding protected work refusals is from a case decided by the Federal Mine Safety and Health Review Commission, an agency created by the Mine Act to adjudicate enforcement disputes between MSHA, mine operators, and miners arising under the provisions of the Act. The decision is reported as *Secretary of Labor on behalf of Hogan and Ventura v. Emerald Mines Corp.*, 8 FMSHRC 1066 (July 1986).

The circumstances that dictate when a citation should be issued are set forth in Mine Act Section 104(a), 30 U.S.C. § 814(a).

The quoted statement explaining the exception to the due process clause's requirement that a person be granted a hearing before being deprived of his property or liberty when necessary to protect public health and safety is from *Brody Mining, LLC*, 36 FMSHRC 2027 (August 2014), citing *Hodel v. Virginia Surface Mining Association*, 452 U.S. 264, 300 (1981), inter alia.

CHAPTER 9

The federal statute requiring all larger employers to give their employees at least 60-days' notice before laying them off is the Worker Adjustment and Retraining Notification Act of 1988, 29 U.S.C. § 2101, et seq.

CHAPTER 10

The hazard complaint provision of the Mine Act is Section 103(g), 30 U.S.C. § 813(g).

The provision of the Mine Act that requires operators to continue the pay of idled miners is Section 111, 30 U.S.C. § 821.

The anti-discrimination section of the Mine Act which prohibits any person from retaliating against a miner for engaging in protected safety activities, including making safety complaints, is Section 105 (c)(1)-(2), 30 U.S.C. § 815(c)(1)-(2). It provides as follows:

"(1) No person shall discharge or in any manner discriminate against or cause to be discharged or cause discrimination against or otherwise interfere with the exercise of the statutory rights of any miner, representative of miners or applicant for employment in any coal or other mine subject to this chapter because such miner, representative of miners or applicant for employment has filed or made a complaint under or related to this chapter, including a complaint notifying the operator or the operator's agent, or the representative of the miners at the coal or other mine of an alleged danger or safety or health violation in a coal or other mine, or because such miner, representative of miners or applicant for employment is the subject of medical evaluations and potential transfer under a standard published pursuant to section 811 of [this Act] or because such miner, representative of miners or applicant for employment has instituted or caused to be instituted any proceeding under or related to this chapter or has testified or is about to testify in any such proceeding, or because of the exercise by such miner, representative of miners or applicant for employment on behalf of himself or others of any statutory right afforded by this chapter.

(2) Any [person]discharged, interfered with, or otherwise discriminated against by any person in violation of this subsection may, within 60 days after such violation occurs, file a complaint with the Secretary alleging such discrimination. Upon receipt of such complaint, the Secretary shall forward a copy of the complaint to the respondent and shall cause such investigation to be made as he deems appropriate. Such investigation shall commence within 15 days of the Secretary's receipt of the complaint, and if the Secretary finds that such complaint was not frivolously brought, the Commission on an expedited basis upon application of the Secretary, shall order the immediate reinstatement of the miner pending final order on the complaint. If upon such investigation, the Secretary determines that the provisions of this subsection have been violated, he shall immediately file a complaint with the Commission with service upon the alleged violator and the miner, applicant for employment, or representative of miners alleging such discrimination or interference and propose an order granting appropriate relief. The Commission shall afford an opportunity for a hearing (in accordance with section 554 of title 5, United States Code,

but without regard to subsection (a)(3) of such section) and thereafter shall issue an order, based upon findings of fact, affirming, modifying, or vacating the Secretary's proposed order, or directing other appropriate relief. Such order shall become final 30 days after its issuance. The Commission shall have authority in such proceedings to require a person committing a violation of this subsection to take such affirmative action to abate the violation as the Commission deems appropriate, including, but not limited to, the rehiring or reinstatement of the miner to his former position with back pay and interest. The complaining miner, applicant, or representative of miners may present additional evidence on his own behalf during any hearing held pursuant to this paragraph."

CHAPTER 14

Failure-to-abate withdrawal orders are provided for in Mine Act Section 104(b), 30 U.S.C. § 814(b).

Mine Act Section 104(d), 30 U.S.C. § 814(d), provides for the issuance of increasingly severe sanctions for violations caused by the operator's unwarrantable failure to comply. The courts have held that an unwarrantable failure to comply means "aggravated conduct, constituting more than ordinary negligence" and characterized by "indifference," "a serious lack of reasonable care," "reckless disregard," or "intentional misconduct." See *Emery Mining Company*, 9 FMSHRC 1997 (1987) et al.

CHAPTER 16

Mine Act Section 101(c), 30 U.S.C. § 811(c), provides for the Secretary of Labor to grant a waiver of a particular safety standard as it applies to a specific mine where the operator files a petition for modification demonstrating that the modified standard would be just as safe as the standard itself or that the application of the standard would result in a diminution of safety at the mine.

CHAPTER 19

Commission Rule 45, 29 C.F.R. 2700.45, governs how applications for temporary reinstatement may be challenged and litigated.

Two Review Commission decisions establish the principles which govern the establishment of and challenges to claims of Mine Act discrimination law in general. As summarized by the Review Commission, the governing *Pasula-Robinette* test is as follows: "A complainant alleging discrimination under the Mine Act establishes a prima facie case of prohibited discrimination by presenting evidence sufficient to support a conclusion that the individual engaged in protected activity and that the adverse action complained of was motivated in any part by that activity. *See Driessen v. Nev. Goldfields, Inc.*, 20 FMSHRC 324, 328 (Apr. 1998); *Sec'y of Labor on behalf of Pasula v. Consolidation Coal Co.*, 2 FMSHRC 2786, 2799 (Oct. 1980), *rev'd on other grounds sub nom. Consolidation Coal Co. v. Marshall*, 663 F.2d 1211 (3d Cir. 1981); *Sec'y of Labor on behalf of Robinette v. United Castle Coal Co.*, 3 FMSHRC 803, 817-18 (Apr. 1981). The operator may rebut the prima facie case by showing either that no protected activity occurred or that the adverse action was in no part motivated by protected activity. *See Robinette*, 3 FMSHRC at 818 n.20. If the operator cannot rebut the miner's prima facie case by showing either that no protected activity occurred or that the adverse action was in no part motivated by protected activity, it nevertheless may defend affirmatively by proving that it also was motivated by the miner's unprotected activity and would have taken the adverse action for the unprotected activity alone. *See id.* at 817-18; *Pasula*, 2 FMSHRC at 2799-800; *see also E. Assoc. Coal Corp. v. FMSHRC*, 813 F.2d 639, 642-43 (4th Cir. 1987) (applying *Pasula-Robinette* test)." *Sec'y of Labor on behalf of Terry McGill v. U.S. Steel Mining Co., LLC*, 23 FMSHRC 981 (Sept. 24, 2001).

CHAPTER 20

The Wyoming mine case which became the leading precedent upholding the walkaround rights of a non-miner miners' representative is *Thunder*

Basin Coal Co. v. Federal Mine Safety and Health Review Commission, 56 F.3d 1275 (10th Cir. 1995).

CHAPTER 22

The Review Commission's *Hopkins County Coal* decision is reported at 28 FMSHRC 1317, at 1326 (June 2016).

CHAPTER 23

The "frivolously brought" temporary reinstatement standard was authoritatively interpreted in the *Jim Walter Resources* case reported at 920 F.2d 738 (11th Cir. 1990).

Oral accident control orders are authorized by Mine Act Section 103(j), 30 U.S.C. §813(j), which provides: "In the event of any accident occurring in any coal or other mine, the operator shall notify the Secretary thereof and shall take appropriate measures to prevent the destruction of any evidence which would assist in investigating the cause or causes thereof. For purposes of the preceding sentence, the notification required shall be provided by the operator within 15 minutes of the time at which the operator realizes that the death of an individual at the mine, or an injury or entrapment of an individual at the mine which has a reasonable potential to cause death, has occurred. In the event of any accident occurring in a coal or other mine, where rescue and recovery work is necessary, the Secretary or an authorized representative of the Secretary shall take whatever action he deems appropriate to protect the life of any person, and he may, if he deems it appropriate, supervise and direct the rescue and recovery activities in such mine."

MSHA policy requires that, as soon as an MSHA inspector arrives at the mine where an accident has occurred, the inspector shall issue a superseding written accident control order pursuant to Mine Act Section 103(k), 30 U.S.C. §813(k), which provides: "In the event of any accident occurring in a coal or other mine, an authorized representative of the Secretary, when present, may issue such orders as he deems appropriate to insure the safety of any person in the coal or other mine, and the operator of such mine shall obtain the approval of such representative, in consultation with appropriate State representatives, when feasible, of any plan to recover any person in such mine or to recover the coal or other mine or return affected areas of such mine to normal."

CHAPTER 32

30 C.F.R. 75.500 prohibits using non-permissible equipment inby the last open crosscut.

30 C.F.R. 75.342(a)(4) requires that methane monitors be maintained in permissible condition.

30 C.F.R. 75.202(b) prohibits working or traveling under unsupported roof.

30 C.F.R. 75.202(a) requires adequate roof support in areas where persons work or travel.

30 C.F.R. 325(a)(1) requires ventilating the working face to dilute methane to harmless levels.

30 C.F.R. 75.360(a)(1) requires that each mine be examined for violations and hazardous conditions prior to the start of every working shift.

30 C.F.R. 75.360(g) requires keeping accurate records of every preshift examination. Falsification of those records is a felony under Mine Act Section 110(f), 30 U.S.C. § 820(f).

30 C.F.R. 75.362(a)(1) requires that each mine be examined for any violations and hazardous conditions at least once during each shift.

30 C.F.R. 48.8(a) requires that each miner receive at least 8 hours of refresher safety and health training annually.

30 C.F.R. 75.1715 requires that each mine maintain a check-in/check-out system identifying who is underground at all times. Mine Act Section 110(f), 30 U.S.C. § 820(f), makes it a felony to falsify those records.

Mine Act Section 110(b)(2), 30 U.S.C. § 820(b)(2), provides that a civil penalty of up to $220,000, or what was then more than three times the statutory maximum penalty of $70,000 per violation for all other types of violations, can be assessed for a "flagrant violation" which it defined as "a reckless or repeated failure to make reasonable efforts to eliminate a known violation of a mandatory safety and health standard that proximately caused, or reasonably could have been expected to cause, death or serious bodily injury."

The provisions of the Federal Tort Claims Act are set forth in 28 U.S.C. Chapter 171 and section 1346(b).

CHAPTER 33

The criteria for determining how much of a civil penalty should be assessed for any particular violation are set forth in Mine Act Section 110(i), 30 U.S.C. § 820(i).

The viability of a claim for damages for a violation of a person's constitutional rights by federal government officials was established in the Supreme Court's decision in *Bivens v. Six Unknown Named Agents of Federal Bureau of Narcotics*, 403 U.S. 388 (1971).

The *Ayala* decision regarding the availability of a Federal Tort Claims Act remedy against MSHA for negligence in inspecting a coal mine is reported at *Ayala v. United States*, 49 F.3d 607 (10th Cir. 1995).

ACKNOWLEDGEMENTS

I owe much to others who helped me along my journey in creating this novel. Aside from my wife Judith whose contributions to the book were immeasurable, I want to thank my former colleagues at Crowell & Moring where I spent virtually my entire legal professional life and learned so much about law, litigation, and life, and especially those lawyers and staff in what we called successively over the years as it grew, the firm's "Mining Group," "Natural Resources Group," "Environment and Natural Resources Group," and finally its "Energy, Environment, and Natural Resources Group."

I also owe a great debt to the Mining industry and the miners whom I had the privilege to represent during my legal career, and whose hard work and courage have built and sustained America.

I want to thank my two sons, Ben and Sam, for their suggestions and feedback on the early drafts of the novel (especially their advice that I should focus less on the legal issues and more on the characters and action). My older son Ben, a talented artist and law professor, deserves special thanks for the impressive art work that adorns the book's front cover.

I want to thank both Tim McCrum, a former colleague at the law firm who reviewed an earlier draft of the novel and offered valuable comments and encouragement and his assistant Karen Parsons who, on her own time, graciously and gracefully helped me navigate the technical mysteries of the Word computer program in getting my words, paragraphs, and chapters properly formatted.

Finally, I owe thanks to: (1) mine safety and health professional Ralph Sanich who reviewed the draft manuscript for technical accuracy and spotted some typos along the way; (2) Mike McKown, a Renaissance Man of extraordinary literary sensibilities, though long serving as the General Counsel and Senior VP Law of the largest underground coal company in America, who took the time to review the draft and offer feedback; (3) Dave Lauriski, mine safety and health consultant and former Assistant Secretary of Labor for Mine Safety and Health, who also reviewed the draft and offered encouragement; and (4) Roscoe Howard, a former United States Attorney for the District of Columbia which represents federal agencies such as MSHA in investigations and prosecutions of violations of the laws of the United States, who took the time to review and comment on the finished manuscript despite his many responsibilities as the Managing Partner of the Washington, D.C. Office of Barnes and Thornburg, LLP, a major national law firm.

ABOUT THE AUTHOR

Tim Means has practiced law in Washington, D.C. since 1978, after getting his law degree and Masters in Public Administration, and stints as a social worker, divinity student, nurseryman, itinerant manual laborer, and as a research analyst and lobbyist for the county governments of Colorado. His entire legal career, launched at the Jones Day law firm and continued at Crowell & Moring when it split off from Jones Day, has been focused on Administrative Law, Litigation, and Regulatory Policy, primarily representing the mining industry, mine operators, and individual miners in occupational safety and health and environmental matters. He and his wife Judith live in Bethesda, Maryland, where they raised two sons.